1Q84

HARUKI MURAKAMI

LIVRO 1
abril – junho

TRADUÇÃO DO JAPONÊS
LICA HASHIMOTO

19ª REIMPRESSÃO

Copyright © 2009 by Haruki Murakami
Proibida a venda em Portugal

Grafia atualizada segundo o Acordo Ortográfico da Língua Portuguesa de 1990, que entrou em vigor no Brasil em 2009.

Título original
1Q84

Capa
Retina_78

Revisão
Tamara Sender
Ana Kronemberger
Ana Grillo

CIP-Brasil. Catalogação na fonte
Sindicato Nacional dos Editores de Livros, RJ

M944u

    Murakami, Haruki
        1Q84 : Livro 1 (abril-junho) / Haruki Murakami; tradução do japonês Lica Hashimoto. – 1ª ed. – Rio de Janeiro: Objetiva, 2012.
        432p.

        Tradução de: *1Q84*.
        ISBN 978-85-7962-277-9 (coleção)
        ISBN 978-85-7962-180-2

        1. Romance japonês. I. Hashimoto, Lica. II. Título.

12-5856
            CDD: 895.63
            CDU: 821.521-3

Todos os direitos desta edição reservados à
EDITORA SCHWARCZ S.A.
Praça Floriano, 19, sala 3001 — Cinelândia
20031-050 — Rio de Janeiro — RJ
Telefone: (21) 3993-7510
www.companhiadasletras.com.br
www.blogdacompanhia.com.br
facebook.com/editora.alfaguara
instagram.com/editora_alfaguara
twitter.com/alfaguara_br

It's a Barnum and Bailey world,
Just as phony as it can be,
But it wouldn't be make-believe
If you believed in me.

Eis o mundo do espetáculo
em que tudo é fantasia;
mas, se você acreditar em mim,
real ele se tornará.

"It's Only a Paper Moon"
BILLY ROSE e E.Y. "YIP" HARBURG

Sumário

1	AOMAME – Não se deixe enganar pelas aparências	9
2	TENGO – Uma ideia inusitada	24
3	AOMAME – Alguns fatos que teriam sido alterados	46
4	TENGO – Se é isso que você deseja...	63
5	AOMAME – Profissão que exige habilidade e preparo	82
6	TENGO – Será que vamos para muito longe?	97
7	AOMAME – Bem de mansinho para não acordar as borboletas	113
8	TENGO – Encontrar um desconhecido num local desconhecido	131
9	AOMAME – O cenário muda, as regras também	149
10	TENGO – Uma revolução de verdade com derramamento de sangue	163
11	AOMAME – O corpo é um santuário	185
12	TENGO – Venha a nós o Vosso Reino	203
13	AOMAME – Vítima por natureza	220
14	TENGO – Coisas que a maioria dos leitores nunca viu antes	240
15	AOMAME – Prender firmemente o balão com uma âncora	257
16	TENGO – Fico feliz que tenha gostado	278
17	AOMAME – Se somos felizes ou infelizes	295
18	TENGO – Não há mais vez para o Grande Irmão entrar em cena	317
19	AOMAME – Mulheres que compartilham um segredo	334
20	TENGO – Pobres guiliaks	349
21	AOMAME – Por mais longe que se queira ir	369
22	TENGO – O tempo flui de forma distorcida	383
23	AOMAME – Isto é apenas o começo	398
24	TENGO – Qual é o sentido de existir outro mundo?	414

1
Aomame
Não se deixe enganar pelas aparências

O rádio do táxi estava sintonizado em FM numa estação de música clássica. Tocava a *Sinfonietta* de Janáček. Aquela provavelmente não era uma das músicas mais apropriadas para se ouvir num táxi, em pleno congestionamento. O motorista também não parecia estar prestando muita atenção a ela. Como um experiente pescador que, de pé na proa de seu barco, pressente algo ruim ao observar o encontro das correntes marítimas, esse senhor de meia-idade olhava, em silêncio, a fileira de carros à sua frente. Aomame, confortavelmente recostada no banco de trás, escutava a música com os olhos levemente cerrados.

Quantas pessoas no mundo seriam capazes de identificar que aquela era a *Sinfonietta* de Janáček, ouvindo apenas os primeiros acordes? Provavelmente seriam entre "muito poucas" a "quase nenhuma". Por acaso, Aomame era uma delas.

Janáček compôs a pequena sinfonia em 1926. A princípio, a parte introdutória fora composta para servir de tema de fanfarra numa competição desportiva. Aomame pôs-se a imaginar a Tchecoslováquia de 1926. Com o fim da Primeira Guerra Mundial e, finalmente, livres do longo período de domínio dos Habsburgo, as pessoas se reuniam em cafés e desfrutavam a paz momentânea na Europa Central, bebendo cerveja Pilsen enquanto outras fabricavam as legítimas e gélidas metralhadoras. Dois anos antes, Franz Kafka deixara este mundo após uma vida de infortúnios. Em breve, Hitler surgiria do nada e, num piscar de olhos, assolaria aquele país pequenino e belo; mas o fato é que, naquele momento, ninguém sequer imaginava quão cruelmente seriam devorados. A única máxima que a História parece nos revelar, de suma importância, é que "naquela época, ninguém sabia o que estava para acontecer". Embalada pela música, Aomame imaginou uma delicada brisa deslizando sobre as planícies da Boêmia; imagem que a instigou a pensar nos rumos da História.

Em 1926, com a morte do Imperador Taishô, dava-se início ao período Shôwa. Mudança que também marcava o começo de uma era negra e sombria, prestes a assolar o Japão. Findava o breve interlúdio entre o modernismo e a democracia; e o fascismo começava a mostrar suas garras.

História — assim como Esporte — era um dos assuntos preferidos de Aomame. Romances, quase não os lia, mas, em compensação, procurava ler tudo que estivesse relacionado a História. O que a fascinava era constatar que todos os acontecimentos estavam intrinsecamente relacionados a datas e locais específicos. Memorizar datas históricas não era algo tão difícil para ela. Nunca precisou decorá-las, pois bastava contextualizar os acontecimentos para que as datas surgissem espontaneamente. Durante o ginásio e o colegial, Aomame sempre se destacara nas provas de história. E toda vez que alguém reclamava da dificuldade de memorizar datas, Aomame pensava indignada: "Por que será que não consegue aprender algo tão fácil?"

Aomame, ou "ervilha verde", era seu verdadeiro sobrenome. O avô paterno era da província de Fukushima e, nos vilarejos e cidadezinhas daquela região montanhosa, de fato, existiam pessoas com o mesmo sobrenome. Mas ela nunca chegou a conhecer o local. Antes mesmo de ela nascer, seu pai havia cortado relações com a família. Sua mãe fizera o mesmo. Razão pela qual Aomame não conhecia seus avós. Ela raramente viajava, mas, vez por outra, quando o fazia, tinha o hábito de folhear a lista telefônica do quarto do hotel para verificar se havia algum Aomame residente na região. No entanto, em todas as metrópoles e cidades em que esteve, nunca encontrou ninguém. Nessas ocasiões, ela se sentia totalmente só; solitária como um náufrago na vastidão do oceano.

Ter de dizer o sobrenome sempre fora um transtorno. Ao se apresentar, as pessoas lhe lançavam um olhar perplexo ou se mostravam hesitantes: "Aomame?" "Isso mesmo... Escreve-se 'ao', de *aoi*, verde; e 'mame', de ervilha; e se lê 'Aomame', ervilha verde." Sem contar que, na época em que trabalhava numa empresa e precisava ter o cartão de visita sempre à mão, os aborrecimentos também não eram poucos. Tão logo mostrava o cartão de visita, a pessoa detinha-se a olhá-lo demoradamente. Era como se acabasse de receber uma carta inesperada com notícias desagradáveis. De vez em quando, ao atender uma ligação e se identificar, costumava ouvir risadinhas do outro lado da linha. Quando a chamavam nas salas de espera de repartições públicas ou hospitais, os demais logo olhavam para ela, curiosos em saber como seria a cara de uma Aomame: a cara da sra. Ervilha Verde.

Às vezes, as pessoas erravam seu nome e a chamavam de sra. Edamame, "soja". Isso quando não a chamavam de Soramame, "fava". Nessas ocasiões, ela corrigia: "Não é Edamame (ou Soramame), é Aomame. É quase tudo a mesma coisa, mas..." A pessoa, constrangida, pedia desculpas e, com um sorriso sem graça, comentava: "Puxa... Que sobrenome diferente!" Ela já havia perdido a conta de quantas vezes tivera de escutar a mesma ladainha nesses seus trinta anos de existência. Igualmente, perdeu a conta de quantas vezes seu sobrenome fora alvo de piadinhas infames. Se não tivesse nascido com ele, sua vida hoje poderia ser bem diferente. Se seu sobrenome fosse daqueles bem comuns, como Satô, Tanaka ou Suzuki, quem sabe sua vida teria sido bem menos estressante e ela seria hoje uma pessoa bem mais condescendente com o mundo. Quem sabe...

Aomame apreciava a música com os olhos fechados, deixando-se envolver pelos belíssimos acordes em uníssono dos instrumentos de sopro. Foi quando, de repente, ocorreu-lhe que a qualidade do som era boa demais para um táxi. O som tinha densidade, e a harmonia dos instrumentos era nítida, a despeito de o volume estar baixo. Foi então que ela abriu os olhos e resolveu se debruçar para olhar o aparelho de som no painel. Era todo preto, suntuosamente reluzente. E, apesar de não conseguir ver a marca, reconheceu, de imediato, que era de primeira linha. Havia diversos botões distribuídos no painel onde números verdes se destacavam com elegante luminosidade. Era, sem dúvida, um aparelho de última geração. Um taxista de frota jamais instalaria um equipamento de som tão sofisticado.

Aomame pôs-se a observar atentamente o interior do veículo. E, ainda que não tivesse reparado antes — de tão envolvida em mil pensamentos —, agora se dava conta de que, realmente, não se tratava de um táxi comum. O acabamento interno era de boa qualidade, e o assento muito confortável. O que mais chamava a atenção era o fato de o carro ser silencioso. O isolamento acústico bloqueava praticamente todo o ruído externo. Era como estar num estúdio à prova de som. Devia ser um táxi particular, pois, dentre os autônomos, alguns realmente não se importavam em gastar com o carro. Movendo discretamente os olhos, Aomame procurou o registro do veículo, mas não o encontrou. O táxi, porém, não parecia ser clandestino. O taxímetro era oficial e marcava corretamente o preço: 2.150 ienes. O único problema era não encontrar o registro com o nome do motorista.

— Que carro ótimo! É bem silencioso... — comentou Aomame, do banco de trás. — Como se chama este carro?

— É o Crown Royal Saloon, da Toyota — a resposta do motorista foi sucinta.

— O som é muito bom.

— É um carro silencioso. Foi um dos motivos que me fizeram ficar com ele. A tecnologia de isolamento acústico da Toyota é uma das melhores do mundo.

Aomame concordou e, novamente, se recostou no assento. O jeito de o motorista falar a incomodava. Era como se ele sempre deixasse algo muito importante por dizer. Por exemplo (e esse é apenas um exemplo), era como se ele dissesse que não tinha nenhuma reclamação quanto ao isolamento acústico dos carros da Toyota, mas deixava implícito que outros quesitos ainda tinham *algo* a ser melhorado. Quando ele falava, pairava no ar uma pequenina mas significativa massa de silêncio. Massa silenciosa a flutuar como uma minúscula nuvem imaginária no interior do carro. E isso a deixava incomodada.

— Realmente. É silencioso — disse Aomame, como que para afugentar essa pequenina nuvem. — O aparelho de som parece ser de ótima qualidade!

— Tive de criar coragem na hora de comprá-lo — disse o motorista. Ele falava como um oficial aposentado do Estado-Maior comentando sobre as estratégias de guerra do passado. — Como passo muitas horas dentro do carro, quero ouvir um bom som e...

Aomame aguardou a continuação da conversa. Mas a espera foi em vão. Ela novamente fechou os olhos para apreciar a música. Aomame não tinha nenhuma ideia de como teria sido Janáček pessoalmente, mas de uma coisa ela sabia: ele nunca imaginou que em 1984 alguém escutaria sua música em Tóquio, dentro de um silencioso Toyota Crown Royal Saloon, em plena via expressa totalmente congestionada.

Mas o mais incrível era o fato de Aomame saber prontamente que a música era a *Sinfonietta* de Janáček, e que havia sido composta em 1926. Ela nunca fora muito fã de música clássica e, tampouco, tinha alguma lembrança pessoal relacionada a Janáček. Mesmo assim, bastou ouvir os acordes iniciais para que inúmeros conhecimentos surgissem espontaneamente. Era como uma revoada de pássaros a adentrar pela janela aberta de um quarto. A música também provocava em Aomame uma estranha sensação, como se estivesse sendo *retorcida*. Sem dor, sem sofrimento. Uma sensação única, como se seu corpo estivesse sendo espremido lenta e firmemente. Aomame não sabia o que estava acontecendo. Será que a *Sinfonietta* é que provocava essa sensação estranha?

— Janáček — disse Aomame, espontaneamente. E logo se arrependeu de tê-lo dito.

— O que disse?

— Janáček. Foi quem compôs essa música.

— Nunca ouvi falar.

— É um compositor tcheco — disse Aomame.

— Ah é? — exclamou o motorista, parecendo admirado.

— O táxi é seu? — perguntou Aomame para mudar de assunto.

— É sim — respondeu o motorista e, um tempo depois, comentou: — Sou autônomo e este é o meu segundo carro.

— É muito confortável!

— Muito obrigado. A propósito... — indagou o motorista, virando um pouco a cabeça para o lado em que ela estava: — Está com pressa?

— Tenho um compromisso em Shibuya. Foi por isso que pedi para o senhor pegar a via expressa.

— A que horas é o encontro?

— Quatro e meia — respondeu Aomame.

— Agora são três e quarenta e cinco. Creio que não chegaremos a tempo.

— O congestionamento está tão ruim assim?

— Parece que houve um acidente grave lá na frente. Esse congestionamento não é normal. Já faz um bom tempo que estamos aqui, praticamente sem sair do lugar.

Aomame achou estranho o motorista ainda não ter procurado se informar sobre o trânsito pelo rádio. Normalmente, quando ocorre algum congestionamento que trava a via expressa, os taxistas costumam sintonizar a rádio numa frequência especial para obterem informações sobre o ocorrido.

— Dá para saber, mesmo sem ouvir as informações do trânsito? — perguntou Aomame.

— Não se pode confiar nessas informações — respondeu o motorista, num tom de voz imparcial. — Metade do que dizem é mentira. As concessionárias que administram essas rodovias públicas só informam o que lhes convêm. O único jeito de saber o que realmente está acontecendo é ver com os próprios olhos e tirar suas conclusões.

— Então, pelas suas conclusões, este congestionamento não vai melhorar tão cedo.

— Tão cedo, acho difícil — disse o motorista, meneando calmamente a cabeça, de modo afirmativo. — Isso eu posso garantir. A via expressa, quando está desse jeito, fica um inferno. E... esse seu compromisso é muito importante?

Aomame pensou um pouco antes de responder:

— É. E muito. Vou me encontrar com um cliente.

— Sinto muito, mas acho que você não vai conseguir chegar a tempo.

Dito isso, o motorista movimentou lentamente a cabeça como que para relaxar a *rigidez* dos músculos. As rugas detrás do pescoço mexiam como se fossem seres pré-históricos. Enquanto Aomame observava as rugas em movimento, de súbito, lembrou-se de que, no fundo de sua bolsa, havia um objeto extremamente pontiagudo. As palmas de suas mãos começaram a transpirar.

— Se é assim, o que o senhor acha que devo fazer?

— Não há o que fazer. Estamos numa via expressa e, até chegarmos à próxima saída, não tem jeito. Se estivéssemos numa via comum, bastaria descer do carro e pegar o trem na estação mais próxima.

— E onde é a próxima saída?

— É em Ikejiri, mas acho que só chegaremos lá de noite.

"De noite?", inquietou-se Aomame, ao imaginar que ficaria presa no táxi até o anoitecer. A música de Janáček continuava a tocar. Os instrumentos de corda, em surdina, surgiam em primeiro plano como que para acalmar os ânimos exaltados. Aquela estranha sensação de estar sendo espremida já não era tão intensa como antes. O que será que aconteceu?

Aomame pegara o táxi nas proximidades de Kinuta e, de Yôga, pedira para o motorista pegar a Rota 3 da via expressa. No começo, o tráfego fluía normalmente, mas, nas proximidades da Sangenjaya, de repente, a pista tinha começado a ficar congestionada e o trânsito travou. Enquanto a expressa no sentido bairro fluía bem, no sentido oposto o congestionamento era monstruoso. Normalmente, a via expressa no sentido centro, após as três da tarde, não costumava parar. Razão pela qual Aomame havia pedido que o motorista fosse por ela.

— Na via expressa, a tarifa não é cobrada pelo tempo — disse o motorista, olhando o espelho retrovisor. — Por isso, não se preocupe com isso. O problema é você se atrasar para o compromisso, não é?

— Realmente, não vai ser bom; mas não tem outro jeito, tem?

O motorista olhou de relance o rosto de Aomame moldado pelo espelho retrovisor. Ele usava óculos de sol, as lentes levemente escurecidas. De onde ela estava, a luminosidade não permitia que visse a expressão dele.

— Talvez exista um jeito. Digamos que é uma saída emergencial para você pegar o trem até Shibuya.

— Saída emergencial?

— Não é muito comum.

Aomame aguardou a continuação da conversa com expectativa no olhar.

— Você está vendo lá na frente um espaço reservado para o acostamento? — perguntou o motorista apontando naquela direção.

— É bem na altura daquela placa enorme da Esso.

Ao olhar atentamente, Aomame viu que do lado esquerdo da pista dupla havia um local reservado para os carros enguiçados. Como não existem acostamentos ao longo das vias expressas, determinados locais são reservados para encostar carros numa eventual emergência. Ali estão instaladas cabines amarelas com telefones de emergência para falar com o escritório da Companhia Metropolitana do Sistema Viário. Naquele momento, não havia nenhum carro no local. Em cima do prédio que ficava rente à pista oposta havia um outdoor enorme com a propaganda da Esso: um tigre sorridente segurando o bico da bomba de combustível.

— Lá existe uma escada para que os motoristas possam abandonar os carros e descer do viaduto em casos de incêndio ou terremoto. Mas, geralmente, são os operários que fazem a manutenção da via que costumam utilizá-la. Se você descer a escada, vai estar bem próxima da estação onde passa a linha Tokkyû. Pegando o metrô, estará em Shibuya num piscar de olhos.

— Eu não sabia que havia uma escada de emergência na via expressa — disse Aomame.

— Em geral, quase ninguém sabe.

— Mas... se eu usar a escada sem ser em caso de emergência, não vai dar problema?

O motorista fez uma pausa antes de responder.

— Será? Não conheço muito bem o regulamento dessas empresas públicas de trânsito, mas acho que eles fariam vista grossa; você não estaria prejudicando ninguém. E acho difícil ter alguém vigiando o local. Afinal, todo mundo sabe que, apesar de ser grande o contingente de funcionários, são poucos os que realmente trabalham.

— Como é essa escada?

— Bem, ela se parece com aquelas escadas de emergência utilizadas em casos de incêndio. Aquelas que se veem nos prédios antigos do lado de fora. Não é perigosa. A escada tem a altura de um prédio de dois andares e é relativamente fácil descer por ela. Logo na entrada há uma cerca, não muito alta, que não será difícil pular.

— O senhor já precisou usar essa escada?

Não houve resposta. O motorista apenas esboçava um sorriso que Aomame viu através do espelho retrovisor. Um sorriso que dava margem a inúmeras interpretações.

— A decisão é sua — disse o motorista, batendo as pontas dos dedos no volante, ao ritmo da música. — Se você quiser ficar sentada ouvindo tranquilamente música em um bom aparelho de som, por mim tudo bem. Nesse caso, só nos resta nos conformar, pois, seja como for, não iremos a lugar algum. Mas, se você tem um compromisso urgente, há de convir que *existe* uma alternativa, ainda que emergencial.

Aomame contraiu levemente o rosto, olhou o relógio de pulso e os carros ao redor. À direita havia uma Mitsubishi Pajero preta, coberta por uma fina camada de poeira esbranquiçada. No banco do acompanhante, um rapaz fumava um cigarro com a janela aberta, com ares de entediado. Seus cabelos eram compridos, tinha a pele bronzeada e vestia uma jaqueta carmesim. No bagageiro havia várias pranchas de surfe usadas e sujas. Na frente desse carro havia um Saab 900 cinza. As janelas com películas estavam totalmente fechadas e, de fora, não se enxergavam as pessoas em seu interior. A carroceria estava tão polida que daria para ver seu rosto refletido nela.

Na frente do táxi em que Aomame estava, havia um Suzuki Alto vermelho, com a traseira levemente amassada e a placa de Nerima. Uma jovem mãe estava ao volante. A criança, aborrecida, andava sobre o banco de trás, de um lado para o outro. A mãe, parecendo irritada, chamava-lhe a atenção. Os movimentos labiais podiam ser lidos através dos vidros. O cenário era o mesmo de dez minutos atrás. Nesses dez minutos, os carros não tinham avançado sequer dez metros.

Aomame pensou um pouco. Organizou mentalmente suas prioridades e chegou a uma conclusão. Como se acompanhasse sua decisão, a música de Janáček passou ao último movimento.

Com as prioridades devidamente estabelecidas, Aomame tirou de sua bolsa os óculos de sol Ray-Ban e os colocou. Depois, pegou três notas de mil ienes da carteira e as entregou ao motorista:

— Vou descer aqui. Não posso me atrasar — disse ela.

O motorista concordou e, ao receber o dinheiro, perguntou:
— A senhora precisa de recibo?
— Não. Pode ficar com o troco — respondeu Aomame.
O motorista agradeceu:
— Muito obrigado. Ao descer as escadas, cuidado para não escorregar. O vento está forte.
— Tomarei cuidado — disse Aomame.
— E... — com o rosto voltado para o retrovisor, o motorista disse: — Nunca se esqueça de que as coisas não são o que aparentam ser.

"As coisas não são o que aparentam ser", Aomame repetiu a frase mentalmente. Franzindo levemente as sobrancelhas, indagou:
— O que isso quer dizer?

O motorista respondeu escolhendo cuidadosamente as palavras:
— Convenhamos que isso que você vai fazer *não é algo comum*, não é verdade? Uma pessoa comum jamais desceria a escada de emergência de uma via expressa em plena luz do dia. Ainda mais sendo mulher.
— Tem razão — concordou Aomame.
— Quando se faz algo incomum, as cenas cotidianas se tornam... Digamos que se tornam ligeiramente diferentes do normal. Isso já aconteceu comigo. Mas não se deixe enganar pelas aparências. A realidade é sempre única.

Aomame pensou no que o motorista lhe disse. Enquanto refletia, a música de Janáček chegava ao fim com uma acalorada e ininterrupta salva de palmas da plateia. A rádio transmitia a gravação ao vivo de um concerto. Por um longo tempo, aplausos reverberaram entusiásticos com intercalados gritos efusivos de "Bravo!". Aomame imaginou o maestro sorrindo, curvando-se várias vezes diante de toda uma plateia em pé. Ele segue cumprimentando o primeiro violino com um aperto de mão para, em seguida, com os braços erguidos, aplaudir os demais membros da orquestra; e, por fim, voltar-se à plateia curvando-se demoradamente em reverência. Ao ouvir atentamente os aplausos durante um certo tempo, eles passaram a soar como uma ininterrupta tempestade de areia em Marte.

— A realidade é sempre única — reiterou o motorista, desta vez pausadamente, como que sublinhando algum trecho importante de um texto.

— Tem razão — concordou Aomame. Isso mesmo. Um objeto só pode estar num determinado espaço e num determinado tempo. Albert Einstein provou isso. A realidade é sempre objetiva e indubitavelmente única. Aomame apontou para o estéreo do carro e disse: — Muito bom esse seu som.

O motorista concordou e perguntou:

— Como era mesmo o nome do compositor?

— Janáček.

— Janáček — repetiu o motorista como se memorizasse uma senha importante para, em seguida, destravar a porta automática do banco de trás. — Tenha cuidado. Espero que consiga chegar a tempo.

Aomame desceu do carro segurando sua grande bolsa de couro e, no rádio, os aplausos continuavam ininterruptos. Ela caminhou cuidadosamente pelo canto da via expressa em direção à saída de emergência, uns dez metros à frente. Toda vez que um caminhão grande passava no outro lado da pista o chão parecia tremer debaixo de seus sapatos de salto alto. Tremor que na verdade mais parecia uma ondulação. Era como andar na superfície de um porta-aviões, sobre ondas enfurecidas.

Do banco do passageiro, a garotinha do Suzuki Alto vermelho, com o rosto para fora da janela, olhava boquiaberta para Aomame. Voltando-se para a mãe, perguntou: — Olha lá... O que aquela mulher está fazendo? Aonde ela vai? Também quero andar lá fora. Viu mãe, quero sair. Viu mãe... — a garotinha exigia e insistia aos berros para que a mãe a deixasse sair do carro. A mãe apenas se limitou a balançar a cabeça negativamente para, em seguida, lançar um rápido olhar de censura a Aomame. No entanto, esta foi a única voz e a única reação percebida naqueles arredores. Os demais motoristas apenas fumavam e, como a observar algo ofuscante, acompanhavam, com as sobrancelhas levemente franzidas, os passos firmes de Aomame caminhando no vão entre os carros e a mureta. Eles pareciam ter suspendido temporariamente o exercício do raciocínio. Não era comum ver alguém andar pela via expressa com os carros parados. E assimilar essa cena inusitada no cotidiano era algo que levava um certo tempo para se aceitar como real. Ainda mais por se tratar de uma jovem de minissaia e salto alto.

Aomame caminhou com os passos firmes, a postura ereta, o queixo retraído, os olhos atentos à frente, sentindo na pele uma enxurrada de olhares sobre ela. Os saltos de seu Charles Jourdan castanho pisavam firmemente no pavimento ressoando batidas secas, e o vento se incumbia de agitar as abas de seu casaco. Era abril, mas os ventos ainda gelados traziam consigo um pressentimento hostil. Ela vestia um casaco de meia-estação bege sobre o conjunto de blazer e saia verde, de tecido fino de lã, da Junko Shimada, e carregava uma bolsa de alça de couro preta. Seus cabelos na altura do ombro tinham um belo corte e eram bem-cuidados. Não usava nenhum tipo de acessório ou algo parecido. Tinha um metro e sessenta e oito de altura, músculos firmes, nenhum excesso de gordura, mas essa parte do corpo o casaco não deixava revelar.

Ao observar atentamente o seu rosto, notava-se que o formato e o tamanho de sua orelha direita eram consideravelmente diferentes dos da esquerda. Além de a orelha esquerda ser bem maior que a direita, era também disforme. Normalmente ninguém notava essa diferença oculta pelos cabelos. Seus lábios, quando cerrados, desenhavam uma linha reta que lhe conferia um ar pouco expansivo. E o nariz pequeno e fino, as bochechas salientes, a testa larga, as sobrancelhas longas e retas reforçavam ainda mais esse tipo de personalidade antissocial. Seu rosto era mais para oval. Gostos à parte, ela podia ser considerada bonita. O único porém era a extrema inexpressividade de seu rosto. Seus lábios cerrados eram incapazes de esboçar um sorriso, a não ser em casos estritamente necessários. Seu olhar, como o de um exímio vigia de convés, era friamente indolente. E, sendo assim, seu rosto nunca causava uma boa impressão às pessoas. Nem sempre o que chama a atenção e atrai as pessoas é o fato de a fisionomia ser bela ou feia, mas a naturalidade e o refinamento com que a pessoa sabe se expressar.

A maioria das pessoas não conseguia gravar as feições de seu rosto. Bastava desviar os olhos dela para não serem mais capazes de descrevê-lo. Digamos que, apesar de seu rosto possuir características singulares, estas, por incrível que pareça, nunca eram memorizadas. Nesse sentido, ela era como um inseto que habilmente mimetiza o ambiente. E conseguir se camuflar, mudando de cor e de formato, e, ainda, não chamar a atenção e ser uma pessoa difícil de ser lembrada era, de fato, o que Aomame mais desejava. Desde pequena, era o seu jeito de se proteger.

No entanto, quando algo a desagradava, o semblante até então apático sofria uma radical transformação. Notava-se uma drástica contração dos músculos faciais a destacar exageradamente a assimetria entre o lado direito e o esquerdo de seu rosto, um rosto que se deixava frisar por rugas bem acentuadas, olhos afundados, nariz e boca embrutecidos e tortos, queixo repuxado para um dos lados e lábios arreganhados, deixando à mostra dentes grandes e brancos. De uma hora para outra, como se a corda da máscara arrebentasse, ela se transformava em outra pessoa. Os que presenciavam essa mudança ficavam aterrorizados com tão pavorosa metamorfose. O medo que eles expressavam era como o de alguém que, para fugir de algo assustador, se vê impelido a pular num abismo profundo. Por isso, diante de desconhecidos, ela se policiava para não fechar a cara. As únicas ocasiões em que ela se deixava ficar desse jeito era quando estava sozinha ou precisava afugentar algum homem inconveniente.

Ao chegar no trecho de acostamento, Aomame olhou ao redor procurando a escada. Logo a encontrou. Assim como o motorista a precavera, logo na entrada havia um portão trancado e uma cerca de ferro da altura da cintura. Pular a cerca de minissaia era um pouco inconveniente, mas, desde que não se importasse com os olhares alheios, não era tão difícil. Sem titubear, tirou os sapatos e os guardou dentro da bolsa. Andar descalça certamente estragaria suas meias finas, mas isso era o de menos, depois poderia comprar outras.

As pessoas, em silêncio, observaram Aomame tirar os sapatos e, em seguida, o casaco. Da janela aberta de um Toyota Celica preto, parado bem à sua frente, a voz aguda de Michael Jackson soava como música de fundo: *Billie Jean*. Ela se imaginou num palco de striptease. "Tudo bem. Olhem à vontade. Vocês devem estar entediados com esse congestionamento, não é? Mas, senhoras e senhores, saibam que não vou tirar mais nada. Por hoje, somente os sapatos e o casaco. Sinto muito", pensou.

Aomame colocou a bolsa a tiracolo para evitar que caísse. O novíssimo Toyota Crown Royal Saloon em que ela estivera momentos antes permanecia a uma certa distância. Com o reflexo da luz do entardecer, o para-brisa reluzia ofuscante como um espelho, impossibilitando-a de ver o rosto do motorista. No entanto, ela tinha certeza de que ele a observava.

Não se deixe enganar pelas aparências. A realidade é sempre única.

Aomame inspirou e expirou o ar profundamente. E, ao som de *Billie Jean*, pulou a cerca de ferro. A minissaia subiu quase até a cintura. "E eu com isso", pensou. "Se vocês querem ver, vejam à vontade. Isso não significa que conseguirão ver quem eu sou." Além disso, suas belas pernas esguias eram a parte do seu corpo de que mais se orgulhava.

Assim que pulou a cerca, Aomame ajeitou a minissaia, bateu as mãos para limpar a poeira, vestiu novamente o casaco e ajeitou a bolsa. Por fim, apertou a ponte dos óculos de sol contra a base do nariz. A escada de emergência estava diante de seus olhos. Era de ferro e pintada de cinza. Uma escada que atendia às características de simplicidade, praticidade e funcionalidade. Não era uma escada apropriada para uma mulher descalça, de meia-calça fina e minissaia. Junko Shimada certamente não havia desenhado aquele conjunto de blazer e minissaia imaginando que seria usado nas escadas de emergência da Rota 3 de uma via expressa. Um caminhão de grande porte passou do outro lado da pista fazendo balançar a escada, e o vento assobiava ao passar por entre os vãos da armação de ferro. Enfim, a escada estava diante de seus olhos. Agora era só uma questão de descê-la.

Porém, antes de descer, Aomame virou-se para dar uma última olhada na interminável fila de carros — da esquerda para a direita e da direita para a esquerda — com a postura de quem acabou de proferir uma palestra e aguardava em pé, no palco, as perguntas da plateia. Os carros continuavam na mesma posição como que estacionados. As pessoas, confinadas ali e sem terem o que fazer, apenas a observavam, curiosas, possivelmente indagando o que aquela garota afinal estaria fazendo. Do outro lado da cerca, olhares que mesclavam curiosidade, desinteresse, inveja e desprezo convergiam em sua direção. Os sentimentos dessas pessoas oscilavam como uma balança instável, impossibilitados de pender para um único lado. Um silêncio pesaroso pairava no ar. Ninguém ergueu o braço para fazer perguntas (e, mesmo que alguém as fizesse, Aomame não tinha intenção de respondê-las). Elas aguardavam em silêncio uma oportunidade que jamais teriam. Aomame contraiu um pouco o queixo, mordeu o lábio inferior e, através das lentes verde-escuras dos óculos, lançou um rápido olhar ao redor. "Com certeza eles nem imaginam quem sou, para onde vou e o que pretendo fazer", pensou ela, sem mover os lábios. "Vocês estão presos aqui, impossibilitados de ir para qualquer lugar. Não podem avançar nem sequer voltar atrás. Mas eu não. Tenho um trabalho a fazer. Uma missão a cumprir. Por isso, peço licença a todos para seguir em frente."

Por fim, sua vontade era de fechar a cara para os que ali estavam, mas tentou controlar o ímpeto. Não tinha tempo a perder. E, uma vez de cara fechada, demorava muito para que voltasse ao normal.

Aomame ficou de costas para os espectadores silenciosos e, sentindo a rugosidade e a frieza do ferro na planta dos pés, começou a descer as escadas de emergência com passos cautelosos. Os ventos gelados do início de abril balançavam seus cabelos e, de vez em quando, deixavam à mostra sua orelha esquerda assimétrica.

2
Tengo
Uma ideia inusitada

A primeira lembrança de Tengo era de quando tinha um ano e meio de idade. Sua mãe tirava a blusa, soltava as alças da camisola branca, e um homem, que não era seu pai, chupava os bicos de seus seios. No berço, um bebê, que possivelmente era o próprio Tengo, observava a si mesmo como uma terceira pessoa. Ou seria aquele outro um irmão gêmeo? Não. Não era. O bebê do berço só poderia ser Tengo com um ano e meio. Ele sabia disso, ainda que intuitivamente. O bebê dormia com um leve ressonar. Essa era a primeira lembrança que Tengo tinha de sua vida. Uma cena de dez segundos nitidamente gravada na tela de sua consciência. Não havia antes nem depois. Era uma lembrança única e isolada, como um campanário que desponta das águas turvas após uma grande inundação na cidade.

Toda vez que surgia uma oportunidade, Tengo perguntava às pessoas com quem conversava qual era a primeira lembrança delas, e quantos anos tinham nessa época. A maioria respondia que tinha de quatro a cinco anos. Quando muito, três. Não encontrou ninguém que dissesse recordar de algo com menos idade. Dizem que somente a partir dos três anos é que uma criança consegue discernir uma situação que ela presencia. Antes, todas as cenas que passam diante de seus olhos são caóticas e incompreensíveis: o mundo é como uma papa de arroz, sem estrutura óssea, difícil de pegar. As cenas passam como que do lado de fora da janela, sem que a mente as registre.

Nesse sentido, era de supor que um bebê de um ano e meio fosse incapaz de entender a cena de um homem, que não era seu pai, chupando os seios de sua mãe. Isso era óbvio. Portanto, caso a lembrança fosse fidedigna, possivelmente era porque Tengo a gravara em suas retinas sem julgá-la, como a película de uma câmera que registra mecanicamente amálgamas de luz e sombras do objeto. E, na medida em que sua consciência foi se desenvolvendo, aquela cena, até então enquadrada e conservada, foi sendo submetida à análise e, gradativamente, sentidos foram-lhe sendo agregados. Mas... Será realmente possível? Será que o cérebro de um bebê realmente é capaz de registrar e guardar imagens como aquela?

Ou será que isso era apenas uma falsa lembrança? Uma invenção que sua consciência criou aleatoriamente, motivada por um suposto objetivo ou artimanha? Invenção da memória: uma possibilidade que Tengo considerou, e muito. Mas, por fim, concluiu que aquilo não era fruto de sua imaginação. A lembrança era intensamente nítida e de forte apelo persuasivo, longe de ser uma mera invenção. Nela havia luz, cheiro, palpitação... Tudo muito real, impossível que fosse falso. Mesmo porque, ao considerar a lembrança verdadeira, muitas coisas faziam sentido tanto no nível racional quanto no emocional.

Essa nítida imagem, de cerca de dez segundos, surgia de repente — sem se anunciar, sem aviso prévio, sem hesitação e sem bater na porta —, não importava onde Tengo estivesse: no trem, escrevendo equações na lousa, durante as refeições ou até mesmo conversando com alguém (como era o caso, agora). Ela surgia como um devastador e silencioso tsunami. Quando Tengo se dava conta, lá estava ela — bem diante dele —, provocando imediato formigamento em seus braços e pernas. Por instantes, o tempo parava. O ar se tornava rarefeito, dificultando a respiração. As pessoas e as coisas ao seu redor desvinculavam-se dele. Uma parede líquida tragava seu corpo. Mas, ainda que sentisse o mundo se fechar em breu, sua consciência não chegava a desfalecer. Era como mudar a posição das agulhas dos trilhos de uma linha férrea. Os sentidos ficavam parcialmente mais aguçados. Não sentia medo. Embora não conseguisse manter os olhos abertos. As pálpebras ficavam pesadamente cerradas. Os sons em seu entorno também soavam distantes. E essa imagem que lhe era tão habitual projetava-se inúmeras vezes em sua tela mental. Seu corpo começava a transpirar. Sob a camisa, sentia o suor brotar nas axilas. O corpo dava leves tremeliques. Os batimentos cardíacos aceleravam, provocando intensa palpitação.

Quando estava com alguém, Tengo fingia estar com vertigens. De fato, os sintomas eram semelhantes, e era só uma questão de tempo para seu estado voltar ao normal. Nessas ocasiões, ele tirava o lenço do bolso e, levando-o à boca, mantinha-se quieto. Para tranquilizar quem o acompanhava, costumava levantar a mão sinalizando que estava tudo bem. Às vezes, passava em trinta segundos; em outras, levava pouco mais de um minuto. Durante esse tempo, a mesma imagem se repetia várias e várias vezes de modo automático, como se a tecla de repetição do videocassete estivesse acionada: sua mãe soltava a alça da camisola e um homem chupava seus bicos empinados. Ela fechava os olhos e ofegava em longos suspiros. Um tênue cheiro nostálgico de leite materno pairava no ar. O olfato é o órgão mais desenvolvido do bebê. Ensinava-lhe muita coisa. Em certas ocasiões o olfato é que lhe ensinava tudo. Não se ouvia nenhum som. O ar se transformava num líquido pastoso. A única coisa que parecia audível eram as suaves batidas de seu coração.

"Veja isso", os dois lhe diziam. "Veja *somente* isso", eles lhe diziam. "Você está aqui e não tem para onde ir", diziam eles. Mensagem que se repetia várias e várias vezes.

Desta vez, o "ataque" demorou a passar. Tengo mantinha os olhos fechados e, como de costume, segurava o lenço sobre a boca mordendo-o com força. Ele não saberia dizer quanto tempo durou. O único jeito de sabê-lo era por meio da exaustão física que sentia após o ataque. Seu corpo estava muito fatigado. Era a primeira vez que sentia tamanha exaustão. Levou tempo até poder abrir novamente os olhos. Os sentidos queriam despertar o quanto antes, mas seus músculos e órgãos ofereciam resistência. Ele se sentia como um animal em hibernação que, confundindo a estação, despertara antes do previsto.

— Ei... Tengo! — alguém o chamava havia algum tempo. Era uma voz que parecia vir das profundezas de uma caverna. Foi quando se lembrou de que esse era o seu nome. — O que aconteceu? É aquilo de novo? Está tudo bem? — perguntava a voz. Desta vez, ela parecia mais próxima.

Tengo finalmente abriu os olhos e os fixou em sua mão direita, agarrada à borda da mesa. Certificou-se de que o mundo não havia se desintegrado e que ele continuava a ser ele mesmo. Ainda sentia uma certa dormência, mas, com certeza, aquilo que via era realmente a sua mão direita. Também sentiu cheiro de suor. Era um odor estranhamente selvagem, como aquele que sentimos em frente à jaula dos animais no zoológico. No entanto, não havia nenhuma dúvida de que o odor era seu.

Sentiu sede. Esticou o braço, pegou o copo sobre a mesa e tomou metade da água, cuidando para não derramá-la. Descansou um pouco para retomar a respiração e, em seguida, bebeu o restante da água. Foi recobrando a consciência e, gradativamente, reanimando os sentidos. Colocou o copo de volta na mesa e enxugou a boca com o lenço.

— Desculpe-me. Já estou melhor — disse Tengo. Em seguida, assegurou-se de que Komatsu era quem se sentava à sua frente. Os dois estavam conversando numa cafeteria nas adjacências da estação Shinjuku. As vozes ao redor voltaram a soar como de costume. Um casal sentado na mesa ao lado o olhava, indagando entre eles o que teria acontecido. A garçonete estava em pé, ao lado da mesa, parecendo apreensiva. Possivelmente temerosa de que ele vomitasse no assento. Tengo ergueu o rosto e sorriu para ela, na tentativa de acalmá-la.

— Por acaso isso é algum tipo de ataque? — perguntou Komatsu.

— Não é nada grave. É como uma vertigem. Se bem que um pouco mais intensa... — explicou Tengo. Sua voz não soava como sua, mas já estava bem parecida.

— Se isso acontecer quando estiver dirigindo, é um perigo — disse Komatsu, olhando para Tengo.

— Eu não dirijo.

— É melhor. Um amigo meu, que é alérgico a pólen de cedros, começou a espirrar enquanto dirigia e acabou batendo no poste. Mas, no seu caso, não se trata de espirros. Na primeira vez que te vi assim, confesso que fiquei assustado, mas, como é a segunda vez, a gente já não se assusta tanto.

— Sinto muito.

Tengo pegou a xícara de café e tomou um gole. Não sentiu gosto de nada. Era como engolir um líquido morno.

— Quer que eu peça mais água? — perguntou Komatsu.

Tengo recusou:

— Não, não precisa. Já estou melhor.

Komatsu tirou do bolso do blazer um maço de Marlboro e acendeu um cigarro com os fósforos da cafeteria. Depois, lançou um rápido olhar ao seu relógio de pulso.

— O que é que estávamos conversando mesmo? — perguntou Tengo, numa tentativa de retomar o assunto.

— Hum... Do que é que estávamos falando? — disse Komatsu, olhando para o vazio enquanto tentava se lembrar. Ou talvez estivesse apenas fingindo tentar. Tengo não saberia dizer. Os gestos e a fala de Komatsu tinham uma certa dose de encenação. — Ah! Já sei. Falávamos sobre a garota chamada Fukaeri e da *Crisálida de ar*.

Tengo concordou, balançando afirmativamente a cabeça. Conversavam sobre Fukaeri e a *Crisálida de ar*. Tengo começara a falar disso com Komatsu quando, de repente, sofrera o "ataque" e tivera de interromper a conversa. Tengo tirou da maleta um calhamaço — uma cópia do texto — e deixou-o sobre a mesa. Em seguida, colocou as mãos sobre os papéis para sentir, através do toque, a certeza de que tudo estava ali.

— Como já te falei rapidamente pelo telefone, o principal mérito da *Crisálida de ar* é o fato de ela não imitar ninguém. E é muito raro na obra de uma novata não encontrar trechos com a pretensão de *querer ser como alguém* — disse Tengo, escolhendo cuidadosamente as palavras. — É claro que as frases estão mal-elaboradas e o vocabulário é infantil. A começar pelo título, em que ela confunde *crisálida* e *casulo*. Se o intuito fosse o de apontar os defeitos, a lista seria enorme. Mas o fato é que essa história possui algo que nos encanta. O enredo em si é fantasioso, mas os detalhes são descritos de maneira extremamente objetiva. O equilíbrio entre fantasia e realidade é muito bom. Não sei se o termo mais adequado para isso seria originalidade ou fatalidade. Se você disser que o texto não é isso tudo, vou ter de concordar. Mas só sei que, quando li essa obra, ainda que com muita dificuldade, a minha reação foi a de um reticente silêncio. Um silêncio que provocava uma sensação estranhamente incômoda, eu diria até desagradável, um sentimento difícil de explicar.

Komatsu olhava em silêncio o rosto de Tengo, aguardando mais explicações. Tengo continuou:

— Eu não queria descartá-la simplesmente porque a redação é infantil. Nestes últimos anos, meu trabalho tem sido ler pilhas e mais pilhas de originais. Se bem que o certo seria admitir que eu os lia pulando trechos. Alguns eram bem-escritos, já outros nem valiam a pena serem lidos; e é claro que a maioria se enquadrava neste último caso. Mas, enfim, de tudo que pude ler até agora, a única obra que realmente me fez sentir algo foi a *Crisálida de ar*. E também foi a única que, após o término da leitura, senti vontade de reler desde o começo.

— Entendo... — Komatsu disse. Após soprar a fumaça do cigarro, calou-se, com uma expressão de total desinteresse. Mas, como não era de hoje que Tengo o conhecia, ele não se deixou enganar por essa atitude. Ele sabia que Komatsu era do tipo que, às vezes, expressava no rosto sentimentos opostos ao que sentia em seu íntimo. Ciente disso, Tengo aguardou pacientemente a iniciativa de Komatsu começar a falar.

— Eu também li — disse Komatsu, um tempo depois. — Assim que recebi seu telefonema, imediatamente resolvi ler o texto. Mas, cá entre nós, ele realmente é muito ruim. Além dos erros gramaticais, há frases em que simplesmente não dá para entender o que se está querendo dizer. Você não acha que, em vez de fazer romances, o melhor seria primeiro aprender a escrever, do zero?

— Mas mesmo assim você leu até o fim, não leu?

Komatsu sorriu. Um sorriso que pareceu tirar do fundo de uma gaveta pouco usada.

— Está certo. Você tem razão. Li até o fim. Eu mesmo me surpreendi, pois nunca fui de ler por inteiro essas obras inscritas para concorrer ao Prêmio Literário de Autor Revelação. Ainda por cima, me dei ao trabalho de reler certos trechos. Nesse sentido, tenho que admitir que, apesar dos pesares, essa obra tem potencial.

— Significa que nela existe *algo*. Não é mesmo?

Komatsu deixou o cigarro apoiado no cinzeiro e coçou a borda do nariz com o dedo médio da mão direita. A pergunta de Tengo, porém, ficou sem resposta.

— Essa menina tem apenas dezessete anos e ainda está no colegial. O que ela precisa é apenas ler mais romances e praticar exercícios de redação. Reconheço que será difícil essa obra ganhar o concurso, mas, sinceramente, acho que vale a pena passá-la para a fase final. Você tem esse poder de decisão, não tem? Se assim o fizer, ela com certeza deve vencer numa outra vez — disse Tengo.

— Hum... — Komatsu limitou-se a soltar uma interjeição e, entediado, bocejou. Em seguida, pegou o copo e tomou um gole de água. — Pense nisso, Tengo. Imagine só se um texto tão malfeito como esse for selecionado para a fase final. Os professores da comissão julgadora vão cair para trás. E, com razão, vão xingar você. Se bem que, para começar, eles nem vão ler até o fim. Os quatro membros da comissão julgadora são escritores. Todos muito ocupados. Eles vão apenas passar os olhos nas duas primeiras páginas e imediatamente descartar o texto. Vão pensar que é uma redação de algum aluno do ginásio. Você acha que, se eu tentar persuadi-los dizendo que nessa obra existe um diamante que só precisa ser lapidado, alguém vai me dar ouvidos? Se a minha opinião vale alguma coisa, prefiro que ela seja usada para indicar alguém que seja realmente promissor.

— Então quer dizer que a gente deveria simplesmente tirá-la do páreo?

— Eu não disse isso — respondeu Komatsu, coçando a borda do nariz. — Em relação a essa obra eu tenho uma ideia um pouco inusitada.

— Uma ideia inusitada? — repetiu Tengo. Essas palavras lhe soaram vagamente agourentas.

— Você me pediu para aguardar com expectativa a próxima obra — disse Komatsu. — É claro que eu gostaria de ter essa expectativa. Não há nada mais gratificante para um editor do que criar com carinho um jovem escritor dando-lhe tempo. É emocionante ser o primeiro a descobrir uma estrela nova numa noite de céu límpido. Mas, sinceramente, acho difícil essa garota ter uma segunda chance. Vivo nesse mundo literário há vinte anos. Vi muitos escritores surgindo e desaparecendo. Por isso, posso dizer que aprendi a discernir aqueles que vão vingar daqueles que não. Eu diria que essa garota não terá uma próxima vez. Sinto muito dizer isso, mas não vai ter a próxima nem a próxima da próxima. Para começar, não é uma questão de tempo e estudo o que irá melhorar o texto. Por mais que se espere, a espera será em vão. Sabe por quê? Porque essa pessoa não tem nenhuma gota de *vontade* de escrever um texto bom, um texto bem-feito. Só há duas maneiras de uma pessoa escrever bem: ou ela já nasce com esse talento literário ou ela precisa se empenhar, e muito, para conseguir aprimorar a redação. E essa garota chamada Fukaeri não se enquadra em nenhuma dessas possibilidades. Como você mesmo deve ter notado, ela não tem vocação e, pelo visto, não tem também vontade de se esforçar para tal. Não sei te dizer o porquê disso. Mas me parece que ela não tem nenhum interesse pela escrita. Só que uma coisa é certa: vontade de contar uma história ela tem. E essa vontade é extremamente forte. Isso eu tenho que reconhecer. E foi essa vontade, expressa de forma espontânea, que te fisgou e igualmente me fez ler a história até o fim. De certa forma, é realmente admirável. Mas, apesar disso, como escritora, ela não tem futuro. As chances de vingar como escritora são praticamente nulas. Sei que estou te decepcionando, mas essa é a minha opinião.

Tengo pensou no que acabara de ouvir. Precisava admitir que de alguma forma Komatsu tinha razão. Afinal, era a intuição de um editor.

— Mas não seria nada mau dar uma chance a ela, não acha? — perguntou Tengo.

— Você quer dizer, jogá-la na água para ver se ela nada ou afunda?

— Simplificando, é isso.

— Até hoje, fui responsável pela morte literária de muita gente. Não quero ver mais gente se afogando.

— E a minha situação?

— Você pelo menos está se esforçando — disse Komatsu, escolhendo as palavras. — Para mim, é uma qualidade. Você tem uma postura extremamente humilde em relação ao ato de escrever. Sabe por quê? Porque você gosta de escrever. Isso também é algo que valorizo em você. Gostar de escrever é muito importante para quem quer se tornar um escritor, sabia?

— Mas isso não é tudo.

— É claro que não é tudo. É preciso ter "algo especial". Eu sou da opinião de que uma obra precisa, no mínimo, ter algo de imprevisível. O que mais valorizo, especialmente num romance, são essas coisas que eu não consigo prever. Quando leio algo que facilmente consigo desvendar, perco totalmente o interesse. Parece óbvio, não parece? Nada mais natural.

Após manter-se em silêncio por um bom tempo, Tengo perguntou:

— Nesse texto da Fukaeri, você encontrou algo que possa chamar de imprevisível?

— Ah, com certeza. Essa garota possui algo muito especial. Não sei exatamente o que é, mas ela tem. Disso eu tenho certeza. Não só eu, mas você também. É tão óbvio que qualquer um consegue ver. É como ver a fumaça de uma fogueira numa tarde sem vento. Mas, quer saber? O que essa garota possui é algo que ela não consegue carregar sozinha.

— Se a jogarmos na água, não vai conseguir vir à tona.

— Isso mesmo — respondeu Komatsu.

— E é por isso que você não vai deixá-la para a seleção final.

— Aí é que está... — disse Komatsu, para em seguida entortar levemente a boca e cruzar as mãos sobre a mesa. — Agora chegou o momento de eu escolher cuidadosamente as palavras...

Tengo pegou a xícara de café e, após olhar o conteúdo que ainda restava nela, recolocou-a sobre a mesa. Komatsu continuava quieto. Tengo resolveu quebrar o silêncio:

— Aquilo de você dizer que tem *uma ideia um pouco inusitada* se encaixa aqui, não é?

Komatsu esboçou um sorriso e concordou, balançando lentamente a cabeça, como um professor que se sente satisfeito em ter à frente um aluno exemplar:

— É isso mesmo.

Komatsu era um tipo de homem difícil de entender. Era uma pessoa impenetrável, que não revelava, no rosto ou no tom de voz, o que realmente pensava ou sentia. E ele próprio parecia se divertir com esse seu jeito de envolver as pessoas numa nuvem de fumaça. Tinha um raciocínio rápido. Decidia tudo a sua maneira, sem se importar com a opinião alheia. Evitava exibicionismos desnecessários, embora fosse um homem de muitas leituras e dono de um vasto e minucioso conhecimento sobre várias áreas do saber. Além de todo esse conhecimento, tinha intuição e olho clínico para revelar pessoas e obras literárias. Havia, decerto, uma dose de preconceito em suas avaliações, mas, segundo ele, o preconceito era um elemento importante para se apurar a verdade.

Era um homem de poucas palavras e não gostava de dar muitas explicações, mas, quando necessário, expressava sua opinião de modo racional e inteligente. Se a situação exigisse, tornava-se uma pessoa contundente. Conseguia descobrir o ponto fraco de cada um e, em questão de segundos, colocava o dedo na ferida usando poucas palavras. Tanto em relação às pessoas quanto às obras, o que realmente pesava era a sua opinião pessoal e, nesse sentido, a quantidade de pessoas e obras rejeitadas era muito maior do que as que costumava aprovar. É claro que muitos não simpatizavam com ele. Isso era, no entanto, algo que ele próprio desejava. Do ponto de vista de Tengo, Komatsu era um homem que gostava de se isolar, e que se divertia com o fato de as pessoas o evitarem ou mesmo o odiarem abertamente. Ele partia do princípio de que, num ambiente agradável, não era possível desenvolver um espírito aguçado.

Komatsu era dezesseis anos mais velho que Tengo; estava para completar quarenta e cinco anos. Construíra sua carreira como editor de revista literária e, além de ser muito conhecido em seu meio, era também considerado muito talentoso; mas, de sua vida pessoal, ninguém sabia absolutamente nada. Ele jamais comentava assuntos pessoais com os colegas de trabalho. Portanto, Tengo não sabia nada sobre ele: onde nascera, onde crescera nem onde morava atualmente. A conversa podia se estender por horas, mas jamais se tocava nesse assunto. O que deixava as pessoas intrigadas era que — apesar de Komatsu causar uma má impressão à primeira vista, de não criar vínculos de amizade e, ainda por cima, assumir uma postura de desprezo em relação aos círculos literários — ele sempre arranjava algum texto original ou, se necessário, conseguia obras de escritores famosos. E não foram poucas as vezes em que a revista só conseguiu alcançar notoriedade graças a ele. Diante disso, independentemente de as pessoas o detestarem, ele continuava sendo respeitado.

Havia boatos de que, quando Komatsu era estudante da Faculdade de Literatura da Universidade de Tóquio, durante a década de sessenta, ele teria sido um dos líderes do movimento estudantil que lutara contra o Tratado de Segurança que o Japão negociava com os Estados Unidos. Comentavam também que, durante a manifestação, quando Michiko Kamba foi morta pela força policial, Komatsu, que estava por perto, também sofreu ferimentos, ainda que leves. Tengo não sabia se isso era verdade, mas, de certa forma, os boatos pareciam procedentes. Komatsu era alto, magro, tinha uma boca exageradamente grande, em contraste com o nariz extremamente pequeno. Seus braços e suas pernas eram compridos, e as pontas dos dedos eram manchadas de nicotina. Sua aparência lembrava os revolucionários decadentes, típicos dos romances russos do século XIX. Dificilmente ria, mas, quando dava risada, todo o seu rosto parecia sorrir. Mas nem por isso parecia feliz. A sua risada lembrava a de um velho feiticeiro, prestes a revelar uma profecia funesta. Era asseado e se vestia bem, mas suas roupas eram todas muito parecidas, como se dissesse ao mundo que não se importava com o vestuário: blazer de tecido de lã axadrezado, camisa polo verde-clara ou camisa branca de algodão Oxford, sem gravata, calça cinza e sapato de camurça; isso era uma espécie de uniforme para ele. Dava até para imaginar a meia dúzia de blazers de três botões com pequenas variações de cor, tecido e padronagem, todos bem escovados e pendurados no closet de sua casa. E não seria de admirar se, para distingui-los, eles fossem devidamente numerados.

 Os fios de cabelo eram duros como arame e começavam a ficar grisalhos no alto da cabeça. Seus cabelos emaranhados cobriam suas orelhas e era interessante notar que ele sempre os mantinha no mesmo comprimento: de quem deveria ter ido ao barbeiro na semana passada. Tengo não sabia como isso era possível. De vez em quando, os olhos de Komatsu brilhavam intensamente, como estrelas reluzentes no céu de inverno. E, se por algum motivo se calava, mantinha-se em silêncio como uma rocha no lado escuro da lua. A sua inexpressividade era tanta que dava a impressão de que perdera totalmente o calor corporal.

 Tengo conhecera Komatsu cerca de cinco anos atrás. Foi quando participara e fora escolhido para a fase final de um concurso literário promovido pela revista da qual Komatsu era editor. Komatsu telefonou-lhe dizendo que queria conversar. Os dois marcaram um encontro num café de Shinjuku (o mesmo em que eles estavam agora). Naquela ocasião, Komatsu comentara que seria difícil ele ganhar o concurso (e, realmente, não ganhou), mas disse também que tinha gostado muito da obra. E adicionara:

— Não quero me gabar, mas saiba que não é sempre que digo isso para alguém. — Naquela época Tengo não sabia, mas depois descobriu que, de fato, era verdade. — Por isso, quando você terminar de escrever a próxima obra, prometa que serei o primeiro a ler — disse Komatsu. Tengo respondeu que o faria.

Komatsu quis conhecer melhor quem era Tengo. Que tipo de educação tivera e onde trabalhava. Tengo procurou ser sincero em suas respostas. Disse que tinha nascido e crescido na cidade de Ichikawa, província de Chiba. Que a mãe morrera de uma doença pouco depois de ele nascer, ou pelo menos foi o que seu pai lhe dissera. Não tinha irmãos. O pai não se casou de novo e o criou sozinho. Ele era cobrador da emissora NHK, mas atualmente estava internado numa casa de saúde localizada na região sul de Chiba, na península de Bôsô, diagnosticado com mal de Alzheimer. Tengo se formara na Universidade de Tsukuba, num curso de nome ligeiramente estranho: "Especialização em Ciências Naturais e Matemática." Era professor de matemática numa escola preparatória de Yoyogi e escrevia romances. Ao se formar tinha a opção de lecionar numa escola secundária de sua província, mas preferiu dar aulas no cursinho, pela flexibilidade de horário. Ele morava sozinho numa quitinete no bairro de Kôenji.

Ele próprio ainda não tinha certeza se realmente queria se tornar um escritor profissional. Também não sabia se tinha vocação para tanto. A única certeza era de que não conseguia ficar um dia sequer sem escrever. Escrever era como respirar. Komatsu escutava em silêncio o que Tengo dizia, sem interrompê-lo.

Não se sabe o motivo, mas Komatsu parecia ter simpatizado com Tengo. Tengo era grande e robusto (do ginásio à faculdade, sempre fora o atleta principal do time de judô), e tinha olhos de um agricultor que acorda cedo. O cabelo curtinho, a pele bronzeada e as orelhas arredondadas e amassadas como couve-flor não condiziam com a imagem de um jovem entusiasta da literatura, muito menos com a de um professor de matemática. Esse poderia ser um dos motivos de Komatsu ter gostado dele. Toda vez que Tengo escrevia algo novo, ele levava o texto para Komatsu. Ele o lia e tecia comentários. Tengo revisava o texto, levando em consideração seus conselhos. Terminada a revisão, Tengo novamente levava o texto para Komatsu. E este, mais uma vez, dava instruções. Era como um treinador que levanta o nível da barra gradativamente. Certo dia, Komatsu comentou:

— No seu caso, pode ser que demore um pouco. Mas não é preciso ter pressa. Continue escrevendo diariamente com essa mesma determinação. Não jogue nada fora, guarde tudo o que escreveu, pois mais pra frente poderá ser útil. — E Tengo respondia que faria isso.

Komatsu passava alguns textos curtos para Tengo redigir. Textos sem assinatura para uma revista feminina publicada pela editora em que Komatsu trabalhava. Eram textos variados: respostas do editor, pequenos artigos comentando filmes, lançamentos de livros e até mesmo a elaboração do horóscopo. Suas previsões, escritas conforme lhe vinham à cabeça, conquistaram a fama de serem certeiras. Um dia, ao escrever "Cuidado, esta manhã ocorrerá um terremoto", realmente naquela manhã ocorrera um grande terremoto. Esse tipo de trabalho esporádico era gratificante, pois, além de proporcionar um rendimento extra, dava-lhe a oportunidade de treinar a escrita. E o fato de ver os seus textos — independentemente do formato — impressos e dispostos nas prateleiras das livrarias o deixava contente.

Um tempo depois, Tengo passou a avaliar as obras inscritas no prêmio literário de autor revelação promovido pela revista. E, a despeito de ele próprio estar em condições de se candidatar ao prêmio, conseguia ler as obras dos demais candidatos de modo imparcial, sem se importar com sua situação inusitada. De tanto ler inúmeras obras ruins descobriu, na prática, o que se considerava uma obra ruim. A cada concurso lia cerca de cem títulos e, após selecionar os dez melhores, indicava-os a Komatsu com os devidos comentários numa folha anexa. Dentre essas dez obras selecionadas, cinco iam para a fase final e, por fim, a comissão julgadora, composta de quatro membros, escolhia o vencedor.

Além de Tengo havia outras pessoas igualmente contratadas como temporários para ler as obras inscritas e, além de Komatsu, havia também outros editores envolvidos na pré-seleção. Com isso, esperava-se ganhar em imparcialidade, mas os esforços não eram realmente necessários. As obras promissoras eram, quando muito, na ordem de duas ou três, independentemente da quantidade de inscritos, e estas normalmente não passavam despercebidas por quem as lesse. Tengo fora selecionado para a fase final três vezes. Logicamente, ele não escolhia a sua própria obra, mas os outros dois encarregados da primeira leitura e o próprio Komatsu, chefe do departamento editorial, eram os que se incumbiam de selecioná-lo. E, apesar de elas nunca terem sido premiadas, Tengo não ficava desapontado: em sua mente estavam gravadas as palavras de Komatsu, de que era "apenas uma questão de tempo", e ele próprio não tinha o desejo premente de se tornar escritor.

Se Tengo programasse bem as aulas do curso, sobravam quatro dias livres por semana para fazer o que bem entendesse. Ele lecionava nessa escola havia sete anos e, entre os alunos, a sua reputação era muito boa. Suas aulas eram essencialmente centradas no assunto principal, e costumava tirar todas as dúvidas rapidamente, sem rodeios. O que o deixou realmente surpreso foi descobrir que tinha talento para se comunicar. Sabia explicar bem, sua voz era agradável e suas piadas animavam a sala. Antes de começar a lecionar, ele achava que não levava jeito para falar em público. E mesmo hoje, ao conversar com alguém, costumava ficar nervoso e, não raro, tinha dificuldade de encontrar as palavras. Em grupos menores, ele sempre acabava assumindo o papel de ouvinte. No entanto, quando estava na sala de aula, em pé, diante de um grande número de pessoas, sua mente se desanuviava e ele desandava a falar sem nenhuma dificuldade. "O ser humano é mesmo imprevisível", ele pensava com seus botões.

Tengo não tinha queixas quanto ao salário. Não que ele ganhasse muito, mas a escola remunerava de acordo com a competência do professor. Periodicamente, a escola fazia uma avaliação com os alunos e, no caso de o professor ser bem-cotado, o salário também se tornava maior. A escola temia perder um professor excelente para algum concorrente (e, de fato, um *headhunter* já o havia procurado). Nas escolas comuns as coisas não corriam da mesma forma. Além de o salário ser escalonado por tempo de serviço, a vida pessoal do professor também era monitorada pelos supervisores, e itens como capacidade e popularidade não tinham nenhum valor. Tengo gostava de trabalhar na escola preparatória. A maioria dos estudantes que a frequentavam estava consciente e focada em passar no vestibular e, por isso, ela assistia atentamente às lições. A única coisa que o professor precisava fazer era dar aulas. Isso era uma bênção para Tengo, uma vez que não precisava esquentar a cabeça com alunos que se comportavam mal nem com as infrações aos regulamentos da escola. Nesse sentido, bastava ele dar as aulas e ensiná-los a solucionar os problemas de matemática. E o conceito básico da matemática pura era um assunto que Tengo dominava e sabia ensinar com maestria.

Quando estava em casa, acordava cedo e escrevia até o entardecer. Uma caneta-tinteiro Montblanc, um frasco de tinta azul e folhas pautadas para quatrocentos caracteres era tudo de que Tengo precisava para se sentir satisfeito. Uma vez por semana, sua namorada, uma mulher casada, passava a tarde com ele no apartamento. Fazer sexo com uma mulher casada, dez anos mais velha, era perfeito, uma vez que não precisava assumir um compromisso sério. Ao entardecer saía para uma longa caminhada e, à noite, costumava ficar sozinho lendo um livro e ouvindo música. Não via televisão. Quando algum cobrador da NHK aparecia em sua porta, ele informava educadamente que não tinha aparelho de TV. "Realmente, não tenho. Se quiser, entre e verifique com seus próprios olhos", convidava Tengo. Porém, os funcionários nunca o faziam, pois não eram autorizados a entrar nas casas.

— Estou pensando em algo muito maior — disse Komatsu.
— Maior?
— Isso mesmo. Em vez de pensar num prêmio pequeno como o de autor revelação, vamos almejar algo bem maior.

Tengo manteve-se em silêncio. Apesar de desconhecer as intenções de Komatsu, sentiu certa inquietude.

— Estou falando do prêmio Akutagawa — disse Komatsu um tempo depois.

— Prêmio Akutagawa? — Tengo repetiu, como se estivesse escrevendo as palavras na areia úmida com um bastão seco.

— Prêmio Akutagawa. Até uma pessoa desligada como você já deve ter ouvido falar nele, não é? Vive saindo nas manchetes dos jornais e nos noticiários da TV.

— Não sei se estou entendendo direito, mas por acaso estamos falando da Fukaeri?

— É claro que estamos. Estamos falando da Fukaeri e da *Crisálida de ar*. Pelo que eu saiba, é disso que estamos falando...

Tengo mordia os lábios enquanto tentava entender a lógica por trás daquilo.

— Mas, até agora, falávamos que o livro jamais conseguiria ganhar o prêmio de autor revelação. E que, do jeito que está, não havia nenhuma chance, não é?

— Isso mesmo. Do jeito que está não há nenhuma chance. Isso é mais que óbvio.

Tengo precisou de um tempo para pensar.

— Espera um pouco, deixa ver se estou entendendo... Você está querendo dizer que pretende corrigir o texto original? — indagou Tengo.

— Não vejo outra saída. Quando uma obra é promissora, é comum que o editor peça para o candidato refazer o texto. Não é tão estranho quanto parece. Porém, neste caso, não é o próprio autor que fará isso, mas outra pessoa.

— Outra pessoa? — indagou Tengo, presumindo a resposta antes mesmo de formulá-la. Mesmo assim, achou melhor esperar.

— Você é que vai refazer o texto — respondeu Komatsu.

Tengo tentou encontrar palavras adequadas, sem sucesso. E, após suspirar, disse:

— Mas nesse caso não se trata apenas de revisão. É preciso reescrevê-lo todo, do começo ao fim, para que o livro fique coeso, não acha?

— Com certeza é preciso refazer tudo, de cabo a rabo, mas a estrutura da história deverá ser mantida. E, na medida do possível, também se deve manter o estilo da narrativa. Praticamente todas as frases terão de ser substituídas. Seria como uma adaptação de uma versão original. Você ficará encarregado de reescrevê-la enquanto eu me encarrego da produção como um todo.

"Será que vai dar certo?", indagou Tengo consigo mesmo.

— Pois então... — Komatsu pegou a colher de café e, como um maestro pega a batuta para reger os solistas, direcionou a colher na direção de Tengo. — Essa garota Fukaeri possui algo de especial. Basta ler a *Crisálida de ar* para perceber. É impressionante a capacidade que ela tem de imaginação. Mas, infelizmente, o texto dela não é bom. Aliás, é extremamente ruim. Você, por outro lado, escreve bem. Sabe tecer muito bem o enredo e tem bom-senso. Seu texto, apesar de extenso, é permeado de frases inteligentes, delicadas, e possui uma certa dose de vitalidade. Mas, ao contrário da nossa Fukaeri-chan, você ainda não descobriu o que realmente quer escrever. É por isso que às vezes é impossível captar a essência de suas histórias. O que você precisa escrever certamente está guardado dentro de você. E está difícil de sair, por estar escondido nas profundezas de uma caverna, como um animalzinho amedrontado. Está acuado. Enquanto ele não sair, não há como capturá-lo. Quando eu digo que é só uma questão de tempo, é a isso que me refiro.

Tengo mudou de posição, movendo desengonçadamente o corpo sobre a cadeira de vinil. Manteve-se em silêncio.

— A questão é simples — continuou Komatsu, balançando a colher de café com breves movimentos de um lado para outro. — Basta juntar vocês dois e criar um novo escritor. Você vai redigir um texto decente para a história mal-escrita de Fukaeri. Uma combinação perfeita. E você é perfeitamente capaz de fazê-lo. Eu sempre te dei o meu apoio pessoal, não dei? De resto, deixe tudo por minha conta. Se unirmos nossas forças, o prêmio literário de autor revelação é peixe pequeno. Podemos almejar, isso sim, o prêmio Akutagawa. Aprendi uma ou outra coisa nesse meio ao longo dos anos. Sei exatamente como devo agir nos bastidores.

Com a boca entreaberta, Tengo observava Komatsu, que em seguida pousou a colher no pires, e o barulho repercutiu exageradamente alto.

— Se por acaso ganharmos o prêmio Akutagawa, como é que fica depois? — perguntou Tengo após recuperar-se do susto.

— Ganhar o prêmio Akutagawa terá grande repercussão. A maior parte das pessoas é incapaz de discernir se uma obra é boa ou não, mas elas não vão querer ficar para trás. Por isso, se um livro premiado tiver repercussão, elas vão comprar e ler. Se a autora é uma autêntica garota do colegial, aí é que as pessoas vão comprar mesmo. Se comprarem o livro, ganharemos um bom dinheiro. Quanto aos lucros, dividimos por três, está bem? Mas quanto à partilha não se preocupe, eu me encarrego disso.

— Isso de repartir o dinheiro é o de menos — disse Tengo num tom de voz um tanto seco. — O fato de você, um editor, fazer esse tipo de coisa, isso não seria antiético? Se vier à tona, estaremos encrencados. Você não poderá continuar na empresa, não é?

— Não vão conseguir descobrir tão fácil. Saberei conduzir isso discretamente, com o máximo de cautela. Caso descubram, terei o maior prazer em deixar o cargo. A minha imagem perante os superiores nunca foi das melhores e já tive de engolir muito sapo. Se a questão é emprego, isso eu arranjo num piscar de olhos. Saiba que não estou fazendo isso pelo dinheiro. O que eu realmente quero é ridicularizar esses círculos literários. Quero rir dessa gente que, como vermes, se metem nos porões mal-iluminados e que, enquanto se elogiam, lambem as feridas e puxam o tapete um do outro, ficam aí dizendo bravatas de que a missão da literatura é isso e aquilo. Quero mexer nos bastidores desse sistema, expor essa babaquice. Não é divertido?

Tengo não achou nenhuma graça naquilo. Para começar, ele nunca tinha visto esse tal mundo dos círculos literários. E, por alguns instantes, emudeceu diante da constatação de que um homem da competência de Komatsu fosse capaz — motivado por tamanha criancice — de se meter numa façanha tão perigosa.

— Para mim, o que você acabou de dizer soa como um tipo de fraude.

— Fazer trabalhos em coautoria não é nenhuma novidade — disse Komatsu, franzindo a testa, num gesto de contrariedade. — Metade dessas revistas em quadrinhos faz isso. A equipe dá as ideias e escreve as histórias, o desenhista faz um esboço a lápis e, em seguida, o assistente desenha os detalhes e os pinta. É como essas fábricas de relógio espalhadas por aí. No mundo dos romances, também temos exemplos desse tipo. É o caso desses romances água com açúcar. Muitos deles são feitos por autores contratados pela editora para escrever histórias que seguem um know-how previamente estabelecido pelos editores. Ou seja, é um sistema de divisão de trabalho.

É assim que conseguem alimentar a produção em massa. Mas o fato é que, no mundo petrificado da literatura pura, não se aceita abertamente esse tipo de sistema. É por isso que, na prática, a estratégia é apresentar publicamente apenas a garota chamada Fukaeri. Se nos desmascararem, logicamente será um escândalo, mas eles não poderão nos enquadrar como infratores da lei. Afinal, hoje em dia, isso é muito comum. Ainda que não estejamos falando de um Balzac ou de uma Murasaki Shikibu. Veja bem, estamos falando de uma garota do colegial que escreveu um texto cheio de problemas e que, com a nossa ajuda, foi melhorado e se tornou uma obra digna de ser lida. O que há de errado nisso? Se a obra for de boa qualidade e, ainda por cima, conseguir proporcionar alegria a muitas pessoas, não está bom?

Tengo pensou no que Komatsu havia acabado de dizer. Foi cauteloso na escolha das palavras.

— Há dois problemas. Certamente, deve ter muitos outros, mas agora vou me restringir a apenas dois. O primeiro é se a autora, essa garota chamada Fukaeri, vai concordar que um estranho mexa em seu texto. Se ela disser "não", essa conversa logicamente vai acabar. O segundo problema é que, mesmo ela aceitando, não sei se eu seria capaz de refazer o texto de modo satisfatório. É muito delicado trabalhar em conjunto e não sei se as coisas vão se encaminhar assim tão facilmente como você pensa.

— Você consegue — Komatsu respondeu prontamente, como se houvesse previsto a fala de Tengo. — Não há dúvidas de que você vai conseguir. Quando eu li *Crisálida de ar* pela primeira vez, logo tive a certeza de que *Tengo é quem deve reescrever isto*. Em outras palavras, acho que essa história é perfeita para você. É uma história que está à sua espera para ser reescrita. Você não acha?

Tengo apenas se limitou a balançar afirmativamente a cabeça. Faltavam-lhe as palavras.

— Não precisa se afobar — disse Komatsu, com a voz serena. — É um assunto importante. Pense com calma durante dois, três dias. Leia novamente a *Crisálida de ar* e avalie minha proposta com carinho. Ah, e preciso te entregar isto.

Komatsu tirou do bolso do blazer um envelope marrom e o entregou para Tengo. Nele havia duas fotos coloridas de tamanho padrão. Eram fotos de uma jovem. Um retrato do rosto até a altura do peito e um instantâneo de corpo inteiro. Ambas pareciam ter sido tiradas no mesmo dia. Ela estava de pé em frente a uma escada. Uma escada de pedra, de amplos degraus. Rosto bonito, de feições clássicas, cabelos compridos de corte reto. Blusa branca. Seu corpo era miúdo e esguio. Os lábios se esforçavam para abrir um sorriso, mas os olhos pareciam resistir. Um olhar sério. Olhar de quem busca algo. Tengo observou as duas fotos alternadamente. E, enquanto as observava, algo de inexplicável o fez se lembrar de quando tinha a mesma idade. Sentiu um aperto no coração. Um tipo especial de dor, que não sentia havia muito tempo. Algo naquela garota parecia provocar-lhe esse tipo de dor.

Komatsu quebrou o silêncio:

— Esta é Fukaeri. Até que ela é bem bonita, não acha? Tem um porte elegante. Dezessete anos. É perfeita. Ela se chama Eriko Fukada, mas seu nome verdadeiro não será divulgado. Para todos os fins, seu nome será "Fukaeri". Você não acha que se ela ganhar o prêmio Akutagawa vai dar o que falar? A imprensa vai ficar em cima dela como um bando de morcegos. As vendas do livro vão disparar.

Como será que Komatsu conseguiu essas fotos? Tengo estranhou. Normalmente, os textos não vinham acompanhados de fotos. Mas achou melhor não tocar no assunto. Em parte porque a resposta — que ele não tinha nenhuma ideia de qual seria — não era importante.

— Pode ficar com as fotos. Quem sabe te sirva para alguma coisa — disse Komatsu. Tengo as guardou no envelope e o pousou sobre o texto.

— Sabe, Komatsu, eu praticamente não conheço nada sobre as circunstâncias que envolvem o mundo literário, mas o bom-senso me diz que esse plano é muito arriscado. Uma vez que se mente para a sociedade, há de se sustentar essa mentira para sempre. É preciso manter a coerência. Tanto no emocional quanto na prática, não é algo assim tão fácil. Basta um de nós cometer um deslize, por menor que seja, para que todos entremos pelo cano. Você não concorda?

Komatsu pegou mais um cigarro e o acendeu. Depois disse:

— Você tem toda a razão. O que você diz está correto. Realmente, é um plano arriscado. No momento, as incertezas são muitas. É imprevisível o que pode acontecer. As coisas podem dar errado e deixar mágoas. Estou ciente disso. Mas saiba que, mesmo levando em consideração todos os fatores de risco, o meu instinto me diz para "levar adiante" este plano. É uma chance que jamais teremos de novo. Até hoje, nunca me deparei com uma oportunidade dessas. Não haverá uma segunda chance. Sei que isso de apostar não é correto, mas já temos as cédulas. Temos também muitas fichas. E várias condições se encaixam. Se perdermos essa oportunidade, certamente nos arrependeremos, e muito.

Tengo apenas se limitou a observar, em silêncio, um sorriso sinistro que se esboçou no rosto de Komatsu.

— E o que realmente importa é que nós vamos refazer a *Crisálida de ar* e transformá-la numa grande obra. É uma história que precisa e *deve ser* bem-escrita. Há alguma coisa nela de muito importante. *Algo* que alguém precisa habilmente extrair. No fundo, você também sabe muito bem disso, não sabe? É para isso que vamos unir nossas forças. Temos um projeto e cada um contribui com a sua capacidade. O objetivo é fazer com que o texto possa ser enviado para qualquer lugar, sem a preocupação de ser vergonhoso apresentá-lo às pessoas.

— Por mais que o fato de estarmos fazendo isso por uma boa causa seja uma justificativa você há de convir que se trata de uma fraude. Se o objetivo é o de entregarmos a obra bem-escrita, na prática não podemos entregá-la em lugar nenhum, uma vez que, para isso, será necessário fazer manobras furtivas pelos bastidores. Se o termo fraude não é adequado, digamos que estamos cometendo um ato de deslealdade. Mesmo que não seja visto como uma infração da lei, temos aí uma questão de ética. Afinal, um editor que trama contra o prêmio literário da editora na qual trabalha é o mesmo que alguém que vende ilegalmente ações e faz parte da empresa de sociedade anônima.

— Não se deve comparar a literatura com ações. São coisas completamente diferentes.

— Por que seriam diferentes?

— Por exemplo. Hum... Deixe-me ver. Você não está levando em consideração um fator muito importante — disse Komatsu. Sua boca parecia bem maior e muito mais escancarada que de costume, numa nítida expressão de contentamento. — Ou melhor, está relutando em admitir. Você simplesmente está ignorando o fato de *querer fazer* isso. Emocionalmente, você já está preparado para reescrever *Crisálida de ar*. Para mim, isso está mais que claro. O fato de o plano ser arriscado ou de ferir a ética não tem a mínima importância. Tengo! Você está morrendo de vontade de reescrever, de próprio punho, a *Crisálida de ar*. Está morrendo de vontade de extrair esse algo no lugar de Fukaeri. E é aí que existe a diferença entre a literatura e as ações. Bem ou mal, existem coisas que acontecem por motivações que vão além daquelas que o dinheiro traz. Volte para casa e descubra o que você realmente quer. Fique de frente para o espelho e observe atentamente o seu rosto. Você verá que isso que eu acabei de dizer já está escrito na sua cara.

 Tengo sentiu de repente o ar ao seu redor se tornar rarefeito. Olhou o entorno, num giro rápido. Será que aquela imagem voltaria? No entanto, não havia indícios de que aquilo aconteceria. A sensação de rarefação vinha de outro lugar. Tengo tirou o lenço do bolso e enxugou o suor da testa. Por que será que Komatsu sempre tinha razão?

3
Aomame
Alguns fatos que teriam sido alterados

Aomame desceu descalça, apenas de meia-calça, a estreita escada de emergência. Os ventos sopravam ruidosamente ao passar por entre os vãos dos degraus. Apesar de usar uma minissaia justa, vez por outra fortes rajadas vinham por baixo e a inflavam como uma vela, soerguendo seu corpo e lhe dando uma sensação de insegurança. Para não se desequilibrar, Aomame desceu de costas, degrau por degrau, segurando firmemente o ferro que servia de corrimão. De vez em quando, parava para tirar o cabelo do rosto e ajeitar a bolsa a tiracolo.

Lá embaixo passava a Rodovia Nacional 246. Aomame se viu envolta por todo tipo de barulhos típicos de uma metrópole: motores, buzinas, alarmes de carro, antigas canções militares tocadas nos veículos de propaganda dos partidos de direita, britadeiras quebrando concreto em algum lugar... Os ventos traziam consigo o barulho da cidade grande, por cima, por baixo, por todas as direções, envolvendo-a em 360 graus. De tanto ouvi-los (não queria, mas estava impossibilitada de tapar os ouvidos), começou a se sentir enjoada.

Após descer um lance de escadas, encontrou um tipo de passarela que voltava para a parte central da via expressa, e mais um lance de escadas que seguia descendo.

Do outro lado da rodovia, em frente às escadas de emergência, havia um pequeno prédio de apartamentos com cinco andares. Era um edifício relativamente novo com fachada de tijolos marrons. As varandas estavam voltadas para a escada de emergência, e todas as janelas tinham cortinas ou persianas fechadas. Que tipo de arquiteto faria uma varanda voltada para a via expressa? Certamente, ninguém estenderia um lençol num local desses ou tomaria um gim-tônica contemplando o congestionamento da via expressa. Ainda assim, algumas varandas tinham os tradicionais varais de náilon estendidos de um lado ao outro. Em uma das varandas havia até uma cadeira de jardim e um vaso de fícus. A planta estava com uma aparência lastimável, definhada. As folhas estavam fracas, e algumas já amarronzadas e secas. Aomame não pôde deixar de sentir compaixão pela planta. Se, por acaso, nascesse de novo, ela não queria ter aquele mesmo destino.

A escada de emergência dava a impressão de ser pouco utilizada, e teias de aranha podiam ser vistas em um lado ou em outro. Numa delas havia uma pequena aranha preta aguardando atenta e pacientemente a chegada de sua pequenina presa. Não que as aranhas tivessem alguma consciência de sua perseverança; elas não possuíam outras habilidades além de tecer teias, nem podiam optar por outros estilos de vida, a não ser o de ficar quietinhas no lugar. E, enquanto a aranha fica parada num canto aguardando sua presa, sua vida se esvai, ela morre e murcha. Tudo está previamente determinado nos genes e, neles, não há hesitações, aflições nem arrependimentos. E tampouco indagações metafísicas ou conflitos morais. Talvez. "Mas esse não é o meu caso", pensou Aomame. "Eu tenho um objetivo e preciso agir para cumpri-lo, e é por isso que, mesmo estragando as meias, aqui estou, sozinha, descendo essas escadas de emergência da Rota 3, numa região sem graça da Sangenjaya: afastando teias de aranha e ainda tendo de olhar para essa ridícula varanda com o fícus empoeirado. Eu me movo, logo existo."

Enquanto descia as escadas, Aomame pensou em Tamaki Ôtsuka. Não queria ter de pensar nela, mas, uma vez que o fez, não conseguia tirá-la da cabeça. Tamaki era sua melhor amiga do colegial. Como eram da mesma equipe de softball, viajavam para vários lugares e faziam muitas coisas juntas. Certa vez, até fizeram de conta que eram lésbicas. Quando viajaram nas férias de verão, tiveram de dormir juntas, pois só havia disponível um quarto com cama de casal. Na cama, começaram a se tocar em várias partes do corpo. Não que fossem lésbicas. Era apenas uma curiosidade juvenil de duas garotas que se atreviam a aproveitar esse tipo de experiência. Naquela época, elas ainda não tinham namorados nem tido alguma experiência sexual. Hoje, o que acontecera naquela noite era apenas um episódio "incomum, porém muito interessante" de sua vida. Ao se lembrar do contato de seu corpo com o de Tamaki, Aomame começou a sentir sua temperatura interna sutilmente se elevar enquanto descia as escadas de ferro. E estranhou como ainda conseguia se lembrar nitidamente dos bicos dos seios ovalados de Tamaki, dos seus pelos pubianos pouco espessos, da bela circunferência de suas nádegas e do formato de seu clitóris.

Enquanto essas lembranças vívidas vinham à tona, Aomame escutava como música de fundo o uníssono festivo dos instrumentos de sopro da *Sinfonietta* de Janáček. As palmas de suas mãos tocavam suavemente as concavidades dos quadris de Tamaki Ôtsuka. No começo, Tamaki sentiu cócegas, mas, logo depois, parou de rir e começou a respirar ofegante. A *Sinfonietta* foi originalmente composta como música de fanfarra de uma competição esportiva. Ao sabor da música, os ventos sopravam pelos campos esverdeados da Boêmia. Os bicos dos seios de Tamaki de repente ficaram duros, assim como os de Aomame. Os tímpanos tocavam uma sequência de sons de difícil execução.

Aomame parou por uns instantes e chacoalhou a cabeça. Não queria ter de pensar nisso num lugar daqueles. Precisava se concentrar para descer as escadas, mas, mesmo assim, não conseguia parar de pensar. As cenas daquele dia surgiam espontaneamente, uma após a outra. Nitidamente. Noite de verão, uma cama estreita, um leve cheiro de suor. As palavras que foram ditas. Sensações que não foram expressas em palavras. As promessas esquecidas. Os desejos não realizados. Incontestável admiração. Uma rajada de vento levantou os cabelos de Aomame e lançou-os em direção ao seu rosto. A dor que sentiu fez com que seus olhos lacrimejassem. Lágrimas que a rajada seguinte se incumbiu de secar.

"Quando foi que isso aconteceu?", Aomame tentou se lembrar, mas a data estava perdida no emaranhado de fios de sua memória. O eixo havia se rompido, desfazendo a linearidade do antes e do depois. As posições das gavetas estavam trocadas. Não conseguia entender o porquê de não se lembrar de coisas que deveria lembrar. "Agora estamos em abril de 1984. Eu nasci em 1954"; disso ela se lembrava. No entanto, a data gravada em sua mente rapidamente se dispersava. Diante de seus olhos, datas impressas em cartões brancos se espalhavam para todos os lados, levadas por fortes ventos. Ela saía correndo para recolher o máximo de cartões, mas os ventos eram muito intensos. Os cartões perdidos eram muitos: 1954, 1984, 1645, 1881, 2006, 771, 2041... Todas essas datas foram levadas uma após a outra pelo vento. Perdia-se a linearidade, o conhecimento se dissipava e o encadeamento das ideias caía por terra.

Aomame e Tamaki estavam deitadas na mesma cama. As duas tinham dezessete anos e ambas desfrutavam da liberdade a elas concedida. Era a primeira viagem que as duas amigas faziam juntas. E isso as deixava eufóricas. Elas tomaram um banho quente, dividiram uma lata de cerveja do frigobar e, com a luz apagada, foram para a cama. No começo, ficaram apenas se tocando meio de brincadeira. Um tempo depois, Tamaki esticou os braços e apertou levemente os bicos dos seios de Aomame sob a camiseta fina que usava como pijama. Aomame sentiu uma corrente elétrica atravessar o corpo. As duas tiraram as camisetas, as calcinhas e ficaram nuas. Era noite de verão. "Para onde foi que viajamos?", Aomame não conseguia se lembrar. "Ah! Isso não importa", pensou. Espontaneamente, começaram a examinar os detalhes do corpo uma da outra. Observaram, tocaram, apalparam, beijaram e lamberam. Meio que na brincadeira, meio que a sério. Tamaki era baixa e levemente gordinha, com seios grandes. Aomame era alta e magra. Era do tipo atlético e seus seios não eram muito grandes. Tamaki sempre falava que precisava fazer regime, e Aomame era da opinião de que Tamaki era bonita do jeito que era.

A pele de Tamaki era fina e macia. Seus mamilos tinham a forma de uma elipse e eram salientes, como duas olivas. Os pelos pubianos eram finos e ralos e lembravam as delicadas folhas de um salgueiro-chorão. Os de Aomame eram fartos e duros. Elas riam das diferenças. As duas se tocavam e trocavam informações sobre as partes em que mais sentiam prazer. Havia lugares em comum e outros não. Depois, passaram a acariciar o clitóris uma da outra. As duas já tinham experiência de se masturbar. E muito. Ambas descobriram como o toque e a sensação de ser tocada eram diferentes de quando se masturbavam sozinhas. Os ventos sopravam nas planícies verdejantes da Boêmia.

Aomame novamente parou para balançar a cabeça. Respirou fundo e segurou com força o corrimão da escada. "Preciso parar de pensar nessas coisas. Tenho que me concentrar em descer a escada.

Já devo ter descido mais da metade", pensou. "Mas por que será que o barulho ainda continua tão intenso? Por que o vento continua tão forte? Acho que é um jeito de me repreender, deve ser um tipo de castigo", foi o que Aomame pensou.

Se ela descesse a escada e alguém lhe perguntasse o que fazia ali e pedisse sua identidade, o que deveria responder? Se dissesse, "Tive de descer a escada de emergência porque a via expressa estava congestionada. É que eu tenho um compromisso urgente...", será que daria certo? A coisa podia se complicar. E Aomame não queria se envolver em nenhum tipo de encrenca. Pelo menos não naquele dia.

Por sorte, não havia ninguém embaixo que a visse descer. Assim que colocou os pés no chão, Aomame tirou os sapatos da bolsa e os calçou. A escada dava num terreno baldio embaixo de torres de eletricidade e ficava entre as pistas da Rodovia 246 que, de um lado, seguiam para o centro da cidade e, de outro, para os bairros. O local funcionava como depósito de materiais e estava cercado por grades de metal. Na área descoberta, havia alguns postes de ferro abandonados à mercê do tempo. Pareciam ser sobras de alguma obra e que, largadas de qualquer jeito, enferrujavam. Havia uma parte com cobertura em telhas de plástico e, debaixo dela, três sacos de pano empilhados. Não dava para saber o que havia dentro deles; estavam envoltos em capas plásticas que os protegiam da chuva. Mas também pareciam ser restos de obras que foram deixados ali para não se ter o trabalho de transportá-los para outro lugar. Embaixo do telhado havia ainda algumas caixas grandes de papelão amassadas. Havia inclusive algumas garrafas pet e revistas de mangá espalhadas pelo chão. Fora isso, não havia mais nada. Uma sacola plástica voava ao sabor do vento.

O portão de entrada era de tela metálica, mas estava fechado com várias voltas de corrente e um cadeado enorme. Era um portão alto, guarnecido no topo com arame farpado. Era impossível passar por ele. Mesmo que conseguisse, suas roupas ficariam imprestáveis. Tentou balançar o portão várias vezes, mas ele não se mexeu nem um milímetro. Não havia espaço sequer para um gato passar. "Para que trancar a porta desse jeito? Não havia nada de tão importante que, se roubado, trouxesse algum inconveniente" e, ao pensar assim, Aomame fez uma careta, xingou e até fez questão de cuspir no chão. "Onde já se viu ficar presa num depósito após descer uma escada com tanto sacrifício", pensou. Olhou o relógio de pulso e viu que ainda tinha tempo. No entanto, não podia se atrasar mais naquele lugar. E voltar para a via expressa estava fora de cogitação.

As meias estavam rasgadas bem na altura dos calcanhares. Após se certificar de que ninguém a observava, pegou os sapatos de salto, levantou a saia e baixou rapidamente as meias, tirando-as com destreza. Depois, calçou os sapatos e guardou as meias rasgadas na bolsa. Com isso, sentiu-se um pouco melhor. Aomame começou a andar pela área olhando atentamente ao redor. O depósito tinha o tamanho de uma sala de aula. Rapidamente dava-se uma volta por ele e, à primeira vista, só havia uma única entrada e saída, que era justamente o portão com o cadeado. A cerca metálica que circundava a área não era de material muito resistente, mas era presa com parafusos. Sem uma ferramenta adequada, não havia como desparafusá-los. Estava de mãos atadas.

Aomame examinou as caixas de papelão sob o telhado. Notou que estavam empilhadas de um modo que parecia ser um local de dormir. Também viu alguns cobertores usados e enrolados no canto. Não pareciam estar lá havia muito tempo. Provavelmente, moradores de rua estariam usando o espaço para dormir. Por isso é que encontrara revistas em quadrinhos e garrafas espalhadas no local. Não havia erro. Aomame cogitou: "Se eles dormem aqui, certamente deve ter alguma passagem para que possam entrar e sair. Essas pessoas são muito espertas para achar esses locais de abrigo sem chamar a atenção. E, como animais selvagens, guardam para si a passagem secreta."

Aomame verificou atentamente cada uma das grades da cerca. Empurrava e balançava para verificar se não havia alguma frouxa. Como era de se esperar, encontrou uma barra solta, sem o parafuso. Imediatamente, ela começou a balançá-la em várias direções e, ao puxá-la, a barra se soltou e um espaço se abriu, o suficiente para uma pessoa passar. Ao anoitecer, os moradores de rua vêm para cá e dormem tranquilamente embaixo da área coberta. E, como sabem que terão problemas se forem pegos, durante o dia saem para procurar o que comer e juntam garrafas vazias para vender e obter alguns trocados. Aomame sentiu gratidão por esses moradores anônimos da noite. Como alguém que age sorrateiramente nas sombras da grande metrópole, ela se sentia parte da turma.

Aomame se curvou e passou pelo vão estreito, cuidando para não riscar ou rasgar o blazer caro. Não que ele fosse o seu preferido, mas era o único que tinha. Normalmente, não costumava se vestir assim. Tampouco andava de salto. No entanto, para *aquele trabalho* precisava estar bem-vestida. Não podia estragar um blazer tão importante.

Felizmente, não havia ninguém do outro lado da cerca. Aomame de novo checou cuidadosamente as roupas e, recobrando a expressão de serenidade, caminhou em direção ao semáforo, atravessou a Rodovia 246 e, ao avistar uma drogaria, entrou para comprar meias na seção de perfumaria. Perguntou para uma das vendedoras se podia ir até o fundo da loja para vesti-las. Assim que o fez, sentiu-se bem melhor. Até mesmo aquele mal-estar no estômago, aquele enjoo, desapareceu por completo. Aomame agradeceu à vendedora e saiu da loja.

A notícia de um acidente que congestionara a via expressa possivelmente já havia sido divulgada e, por isso, o trânsito da Rodovia 246 também estava mais carregado que o normal. Diante dessa situação, Aomame desistiu de tentar um táxi e resolveu pegar o trem da linha Tôkyû-Shintamagawa na estação mais próxima. Assim evitaria contratempos. Não queria mais se arriscar a ficar presa num congestionamento.

A caminho da estação de Sangenjaya, Aomame passou por um policial. Era jovem e alto, e caminhava a passos largos para algum local. Por alguns segundos Aomame sentiu-se ligeiramente tensa, mas ele, apressado, nem sequer lhe dirigiu o olhar. Um pouco antes de o policial passar por ela, Aomame notou que o uniforme dele não era o mesmo de sempre. Não era o uniforme que ela costumava ver. A cor da jaqueta era a mesma, azul-marinho, mas o corte era bem diferente. Era um modelo mais informal. Não era mais tão grudado ao corpo como o anterior. O tecido também fora substituído por um mais macio. A gola era pequena e o tom de azul era um pouco mais claro. O tipo de arma também era diferente. A que carregava na cintura era uma pistola semiautomática. No Japão, os policiais normalmente portavam revólveres com tambor. Por ser um país com pouca incidência de delitos com armas de fogo, era raro um policial se envolver em tiroteios, razão pela qual bastava portar os antigos revólveres de seis balas. O mecanismo desse tipo de revólver era mais simples e de fácil manuseio, além de ser mais barato e exigir pouca manutenção. Portanto, era estranho ver esse policial carregando um modelo novo de pistola. Era uma nove milímetros, com capacidade para dezesseis balas. Possivelmente, uma Glock ou Beretta. O que será que aconteceu? Será que o regulamento que determina o uso de uniforme e das armas teria sido alterado sem que ela soubesse? Não. Impossível. Aomame costumava ler atentamente os jornais e, se houvesse tal mudança, isso com certeza teria sido amplamente divulgado. Ela o saberia, pois sempre prestava muita atenção nos policiais. Naquela manhã — questão de algumas horas atrás —, os policiais ainda vestiam os habituais uniformes de aparência áspera e carregavam na cintura os rústicos revólveres com tambor. Ela se lembrava muito bem disso. Que estranho...

Mas, naquele momento, Aomame não podia ficar pensando naquilo. Afinal, ela precisava terminar um serviço.

Ao chegar a Shibuya, Aomame guardou seu casaco no armário da estação e, a passos largos, subiu a ladeira em direção ao hotel. Um hotel mediano, típico de cidade grande: não era um hotel luxuoso, mas suas acomodações eram boas, limpas, e não era frequentado por hóspedes de reputação duvidosa. No primeiro andar ficavam o restaurante e a loja de conveniência, com artigos de primeira necessidade. A localização era boa, próxima à estação.

Assim que entrou no hotel, Aomame se dirigiu ao banheiro. Por sorte não havia ninguém. Antes de mais nada, sentou-se na privada e urinou. Urinou demoradamente. Fechou os olhos e, sem pensar em nada, ouviu atentamente o jorro como um distante bramido das ondas do mar. Depois, foi até a pia e lavou as mãos com o sabonete, zelosamente. Em seguida, penteou os cabelos e assoou o nariz. Tirou da bolsa uma escova de dentes e deu uma rápida escovada, sem pasta. Como o tempo era exíguo, resolveu não passar fio dental. Não havia necessidade para tanto. Afinal, não era um encontro. Mirou-se no espelho, passou uma leve camada de batom e ajeitou as sobrancelhas. Tirou o blazer, ajustou a alça do sutiã, alisou os amassados da blusa branca e cheirou as axilas. Não havia odor. Por fim, fechou os olhos e, como sempre, rezou. A prece em si não tinha nenhum significado. Isso era o de menos. O importante era apenas o ato de recitar.

Após a oração, abriu os olhos e observou a imagem refletida no espelho. Perfeito. Sua imagem era a de uma autêntica executiva; uma profissional competente e ocupada. Postura ereta e lábios cerrados. A única coisa que destoava nessa imagem era a bolsa grande e desengonçada. O certo seria andar com uma pasta pequena, dessas que se usam para carregar documentos. Mas, por outro lado, carregar uma bolsa grande lhe dava a impressão de ser uma pessoa prática. Como todo cuidado era pouco, achou melhor verificar novamente os objetos que trazia na bolsa. Estava tudo em ordem. Tudo nos devidos lugares. Bastava apalpar a bolsa para tê-los à mão quando necessário.

Agora tinha apenas de cumprir o que fora planejado. Ir direto ao ponto munida de uma inabalável confiança, e sem compaixão. Aomame abriu o primeiro botão da blusa para que, ao se curvar, pudesse deixar à mostra os contornos de seus seios. "Se eles fossem um pouco maiores, seria bem melhor", pensou Aomame, contrariada.

Sem levantar suspeita, ela pegou o elevador até o quarto andar e, caminhando alguns passos pelo corredor, encontrou o quarto 426. Tirou da bolsa uma prancheta — providenciada de antemão — e, abraçando-a na altura do peito, bateu na porta com toques suaves e precisos. Aguardou alguns instantes. Um tempo depois, novamente, pôs-se a bater. Desta vez, um pouco mais forte, um pouco mais insistente. Alguém resmungou de dentro do quarto e a porta se entreabriu. Um homem espiou pela fresta. Um homem na faixa dos quarenta. Vestia camisa azul-marinho e calças de flanela cinza. Tinha ares de um executivo que acabou de se livrar do paletó e da gravata. Visivelmente muito mal-humorado, seus olhos estavam vermelhos. Talvez por não ter dormido. Ao ver Aomame vestida de executiva, mostrou-se surpreso. Provavelmente, ele presumiu ser a camareira que vinha abastecer o frigobar.

— Desculpe-me incomodá-lo durante o seu descanso. Sou a gerente administrativa do hotel e me chamo Itô. Tivemos um problema no sistema de ar-condicionado e estou fazendo uma averiguação. Será que o senhor me permite entrar no quarto por uns cinco minutos? — Aomame perguntou, sem rodeios, toda simpática e sorridente.

O homem apertou os olhos em desagrado.

— Agora estou no meio de um trabalho muito importante e urgente. Daqui a uma hora pretendo deixar o quarto. Será que você não poderia voltar depois? Não há nada de errado no ar-condicionado deste quarto.

— Desculpe-me, mas por se tratar de um curto-circuito, temos de tomar medidas de segurança emergencial e, por isso, gostaria de fazê-lo o quanto antes. Estou averiguando todos os quartos. Se o senhor permitir, posso fazer a checagem em menos de cinco minutos.

— Mas que coisa! — disse o homem, estalando a língua. — Reservei esse quarto justamente para trabalhar sossegado sem ser importunado...

Ele apontou para os documentos sobre a mesa. Nela havia uma pilha de papéis com tabelas e gráficos detalhados impressos de um computador. Ele devia estar preparando material para a reunião daquela noite. Havia também uma calculadora e um bloco de rascunhos com uma porção de números anotados.

Aomame sabia de antemão que o homem trabalhava numa empresa ligada ao setor petrolífero. Era especialista em investimentos em infraestrutura no Oriente Médio. Segundo informações que obtivera, era muito competente nesse ramo. Isso era evidente em sua maneira de se portar: teve boa educação, recebia um salário alto e circulava com um Jaguar novo. Foi mimado na adolescência, estudou fora, falava fluentemente o inglês e o francês e era muito confiante em tudo o que fazia. Era um tipo de pessoa que não suportava, em hipótese alguma, que alguém lhe pedisse algo. Também não admitia ser criticado. Principalmente se essa crítica partisse de uma mulher. Por outro lado, ele não tinha nenhum constrangimento em pedir favores. E não sentia nenhum remorso por ter espancado sua mulher no clube de golfe a ponto de quebrar-lhe algumas costelas. Ele se achava o centro do mundo, que tudo gravitava ao seu redor.

E que, sem ele, o mundo certamente deixaria de girar corretamente. Costumava se irritar com os que porventura ousassem atrapalhar ou contrariar suas ideias ou atitudes. Ficava extremamente bravo. E, de tão irritado, seus acessos de raiva eram como explosões de termostatos, totalmente descontroladas.

— Desculpe-me o incômodo — disse Aomame, mantendo um sorriso administrativo, do tipo simpático e cortês. Para dar veracidade à situação, deu um passo para dentro do quarto, fechou a porta empurrando-a com as costas e, rapidamente, com a caneta na mão, começou a fazer algumas anotações na prancheta: — O senhor é... Senhor Miyama, certo? — perguntou Aomame. Na verdade, de tanto ver as fotos dele, ela sabia que era ele, mas não custava se certificar de que se tratava da pessoa certa. Caso se enganasse, não teria mais como voltar atrás.

— Isso mesmo. Sou Miyama — sua resposta soou extremamente rude. Em seguida, ele respirou fundo, resignado, como quem diz "tudo bem, faça o que bem entender". Voltou a se sentar, pegou uma caneta e, com a outra mão, um documento para retomar a leitura. O paletó e a gravata listrada estavam jogados sobre a cama de casal ainda intocada. Tanto o paletó quanto a gravata pareciam ser peças muito caras. Sem tirar a bolsa do ombro, Aomame foi direto para o armário. Ela já sabia de antemão que o painel do ar-condicionado estava instalado dentro dele. No armário estava pendurado um casaco impermeável de tecido maleável e um cachecol cinza-escuro de caxemira. De bagagem, tinha apenas uma pasta executiva de couro. Não havia roupas de troca nem nécessaire. Possivelmente, não tinha a intenção de pernoitar. Sobre a mesa havia um bule de café solicitado ao serviço de quarto. Após fingir examinar o painel por cerca de trinta segundos, ela se voltou para ele e disse:

— Sr. Miyama, agradeço-lhe a colaboração. Não encontrei nenhuma anomalia nas instalações deste quarto.

— Eu não te disse que não havia nada de errado com o ar-condicionado? — respondeu Miyama em tom arrogante, sem se dar ao trabalho de olhar para Aomame.

— Ah! Sr. Miyama... — disse Aomame num tom hesitante.
— Acho que tem alguma coisa grudada na sua nuca.

— Na nuca? — disse Miyama, levando a mão ao cangote. Após esfregar a área da nuca, olhou para a palma da mão e, ligeiramente intrigado, comentou: — Parece que não tem nada.

— O senhor me permite? — perguntou Aomame aproximando-se da mesa. — Posso dar uma olhadinha de perto?

— Pode sim — disse Miyama com uma expressão de estranhamento. — Tem alguma coisa aí? O que é?

— Parece ser tinta. Uma tinta verde-clara.

— Tinta?

— Não tenho certeza. Pela cor, parece ser tinta. Posso tocar? Talvez eu consiga tirar...

— Ahá — disse Miyama, curvando-se para a frente e deixando à mostra a nuca para Aomame. Ele devia ter cortado o cabelo havia pouco tempo e, por isso, a nuca estava descoberta. Aomame respirou fundo, prendeu a respiração e, concentrada, apalpou rapidamente *o ponto certo* da nuca. Como que para sinalizar o local, pressionou-o levemente com a ponta do dedo. Fechou os olhos e certificou-se de que o local tateado era o correto. E era isso mesmo; esse era o local. Se possível, ela gostaria de verificar com calma e com mais tempo, mas, neste caso, não havia condições para tanto. Dentro do que lhe foi atribuído, precisava fazer o seu melhor.

— Será que o senhor poderia se manter nessa posição mais um pouco? Vou pegar uma lanterna na bolsa. Com essa iluminação do quarto, não consigo ver direito.

— Mas como é que essa tinta foi parar aí, hein? — disse Miyama.

— Não sei. Já vou averiguar.

Com o dedo apoiado num ponto da nuca, Aomame tirou da bolsa um estojo rígido de plástico, abriu a tampa e, com uma das mãos, desembrulhou habilmente um objeto que estava envolto num tecido fino. O objeto era parecido com um picador de gelo portátil e tinha uns dez centímetros de comprimento. O cabo de madeira era pequeno e compacto, mas não era um picador de gelo. Apenas o formato era semelhante, mas a função era outra. Ela própria havia idealizado e fabricado o objeto. A extremidade era muito pontiaguda, como uma agulha de costura. Para evitar que a extremidade se quebrasse, a ponta ficava espetada num pedaço de cortiça. Uma cortiça submetida a um processo especial de tratamento, macia como algodão. Aomame retirou cuidadosamente a cortiça com as unhas e guardou-a no bolso do blazer. Depois, posicionou a ponta da agulha *no ponto certo* da nuca de Miyama. "Vamos, concentre-se. Agora é que vem a parte principal", disse para si. Não havia margem para sequer um décimo de milímetro de erro. Se errasse o local, por mínimo que fosse, todo o seu esforço teria sido em vão. Era necessário um intenso poder de concentração.

— Ainda vai demorar muito? Até quando você pretende ficar fazendo isso? — o homem perguntou impaciente.

— Desculpe-me. Já estou terminando — respondeu Aomame.

"Não se preocupe, já vai acabar logo", Aomame respondeu mentalmente. "Espere só mais um pouquinho. Daqui a pouco, você não vai mais precisar pensar em nada. Não vai mais precisar se preocupar com o sistema de refinamento de petróleo, com as tendências mercadológicas do óleo bruto, em ter de apresentar o quarto relatório trimestral para os investidores, reservar o voo para Bahrein, ter de dar propinas aos funcionários públicos, de dar presentes para a amante; enfim, não vai precisar pensar em mais nada. Não deve ter sido fácil pensar em tantas coisas ao mesmo tempo, não é? Por isso, sinto muito, mas peço para que tenha um pouco mais de paciência. Estou concentrada tentando realizar o meu trabalho, então, por favor, não me atrapalhe, é tudo o que peço."

Uma vez definido o local e preparada para realizar o trabalho, ela ergueu a palma da mão direita e, após prender a respiração por alguns segundos, fincou o objeto pontiagudo *num só golpe*, segurando-o pelo cabo de madeira. Porém, não o espetou com muita força. Se o tivesse feito, a agulha podia se quebrar; e ela não podia deixar a ponta da agulha dentro da pele. Precisava enfiá-la com suavidade e carinho, num ângulo correto e com intensidade adequada. Tudo *num golpe só*, sem resistir à gravidade. A extremidade pontiaguda da agulha penetrava naturalmente *no ponto certo* como que sugada por ele. Sugada para bem fundo, sem opor resistência, de modo fatal. O importante era o ângulo e a força utilizada na penetração. Não. O importante mesmo era como se controlava essa força. Se levasse em conta esses cuidados, o resto era simples como enfiar uma agulha num pedaço de queijo de soja. Quando a agulha penetrava na nuca e tocava um ponto específico no cérebro, o coração parava de funcionar como uma vela que se apaga com um sopro. E isso tudo não levava mais que um segundo. Chegava a ser ridículo. Isso era algo que somente Aomame conseguia fazer. Ninguém seria capaz de encontrar tal ponto apenas com o toque. Mas ela conseguia. As pontas de seus dedos eram dotadas de uma intuição especial capaz de assegurar-lhe tal proeza.

Aomame ouviu o último suspiro sobressaltado do homem. E percebeu que os músculos de seu corpo se retesaram ligeiramente. Assim que notou essa contração, tirou depressa a agulha e, imediatamente, colocou no local da picada um pedaço de gaze que trazia no bolso para estancar a hemorragia. A ponta da agulha era muito fina e o tempo de penetração durou uma fração de segundo. Portanto, caso ocorresse algum sangramento, seria pequeno. Mas, mesmo assim, todo cuidado era pouco. Não podia deixar vestígios de sangue. Uma única gota poderia ser o fim. A prudência era uma das virtudes de Aomame.

Com o passar do tempo, o corpo retesado de Miyama foi perdendo gradativamente a força. Era como deixar que o ar escapasse de uma bola de basquete. Com o dedo indicador apalpando o ponto da nuca, ela o posicionou de bruços sobre a mesa. Com os documentos a servir-lhe de travesseiro, deitou o rosto virando-o de lado. Os olhos estavam abertos, perplexos, como se a última coisa que presenciasse tivesse sido algo estranho, inusitado. Esse olhar não era de medo, nem de sofrimento. Era de pura surpresa: alguma coisa anormal acontecia em seu corpo, mas ele não sabia exatamente o que era. Não soube discernir se essa anormalidade era um tipo de dor, coceira, prazer ou alguma revelação. No mundo, há muitas maneiras de morrer, mas, certamente, nenhuma tão tranquila como esta.

"Para você, esse jeito de morrer foi tranquilo demais, muito fácil", pensou Aomame, franzindo as sobrancelhas numa expressão de desagrado. "Por mim, eu quebrava duas, três costelas com um taco de golfe número 5 e, após deixá-lo sofrer muito, o mataria com um golpe de misericórdia. Esse rato bem que merecia uma morte cruel. Não foi exatamente isso o que você fez com sua esposa? Infelizmente eu não tenho essa liberdade de escolha. A minha missão foi conduzi-lo rápida e discretamente para o lado de lá, de modo preciso. E eu acabei de cumprir essa missão. Este homem, momentos atrás, estava vivo, e agora está morto. Ele próprio nem se deu conta de que acabou de transpor o limiar entre a vida e a morte."

Ela segurou pacientemente a gaze sobre a ferida durante exatos cinco minutos, cuidando para não pressioná-la muito a ponto de deixar marcas de dedos. Durante esse tempo, ela não tirou os olhos do ponteiro dos segundos. Foram longos cinco minutos. Cinco minutos que pareciam uma eternidade. Se, naquele momento, alguém entrasse pela porta e a visse portando uma arma fina e mortal numa das mãos, e com o dedo da outra apalpando a nuca do homem, seria o fim. Não teria escapatória. Talvez um funcionário do hotel viesse recolher o bule de café ou alguém poderia bater na porta. Mas esses cinco minutos eram cruciais e não podiam ser ignorados. Para manter a calma, Aomame começou a inspirar e expirar profundamente. Nada de afobação. Nada de perder a calma. Era preciso ser a Aomame de sempre, senhora de si.

As batidas de seu coração acompanhavam o ritmo dos trechos iniciais da *Sinfonietta* de Janáček que ecoavam em sua mente. Um vento suave e silencioso soprava nas planícies verdejantes da Boêmia. Foi então que percebeu que ela se dividia em duas: uma que era extremamente fria e apertava a nuca do morto, e a outra, que era muito medrosa e queria largar tudo e sair em disparada do quarto. "Estou aqui e, ao mesmo tempo, não estou. Estou em dois lugares ao mesmo tempo. Isso vai contra a teoria de Einstein, mas não posso fazer nada. É a sina dos assassinos."

Finalmente passaram-se cinco minutos. Por via das dúvidas, Aomame achou melhor aguardar mais um. "Posso esperar mais um minuto. Quanto mais se tem pressa, mais se deve redobrar a atenção" e, pensando assim, ela resolveu aguardar pacientemente esse minuto que custou a passar. Depois tirou lentamente o dedo e verificou a ferida com a lanterna. Não havia nenhum vestígio. Nem do tamanho de uma picada de mosquito.

Perfurar com uma agulha fina um local específico na nuca provocava uma morte semelhante à morte natural. Qualquer médico a diagnosticaria como resultado de um ataque do coração. O homem trabalhava debruçado na mesa quando, de repente, foi vitimado por um ataque do coração e, na mesma hora, exalou o último suspiro. Excesso de trabalho e estresse. Não levantaria nenhum tipo de suspeita. Nem autópsia seria requerida.

 Ele era um homem muito competente, mas trabalhava demais. Recebia um bom salário, mas, uma vez morto, não poderia usufruí-lo. Vestia Armani, dirigia um Jaguar, mas, no fim das contas, era como uma formiga. Trabalhou, trabalhou para, no fim, ter uma morte sem sentido. Em breve, sua existência aqui na Terra seria esquecida. As pessoas poderiam até comentar "Que pena, morrer assim tão jovem...". Ou talvez não comentassem nada.

Aomame tirou a cortiça do bolso e espetou a ponta da agulha nela. Embrulhou o delicado instrumento com um tecido fino, colocou-o dentro do estojo e o guardou no fundo da bolsa. Pegou uma toalha do banheiro e limpou suas impressões digitais. Os únicos locais em que havia impressões suas eram no painel do ar-condicionado e na maçaneta da porta. Em nada mais havia tocado. Depois colocou a toalha de volta. Em seguida, arrumou a xícara e o bule na bandeja e a deixou no corredor. Isso evitaria que o funcionário batesse na porta para retirar a louça, o que retardaria a descoberta do corpo. Se tudo desse certo, o corpo só seria encontrado pela camareira no dia seguinte, na hora do check-out.

 Se ele não comparecer à reunião de hoje à noite, provavelmente alguém telefonará para ele neste quarto. E não haverá ninguém para atender. As pessoas poderão desconfiar de algo e pedir que o gerente abra a porta, talvez nem cheguem a tanto. Tudo irá depender dos rumos que os acontecimentos irão tomar.

 Aomame se olhou no espelho do banheiro e verificou se sua roupa não estava desarrumada. Fechou o primeiro botão da blusa. Não precisou mostrar o contorno dos seios. "Aquele canalha nem sequer dignou-se a olhar para mim. Quem ele pensa que é?", pensou Aomame, franzindo as sobrancelhas, indignada. Em seguida, ajeitou os cabelos e, com a ponta dos dedos, massageou a face para descontrair os músculos retesados. Olhou-se novamente e se pôs a sorrir, um sorriso simpático que exibia os dentes recém-branqueados pelo dentista. "Ok! Agora vou deixar o quarto deste cadáver e voltar para o mundo real. Preciso normalizar a pressão sanguínea. Não sou mais a assassina de sangue-frio. Agora sou uma executiva simpática e competente que veste um blazer elegante."

Aomame entreabriu a porta e, após verificar que não havia ninguém no corredor, saiu de mansinho. Em vez de usar o elevador, resolveu descer as escadas. Ao sair pelo saguão, não chamou a atenção de ninguém. Manteve o corpo ereto, o olhar voltado à frente, e andou a passos largos. Mas não tão rápido a ponto de chamar a atenção. Era profissional. Uma profissional quase perfeita. Se tivesse seios maiores, sem dúvida poderia se considerar uma profissional perfeita, lamentou Aomame. Ao pensar nisso, franziu levemente as sobrancelhas. Mas não havia o que fazer. Precisava seguir em frente com o que tinha.

4
Tengo
Se é isso que você deseja...

Tengo acordou com a campainha do telefone. Os ponteiros fosforescentes do relógio indicavam uma e pouco da madrugada. O entorno, obviamente, estava escuro como breu. Desde o início, ele sabia que a ligação só poderia ser de Komatsu. A única pessoa que ele conhecia capaz de ligar a uma hora daquelas — e ainda insistindo para ser atendido — era ele. Komatsu não tinha a mínima noção de tempo. Era do tipo que, se tivesse vontade, telefonava sem se importar com a hora: tarde da noite, de madrugada, em plena noite de núpcias, no leito de morte, ou seja, em sua cabeça oval inexistia o bom-senso de questionar a inconveniência dessa sua atitude.

Mas ele não devia fazer isso sempre. Afinal, Komatsu trabalhava numa empresa, era assalariado e, nesse sentido, não podia agir com a mesma falta de bom-senso com qualquer um, indiscriminadamente. Se o fazia, era porque falava com Tengo. Para Komatsu, Tengo era, por assim dizer, uma extensão dele; como braços ou pernas. Por isso, Komatsu achava que, se ele estava acordado, Tengo obviamente também estaria. No entanto, num dia normal, Tengo costumava se deitar às dez da noite e acordar às seis da manhã. Em geral, tinha uma vida regrada. Dormia profundamente, mas, uma vez acordado, não conseguia mais pregar o olho. Isso o deixava irritado. E não foram poucas as vezes em que ele falou a Komatsu dessa sua dificuldade de voltar a dormir. Chegou inclusive a pedir encarecidamente para ele não ligar mais durante a noite. Um pedido que soou como a prece de um camponês pedindo a Deus que não mandasse uma nuvem de gafanhotos antes da colheita. "Entendi. Não vou mais te ligar à noite", respondia Komatsu. Mas, como a promessa não fincava raízes suficientemente profundas em seu consciente, logo na primeira chuva ela era facilmente arrancada e levada pela enxurrada.

Tengo se levantou e, trombando contra os móveis, conseguiu chegar até a cozinha para atender ao telefone que tocava insistentemente.

— Falei com a Fukaeri — disse Komatsu. Ele, como sempre, começava a falar sem qualquer tipo de saudação. Nenhuma frase introdutória, como "Estava dormindo?" ou "Me desculpe por te ligar tão tarde...". Era realmente impressionante.

Tengo se mantinha quieto, com a cara amarrada e envolto pela escuridão. Quando era acordado abruptamente no meio da noite, sua cabeça levava um tempo para funcionar.

— Ei, está me ouvindo?

— Estou sim.

— Foi por telefone, mas, de qualquer modo, consegui conversar com ela. Não foi exatamente uma conversa; na prática, eu é que falei e ela só ficou escutando. Bem, digamos que ela é uma garota de poucas palavras e que fala de um jeito esquisito. Acho que você vai notar assim que falar com ela. Em todo caso, expliquei o meu plano bem por alto e perguntei o que ela achava de uma terceira pessoa reescrever a *Crisálida de ar* e, com o texto mais bem-trabalhado, concorrer ao prêmio literário de autor revelação. Como a conversa era por telefone, apenas sondei se ela estaria interessada no assunto, ainda que, por precaução, só poderia falar disso em linhas gerais, meio que indiretamente, já que os detalhes podiam ficar para depois, quando nos encontrássemos pessoalmente. Falar disso abertamente por telefone pode trazer problemas.

— E?

— Ela não respondeu.

— Não respondeu?

Komatsu fez uma pausa estratégica: colocou um cigarro na boca e riscou um fósforo. Ao escutar esse som do outro lado da linha, Tengo logo imaginou a cena diante de seus olhos. Komatsu não usava isqueiro.

— Pois então, a Fukaeri disse que quer te conhecer primeiro — disse Komatsu, soltando a fumaça. — Ela não respondeu se estava ou não interessada no assunto. Também não disse se quer ou não fazer isso. De qualquer modo, o mais importante para ela é conversar pessoalmente com você. Só depois dessa conversa é que ela pretende dar a resposta. Isso é que é responsabilidade, hein!

— E?
— Você está livre amanhã à tarde?
As aulas da escola preparatória começavam bem cedo e terminavam às quatro da tarde. E, felizmente ou infelizmente, depois disso ele não tinha nenhum compromisso.
— Estou — respondeu Tengo.
— Então, às seis da tarde, vá ao Nakamuraya, em Shinjuku. Vou reservar uma mesa tranquila nos fundos. Peça o quiser, comida, bebida, e pendure na conta da empresa, está bem? Assim vocês podem conversar à vontade.
— Você não vai?
— Uma das condições de Fukaeri foi a de conversar somente com você. Por enquanto, ela diz que ainda não precisa se encontrar comigo.
Tengo manteve-se calado.
— E é isso — disse Komatsu, bem-humorado. — Conto com você, Tengo. Apesar de ser um cara grandalhão, você sempre causa boa impressão nas pessoas. Além do mais, como professor de escola preparatória, você deve estar acostumado a lidar com essas garotas precoces do colegial, não é? Você se encaixa melhor do que eu nesse papel. Procure conquistar a confiança dela e, gentilmente, tente convencê-la a aceitar o plano de bom grado. Aguardarei as boas-novas.
— Ei, espere um pouco. Essa ideia foi sua, não foi? Eu ainda nem sequer te dei a resposta. E, como eu já te disse outro dia, além de achar esse plano muito arriscado, não creio que as coisas vão se encaminhar assim tão facilmente. Isso pode virar um problema social, de ordem pública. Se nem eu mesmo sei se devo ou não aceitar sua proposta, como é que você acha que vou conseguir convencer uma garota que nem sequer conheço?
Komatsu ficou um bom tempo em silêncio do outro lado da linha. Depois disse:
— Tengo, essa história já está em plena marcha. Agora não dá mais para simplesmente parar o trem e saltar. Eu já me decidi. E você, certamente, está mais que cinquenta por cento decidido. Digamos que eu e você já estamos juntos nessa.
Tengo balançou a cabeça. "Eles estavam juntos nessa? Nossa! Desde quando isso tomou tamanha proporção?", pensou indignado.

— Mas não foi você mesmo que disse, outro dia, que era para eu pensar nisso com calma?

— Isso foi há cinco dias. Depois de pensar esse tempo todo, qual foi a sua decisão?

Tengo se sentiu num beco sem saída.

— Ainda não me decidi — respondeu com franqueza.

— Se é assim, que tal você se encontrar com essa tal de Fukaeri e conversar com ela, hein? Tome sua decisão depois de falar com ela.

Tengo pressionou com força a têmpora com o dedo. Sua cabeça ainda não estava funcionando bem.

— Entendi. Então vou me encontrar com essa tal de Fukaeri. Amanhã estarei às seis horas no Nakamuraya, em Shinjuku. Vou tentar explicar a situação do meu jeito. Mais que isso não garanto nada. Posso até explicar o que se passa, mas isso de tentar convencê-la não posso garantir, está bem?

— Claro. Está ótimo!

— O que ela sabe de mim?

— Eu disse apenas o mínimo. Que você tem vinte e nove ou trinta anos, é solteiro e dá aulas de matemática numa escola preparatória em Yoyogi. Que, apesar de você ser um cara desajeitado, não é má pessoa; e que não é desses que devoram mocinhas. Disse também que tem uma vida modesta e um olhar meigo. E que você gostou muito da obra. Acho que foi mais ou menos isso.

Tengo suspirou. Quando tentava pensar em algo, a realidade parecia ora se aproximar, ora se distanciar dele.

— Então, Komatsu, será que agora eu posso voltar pra cama? É quase uma e meia da madrugada e eu queria dormir um pouco antes de amanhecer. Amanhã dou três aulas no período da manhã.

— Pode sim. Boa noite — disse Komatsu. — Tenha bons sonhos. — E desligou abruptamente o telefone.

Tengo ficou durante um bom tempo olhando o fone antes de colocá-lo de volta no gancho. Se pudesse, bem que gostaria de voltar a dormir logo e, também, de ter um bom sonho. Mas ele sabia muito bem que não seria fácil dormir após ser acordado àquela hora e, ainda por cima, sendo incomodado com aquele assunto. Pensou em tomar uma bebida alcoólica para tentar dormir, mas não estava com vontade de beber. Resolveu, então, tomar um copo d'água e, ao voltar para a cama, acendeu a luz e pôs-se a ler um livro. A intenção era ler até cair no sono, mas, no final, só conseguiu dormir quando o dia já amanhecia.

Após suas três aulas, Tengo pegou o trem e foi para Shinjuku. Comprou alguns livros na livraria Kinokuniya e rumou para o Nakamuraya. Na entrada, ao dizer o nome de Komatsu, logo o conduziram para uma mesa tranquila que ficava nos fundos do estabelecimento. Fukaeri ainda não tinha chegado. Tengo disse para a garçonete que aguardava uma pessoa. A garçonete perguntou se ele gostaria de tomar algo enquanto aguardava e ele disse que não. Ela deixou sobre a mesa o copo de água e o cardápio, e se retirou. Tengo começou a ler o livro que acabara de comprar. Um livro sobre feitiçaria, que falava do papel da magia na sociedade japonesa. No passado, a feitiçaria tinha uma finalidade muito importante na comunicação. Sua função era a de encobrir e ocultar as falhas e as contradições existentes no sistema social. Devia ser uma época muito divertida.

    Eram seis e quinze e nada de Fukaeri. Tengo continuou a leitura sem se incomodar ou se sentir especialmente surpreso de ela ainda não ter chegado. Afinal, toda a história não tinha pé nem cabeça. Ninguém podia ser considerado culpado se o assunto se desenrolara de modo tão disparatado. Inclusive, não seria nada estranho se ela mudasse de ideia e não aparecesse. Para Tengo, seria até melhor que ela não viesse. Isso facilitaria as coisas. Era só dizer para Komatsu que, apesar de ter esperado por cerca de uma hora, essa tal de Fukaeri não aparecera. Dali em diante, não seria mais da sua conta. Tengo comeria algo sozinho e voltaria para casa. Com isso seu dever com Komatsu estaria cumprido.

    Fukaeri apareceu às seis e vinte e dois. A garçonete a conduziu até a mesa e ela se sentou em frente a Tengo. Com as mãos pequeninas sobre a mesa e sem tirar o casaco, ela ficou olhando para o seu rosto sem dizer nada. Nada de "Me desculpe pelo atraso" ou "Faz tempo que você chegou?", tampouco "Muito prazer" ou "Boa tarde!". Com os lábios cerrados, ela apenas se limitava a olhar para o rosto de Tengo. Era como se estivesse contemplando uma paisagem distante, jamais vista. Tengo não pôde deixar de admirar sua atitude.

Fukaeri era pequena. Seu rosto era muito mais bonito do que na foto. O que mais chamava a atenção nesse seu rosto eram os olhos. Olhos que impressionavam pela profundidade de seu olhar. Tengo sentiu desassossego ao ser observado por esse par de pupilas reluzentemente negras. Ela praticamente não piscava. Tampouco parecia respirar. Os cabelos pareciam ter sido cortados precisamente, medidos à régua, fio a fio, em corte reto, e o formato de suas sobrancelhas combinava com esse corte. Como a maioria das garotas bonitas na faixa dos dez aos vinte anos, sua expressão carecia de vitalidade. Expressão que, por sua vez, era reforçada pelo olhar, que diferia em profundidade entre sua pupila direita e a esquerda. Um olhar assimétrico que provocava uma sensação de mal-estar para quem se tornava alvo dele. Era difícil saber o que ela pensava. Nesse sentido, ela não era do tipo de garota bonita que leva jeito para ser modelo ou que vai despontar como cantora de sucesso. Mas, em compensação, tinha um poder de estimular e atrair as pessoas.

Tengo fechou o livro e o colocou no canto da mesa. Depois, endireitou a coluna, corrigiu a postura e tomou um gole de água. Realmente, Komatsu tinha razão. Se essa garota ganhar o prêmio literário, a imprensa não vai deixá-la em paz. O assunto com certeza terá grande repercussão. Será que vai dar certo?

A garçonete se aproximou e deixou o copo d'água e o cardápio na frente dela. Mesmo assim, Fukaeri não se mexeu. Continuou a olhar Tengo sem nenhuma menção de pegar o cardápio. Tengo, sem outra opção, disse "Boa tarde". O seu corpo parecia ter dobrado de tamanho diante dela.

Mantendo o olhar em Tengo, Fukaeri nem se deu ao trabalho de responder a esse cumprimento, mas, finalmente, disse em voz baixa:

— Eu te conheço.
— Você me conhece? — perguntou Tengo.
— Ensina matemática.
Tengo confirmou:
— Isso mesmo.

— Assisti a duas aulas.
— É mesmo?
O jeito de ela falar tinha algumas particularidades. As frases eram concisas, sem complementos, havia uma carência drástica de entonação, e o vocabulário era bem restrito (na melhor das hipóteses, a impressão era de que ela usava, por vontade própria, um vocabulário limitado). Komatsu tinha razão quando disse que era meio esquisita.
— Você estuda na escola em que dou aulas? — perguntou Tengo.
Fukaeri balançou a cabeça negativamente:
— Apenas fui dar uma olhada.
— Se não me engano, não se pode assistir às aulas sem o cartão de estudante.
Fukaeri apenas encolheu discretamente os ombros. Era como se dissesse "Vocês adultos falam cada bobagem!".
— O que você achou da aula? — perguntou Tengo. Outra pergunta sem sentido.
Fukaeri tomou um gole de água sem desviar o olhar de Tengo. Não houve resposta. Se ela assistiu a duas aulas, significa que a impressão que teve da primeira não foi tão ruim assim, intuiu Tengo. Se a aula não tivesse sido interessante, ela não assistiria a outra.
— Você está no terceiro ano, é isso? — perguntou Tengo.
— Por enquanto.
— Vai prestar o vestibular?
Ela balançou a cabeça.
Tengo não soube identificar se seu gesto queria dizer "Não quero falar de vestibular" ou "Não vou prestar vestibular". Foi quando se lembrou do que Komatsu lhe dissera, sobre ela ser uma garota extremamente quieta.
A garçonete retornou para anotar os pedidos. Fukaeri ainda usava o casaco. Ela pediu salada e pão:
— É só isso mesmo — disse, devolvendo o cardápio para a garçonete. Como se de repente tivesse uma ideia, acrescentou: — E vinho branco.
A jovem garçonete perguntou-lhe algo a respeito da idade, mas, ao ser encarada por Fukaeri, ela enrubesceu e se calou. Tengo

novamente admirou esse seu jeito. Ele pediu um linguini com frutos do mar. E, para acompanhar Fukaeri, uma taça de vinho branco.

— É professor e escreve romances — disse Fukaeri. Ela parecia dirigir uma pergunta para Tengo. Uma de suas características era justamente a de perguntar sem empregar o tom de interrogação.

— No momento, sim — respondeu Tengo.

— Não parece nem um nem outro.

— Você tem razão — disse Tengo, tentando esboçar um sorriso, sem sucesso. — Tenho o diploma de professor e dou aulas na escola preparatória, mas não me considero oficialmente um professor. Escrevo romances, mas, como ainda não se tornou letra impressa, não me considero escritor.

— Você não é nada.

Tengo assentiu:

— Isso mesmo. No momento, eu não sou nada.

— Gosta de matemática.

Tengo acrescentou o sinal de interrogação no final da frase e reformulou a pergunta antes de respondê-la:

— Gosto sim. Sempre gostei e ainda gosto.

— O que gosta.

— O que eu gosto na matemática? — Tengo acrescentou algumas palavras. — Deixe-me ver... Quando eu lido com números, me sinto muito tranquilo. É como se as coisas se encaixassem em seus devidos lugares.

— A história do cálculo integral foi divertida.

— Da minha aula... Lá na escola?

Fukaeri assentiu.

— Você gosta de matemática?

Fukaeri balançou a cabeça. Ela não gostava de matemática.

— Mas você gostou daquela história do cálculo integral? — perguntou Tengo.

Fukaeri encolheu os ombros sutilmente e disse:

— Falou do cálculo integral com carinho.

— Acha mesmo? — disse Tengo. Era a primeira vez que alguém lhe dizia isso.

— Parecia falar de alguém muito importante — disse a garota.

— Acho que meu entusiasmo é bem maior nas aulas de progressão aritmética — comentou Tengo. — Das lições de matemática que dou no colegial, a progressão aritmética é a de que mais gosto.

— Gosta de progressão aritmética — perguntou Fukaeri, sem usar a interrogação.

— Para mim, a progressão aritmética é como *O cravo bem temperado*, de Bach. É algo de que nunca se consegue enjoar. Sempre se descobre algo novo.

— Conheço *O cravo bem temperado*.

— Gosta de Bach?

Fukaeri assentiu:

— Professor sempre ouve.

— Professor? — perguntou Tengo. — Esse professor é o professor da sua escola?

Fukaeri não respondeu. Ela olhou para Tengo com uma expressão de quem diz que ainda é cedo para se falar nisso.

Foi então que lhe ocorreu tirar o casaco e, como um inseto a mudar de pele, tirou-o contorcendo agilmente o corpo e rapidamente o colocou na cadeira ao lado sem dobrá-lo. Ela vestia um pulôver fino de gola redonda verde-claro e jeans branco. Não usava acessórios. Nem maquiagem. Mas, mesmo assim, chamava a atenção. Seu corpo era esbelto, mas os seios eram proporcionalmente grandes, atraindo irresistivelmente a atenção do seu olhar. Tinham um belo formato. Tengo precisava se conter para não ficar olhando para eles. Mas, mesmo tomando esse cuidado, seus olhos acabavam se fixando neles como que tragados para o olho do furacão.

As taças de vinho branco foram servidas. Fukaeri tomou um gole. Antes de devolver a taça sobre a mesa, ficou a olhá-la, pensativa. Tengo levou a taça à boca apenas para molhar os lábios. Precisava falar sobre um assunto importante.

Por alguns instantes, Fukaeri passou os dedos entre os seus cabelos negros de corte reto, como que a penteá-los. Seu gesto era lindo, assim como seus dedos. Era como se cada dedo tivesse autonomia, vontade e orientação próprias. Tengo chegou a imaginar que eram enfeitiçados.

— O que eu gosto na matemática? — Tengo refez a pergunta para tentar desviar os olhos dos dedos e dos seios dela. — A matemática é como a correnteza da água. É claro que existem muitas teorias complicadas, mas o raciocínio básico é muito simples. Assim como a água que vem do alto sempre corre para baixo pelo caminho mais curto, os números também seguem um único fluxo. Basta observar atentamente o fluxo para que você consiga enxergar o percurso. É só ficar quietinho e observar atentamente. Não é preciso fazer nada. Se você se concentrar e mantiver os olhos bem atentos, a própria matemática irá se revelar por inteiro. Nada mais neste vasto mundo foi tão gentil comigo como a matemática.

Fukaeri ficou por um bom tempo pensativa, refletindo sobre o que acabara de ouvir.

— Por que escreve romances — perguntou Fukaeri, sem entonação.

Tengo desenvolveu a pergunta numa sentença bem mais longa:

— Se a matemática te deixa tão feliz, para que sofrer tentando escrever romances? Não seria melhor se dedicar somente à matemática? É isso que você quis dizer?

Fukaeri concordou.

— Bem, é que... Digamos que a vida real não é como a matemática. Na vida real as coisas nem sempre seguem o percurso mais curto. A matemática é, como eu poderia dizer... é algo por demais natural para mim. É como uma paisagem bonita. É apenas algo que *está aí*. Não é preciso substituí-la. Por isso, quando estou inserido no mundo da matemática, eu me sinto como que gradualmente transparente. Às vezes, isso me dá medo.

Fukaeri fitava Tengo sem desviar o olhar. Era como se estivesse espiando uma casa vazia, com o rosto grudado na janela.

Tengo continuou:

— Quando escrevo um romance, eu utilizo as palavras para substituir a paisagem do meu entorno em algo que se torna mais natural para mim. Ou seja, eu a reorganizo. Ao fazer isso, me certifico de que sou um ser humano que realmente existe neste mundo. Isso é um tipo de trabalho bem diferente do que quando estou no mundo da matemática.

— Certifica sua existência — disse Fukaeri.

— Mas ainda não posso dizer que consigo fazer isso muito bem — disse Tengo.

A explicação de Tengo aparentemente não convenceu Fukaeri, mas ela não fez nenhum comentário; limitou-se a pegar a taça de vinho e levá-la à boca. Como se bebesse de canudinho, tomou um gole sem emitir sons.

— Se me permite dizer, na prática, você também está fazendo algo parecido. Você está reorganizando uma paisagem por meio de suas palavras e, com isso, você está se certificando de sua existência — disse Tengo.

Fukaeri ficou um tempo refletindo sobre isso com a taça de vinho branco na mão. Como era de se esperar, sobre isso ela também preferiu não opinar.

— Digamos que você preservou o resultado desse processo por meio de uma forma que, no caso, é a sua obra — complementou Tengo. — Se essa sua obra suscitar a aceitação e a simpatia de um grande número de pessoas, significa que ela possui um valor real.

Fukaeri balançou a cabeça categoricamente:

— Isso, de forma, não me interessa.

— Você não se interessa pela forma — repetiu Tengo.

— Forma não tem significado.

— Então por que é que você se inscreveu para o concurso literário enviando aquela história?

Fukaeri colocou a taça sobre a mesa.

— Eu não enviei.

Tengo pegou o copo de água e tomou um gole para manter a calma:

— Quer dizer que você não se inscreveu no prêmio literário?

Fukaeri assentiu:

— Eu não enviei.

— Então... Quem enviou o que você escreveu para a editora e te inscreveu para o concurso literário de autor revelação?

Fukaeri encolheu os ombros discretamente. Durante cerca de 15 segundos manteve-se em silêncio para, em seguida, quebrá-lo:

— Alguém.

— Alguém? — repetiu Tengo, soltando o ar lentamente por entre os lábios cerrados. A conversa estava difícil de deslanchar. Ele sabia que seria assim.

Tengo já havia se relacionado com algumas de suas alunas da escola preparatória. Mas esses relacionamentos aconteciam depois de elas deixarem a escola e ingressarem na universidade. Elas é que ligavam para ele convidando-o para sair. Ele as encontrava, conversavam e passeavam em algum lugar. Tengo não sabia que tipo de atração ele despertava nelas, mas, de qualquer modo, era solteiro e elas já não eram mais suas alunas. Não havia motivo para recusar os convites.

Como desdobramento desses encontros ele acabou indo para a cama com duas delas, mas o relacionamento não durava muito; ele se desgastava naturalmente até terminar de forma espontânea. Quando Tengo saía com essas garotas cheias de energia, que haviam acabado de ingressar na faculdade, ele não conseguia ficar sossegado. Sentia-se desconfortável. Era como brincar com filhotes de gato: de início, é divertido, legal; mas, um tempo depois, se torna entediante. As garotas também se decepcionavam com ele ao constatar que aquele professor das aulas entusiasmadas de matemática era outra pessoa fora das aulas. E Tengo, de certa forma, entendia aquela frustração.

Ele só conseguia relaxar quando estava com uma mulher mais velha. O fato de não precisar assumir nenhum tipo de iniciativa era como tirar um fardo de suas costas. Sua sorte era que a maioria das mulheres mais velhas costumava simpatizar com ele. Desde que passara a se relacionar, cerca de um ano antes, com uma mulher dez anos mais velha, Tengo nunca mais saiu com mulheres jovens. Uma vez por semana ela ia ao apartamento de Tengo para se encontrarem e assim ele aliviava em parte aquele desejo carnal — ou necessidade — que seu corpo sentia pelo sexo feminino. Fora isso, ele passava o dia no quarto escrevendo romances, lendo livros, ouvindo música e, de vez em quando, ia nadar na piscina coberta que ficava perto de sua casa. A não ser pelas poucas conversas que tinha com os colegas da escola preparatória, praticamente não falava com mais ninguém. Mas não tinha do que reclamar. Muito pelo contrário; essa era a vida que ele considerava a mais próxima da ideal.

No entanto, quando ele olhou para essa garota de dezessete anos chamada Fukaeri, sentiu seu coração bater intensamente. Era a mesma sensação que havia tido quando viu sua fotografia pela primeira vez, mas, vendo-a ao vivo e em cores, a palpitação foi bem mais intensa. Não era paixão nem tampouco desejo carnal. Era como se *algo* penetrasse por uma pequenina fenda tentando preencher um vazio existente em seu âmago. Era essa a sensação. E o vazio não foi algo trazido por Fukaeri; já existia dentro dele. Fukaeri apenas incidira uma luz especial naquele local, iluminando-o.

— Você não tem interesse em escrever romances e também não se candidatou ao prêmio literário — disse Tengo, para se certificar das informações.

Fukaeri assentiu sem tirar os olhos de Tengo. Depois encolheu os ombros, como a se proteger do vento frio e seco do inverno.

— Você não tem pretensões de se tornar escritora. — Tengo levou um susto ao perceber que ele próprio fazia uma pergunta sem a entonação. Falar daquele jeito parecia contagioso.

— Não tenho — respondeu Fukaeri.

A refeição foi servida. Para Fukaeri veio uma travessa grande de salada acompanhada por uma cesta de pão. Para Tengo, linguini com frutos do mar. Fukaeri virava a folha de alface de um lado para outro com o garfo, como se estivesse lendo as manchetes do jornal.

— Então quer dizer que alguém enviou para a editora a *Crisálida de ar* que você escreveu, inscrevendo-a para concorrer ao prêmio de autor revelação. Eu fiz a primeira leitura das obras inscritas e a sua me chamou a atenção.

— *Crisálida de ar* — disse Fukaeri comprimindo os olhos.

— *Crisálida de ar* é o título do seu romance — disse Tengo.

Fukaeri se calou, mantendo os olhos semicerrados.

— Esse não é o título que você deu? — perguntou Tengo, intrigado.

Fukaeri balançou negativamente a cabeça.

Tengo ficou um pouco confuso, mas, naquele momento, achou melhor deixar de lado a questão do título. Em vez disso, preferiu desenvolver o assunto.

— Isso é o de menos. De qualquer modo, não é um título ruim. Dá um certo clima e chama a atenção. *O que é isso?*, as pessoas perguntarão intrigadas. Independentemente de quem tenha colocado o título, eu acho que é apropriado. Não sei direito qual é a diferença entre *crisálida* e *casulo*, mas não chega a ser um problema grave. O que eu estou tentando dizer é que, quando o li, ele me tocou profundamente. Foi por isso que resolvi levá-lo para Komatsu. Ele também gostou da *Crisálida de ar*. Mas, se o intuito é realmente concorrer ao prêmio, ele diz que é preciso revisar o texto. O estilo fica um pouco aquém do intenso poder da história. E, em vez de você reescrever o texto, a ideia dele é que eu o faça. Eu mesmo ainda não decidi. Ainda não dei a resposta se vou ou não aceitar fazer isso. Ainda tenho minhas dúvidas se é correto.

Tengo se interrompeu e aguardou uma resposta de Fukaeri. Não houve reação.

— O que eu gostaria de saber é o que você acha de eu reescrever a *Crisálida de ar*. Mesmo que eu aceite, não posso fazê-lo sem o seu consentimento e a sua colaboração.

Fukaeri pegou com a mão um tomate cereja e o comeu. Tengo, por sua vez, espetou um mexilhão com o garfo e o pôs na boca.

— Tudo bem fazer — disse Fukaeri sucintamente. Após pegar outro tomate, complementou: — Arrume do jeito que achar melhor.

— Você não quer pensar mais um pouquinho, com mais calma? É algo muito importante — disse Tengo.

Fukaeri balançou a cabeça. Era desnecessário.

— Digamos que eu reescreva a sua obra — explicou Tengo. — Vou reescrevê-la tomando o cuidado de não mudar a história. Mas, de qualquer modo, vou ter de dar uma boa mexida no texto. Para todos os efeitos, a autora será você. Será uma obra escrita por uma garota de dezessete anos chamada Fukaeri. Isso é ponto pacífico. Se a obra for premiada, você é quem receberá o prêmio literário. Se a obra for publicada, a autora será você. Nós seremos um time. Eu, você e o editor que se chama Komatsu: seremos nós três. Mas somente o seu nome é que será divulgado. Os outros dois ficarão na retaguarda como assistentes de palco. Está me entendendo?

Fukaeri pegou um pedaço de aipo com o garfo e o levou à boca; depois, assentiu em voz baixa:

— Entendo.

— A história chamada *Crisálida de ar* é totalmente sua. É algo que surgiu de dentro de você. Não cabe a mim me apoderar dela. A minha ajuda será essencialmente técnica, e deverá ser mantida em segredo. Estamos conspirando para contar uma mentira para o mundo. Sob todos os aspectos, não é algo fácil de fazer. Significa que teremos de guardar esse segredo para o resto da vida.

— Já que é assim — disse Fukaeri.

Tengo colocou a concha do mexilhão no canto do prato e, quando estava para comer o linguini, mudou de ideia. Fukaeri pegou um pedaço de pepino e mastigou-o cuidadosamente, como se o experimentasse pela primeira vez.

Com o garfo ainda na mão, Tengo disse:

— Vou te perguntar mais uma vez: você não tem nenhuma objeção quanto a eu reescrever sua história?

— Faça como quiser — disse Fukaeri após comer o pepino.

— Você não se importa em como eu vou reescrevê-la?

— Não me importo.

— Como pode? Você mal me conhece!

Fukaeri se limitou a encolher os ombros.

Os dois ficaram um tempo em silêncio comendo. Fukaeri estava concentrada em sua salada. De vez em quando, passava manteiga no pão e esticava o braço para pegar a taça de vinho. Tengo comia o linguini mecanicamente, enquanto inúmeras ideias lhe passavam pela cabeça.

Tengo descansou o garfo sobre a mesa e disse:

— A primeira vez que Komatsu veio falar comigo sobre isso custei a acreditar. Achei que era impossível. Minha intenção era, de algum jeito, recusar. Mas, quando cheguei em casa e comecei a pensar na possibilidade, minha vontade de aceitar ficou cada vez mais forte. Independentemente de isso ser ético ou não, o fato é que senti vontade de dar um toque pessoal e uma nova roupagem para a *Crisálida de ar*. Não sei como te explicar, mas digamos que é um impulso natural, extremamente espontâneo.

"Não. Em vez de impulso, talvez a palavra mais próxima seja um desejo ardente, uma necessidade", Tengo pensou. Komatsu tinha razão. Estava sendo cada vez mais difícil conter sua vontade.

Fukaeri mantinha-se calada observando Tengo com seu belo par de olhos. Um olhar neutro, porém profundo. Parecia se esforçar para entender as palavras de Tengo.

— Você quer reescrever — perguntou Fukaeri.

Tengo a fitou diretamente e respondeu:

— Creio que sim.

As pupilas negras de Fukaeri brilharam, como se projetassem algo.

Tengo fez um gesto de quem segura com as mãos uma caixa imaginária, suspensa no ar. Era um gesto totalmente infundado, mas, naquele momento, ele precisava fazer isso para exprimir seus sentimentos.

— Não sei explicar direito, mas toda vez que eu relia a *Crisálida de ar* tinha a impressão de que eu também conseguia ver o que você vê. Principalmente naquela cena em que você fala do Povo Pequenino. Realmente, o seu poder de imaginação é excepcional. Digamos que é autêntico e contagiante.

Fukaeri descansou a colher sobre a mesa e limpou os lábios com o guardanapo.

— O Povo Pequenino existe de verdade — ela disse com a voz serena.

— Existe de verdade?

Fukaeri ficou um tempo em silêncio. E prosseguiu:

— É como você e eu.

— Como nós? — repetiu Tengo.

— Se quiser, você pode vê-los.

O jeito conciso de ela falar tinha um estranho poder de convencimento. Dava a impressão de que cada palavra que ela pronunciava tinha uma cavilha específica, que se encaixava com precisão. Mas Tengo não sabia até que ponto aquela garota chamada Fukaeri podia ser levada a *sério*. Ela tinha algum parafuso solto, algo que não era normal. Mas poderia ser um dom natural e, naquele exato momento, ele poderia estar presenciando um talento genuinamente verdadeiro. Ou, quem sabe, tudo não passava de mera simulação. Às vezes, garotas inteligentes sabem instintivamente encenar e costumam se *fingir* de excêntricas. E, usando palavras sugestivas, confundem as pessoas. Ele próprio chegou a conhecer alguns tipos assim. Nem sempre era fácil discernir o autêntico da encenação. Tengo achou melhor voltar o assunto para a realidade. Ou, pelo menos, para mais próximo dela.

— Se você concordar, gostaria de começar a reescrever a *Crisálida de ar* a partir de amanhã.

— Se é isso que você deseja...

— Assim desejo — Tengo respondeu sucintamente.

— Quero que encontre uma pessoa — disse Fukaeri.

— Eu... Encontrar essa pessoa — disse Tengo.

Fukaeri assentiu.

— Quem? — perguntou Tengo.

A pergunta foi ignorada.

— Você vai conversar com ela — disse a garota.

— Se for preciso, posso me encontrar com ela — respondeu Tengo.

— Você tem tempo livre no domingo de manhã — ela perguntou, sem a interrogação.

— Tenho tempo — respondeu Tengo. Parecia que se comunicavam por sinais, pensou Tengo.

Após a refeição, Tengo e Fukaeri se despediram. Ele colocou algumas moedas de dez ienes no telefone cor-de-rosa do restaurante e ligou para a editora de Komatsu. Ele ainda estava trabalhando, mas levou um tempo até atender. Tengo aguardou com o fone no ouvido.

— E então... Como foi? Deu tudo certo? — foram as primeiras perguntas que Komatsu fez ao atender o telefone.

— A princípio, a Fukaeri me deixou reescrever a *Crisálida de ar*. Acho que é isso.

— Que ótimo! — exclamou Komatsu, bem-humorado. — Formidável! Para falar a verdade, eu estava um pouco preocupado. É que, no fundo, eu tinha um certo receio de que você não levasse jeito para esse tipo de negociação.

— Eu não fiz nenhum tipo de negociação, longe disso — disse Tengo. — Nem sequer precisei convencê-la. A única coisa que fiz foi explicar sucintamente a situação e o resto foi decisão dela.

— Bem, isso agora não vem ao caso. Se deu tudo certo, não tenho do que reclamar. Com isso podemos prosseguir com o nosso plano.

— Mas antes há um porém. Preciso me encontrar com uma certa pessoa.

— Certa pessoa?

— Não tenho ideia de quem seja. De qualquer modo, ela quer que eu fale com essa pessoa.

Komatsu calou-se por alguns segundos.

— E quando é que você vai se encontrar com ela?

— No próximo domingo. Fukaeri vai me levar até ela.

— Há uma regra muito importante sobre o nosso segredo — disse Komatsu, sério. — Quanto menos pessoas souberem dele, melhor. No momento, somente três pessoas estão a par: você, eu e Fukaeri. Na medida do possível, não quero aumentar esse número. Você entende?

— Teoricamente, sim.

A voz de Komatsu novamente se abrandou.

— De qualquer modo, a Fukaeri concordou em deixar você mexer no texto. Isso sim é a coisa mais importante. No resto a gente sempre pode dar um jeito.

Tengo mudou o fone para a mão esquerda e, com o indicador da direita, pressionou a têmpora.

— Pois então, Komatsu, confesso que estou inseguro. Não digo isso com base em algo realmente concreto, mas é que, nesse momento, sinto que estou me envolvendo em *algo que não é comum*. Quando eu estava conversando frente a frente com essa Fukaeri, eu não senti isso, mas depois, quando fiquei sozinho, a sensação foi se tornando cada vez mais intensa. Não sei se é um tipo de pressentimento ou uma espécie de intuição, mas o fato é que sinto que existe alguma coisa estranha. Algo que não é normal. Não percebo claramente, mas meu corpo sente.

— Você sentiu isso após se encontrar com Fukaeri?

— Acho que sim. Fukaeri parece ser uma pessoa autêntica. Mas é apenas uma intuição minha.

— Você está querendo dizer que ela realmente é uma pessoa talentosa?

— Se ela é talentosa, não sei. Mal a conheço — disse Tengo. — Apenas acho que ela realmente consegue ver algo que nós não enxergamos. Talvez ela tenha algo especial. É isso que está me intrigando.

— Você acha que ela tem problemas mentais?

— Problemas mentais, acho que não; mas digamos que ela tem algo de excêntrico. A princípio, o que ela diz faz sentido — disse Tengo. Após uma pausa, continuou: — A questão é que algo nela me deixa intrigado.

— De qualquer modo, ela te achou interessante — disse Komatsu.

Tengo tentou encontrar alguma palavra adequada, mas em vão:

— Não saberia dizer — respondeu.

— Ela se encontrou com você e te achou capaz de reescrever a *Crisálida de ar*. Isso significa que ela gostou de você. Realmente, Tengo, você é o máximo! Eu mesmo não sei o que vai acontecer daqui para a frente. É um risco que vamos ter de correr. No entanto, o risco é o tempero da vida. Comece agora mesmo a revisar *Crisálida de ar*. Não temos muito tempo. Preciso colocar o quanto antes o texto reescrito na pilha dos inscritos. Vou ter de substituir o original. Você consegue terminar em dez dias?

Tengo suspirou.

— É puxado!

— Não precisa ser a versão final. Na etapa seguinte, ainda vai dar para fazer alguns retoques. Agora, basta você melhorar o texto como um todo.

Tengo esboçou mentalmente uma estimativa do tempo que levaria para fazer o trabalho:

— Se é assim, acho que consigo dar um jeito em dez dias. Mas ainda não será propriamente a versão final.

— Comece a escrever — disse Komatsu, animado. — Veja o mundo com os olhos dela. Você será o mediador entre o mundo de Fukaeri e o mundo real. Você vai conseguir, Tengo. Para mim...

Os dez ienes da ligação expiraram.

5
Aomame
Profissão que exige habilidade e preparo

Após terminar o serviço, Aomame caminhou um pouco antes de pegar um táxi e ir para um hotel no bairro de Akasaka. Antes de voltar para casa e dormir, precisava tomar algo para relaxar. Não era para menos; ela acabara de mandar um homem para o *lado de lá*. O canalha merecia morrer, estava certo, mas mesmo assim ele era um ser humano. Ainda conseguia sentir nas mãos o instante em que ele deixara de viver: o instante de seu derradeiro sopro de vida, de a alma se distanciar do corpo. Aomame já tinha ido algumas vezes ao bar daquele hotel. Ficava no último andar de um edifício alto, com uma boa vista e um balcão muito confortável.

Eram sete e pouco quando adentrou o bar. Dois jovens tocavam *Sweet Lorraine*, em dueto, ao som de piano e guitarra. Imitavam, até que bem, a versão que Nat King Cole havia gravado num de seus discos antigos. Como de costume, Aomame sentou-se no balcão e pediu uma dose de gim-tônica e uma porção de pistache. O bar ainda não estava cheio. Havia apenas um casal de jovens tomando coquetéis, contemplando a paisagem noturna; um grupo de quatro homens engravatados parecia falar de negócios, e um casal de estrangeiros de meia-idade bebia martínis. Aomame tomou calmamente seu copo de gim-tônica. Não queria se embebedar depressa. A noite seria longa.

Tirou um livro da bolsa e começou a ler. Era um livro sobre a estrada de ferro da Manchúria, da década de trinta. Um ano após o término da Guerra Russo-Japonesa, os russos foram obrigados a ceder aos japoneses o direito de exploração da ferrovia (Companhia Ferroviária do Sul da Manchúria), cuja extensão foi rapidamente ampliada para se tornar o posto avançado do império japonês durante a ocupação da China. Situação esta que seria desmantelada em 1945 pelo exército russo. Até o início da Guerra Russo-Alemã, em 1941, o trajeto Shimonoseki-Paris podia ser feito em treze dias, utilizando-se a conexão das redes ferroviárias da Manchúria e da Sibéria.

Aomame achava que, vestida de executiva, com uma bolsa grande ao lado e lendo atentamente um livro (de capa dura) sobre a estrada de ferro da Manchúria — a despeito de ser jovem e estar tomando um drinque sozinha no balcão —, evitaria que alguém a confundisse com uma prostituta de luxo em busca de cliente. No entanto, ela não sabia ao certo como uma autêntica prostituta de luxo costumava se portar. Caso ela fosse uma garota de programa à procura de um homem de negócios rico, certamente faria o máximo para não se parecer com uma; justamente para não deixar o cliente tenso, e tampouco ser expulsa do bar. Por exemplo: vestiria um blazer modelo executivo da Junko Shimada, uma blusa branca, usaria pouca maquiagem, carregaria uma bolsa grande e funcional e ficaria lendo um livro sobre a estrada de ferro da Manchúria. Nesse momento, ela se deu conta de que, na prática, não havia diferença entre o que ela estava fazendo e o que uma prostituta à espera de um cliente faria.

Com o passar das horas, o bar começou a encher e, em pouco tempo, Aomame se viu em pleno burburinho. Mas o tipo de homem que ela procurava ainda não tinha dado as caras. Pediu então mais uma dose de gim-tônica e uma porção de legumes cortados em palito (ela ainda não tinha jantado), e continuou a leitura. Um tempo depois, um homem se aproximou e se sentou no balcão. Estava desacompanhado. Bronzeado na medida certa, ele vestia um terno de bom corte em tom azul-grafite. A gravata também era de bom gosto. Nem tão chamativa, nem discreta demais. Um homem na faixa dos cinquenta, com os cabelos que começavam a rarear. Não usava óculos. Ele devia estar em Tóquio a trabalho e, ao concluir as tarefas do dia, decidira tomar um drinque antes de dormir. Era como Aomame, que, para aliviar a tensão, tomava uma dose moderada de álcool.

A maioria dos funcionários que vêm a Tóquio a trabalho não se hospeda nesses hotéis de luxo. Eles costumam se hospedar em hotéis executivos mais baratos, próximos à estação. E, normalmente, esses hotéis são aqueles em que a cama ocupa praticamente todo o espaço do quarto, a janela dá para a parede do edifício ao lado e, durante o banho, os cotovelos se chocam umas vinte vezes contra a parede. Nos corredores de todos os andares estão instaladas máquinas automáticas para venda de bebidas e artigos para higiene pessoal. E das duas, uma: ou a quantia liberada pela empresa só é suficiente para se hospedar nesse tipo de hotel ou a pessoa opta por se hospedar num hotel barato para embolsar a diferença. Eles costumam tomar cerveja em algum bar das redondezas, voltam para dormir e, de manhã, devoram uma tigela de *gyûdon* — composta de arroz e carne em fatias — em alguma rede de restaurante popular perto dali.

As pessoas que se hospedam neste hotel são de outra categoria. São aquelas que, sempre que precisam vir a Tóquio a trabalho, viajam de primeira classe nos vagões verdes do trem-bala e se hospedam em hotéis de luxo. Após o trabalho, seguem para o bar do hotel e procuram relaxar com bebidas caras. Muitas delas trabalham em grandes empresas e possuem cargos executivos. Algumas são donas de empresas ou profissionais liberais que atuam em áreas específicas tais como médicos e advogados. Homens de meia-idade, financeiramente estáveis. E que, muito ou pouco, costumam se divertir. Esse era o tipo de homem que Aomame tinha em mente.

Mesmo antes de completar vinte anos, ela sempre tivera uma queda inexplicável por homens de meia-idade que começavam a ficar calvos. Mais do que os completamente calvos, ela gostava dos que ainda tinham um pouco de cabelo. Isso não queria dizer que bastava ter pouco cabelo. Se o formato da cabeça não fosse bonito, não servia. O tipo ideal de calvície era como a de Sean Connery: uma cabeça com um formato muito bonito e sexy e que só de olhar fazia seu coração disparar. O homem que se sentou no balcão, a duas cadeiras dela, até que tinha uma cabeça de bom formato. Logicamente, não tão linda como a de Sean Connery, mas fazia o tipo. Ele tinha uma perda acentuada na região frontal, e os poucos fios que ainda lhe restavam lembravam os campos de outono após a geada. De vez em quando, Aomame tirava os olhos do livro e contemplava a cabeça do homem. O rosto não chamava especial atenção. Não era obeso, mas a pele do queixo estava ligeiramente flácida. Havia bolsões abaixo dos olhos. Era um típico homem de meia-idade que se vê por aí. Mas, de qualquer modo, agradava-lhe o formato de sua cabeça.

O barman lhe deu o cardápio e a toalhinha umedecida, mas ele pediu um uísque com soda sem sequer olhar as opções.

— O senhor tem alguma preferência de marca? — perguntou o barman.

— Não. Não tenho. Pode ser qualquer uma — o homem respondeu. Sua voz era calma e tranquila, com um sotaque de Kansai, típico da região de Quioto e Osaka. Um pouco depois, como se reconsiderasse, perguntou ao barman se tinha um Cutty Sark. O barman respondeu que sim. Aomame achou uma boa pedida. O fato de ele não ter escolhido um convencional Chivas Regal ou um sofisticado *single malt* causou-lhe uma boa impressão. Aomame era da opinião de que, geralmente, um homem que se preocupava demais com marcas de bebida num bar não era do tipo que gostava de sexo. Ela não sabia exatamente o porquê disso.

Aomame gostava do sotaque de Kansai. Especialmente quando alguém que nasceu e cresceu nessa região vinha para Tóquio e tentava forçosamente falar como os daqui, o que ressaltava ainda mais as diferenças regionais. O que mais a agradava era o desajuste entre o vocabulário e a entonação. E esse jeito de falar tinha o estranho poder de acalmá-la. Aomame decidiu que aquele seria o homem. Ela queria passar os dedos nos poucos fios de cabelo que restavam na cabeça, até se sentir satisfeita. Quando o barman trouxe o uísque com soda, ela aproveitou para pedir:

— Um Cutty Sark com gelo — disse Aomame para que o homem pudesse ouvi-la.

— Pois não — respondeu o barman, inexpressivo.

O homem desabotoou o primeiro botão da camisa e afrouxou o nó da gravata azul-marinho de estampas pequenas. O terno também era da mesma cor. A camisa era azul-clara. Aomame aguardou o pedido lendo o livro e, discretamente, desabotoou um dos botões da blusa. A banda tocava *It's only a paper moon*. O pianista cantou apenas o refrão. Assim que o barman trouxe a bebida, ela encostou o copo nos lábios e tomou um gole. Foi quando percebeu que o homem a olhava de vez em quando. Aomame tirou os olhos das páginas do livro e, ao erguer o rosto, lançou um olhar para ele. Olhou-o como que por acaso. Quando os olhares se encontraram, ela sorriu discretamente. Em seguida, desviou o olhar para a janela à sua frente, como se fingisse contemplar a paisagem noturna.

Era o momento ideal para que o homem puxasse assunto; ela havia criado a situação. No entanto, ele nada fez. "E aí, o que você está esperando?", pensou Aomame, inconformada. "Você não é nenhum moleque inexperiente. Certamente já deve ter percebido a deixa; o que lhe falta é coragem", deduziu ela. O fato de ele ser um cinquentão e de ela ter vinte e poucos anos possivelmente o deixava apreensivo de puxar conversa e ser rejeitado ou xingado de velho careca, passando por idiota. "Mas que coisa. Que cara tapado."

Aomame fechou o livro e o guardou na bolsa. Resolveu tomar a iniciativa da conversa.

— Você gosta de Cutty Sark? — perguntou Aomame.

O homem olhou para ela surpreso. Parecia não entender a pergunta, mas, no momento seguinte, tratou de desfazer essa impressão.

— Ah! É... Cutty Sark — respondeu, como que a recordar —, gosto do rótulo e por isso sempre tomo. É por causa do desenho do barco à vela.

— Gosta de barcos?

— Gosto. Gosto de barcos à vela.

Aomame ergueu o copo. Ele também pegou o uísque com soda e o ergueu discretamente, como se estivessem brindando.

Depois, Aomame colocou no ombro a bolsa que estava na banqueta ao lado e, com o copo de uísque na mão, deslocou-se agilmente, indo se sentar ao lado do homem. Apesar do susto, ele tentou disfarçar.

— Marquei um encontro com uma amiga que estudou comigo no colegial, mas, pelo jeito, ela me deu o bolo — disse Aomame olhando o relógio. — Ela ainda não apareceu e nem sequer deu notícias.

— Será que ela não confundiu a data do encontro?

— Pode ser. Ela sempre foi meio cabeça de vento — disse Aomame. — Vou aguardar mais um pouco, mas enquanto isso será que podemos conversar um pouco? Ou prefere ficar sozinho, sossegado?

— Não. De jeito nenhum — o homem respondeu com uma voz levemente hesitante. Franzindo a testa, olhou Aomame como se estivesse avaliando uma apólice. Parecia indagar se ela não seria uma prostituta tentando fisgar um cliente. Aomame, porém, não aparentava ser uma. Isso o fez se sentir um pouco mais tranquilo.

— Você está hospedada neste hotel? — ele perguntou.

Aomame fez que não balançando a cabeça.

— Não. Eu moro em Tóquio. Apenas marquei o encontro com minha amiga aqui. E você?

— Vim a trabalho — respondeu o homem. — Sou de Osaka. Vim para uma reunião. É uma reuniãozinha de nada, mas, como a matriz fica em Osaka, o pessoal daqui acha melhor que alguém de lá participe da reunião.

Aomame sorriu diplomaticamente. No fundo, ela pensava, "saiba que não estou nem um pouco interessada em falar do seu trabalho; o que realmente gostei em você é do formato da sua cabeça", mas, logicamente, não disse nada.

— Terminei um trabalho e resolvi tomar um drinque. Amanhã, no período da manhã, tenho mais um e depois volto para Osaka.

— Eu também acabei de terminar um trabalho muito importante — disse Aomame.

— É mesmo? Que tipo de trabalho?

— Eu prefiro não falar disso, mas digamos que é um tipo de trabalho especializado.

— Trabalho especializado? — o homem repetiu as palavras de Aomame. — Um trabalho que exige habilidade e preparo e que não pode ser realizado por qualquer um.

"Por acaso, você é um dicionário ambulante?", pensou Aomame. Isso ela também guardou para si. Abrindo um sorriso, respondeu:

— É, é algo assim.

O homem tomou mais um gole de seu drinque e pegou um punhado de nozes da tigela.

— Eu bem que gostaria de saber que tipo de serviço você faz, mas já que você não quer falar sobre isso...

Ela balançou a cabeça, concordando.

— Agora, prefiro não.

— Por acaso não seria algo relacionado a letras? Do tipo... Digamos... Editora ou pesquisadora de alguma universidade?

— Por que você acha isso?

O homem colocou a mão no nó da gravata e apertou-a novamente. Em seguida, fechou o botão da camisa.

— É que você estava bem concentrada lendo um livro grosso.

Aomame deu um leve toque na borda do copo com a unha.

— Eu estava lendo aquele livro porque gosto de ler. Não tem nada a ver com o meu trabalho.

— Ah! Então desisto. Não tenho ideia do que seja.

— Creio que não tenha mesmo — disse Aomame enquanto pensava "e nunca terá".

O homem olhava dissimuladamente para o corpo de Aomame. Ela fingiu ter deixado cair algo e, ao se abaixar, deixou que ele visse à vontade os contornos dos seios. Certamente dava para ver a ponta dos mamilos e as roupas íntimas e brancas com detalhes em renda. Em seguida, ela se levantou e tomou o seu Cutty Sark. A pedra de gelo grande e redonda fez um barulho seco dentro do copo.

— Aceita mais um? Vou pedir outro — disse o homem.

— Aceito, obrigada — disse Aomame.

— Você é forte na bebida, hein?

Aomame sorriu de modo vago. E, de repente, ficou séria.

— Ah! Lembrei de uma coisa. Tenho uma dúvida...

— Que tipo de dúvida?

— De uns tempos para cá, o uniforme dos policiais mudou? E o tipo de arma que carregam... também mudou?

— De uns tempos para cá seria quanto tempo mais ou menos?

— Cerca de uma semana atrás.

O homem esboçou uma sutil expressão de estranhamento.

— Realmente, o uniforme e a arma dos policiais andaram mudando, mas isso já faz alguns anos. Os uniformes eram mais justos e foram substituídos por modelos mais informais, tipo jaquetas de jérsei, e as armas foram substituídas por modelos novos e automáticos. Fora isso, creio que não houve nenhuma outra alteração significativa.

— A polícia japonesa andava com revólveres antigos, não andava? Pelo menos até a semana passada...

O homem balançou a cabeça, discordando.

— Não pode ser. Já faz um tempo que os policiais carregam pistolas automáticas.

— Tem certeza do que está falando?

O homem se sentiu acuado com o tom de voz de Aomame. Ele franziu as sobrancelhas e pensou seriamente no assunto, como se vasculhasse a memória.

— Hum... Perguntando desse jeito, você me deixa confuso. Lembro que nos jornais saiu a notícia de que todos os revólveres da polícia seriam substituídos por novas pistolas automáticas. Na época, isso causou uma certa polêmica. Organizações não governamentais fizeram protestos dizendo que as armas eram muito poderosas.

— Isso foi há quanto tempo? — perguntou Aomame.

O homem chamou o barman e perguntou quando os uniformes e as armas dos policiais haviam sido substituídos.

— Foi na primavera, uns dois anos atrás — o barman respondeu de imediato.

— Não te disse? Um barman de um hotel cinco estrelas sabe de tudo — disse o homem, rindo.

O barman também riu.

— Não. Não é isso. É que meu irmão mais novo é policial e eu me lembro bem. Ele não gostava do modelo desse uniforme novo e vivia resmungando. Também se queixava da arma, dizendo ser muito pesada. Ainda hoje vive reclamando. As armas atuais são Beretta nove milímetros, automáticas, e basta mudar uma chave para que fiquem semiautomáticas. Se não me engano, a Mitsubishi é que tem a licença de fabricação dessas armas para todo o país. No Japão, dificilmente há tiroteios, por isso torna-se desnecessário ter esse tipo de armamento de alta tecnologia. E, diga-se de passagem, o risco de ser roubado é muito maior. Mas a diretriz do governo diz que a polícia precisa ser reforçada.

— E o que aconteceu com os antigos revólveres? — perguntou Aomame, procurando manter o tom de voz inalterado.

— Foram recolhidos e devem ter sido desmontados — respondeu o barman. — Eu vi num noticiário da TV como eles eram desmontados. Desmontar todo esse arsenal e ter de destruir as munições leva muito tempo.

— Por que não vendem para o exterior? — perguntou o homem de poucos cabelos.

— A Constituição proíbe a exportação de armas — respondeu o barman, demonstrando uma atitude de respeitosa obediência.

— Não te disse? O barman de um hotel cinco estrelas...

— Então quer dizer que faz dois anos que os policiais japoneses não usam revólveres. É isso? — Aomame perguntou ao barman, interrompendo abruptamente a fala do homem.

— Até onde sei, é isso mesmo.

Aomame franziu levemente as sobrancelhas. Será que ela não estava regulando bem? Naquela manhã, tinha visto um policial usando o uniforme antigo e carregando na cintura um revólver modelo antigo. Ela mesma nunca ouvira falar da história de que todos os revólveres tivessem sido recolhidos. No entanto, era improvável que aqueles dois homens — o de meia-idade e o barman — estivessem mentindo ou confundindo as coisas. Isso significava que ela é que estava equivocada.

— Muito obrigada. Chega de falar nesse assunto por hoje — disse Aomame ao barman. Ele sorriu educadamente e voltou ao trabalho.

— Você se interessa por assuntos de polícia? — perguntou o homem de meia-idade.

— Não é isso — respondeu Aomame e, para disfarçar, tentou se justificar: — É que ando meio confusa.

Os dois beberam o Cutty Sark que o barman lhes serviu: um com soda e o outro com gelo. O homem começou a falar de veleiros. Contou que tinha um pequeno veleiro ancorado na marina de Nishinomiya e que, nos feriados, costumava passear em alto-mar. Disse gostar de velejar sozinho e quão agradável era sentir o vento batendo contra o corpo. Aomame não fazia nenhuma questão de ficar ouvindo aquelas histórias ridículas. Seria muito melhor se falasse dos rolamentos de esferas ou da distribuição dos recursos minerais da Ucrânia. Ela olhou o relógio de pulso.

— Já é tarde. Posso te fazer uma pergunta bem direta?

— Pode.

— É uma pergunta estritamente pessoal.

— Se eu puder responder...

— O seu pau é dos grandes?

O homem olhou demoradamente para Aomame com a boca entreaberta e um leve sorriso no rosto. Era como se não acreditasse no que acabara de ouvir. Mas Aomame continuava séria. E não estava de brincadeira. Era só ver os seus olhos para constatar isso.

— Bem — respondeu ele em tom sério. — Não tenho muita certeza, mas acho que deve ser normal. É uma pergunta tão inesperada que nem sei como responder.

— Quantos anos você tem?

— Fiz cinquenta e um no mês passado — respondeu ele, com uma voz hesitante.

— Você quer dizer que, apesar de ter um cérebro normal, ter cinquenta e poucos anos de vida, ser trabalhador e proprietário de um veleiro... você não sabe se o tamanho de seu pau é maior ou menor que o da maioria?

— Bem. Acho que é um pouco maior que o da maioria — respondeu o homem, meio sem jeito, após pensar no assunto.

— É verdade?

— Por que você se preocupa com isso?

— Se eu me preocupo? Quem foi que disse que eu me preocupo com isso?

— Ninguém disse isso, mas é que... — o homem respondeu, mexendo-se na banqueta para ajeitar o traseiro. — Mas, se não me engano, é sobre isso que estamos discutindo, não é?

— Não estamos discutindo nada. Não mesmo — disse Aomame, resoluta. — É que eu, pessoalmente, gosto de paus grandes. Do ponto de vista visual, gosto dele grande, mas isso não significa que deixarei de sentir prazer caso ele não seja, entendeu? Nem sempre os grandes é que são bons. O que estou querendo dizer é que me agrada ver os *grandes*. Há algum problema nisso? Todos têm seus gostos, não têm? Mas não pode ser daqueles enormes que machucam, entende?

— Se é assim, acho que você vai gostar dele. Pois não é dos pequenos, e é maior que o da maioria. Digamos que ele é do tamanho adequado...

— Você não está blefando, está?

— Não adianta blefar nessas coisas.

— Hum. Então, você me mostra?

— Aqui?

Aomame repreendeu-o fazendo uma careta.

— Aqui? Você está doido? Com toda essa idade, e o que é que você tem na cabeça? Um homem como você, de terno e gravata, não sabe o que é ter um mínimo de decência? O que é que você vai fazer com o pau de fora num lugar desses? Pense no que as pessoas vão pensar de você. Vamos para o seu quarto e, chegando lá, você vai tirar a sua calça e me mostrar. Isso, a sós, não é óbvio?

— E o que vai acontecer depois que eu te mostrar? — perguntou o homem, ressabiado.

— O que vai acontecer depois de você me mostrar? — disse Aomame, prendendo a respiração e fechando a cara. — Vamos fazer sexo, ora. O que mais podemos fazer? Você acha que eu vou até o seu quarto para ver o seu pau e dizer "Obrigada por mostrar algo tão bom, boa noite" e depois voltar para casa? Acho que está faltando um parafuso nessa sua cabeça...

O homem engoliu em seco ao ver a dramática transformação no rosto de Aomame. Quando ela ficava brava, a maioria dos homens se sentia acuada. Se fosse uma criança, certamente faria xixi nas calças. O jeito de ela fechar a cara era muito impactante. Aomame achou que tinha exagerado. Afinal, ela não podia deixá-lo tão atemorizado antes de fazer o que queria. Rapidamente desfez a cara fechada e esboçou um sorriso forçado. E, novamente, disse para ele, em tom de explicação:

— Então, que tal irmos para o seu quarto, deitar na cama e fazer sexo? Você não é gay, impotente ou algo assim, é?

— Não. Não sou. Inclusive, tenho dois filhos.

— Escuta aqui. Ninguém perguntou quantos filhos você tem. Não estou aqui para levantar dados para o censo, por isso faça-me o favor de não falar coisas desnecessárias. O que estou querendo saber é se o seu pau vai ficar duro quando estivermos juntos na cama. Apenas isso.

— Até hoje ele nunca falhou nessas horas — respondeu o homem. — Por acaso, você é uma profissional? Quero dizer... Você faz isso a trabalho?

— É claro que não. Pare com isso. Não faço isso como profissional. Também não sou nenhuma pervertida. Sou apenas uma cidadã comum. Uma cidadã que quer transar com alguém do sexo oposto. Não exijo nada de especial, apenas um sexo normal. O que há de errado nisso? Terminei um trabalho difícil e, como estava anoitecendo, quis tomar uma bebida, fazer sexo com um desconhecido e gozar. Quero relaxar. Preciso fazer isso. Você é homem e deve saber o que estou querendo dizer.

— É claro que entendo.

— Eu não quero um tostão de você. Muito pelo contrário; se você me deixar satisfeita, posso até te pagar. Não se preocupe com doenças, eu tenho preservativo. Estamos entendidos?

— Isso eu entendi...

— Parece que você não está muito a fim. Por acaso eu não sirvo?

— Não é nada disso. É que não estou entendendo. Você é uma jovem bonita e eu tenho idade para ser seu pai.

— Pare com essa bobagem. Por favor. Isso de idade não tem nenhuma importância, é óbvio que não sou a sua filha idiota e você não é o idiota do meu pai. Se você continuar a dizer essas baboseiras, vou ficar nervosa. E sabe de uma coisa? O que eu gostei mesmo é da sua careca. Gostei do formato dessa sua cabeça. Entendeu?

— Você diz isso, mas eu ainda não sou tão careca assim. só tenho algumas entradas...

— Mas que chatice! — disse Aomame, tentando frear o ímpeto de fechar a cara. Para não assustá-lo além da conta, pôs-se a falar com uma voz meiga: — Isso, agora, não tem nenhuma importância. Por favor, pare como essa bobagem, está bem? — Enquanto isso pensou: "Você pode até não assumir, mas não há dúvidas de que você é careca. Se no censo houvesse um item para carecas, sem sombra de dúvida você seria classificado como um. Se você fosse para o paraíso, certamente seria encaminhado para o paraíso dos carecas. Se fosse para o inferno, iria para o inferno dos carecas. Entendeu? Se já entendeu, não fuja da realidade. Vamos! Vou te levar diretamente para o paraíso dos carecas."

O homem pagou a conta do bar e os dois foram para o quarto.

Seu pênis realmente era um pouco maior que o da média, mas nem por isso podia-se dizer que era dos grandes. Sua autodeclaração estava correta. Aomame manuseou habilmente o pênis, deixando-o grande e duro. Em seguida tirou a blusa e a saia.

— Você deve achar meus peitos muito pequenos, não deve? — perguntou ela num tom de voz indiferente, olhando para o homem de cima a baixo. — Você deve estar tirando uma da minha cara porque seu pau é grande e o meu peito é pequeno, não é? Está se sentindo trapaceado?

— Não. Não estou pensando isso. Os seus peitos não são pequenos. Eles têm um formato muito bonito.

— Será? — indagou Aomame. — Pois fique sabendo que, normalmente, eu não uso sutiãs com esses frufrus de renda, viu? Estou usando isso por conta do trabalho; é que eu precisava mostrar sutilmente o contorno dos seios.

— Que tipo de trabalho é esse?

— Eu já não fui suficientemente clara que não quero falar disso? Mas saiba que, seja lá o que eu faça, o fato de ser mulher não torna as coisas mais fáceis.

— A vida do homem também não é tão fácil...

— Mas você não é obrigado a usar sutiã de rendinha, não é?

— É claro que não. Não mesmo...

— Então pare de falar bobagens. Saiba que as mulheres enfrentam muito mais dificuldades do que os homens. Você já desceu uma escada íngreme de salto alto? Teve de pular uma cerca com minissaia bem justinha?

— Está bem. Me desculpe — o homem disse com sinceridade.

Ela colocou os braços para trás, tirou o sutiã e o deixou cair. Em seguida, foi tirando as meias finas, enrolando-as até a ponta para também deixá-las no chão. Depois, deitou-se de lado na cama e começou a apalpar novamente seu pênis:

— Realmente, é muito bonito. Estou impressionada. O formato e o tamanho são praticamente ideais e está duro como um tronco.

— Que bom que você gostou — disse o homem, mais tranquilo.

— Agora, a moça aqui vai fazer muito carinho nele. Vou deixá-lo tremendamente feliz.

— Antes disso, não seria melhor você tomar um banho? Parece que você está suada...

— Que chatice — disse Aomame. Como uma advertência, deu uma cutucada no testículo direito. — Fique sabendo que eu vim fazer sexo. Não estou aqui para tomar banho, entendeu? Pra começar, vamos fazer. Vamos fazer sexo *pra valer*. Nessas horas, quem se importa com suor? Não sou como essas estudantes tímidas.

— Entendi — disse o homem.

Quando terminaram, Aomame massageou com o dedo a nuca do homem, que, de bruços, parecia cansado. Nesse momento, sentiu um forte desejo de espetar a agulha naquele ponto especial. Pensou em fazê-lo, de verdade. Dentro de sua bolsa, um picador de gelo estava embrulhado com tecido. A extremidade pontiaguda, que ela levou muito tempo para preparar, estava protegida com uma cortiça que foi processada para ficar flexível. Se realmente ela decidisse agir, seria fácil. Bastava segurar o cabo de madeira com a mão direita e enfiar a ponta afiada *sem vacilar*. O homem morreria sem saber o que aconteceu. Sem sofrimento. A morte seria diagnosticada como causa natural. Mas, logicamente, ela desistiu de fazer tal coisa. Não havia motivo para eliminá-lo. A não ser pelo fato de que, para Aomame, aquele homem não tinha motivo para existir. Ela balançou a cabeça para afugentar esses pensamentos malignos.

Ele não é um ser humano ruim, Aomame tentava se convencer. Ele até que transou bem. Teve inclusive o cuidado de segurar a ejaculação até o momento de ela gozar. O formato de sua cabeça e o estado de sua calvície também lhe agradavam. O tamanho do pênis também era dos bons. Era um homem educado, se vestia bem e não era do tipo mandão. Sua criação deve ter sido boa. Mas suas conversas eram maçantes a ponto de deixá-la irritada. Mas isso não era algo tão grave a ponto de ela ter de matá-lo. Com certeza não.

— Posso ligar a TV? — perguntou Aomame.

— Pode sim — disse o homem, ainda de bruços.

Nua na cama, Aomame ouviu todo o noticiário das onze. Como sempre, continuava a guerra sangrenta no Oriente Médio, Irã e Iraque; uma luta que virou um verdadeiro atoleiro sem solução. No Iraque, jovens que fugiam do recrutamento eram pendurados nos postes de eletricidade para servirem de advertência. O governo iraquiano censurava Saddam Hussein por usar armas químicas e biológicas. Nos Estados Unidos, Walter Mondale e Gary Hart disputavam eleições para definir o candidato presidencial do Partido Democrático. Nenhum dos dois parecia ser o mais inteligente do mundo. Um presidente inteligente normalmente se tornava alvo de assassinato; talvez, por isso, evitava-se eleger uma pessoa de inteligência acima do normal.

Na superfície da Lua, as instalações do observatório permanente estavam em fase adiantada. Lá, estranhamente, os Estados Unidos e a União Soviética trabalhavam em cooperação; como daquela vez em que construíram o observatório no continente antártico. "Um posto de observação na Lua?", pensou Aomame, desconfiada. Ela não tinha ouvido falar nisso. "O que será que está acontecendo?" No entanto, achou melhor não ficar pensando nisso. Afinal, havia muitos outros assuntos importantes que precisavam ser resolvidos aqui na Terra: o governo tentava descobrir as causas de um acidente ocorrido nas minas de carvão na ilha de Kyûshû que causara inúmeras mortes. O que Aomame não conseguia entender era o porquê de continuarem a extrair carvão das minas numa época em que os homens são capazes de construir uma base na Lua. Os Estados Unidos pediam insistentemente que o Japão abrisse o mercado financeiro. Empresas como a Morgan Stanley e a Merrill Lynch pressionavam o governo a abrir novos mercados e com isso ampliar as possibilidades de seus ganhos. O noticiário também mostrou um gato esperto que morava na província de Shimane. O gato conseguia abrir a janela e, depois de sair por ela, ele próprio a fechava. O dono é que o ensinara a fazer isso. Aomame ficou impressionada ao ver a cena do gato preto e magricela sair da janela, dar meia-volta, esticar a pata e fechar a janela delicadamente, com um olhar expressivo.

Havia todo tipo de noticiário. No entanto, a notícia de que um cadáver fora encontrado num hotel de Shibuya não havia sido veiculada. Ao terminar o noticiário, Aomame desligou a TV com o controle remoto. O ambiente ficou silencioso. A única coisa que se podia ouvir era o ressonar do homem de meia-idade que dormia ao seu lado.

"Aquele homem ainda deve estar de bruços sobre a mesa. Quem o vir deve achar que ele está dormindo profundamente. Assim como o homem que está ao seu lado. No entanto, o outro não estará ressonando. Não há possibilidade de aquele canalha acordar." Aomame olhou para o teto e tentou imaginar o cadáver. Balançou levemente a cabeça e fechou a cara. Um tempo depois, levantou-se da cama e começou a recolher, peça por peça, as roupas espalhadas pelo chão.

6
Tengo
Será que vamos para muito longe?

Komatsu telefonou às cinco e pouco da madrugada de sexta. Bem na hora em que Tengo sonhava atravessar uma ponte bem comprida de pedra. Estava sozinho indo buscar algum documento muito importante que esquecera do outro lado da ponte. Havia um rio grande e bonito, com bancos de areia em sua extensão. A correnteza fluía calmamente e, nos bancos de areia, havia pés de salgueiro. Havia, também, um cardume de trutas com suas elegantes silhuetas. As folhas dos salgueiros de um verde exuberante tocavam delicadamente a superfície da água. Era uma paisagem como aquelas pintadas nos pratos chineses. Tengo estava nesse cenário quando foi acordado e, em plena escuridão, olhou para o relógio na cabeceira. Antes mesmo de atender o telefone, já sabia quem era àquela hora.

— Tengo, você tem um processador de texto? — perguntou Komatsu. Nada de "Bom dia!" ou "Você estava acordado?". O fato de Komatsu estar desperto a uma hora daquelas certamente não era por ter acordado cedo para ver o sol raiar, mas, possivelmente, por ter passado a noite em claro; e antes de dormir — seja lá onde ele estivesse — havia se lembrado de dizer algo para Tengo.

— É claro que não — respondeu Tengo. O entorno continuava escuro e ele permanecia no meio daquela ponte comprida. Era raro Tengo ter um sonho tão vívido como aquele. — Não quero me queixar, mas não tenho dinheiro para comprar esse tipo de coisa.

— Sabe usar?

— Sei. Sei usar tanto um computador quanto um processador de texto. Temos desses lá na escola e às vezes eu uso.

— Então escolha um processador a seu gosto e o compre hoje mesmo. Como eu não entendo nada dessas *coisas* eletrônicas, deixo a marca e o modelo a seu critério, está bem? Depois você me passa o valor. Quero que você use o processador e comece a reescrever *Crisálida de ar* o quanto antes.

— Você diz isso, mas mesmo um barato não sai por menos de duzentos e cinquenta mil ienes.

— Se for só isso, tudo bem.

Tengo esboçou uma expressão de dúvida com o fone na mão:

— Você está querendo dizer que vai me dar um processador de texto?

— Isso. Vou ter de raspar o pouco dinheiro que tenho na carteira, mas é um investimento necessário para esse tipo de trabalho. Dar uma de pão-duro numa hora dessas não vai dar em boa coisa. Você bem sabe que o texto original da *Crisálida de ar* foi escrito com processador de texto e, por isso, para que ninguém desconfie é preciso reescrevê-lo num processador. E, sempre que possível, deve-se manter a formatação do texto original. Você pode começar a reescrever hoje?

Antes de dar a resposta, Tengo pensou um pouco.

— Posso sim. Se eu decidir começar hoje, posso começar imediatamente. Mas uma das condições impostas pela Fukaeri para autorizar o trabalho é a de me encontrar no domingo com uma pessoa que ela quer me apresentar; e eu ainda não me encontrei com essa pessoa. Não podemos ignorar a possibilidade de, após o encontro, as negociações serem canceladas e, com isso, dinheiro e esforço irem por água abaixo.

— Isso é o de menos. Nessas coisas a gente dá um jeito. Não se preocupe com esses detalhes, comece a trabalhar o quanto antes. Estamos travando uma luta contra o tempo.

— Você acha mesmo que vou me sair bem nessa entrevista?

— É intuição, meu caro — disse Komatsu. — A minha intuição é muito boa. Posso não ter nascido com talento, mas em compensação eu tenho intuição para dar e vender. Modéstia à parte, é graças a ela que consegui sobreviver até hoje. E então, Tengo, qual é a principal diferença entre talento e intuição?

— Não faço ideia.

— Nem sempre uma pessoa talentosa conseguirá viver de barriga cheia, mas, se você tiver uma boa intuição, não precisa se preocupar, pois nunca passará fome.

— Vou deixar anotado — disse Tengo.

— Por isso, pare de se preocupar. Comece hoje mesmo a pôr a mão na massa.

— Se você está dizendo isso, por mim, tudo bem. Eu só não queria precipitar as coisas para depois ter de lamentar que todo o esforço foi em vão.

—Quanto a isso, eu assumo toda e qualquer responsabilidade.

— Está bem. No período da manhã dou um pulo no centro e compro um processador de texto. À tarde, marquei um encontro com uma pessoa, mas depois estou livre.

— Isso mesmo. Conto com você. Vamos unir nossas forças e virar o mundo de cabeça para baixo.

Às nove e pouco, Tengo recebeu uma ligação de sua namorada casada. Ela tinha acabado de levar de carro o marido e os filhos até a estação. Nesse dia, à tarde, estava combinado de ela ir ao seu apartamento. Sexta-feira era o dia da semana que eles costumavam se encontrar.

— Minha condição está um pouco *desfavorável* — ela disse.

— Sinto muito, mas hoje não vou poder ir. Na semana que vem eu vou, está bem?

Condição *desfavorável* era um eufemismo para dizer que estava menstruada. Ela havia sido educada para se expressar com elegância e discrição. Na cama ela nada tinha de elegante ou de comedida, mas isso era uma outra história. Tengo respondeu que também sentia muito não poder vê-la e que, se era assim, o jeito era se conformar.

Mas, naquela semana em particular, ele não ficou tão chateado de não poder vê-la. Era muito bom fazer sexo com ela, mas o sentimento de Tengo estava totalmente centrado em reescrever a *Crisálida de ar*. Um turbilhão de ideias para refazer a obra surgia e desaparecia de sua mente como o frêmito de seres vivos a germinar no oceano de tempos imemoriais. "Estou agindo que nem Komatsu", pensou Tengo. Antes de oficializar as coisas, seus sentimentos já tinham assumido, por conta própria, a vontade de realizar o trabalho.

Às dez, Tengo foi para Shinjuku e comprou com seu cartão de crédito um processador de textos da Fujitsu. Escolheu um modelo novo bem mais leve que o da linha anterior. Aproveitou também para comprar alguns cartuchos de tinta e papéis para deixar de reserva. Ao chegar ao apartamento, colocou o processador sobre a mesa e o ligou na tomada. O processador de texto que ele costumava usar no trabalho também era da Fujitsu, mas de um modelo maior, e, apesar de este ser menor, as funções principais eram basicamente as mesmas. Para testá-lo, Tengo começou a reescrever a *Crisálida de ar*.

Ele ainda não tinha em mente um plano de como retrabalhar o romance, embora tivesse algumas ideias pontuais em relação a determinados trechos. Ainda não havia estabelecido nenhuma concepção ou método coerente para desenvolver o trabalho. Ainda lhe faltava a convicção de que seria capaz de reescrever com coesão um romance como *Crisálida de ar*, de natureza fantástica e permeado de extrema sensibilidade. Embora Komatsu frisasse que o texto teria de ser drasticamente modificado, Tengo não tinha certeza se conseguiria manter a atmosfera e a essência da obra. Indagava se o que ele pretendia fazer não seria o mesmo que colocar um esqueleto numa borboleta. Ao pensar em coisas assim, a hesitação tomava conta e ele ficava ainda mais inseguro. No entanto, as coisas já estavam em andamento e o tempo era curto. Não podia ficar de braços cruzados. Neste momento, a única coisa que ele, de fato, podia fazer era começar a resolver problemas pontuais, trecho por trecho. Quem sabe a ideia do conjunto se revele espontaneamente à medida que for trabalhando artesanalmente em cada trecho?

"Tengo, você consegue. Estou certo disso", afirmara Komatsu, convicto. E o estranho era que Tengo acreditara piamente nessas palavras. Palavras de uma pessoa com sérios problemas de comportamento e que, basicamente, só pensava em si mesma. Uma pessoa que não hesitaria em abandoná-lo, caso fosse necessário. E que nem sequer se daria ao trabalho de se virar para trás. Mas, como o próprio Komatsu costumava dizer, sua intuição de editor era realmente excepcional. Nunca hesitava: independentemente do que fosse, rapidamente avaliava, decidia e partia para a ação, sem se importar com a opinião alheia. Uma qualidade imprescindível para se tornar um excelente comandante de uma tropa. Uma qualidade que, por sinal, Tengo não possuía.

Era meio-dia e meia quando Tengo finalmente começou a mexer no texto. Digitou as primeiras páginas de *Crisálida de ar* até um ponto que permitia um corte. Depois, reescreveu o trecho até se convencer de que estava bom. Cada frase foi refeita de modo a não alterar o conteúdo. Era como decorar o cômodo de um apartamento mantendo a sua estrutura. Afinal, a estrutura em si não apresentava problemas. Não havia, também, necessidade de mudar as instalações hidráulicas. De resto, tudo o que fosse possível mudar — piso, teto, parede e divisórias — seria retirado e substituído por algo novo. Tengo dizia para si mesmo: "Sou um carpinteiro habilidoso e de confiança." Mesmo sem ter um projeto definido, usaria de sua intuição e experiência como ferramentas para resolver os problemas que fossem surgindo.

Após uma primeira leitura, inseriu explicações em trechos de difícil compreensão, cuidando para tornar o texto fluente. Cortou trechos desnecessários, expressões repetitivas e inseriu palavras quando foi preciso. Em determinados trechos, mudava a posição de algumas frases ou parágrafos. Embora no original o uso de adjetivos e advérbios fosse extremamente reduzido — e a intenção era respeitar essa característica —, quando sentia a necessidade de inserir algum adjetivo, ele selecionava a palavra mais adequada para incorporá-la ao texto. No conjunto, a redação de Fukaeri era infantil e, nesse sentido, tanto as partes boas quanto as ruins eram facilmente identificáveis, o que tornava o trabalho de corte bem mais simples do que o imaginado. Como era infantil, tinha muitos trechos confusos e de difícil compreensão; em compensação, justamente por esse toque infantil, havia também expressões vigorosas, de cair o queixo. Sendo assim, no primeiro caso bastava cortar o trecho sem dó e substituí-lo por uma outra frase e, no segundo, apenas manter como estava.

Enquanto Tengo trabalhava, ocorreu-lhe que Fukaeri não havia escrito o livro com o intuito de transformá-lo em uma obra literária. A única coisa que ela queria era, *em princípio*, registrar, por meio da escrita, a história que existia dentro de si e que, segundo ela, havia realmente ocorrido. Não precisava, necessariamente, utilizar palavras para registrá-la, mas o fato é que não havia encontrado outro modo adequado de se expressar. Era simplesmente isso. E era por isso que, desde o início, inexistia nela esse sentimento de ambição literária. Como não tinha a intenção de transformar seu texto em produto, não sentia a necessidade de se preocupar demasiadamente com a elaboração das frases. Se fizéssemos uma analogia com um quarto, seria como se bastasse ter paredes e telhado para se abrigar da chuva e do vento. Isso explicava o motivo de Fukaeri não se importar que Tengo mexesse à vontade em seu texto. Ela já havia alcançado o seu objetivo. Quando disse "Faça como quiser", realmente, ela nada mais dissera do que a pura verdade.

Mas a *Crisálida de ar* não foi escrita para que somente a autora entendesse. Se o seu objetivo fosse apenas o de registrar o que viu ou imaginou, bastava fazer algumas anotações em tópicos. Não seria necessário ter o trabalho de colocá-lo em prosa. Era evidente que o texto fora escrito a partir do pressuposto de que seria lido por *alguém*. E era por isso que, apesar de o texto da *Crisálida de ar* ser infantil e não ter a pretensão de se tornar uma obra literária, ele tinha o poder de atrair e cativar o coração das pessoas. No entanto, esse suposto *alguém* não era um "número indefinido de leitores" que, via de regra, a literatura contemporânea procura alcançar. Isso era uma impressão que Tengo não podia deixar de ignorar durante a leitura.

Bem, então, qual seria o tipo de leitor pretendido?

Tengo certamente não sabia.

A única coisa que ele sabia era que *Crisálida de ar* era uma ficção extremamente original, com grandes qualidades e grandes defeitos, e que, supostamente, tinha algum objetivo especial.

Após reescrever alguns trechos, Tengo notou que o texto estava ficando com mais da metade do tamanho original. As partes em que era necessário inserir palavras eram bem maiores do que as que requeriam os cortes; por isso, ao reorganizar o trecho e reescrevê-lo, era inevitável o aumento do número de páginas. A primeira versão era por demais *esquemática*. Com o texto bem-estruturado e bem--escrito, o ponto de vista da narrativa ganhava coesão, e a leitura se tornava muito mais fácil. Porém, o desenvolvimento da narrativa ficava um tanto carregado. A lógica se destacava, enfraquecendo o estilo vigoroso do texto original.

O passo seguinte era eliminar "as partes desnecessárias" do texto, ampliado na revisão. Precisava tirar todas as gorduras em excesso, parte por parte. O trabalho de cortar trechos era bem mais fácil que o de inseri-los e, com isso, o texto ficou setenta por cento menor. Era como um quebra-cabeça. Havia um tempo determinado para inserir tudo o que fosse necessário e um outro para cortar o que fosse desnecessário. E na medida em que se processava alternadamente essa dupla tarefa, a alternância diminuía aos poucos até o texto naturalmente se assentar, atingir o seu ponto de equilíbrio: nada a acrescentar, nada a tirar. O ego era desbastado, os floreios desnecessários eram eliminados e a lógica um tanto evidenciada se recolhia ao quarto dos fundos. Tengo possuía um talento natural para esse tipo de trabalho; era um especialista nato. Tinha um alto poder de concentração, como os pássaros que sobrevoam o céu à caça de alimento; era paciente como uma mula transportando água, e tinha uma dedicação ímpar para cumprir à risca todas as regras do jogo.

Ele trabalhou focado, totalmente concentrado no texto. Quando parou para descansar e olhou o relógio de parede, viu que já eram quase três da tarde. Lembrou-se de que ainda não tinha almoçado. Foi para a cozinha e colocou a água para ferver na chaleira. Enquanto isso moeu um punhado de grãos de café. Comeu alguns biscoitos com cobertura de queijo, mordeu uma maçã e, quando a água ferveu, coou o café. Encheu uma caneca grande e resolveu espairecer um pouco, pensando em como era o sexo com a namorada mais velha. Normalmente, a essa hora, ele estaria fazendo *aquilo* com ela. Pensou no que faria... E no que ela faria... Tengo fechou os olhos e, voltando-se para o teto, suspirou profundamente; um suspiro carregado de insinuações e possibilidades.

Um tempo depois, voltou a se sentar à mesa e, novamente, mudou a chave das conexões cerebrais para se concentrar na tela do processador e reler o trecho introdutório de *Crisálida de ar* que acabara de reescrever. Uma leitura criteriosa, um olhar atento como o do general que inspeciona a trincheira no começo do filme *Glória feita de sangue*, de Stanley Kubrick. Tengo concorda com o que vê. Não está ruim. O texto ficou melhor. As coisas estavam caminhando. No entanto, nem tudo estava perfeito. Ainda faltavam muitas coisas a fazer: alguns sacos de areia estavam furados, faltava munição para as metralhadoras e, em determinados locais, faltavam cercas de arame farpado.

Tengo imprimiu o texto. Salvou o arquivo, desligou o processador e o empurrou para o canto da mesa. Em seguida, colocou o texto impresso à sua frente e, com um lápis, releu-o atentamente. Pôs-se mais uma vez a riscar o que considerou supérfluo, a acrescentar onde achava ser necessário e a reescrever alguns trechos até se convencer de que estava bom. Selecionava cuidadosamente cada palavra, verificando se a escolha realmente era a mais adequada naquele contexto. Era como se estivesse escolhendo o pedaço de azulejo que melhor se encaixava nos cantos da parede do banheiro. Se a palavra fosse inadequada, reelaborava a frase. Uma nuance, por mínima que fosse, podia tanto melhorar quanto prejudicar o texto.

A sensação ao ler um texto na tela ou no papel é ligeiramente diferente aos olhos do leitor. É como a diferença que sentimos quando escrevemos no papel uma palavra a lápis ou quando a digitamos no teclado. Por isso, é necessário ler o texto dos dois jeitos. Depois de revisar o texto no papel, Tengo religou o processador e passou a limpo todas as mudanças inseridas a lápis no texto impresso. Feito isso, leu novamente o texto, só que, desta vez, direto na tela. Nada mau, pensou. Cada frase tinha a sua importância e, no conjunto, ganhavam um ritmo natural.

Ainda sentado, Tengo alongou os músculos das costas e, olhando para o teto, soltou o ar demoradamente. O trabalho ainda não estava concluído. Se relesse o texto dali a alguns dias, certamente encontraria mais coisas para corrigir. Mas, por enquanto, estava bom. Ele já tinha esgotado o limite da sua concentração. Precisava descansar. Os ponteiros do relógio indicavam que faltava pouco para as cinco e lá fora começava a escurecer. Amanhã trabalharia o bloco seguinte. Corrigir algumas páginas havia demorado quase o dia todo. Havia sido mais trabalhoso do que imaginara. Mas, uma vez nos trilhos e com o ritmo a deslanchar, o trabalho também há de se tornar mais rápido. Todo começo costuma ser difícil e é mais trabalhoso, mas depois...

Em seguida, Tengo se lembrou do rosto de Fukaeri e imaginou o que ela pensaria ao ler o texto revisado. No entanto, Tengo não conseguiu imaginar o que ela poderia sentir. Ele praticamente nada sabia sobre aquela garota: apenas que tinha dezessete anos, cursava o terceiro ano do colegial, não tinha intenção de prestar o vestibular, falava de um jeito estranho, gostava de vinho branco e tinha um rosto de beleza singular que mexia com o coração das pessoas.

No entanto, no íntimo, Tengo sentia que, aos poucos, ele começava a entender, ou estava perto de entender, o mundo que Fukaeri tentava descrever na *Crisálida de ar* (ou o mundo que ela queria deixar registrado). O cenário que Fukaeri descrevia com a sua linguagem particularmente escassa ressurgia de modo muito mais vívido e intenso com a escrita cuidadosa de Tengo. E ele estava ciente de que um novo fluxo nascia a partir daquele texto. Apesar de a intervenção de Tengo ser apenas um reforço em relação à parte técnica, a redação tinha um toque preciso e espontâneo, como se o texto fosse dele desde o início. E era a partir desse texto que a história chamada *Crisálida de ar* estava prestes a surgir com força total.

Isso era o que deixava Tengo realmente satisfeito. Apesar de fisicamente exausto pelo intenso trabalho por horas a fio, por outro lado, emocionalmente, ele se sentia empolgado. Mesmo após desligar o processador e se afastar da mesa, por um bom tempo precisou reprimir sua vontade de continuar trabalhando no texto. Ele estava realmente feliz de poder reescrever a história. Se continuasse assim, possivelmente Fukaeri não se decepcionaria. Mas Tengo não conseguia imaginá-la contente nem decepcionada. Muito pelo contrário, não conseguia sequer imaginá-la com um sorriso nos lábios, ou esboçando uma sutil expressão de tristeza. Seu rosto era inexpressivo. Tengo não sabia se a ausência de expressão se devia à falta de sentimentos ou o contrário: se tinha sentimentos, mas desconectados da expressividade. De qualquer modo, ele precisava admitir que ela era uma garota estranha.

Tudo levava a crer que a protagonista de *Crisálida de ar* era uma Fukaeri do passado: uma garota de dez anos que vivia numa comuna atípica em meio às montanhas (ou nesses locais que parecem uma comuna) e que cuidava de uma cabra cega. Todas as crianças tinham uma tarefa, e a dela era a de cuidar dessa cabra. A criatura, apesar de velha, tinha um significado muito especial para a comunidade e, por isso, era necessário vigiá-la para que não fosse levada por alguém.

Não se podia perdê-la de vista nem por um segundo. Foi isso que lhe disseram. No entanto, sem querer, ela se distraiu e, ao perdê-la de vista, a cabra acabou morrendo. Por conta disso, a garota recebeu uma punição: ficou presa num depósito antigo junto com a cabra morta. Durante dez dias ela ficou completamente isolada, impossibilitada de sair. Não podia falar com ninguém.

A cabra servia de passagem entre o mundo de cá e o mundo do Povo Pequenino. Ela não sabia se aqueles homens pequeninos eram bons ou maus — evidentemente, Tengo também não sabia. Durante a noite, eles vinham para o mundo de cá através do corpo da cabra morta. E, ao amanhecer, voltavam para o mundo de lá. A garota conseguia falar com esses seres pequeninos. E foram eles que a orientaram a escrever a *Crisálida de ar*.

O que Tengo admirava era a descrição objetiva e detalhada do hábito e do comportamento da cabra cega. Eram esses detalhes que tornavam a obra, como um todo, muito intensa. Será que Fukaeri realmente cuidou de uma cabra cega? Será que ela realmente viveu numa comuna no meio da montanha? Tengo achava que sim. Mas, por outro lado, se ela não teve essa experiência, ele tinha de reconhecer que Fukaeri, como narradora, possuía um talento genuinamente excepcional.

Ele pensou em perguntar sobre a cabra e a comuna da próxima vez que a encontrasse, possivelmente no domingo. É claro que ele não sabia se ela responderia às perguntas. Pela conversa que tiveram outro dia, lembrou-se de que ela respondia somente o que lhe conviesse. As perguntas que não queria responder, ou que não tinha a intenção de responder, simplesmente ignorava, sem rodeios. Era como se não as tivesse escutado. Ela era igual a Komatsu. Nesse ponto, os dois eram muito parecidos. Tengo, no entanto, não era assim. Se alguém perguntasse algo para ele, independentemente da pergunta, procurava responder com sinceridade. Isso, sem dúvida, era do caráter da pessoa.

Às cinco e meia sua namorada mais velha telefonou.

— O que você fez hoje? — ela perguntou.

— Fiquei o dia todo escrevendo um romance — respondeu Tengo. Não deixava de ser verdade. Ele não estava escrevendo o próprio romance, mas não era o caso de entrar em detalhes.

— E o trabalho rendeu?

— Até que sim.

— Me desculpe por ter cancelado nosso encontro assim de repente. Na semana que vem acho que dá para ir.

— Não vejo a hora — respondeu Tengo.

— Eu também — ela disse.

Em seguida, ela se pôs a falar das crianças. Costumava falar delas com Tengo, de suas duas filhas pequenas. Tengo não tinha irmãos e, evidentemente, não tinha filhos. Não fazia a mínima ideia do que era uma criança. No entanto, ela falava delas sem se importar. Tengo não era de falar muito, mas gostava de ouvir as pessoas, não importava o assunto, e por isso ele escutava com atenção o que ela lhe contava. Ela disse que a filha mais velha, que cursava o segundo ano do primário, estava sendo maltratada na escola. Quem lhe contou isso não foi a sua filha, mas a mãe de uma colega de classe. Tengo logicamente nunca havia se encontrado com a menina, mas, certa vez, a mãe mostrara uma fotografia. A filha não se parecia muito com ela.

— Por que ela está sendo maltratada? — perguntou Tengo.

— Às vezes ela tem crises de asma e, por isso, não pode participar das atividades em grupo. Talvez seja por isso. É uma menina comportada e não vai mal nos estudos.

— Não dá para entender — disse Tengo. — Uma criança que tem crise de asma deveria ser protegida em vez de maltratada.

— No mundo das crianças, as coisas não funcionam assim — ela respondeu, para em seguida soltar um suspiro. — A criança pode ser excluída do grupo só pelo fato de ser diferente das outras. Isso também ocorre no mundo dos adultos, mas entre as crianças isso se manifesta abertamente.

— Na prática, o que acontece?

Ela deu alguns exemplos. Quando vistos isoladamente, não pareciam ser grande coisa, mas, como a criança precisava enfrentá-los diariamente, com certeza acabavam por *afetá-la*: os outros escondiam alguma coisa, deixavam de conversar com ela e a provocavam com imitações maldosas.

— Quando você era criança, alguém debochava de você?

Tengo pensou no tempo em que era criança.

— Acho que não. Pode até ser que sim, mas acho que nem cheguei a perceber.

— Se você não percebeu é porque nunca foi maltratado. Saiba que o objetivo de quem quer maltratar é justamente fazer com que a vítima perceba que está sendo maltratada. Não dá para provocar alguém sem que a pessoa perceba. É impossível.

Desde criança, Tengo sempre fora grande e robusto, e todos reconheciam sua superioridade. Provavelmente era por isso que ninguém o maltratava. No entanto, naquela época, Tengo enfrentava um problema muito mais grave.

— E você? Já foi maltratada? — perguntou ele.

— Não — respondeu firmemente, mas, um tempo depois, titubeou. — Eu é que maltratava...

— Maltratava junto com as outras pessoas?

— É. Quando estava na quinta série. A turma combinou de não falar com um garoto. Não consigo me lembrar do motivo de termos feito isso. Creio que havia um, mas não devia ser algo tão importante. De qualquer modo, hoje eu me arrependo de ter feito aquilo. Tenho vergonha do que fiz. Por que será que agi assim? Confesso que nem eu mesma sei direito o porquê de ter feito aquilo.

Tengo se lembrou de um caso parecido. Havia ocorrido muito tempo antes, mas mesmo hoje ele ainda se lembrava. Jamais poderia esquecer. No entanto, resolveu não contar para ela. Se começasse a falar, a conversa ficaria longa. Ainda por cima, aquele fato, quando expresso em palavras, perderia sua nuance mais importante. Ele nunca havia falado daquilo com ninguém e, possivelmente, jamais o faria.

— Pois então — disse ela —, é mais fácil estar do lado da maioria que rejeita do que da minoria. A gente pensa: "Ufa! Que bom que não sou um deles." Sempre foi assim em qualquer época, em qualquer sociedade: se você estiver do lado da maioria, não precisa se incomodar com esse tipo de problema.

— E, se você está com a minoria, tem de encarar a questão.

— Acho que sim — disse ela, com uma voz triste e desanimada. — O fato de estar nessa situação, no mínimo, faz com que a pessoa aprenda a lidar com ela.

— Pode ser que ela use a cabeça somente para ficar pensando nisso.
— Seria uma problema, não seria?
— Acho melhor não pensar muito a respeito — disse Tengo. — No final, não é tão grave assim. Tenho certeza de que na sala dela deve haver algumas crianças que conseguem pensar por conta própria.
— Acho que sim — disse ela. Durante um tempo, pareceu meditar. Tengo aguardou pacientemente que organizasse os pensamentos, mantendo o fone no ouvido. — Obrigada. Estou bem mais tranquila depois de falar com você — disse ela. Parecia ter se lembrado de algo.
— Eu também estou bem mais tranquilo — disse Tengo.
— Por quê?
— Por ter conversado com você.
— Até sexta que vem — disse ela.

Depois de desligar o telefone, Tengo foi ao supermercado do bairro comprar os ingredientes para o jantar. Voltou ao apartamento carregando as compras em pacotes de papel, e depois embrulhou com filme plástico as verduras e o peixe, um a um, guardando-os na geladeira. Feito isso, começou a preparar o jantar ouvindo música de uma estação de FM. Então o telefone tocou. Receber quatro telefonemas num único dia era muito raro para Tengo. Podia contar nos dedos as vezes em que isso acontecia durante o ano. Quem telefonava para ele, desta vez, era Fukaeri.
— É sobre o próximo domingo — disse ela, sem nenhuma preliminar.
Do outro lado da linha dava para ouvir ao fundo um carro que buzinava insistentemente. O motorista parecia estar bem irritado com alguma coisa. Ela devia estar ligando de algum telefone público ao lado de uma avenida movimentada.
— No próximo domingo, ou seja, depois de amanhã, eu vou me encontrar com você e, depois, vamos nos encontrar com uma outra pessoa — disse Tengo inserindo palavras na fala dela.
— Às nove da manhã. Estação Shinjuku. Primeiro vagão no sentido Tachikawa — ela disse. Três informações enumeradas.

— Ou seja, vamos nos encontrar na plataforma da linha Chûô, no primeiro vagão do trem que vem de Tóquio.
— Isso.
— Até onde devo comprar o bilhete?
— Até onde quiser.
— Devo comprar qualquer bilhete e, quando chegar no local, pago a diferença — Tengo presumiu e complementou a frase. Isso se parecia com o trabalho de reescrever *Crisálida de ar*. — E vamos para muito longe?
— O que você está fazendo — perguntou Fukaeri, ignorando a questão de Tengo.
— Estava preparando o jantar.
— O que prepara.
— Como moro sozinho, não é nenhum banquete. Vou assar um peixe defumado e ralar um pouco de nabo. Preparar uma sopa de missô com cebolinha e amêijoas, e, como acompanhamento, queijo de soja. Vou fazer também um curtido de pepino e alga *wakame* no vinagre e, por fim, arroz branco e acelga em conserva.
— Parece gostoso.
— Não sei. Acho que não chega a tanto. Sempre faço coisas desse tipo — disse Tengo.
Fukaeri não falou nada. Ficar quieta por um longo tempo não parecia incomodá-la. No entanto, Tengo não pensava assim.
— Pois então. Hoje comecei a reescrever a *Crisálida de ar* — disse Tengo. — Sei que você ainda não deu sua permissão final, mas, como não temos muito tempo, se não começar agora pode não dar tempo.
— Komatsu te disse para começar.
— Isso mesmo. Foi ele que disse para eu começar a reescrever.
— Você é amigo de Komatsu.
— É. Digamos que sim. Acho que somos amigos; se bem que não deve existir ninguém neste mundo que seja amigo de Komatsu. Mas se eu começasse a falar sobre isso a conversa ficaria longa.
— Reescrever. Está indo bem.
— Por enquanto sim. Vai indo.
— Que bom — disse Fukaeri. Não parecia falar da boca para fora. Tengo até chegou a pensar que aquele era o jeito de ela

demonstrar que estava contente com o fato de que o trabalho ia bem. No entanto, com sua expressão limitada, tais sentimentos não podiam ser claramente identificados.

— Espero que você goste — disse Tengo.
— Não se preocupe — de pronto respondeu Fukaeri.
— Por que você acha isso? — perguntou Tengo.

Fukaeri não respondeu. Ela apenas se manteve quieta. Era um tipo de silêncio intencional. Provavelmente, era um silêncio para instigar Tengo a pensar. No entanto, por mais que espremesse os miolos, ele não conseguia entender como ela podia ter tanta certeza disso.

Para quebrar o silêncio, Tengo disse:

— Pois então, eu queria te fazer uma pergunta. Você realmente viveu numa espécie de comuna e cuidou de uma cabra? As descrições que você faz são muito convincentes. Eu queria saber se isso realmente aconteceu.

Fukaeri tossiu bem baixinho.

— Não vou falar da cabra.
— Tudo bem — disse Tengo. — Se você não quer falar, não precisa. Eu apenas perguntei por perguntar. Não se preocupe. Para o autor, a obra é tudo. Não é preciso ficar acrescentando explicações. Vamos nos encontrar no domingo. Você tem alguma recomendação para quando eu for encontrar essa pessoa?
— Não entendo.
— Algo do tipo: melhor ir bem-vestido, ou o que devo levar de presente para ela... Coisas assim. É que eu não tenho a mínima ideia de como é essa pessoa.

Fukaeri novamente se calou. No entanto, desta vez, o silêncio não era intencional. Ela simplesmente não conseguia entender o motivo da pergunta e, tampouco, o pensamento que a havia motivado. A pergunta de Tengo não tinha eco em sua consciência e, por isso, fora sugada pelo nada e se perdia para sempre, além das fronteiras do consciente, como um solitário foguete a passar direto pela órbita de Plutão.

— Tudo bem, não é nada de mais — disse Tengo, conformado. Não devia ter perguntado uma coisa daquelas a Fukaeri. Era só comprar algumas frutas e as levar. — Então, domingo às nove — disse Tengo.

Após alguns segundos, Fukaeri desligou o telefone sem dizer nada. Nada de "Tchau" ou "Até domingo". Apenas o barulho seco do telefone no gancho.

Pode ser que ela tenha concordado balançando a cabeça, para depois desligar. No entanto, infelizmente, a linguagem gestual perde sua eficácia no telefone. Tengo o desligou, deu duas respirações profundas e, trazendo seu pensamento para a realidade, continuou a preparar o modesto jantar.

7
Aomame
Bem de mansinho para não acordar as borboletas

Sábado, um pouco depois da uma da tarde, Aomame foi à Mansão dos Salgueiros. Nela havia inúmeros salgueiros enormes e bem antigos, com seus galhos debruçados sobre o muro de pedra e que, embalados ao sabor dos ventos, lembravam almas penadas. Naturalmente, a vizinhança passara a chamar essa antiga residência em estilo ocidental, localizada no topo de uma rua extremamente íngreme do bairro de Azabu, de Mansão dos Salgueiros. Ao chegar no local, Aomame notou que havia pequenos pássaros pousados nos galhos mais altos e que, no telhado, um gato enorme tomava banho de sol com os olhos semicerrados. As ruas das redondezas eram estreitas, sinuosas, com pouquíssima circulação de carros e, ladeadas de árvores altas, imprimiam uma semiescuridão em plena luz do dia. Quando se caminhava nessa área, o tempo parecia fluir mais lentamente. Havia também algumas embaixadas espalhadas pela vizinhança, mas a circulação de pessoas era relativamente pequena. E, embora essa área fosse em geral *silenciosa*, no verão a quietude era radicalmente preenchida pelo canto ensurdecedor das cigarras.

Aomame tocou a campainha do portão e, voltando-se para o interfone, anunciou seu nome. Em seguida, olhou para a câmera de segurança instalada no alto e esboçou um leve sorriso. O portão de ferro automático abriu lentamente e, assim que ela entrou, fechou-se atrás dela. Como de costume, ela deu a volta pelo jardim caminhando em direção à varanda. E, ciente de que a câmera de segurança a seguia, atravessou o jardim com a postura ereta e o queixo retraído, como uma modelo desfilando na passarela. Nesse dia, ela vestia roupas informais: blusa de tecido leve azul-marinho, casaco com capuz cinza e calça jeans azul. Calçava tênis branco de cano alto e carregava no ombro uma bolsa, sem o picador de gelo que, quando não era necessário, ela deixava repousando tranquilamente na gaveta de seu guarda-roupa.

Em frente à varanda havia algumas cadeiras de jardim de teca, e um homem grande, sentado numa delas, dava a impressão de estar entalado. Ele não era alto, mas logo se notava quão desenvolvidos eram os seus músculos peitorais. Tinha cerca de quarenta anos, a cabeça totalmente rapada e um bigode bem-aparado. Vestia um terno cinza de ombros largos, camisa branca e uma gravata de seda cinza-escuro. Calçava sapatos de cordovão preto impecavelmente lustrados. E tinha um piercing de prata em cada orelha. Dificilmente seria confundido com um funcionário do departamento de contabilidade da Prefeitura, e muito menos um vendedor de seguros de automóveis. À primeira vista, parecia um guarda-costas profissional e, de fato, essa era a sua profissão. De vez em quando, era também motorista. Era altamente graduado no caratê e, se a situação assim requeresse, saberia usar armas com destreza. A impetuosidade de seu ataque o transformava numa pessoa extremamente violenta. Mas normalmente era calmo, ponderado e inteligente. Ao observar fixamente seus olhos — é claro, se ele o consentisse —, seria possível notar um brilho benevolente neles.

Pessoalmente, ele gostava de mexer em vários tipos de máquinas, colecionar discos de rock progressivo dos anos sessenta e setenta, e morava em outro ponto do bairro de Azabu com um cabeleireiro jovem e bonito. Ele se chamava Tamaru. Difícil saber se esse era o seu nome ou sobrenome e, tampouco, como se escrevia isso em ideogramas. Mas era assim que as pessoas o conheciam.

Sentado na cadeira, Tamaru olhou Aomame e acenou para que se aproximasse.

— Boa tarde — cumprimentou Aomame para, em seguida, se sentar numa cadeira à sua frente.

— Parece que um homem morreu no hotel de Shibuya — disse ele, enquanto verificava o brilho de seus sapatos de cordovão.

— Não fiquei sabendo — disse Aomame.

— É que não foi um incidente grave para sair nos jornais. Parece que ele teve um ataque cardíaco. Uma pena; tinha apenas quarenta e pouco anos.

— É preciso tomar cuidado com o coração.
Tamaru concordou:
— O importante são os hábitos que cultivamos na vida. Vida desregrada, estresse e falta de sono; essas coisas matam as pessoas.

— Mais cedo ou mais tarde, alguma coisa sempre acaba matando as pessoas.
— Teoricamente, sim.
— Será que vão fazer autópsia? — perguntou Aomame.
Tamaru se agachou para tirar uma poeira do sapato que mal dava para notar.
— A polícia está sempre ocupada. E trabalha com o orçamento apertado. Acho que não vão perder tempo fazendo a autópsia de um corpo sem ferimentos aparentes. Creio que os familiares do defunto também não vão querer que abram desnecessariamente o cadáver de uma pessoa que morreu em paz.
— Certamente, a viúva seria contra.
Tamaru manteve-se em silêncio por um tempo para, em seguida, estender a mão direita, enorme como uma luva de boxe. Assim que ela a segurou, sentiu o firme aperto de Tamaru.
— Você deve estar exausta. É melhor descansar um pouco — disse ele.
Aomame tentou sorrir esticando os cantos da boca como as pessoas normalmente fazem, mas não conseguiu esboçar nada. O máximo que conseguiu foi mostrar uma intenção de sorriso.
— E como vai a Bun? — ela perguntou.
— Ah! Ela vai bem — respondeu Tamaru. Bun era um pastor-alemão fêmea que morava na mansão. Tinha um bom caráter, era inteligente, mas também tinha alguns hábitos muito estranhos.
— Ela ainda come espinafre? — perguntou Aomame.
— E como! Já não sabemos mais o que fazer; ultimamente, o espinafre está muito caro. E ela come muito.
— Nunca vi um pastor-alemão que gosta de espinafre.
— Ela não se considera um cachorro.
— E o que ela pensa que é?
— Deve se achar um ser especial, que está acima dos sistemas de classificação.
— Um supercachorro.
— Algo assim.
— Será que é por isso que ela gosta de espinafre?
— Acho que não. Simplesmente ela gosta de espinafre. Desde filhote.

— Mas não seria por isso que ela passou a ter um comportamento tão agressivo?

— Pode até ser — disse Tamaru para, em seguida, olhar o relógio de pulso e perguntar: — A propósito, o encontro estava marcado para uma e meia, não estava?

Aomame concordou:

— É sim. Ainda está um pouco cedo.

Tamaru levantou-se calmamente e disse:

— Espere aqui. Pode ser que dê para adiantar um pouco. — E adentrou a casa pela varanda.

Aomame observou os belos salgueiros enquanto aguardava. A ausência de vento fazia os galhos penderem suavemente, como pessoas em estado de meditação.

Um tempo depois, Tamaru retornou.

— Acompanhe-me até os fundos. Hoje ela vai te receber na estufa.

Os dois deram a volta no jardim, passaram ao lado dos salgueiros e foram até a estufa que ficava na parte de trás da casa principal. Ao redor não havia nenhuma árvore, de forma que a estufa recebesse abundantemente os raios de sol. Tamaru abriu cuidadosamente a porta de vidro — apenas uma fresta — para não deixar escapar as borboletas que estavam lá dentro, e fez com que Aomame entrasse primeiro. Em seguida, Tamaru deslizou o corpo para dentro e, rapidamente, fechou a porta. Esse seu gesto não era compatível com uma pessoa grande como ele. No entanto, tamanha brevidade e precisão eram dignas de respeito. Mas ele *não se gabava* dessa habilidade.

Na enorme estufa de vidro reinava uma primavera absolutamente perfeita. Flores de diversas espécies estavam em plena floração, todas muito lindas. Espécies que em sua maioria eram bem comuns: gladíolos, anêmonas, margaridas... Dispostas por todos os lados, plantadas em vasos e acomodadas em prateleiras. Dentre elas havia algumas que, aos olhos de Aomame, não passavam de ervas daninhas. Não havia nenhuma espécie que *realmente* pudesse ser considerada especial: orquídeas valiosas, uma espécie rara de rosa ou flores primitivas da Polinésia. Aomame não tinha muito interesse por plantas, mas esse ar despretensioso da estufa particularmente lhe agradava.

Em compensação, na estufa viviam inúmeras borboletas. Nessa enorme sala de vidro, a proprietária parecia ter mais interesse em criar borboletas exóticas do que plantas. As flores dessa estufa eram, em sua grande maioria, abundantes em néctar, muito apreciadas pelas borboletas. Aomame sabia que criar borboletas em estufa certamente exigia dedicação, conhecimento e um trabalho hercúleo, mas ela não saberia identificar onde exatamente se podia encontrar, ali, tamanha dedicação.

De vez em quando — exceto no verão —, a proprietária convidava Aomame para conversarem a sós na estufa. Ali não havia o perigo de alguém escutá-las. A conversa entre elas não era um assunto a ser dito em voz alta, nem tampouco em qualquer lugar. E o fato de estarem cercadas de plantas e borboletas proporcionava uma sensação de serenidade. Bastava olhar para a proprietária para constatar isso. Aomame achava a estufa um pouco quente, mas não a ponto de não aguentar ficar nela.

A proprietária era uma mulher pequena na faixa dos setenta anos. Seus cabelos eram brancos, bonitos e curtos. Vestia um camisão de brim de manga comprida, calças de algodão creme e um par de tênis sujos. Com as mãos protegidas com luvas brancas e grossas, ela regava cada vaso, um a um, com um regador de ferro grande. O tamanho das roupas que usava parecia ser um número maior, mas, por serem confortáveis e deixarem-na à vontade, lhe caíam bem. Sempre que Aomame se encontrava com ela, não podia deixar de sentir admiração e respeito por sua elegância natural e despretensiosa.

Ela vinha de uma daquelas famílias incrivelmente ricas que dominavam a indústria e o comércio antes da Segunda Guerra Mundial, e havia se casado com um nobre; mas nem por isso aparentava ser uma pessoa mimada ou pomposa. Logo após a guerra, com a morte do marido, ela começou a administrar uma pequena empresa de investimentos de um parente e se destacou na corretagem de ações. Todos reconheciam esse seu dom natural. E foi graças a ela que a empresa cresceu rapidamente e seu patrimônio pessoal também. Com esse capital, ela comprou várias propriedades situadas em áreas valorizadas da cidade que, anteriormente, pertenciam a antigas famílias aristocráticas ou membros da família imperial. Havia se aposentado dez anos antes e, no momento certo, vendera suas ações em alta, aumentando ainda mais o patrimônio. Como sempre evitou se expor, não era muito conhecida, mas, em compensação, não havia ninguém no mundo dos negócios que não soubesse quem ela era. Dizia-se também que ela tinha muitos contatos com pessoas de peso no meio político. Em particular, era uma mulher simpática e inteligente. Uma mulher que desconhecia o medo. Ela confiava em sua intuição e, uma vez que tomava uma decisão, empenhava-se para executá-la até o fim.

Assim que viu Aomame, deixou o regador no chão e fez um sinal para que se sentasse numa pequena cadeira de ferro próxima à entrada. Logo que Aomame se sentou no local indicado, ela também se colocou à sua frente. Em tudo o que fazia, ela praticamente não emitia sons. Era como uma sábia raposa fêmea atravessando a floresta.

— Deseja tomar algo? — perguntou Tamaru.

— Um chá de ervas — ela respondeu. Em seguida, olhou para Aomame e perguntou: — E você?

— O mesmo.

Tamaru assentiu, baixando levemente a cabeça. E, após verificar se não havia nenhuma borboleta por perto, abriu uma fresta na porta para rapidamente deslizar o corpo e fechá-la atrás de si. Era como se estivesse dando passos de dança.

A proprietária tirou delicadamente as luvas de algodão, como se retirasse luvas de seda num sarau, dispondo-as uma sobre a outra em cima da mesa. Em seguida, olhou para Aomame com seus olhos negros luzidios. Era um olhar de quem já testemunhou muitas coisas. Aomame retribuiu o olhar, cuidando para não ser indelicada.

— Parece que foi uma perda lastimável — disse a proprietária. — Dizem que era uma pessoa muito conhecida no mundo do petróleo. E que, apesar de ainda ser jovem, era muito influente.

A proprietária sempre conversava em voz baixa. Se um vento um pouco mais forte soprasse, sua voz tornava-se inaudível. Por isso, para conversar com ela era preciso prestar muita atenção. De vez em quando, Aomame tinha ímpetos de esticar o braço e girar o botão do volume. Mas, logicamente, não existia nenhum botão assim, e por isso o jeito era ouvi-la atentamente, munida de uma certa dose de tensão.

— Apesar de essa pessoa ter morrido de repente, isso não parece ter causado nenhum tipo de inconveniente. O mundo continua girando — disse Aomame.

A proprietária sorriu.

— Neste mundo, ninguém é insubstituível. Por mais que a pessoa tenha conhecimento e seja capacitada, sempre se pode encontrar alguém que esteja à altura. Se o mundo estivesse cheio de pessoas que não pudessem ser substituídas, estaríamos em grandes apuros. Se bem que... — e, para enfatizar suas palavras, levantou o indicador direito — acho improvável encontrar alguém que possa substituir você.

— Pode até ser que não seja fácil encontrar uma pessoa como eu, mas não deve ser difícil encontrar algum método alternativo — comentou Aomame.

A proprietária a observava em silêncio. Esboçando um sorriso de satisfação, disse:

— Pode até ser... Mas, mesmo assim, não haverá a mesma cumplicidade que existe entre nós. Você é você, e nunca deixará de ser você. A minha gratidão é tão grande que não tenho palavras para expressá-la.

A proprietária inclinou o corpo para a frente, estendeu o braço e colocou a mão sobre a de Aomame, mantendo-a assim por uns dez segundos. Depois soltou-a e, com uma expressão de contentamento, encostou-se no espaldar da poltrona. Uma borboleta aproximou-se vagarosamente e pousou em seu ombro por sobre o camisão azul. Era pequena e branca, com detalhes em vermelho. A borboleta dormiu em seu ombro, sem medo.

— Provavelmente, você nunca deve ter visto uma borboleta como esta — disse a proprietária, olhando de relance a borboleta em seu ombro. Notava-se em sua voz um leve sentimento de orgulho.

— Mesmo em Okinawa, é uma espécie difícil de se encontrar. Esta borboleta se alimenta apenas de uma única espécie de flor. Uma flor especial que só floresce no interior das montanhas de Okinawa. Para criar esta borboleta é preciso, antes de mais nada, trazer essa flor e cultivá-la. Isso requer muito trabalho e, evidentemente, é muito oneroso.

— Parece que a borboleta gosta de você.

A proprietária sorriu.

— Esta *pessoa* me considera amiga.

— Dá para ser amiga de uma borboleta?

— Para se tornar amiga de uma borboleta, primeiro é preciso se sentir como parte da natureza. É preciso apagar qualquer vestígio de ser humano: deve-se ficar completamente imóvel e se convencer de que você se tornou uma árvore, um arbusto ou uma flor. Para chegar a esse estado leva-se tempo, mas, uma vez que ela te aceita, naturalmente se torna sua amiga.

— Você dá nome às borboletas? — Aomame perguntou, com certa curiosidade. — Quero dizer, você costuma colocar um nome em cada borboleta como se põe nos cachorros e nos gatos?

A proprietária discordou, balançando levemente a cabeça.

— Eu não dou nome a elas. Mas sei distinguir cada uma; basta olhar o padrão e a forma. Eu podia até colocar nomes, mas o fato é que elas logo morrem, sabia? Elas são amigas efêmeras, anônimas. Todos os dias eu venho aqui, me encontro com elas, cumprimento-as e converso sobre uma porção de coisas. Quando chega a hora, as borboletas silenciosamente desaparecem para algum lugar. Sei que morrem, mas, mesmo procurando o corpo, não há como encontrá-lo. Elas desaparecem sem deixar vestígio, como que sugadas pelo ar. As borboletas são as mais efêmeras e delicadas das criaturas. Nascem em algum lugar, buscam tranquilamente apenas o mínimo e o necessário e logo desaparecem. Possivelmente, vão para um outro mundo, diferente do nosso.

A estufa era quente e úmida, e o ar estava impregnado com o aroma das plantas. Muitas borboletas apareciam e desapareciam aqui e ali, a pontuar a efemeridade do fluxo de uma consciência em que inexiste a noção de começo e fim. Toda vez que Aomame entrava nessa estufa, tinha a sensação de perder a noção de tempo.

Tamaru trouxe numa bandeja de metal um jogo muito bonito com bule de chá e duas xícaras de porcelana verde-acinzentada. Havia também guardanapos de pano e alguns cookies dispostos num prato pequeno. O aroma do chá de ervas se misturava ao das flores.

— Obrigada, Tamaru. Pode deixar que eu mesma sirvo — disse a proprietária.

Tamaru colocou a bandeja sobre a mesa do jardim, curvou-se em sinal de respeito e se retirou sem fazer barulho. E, ao deixar a estufa, fez, como da vez anterior, uma sequência de passos ligeiros para abrir e fechar a porta. A proprietária levantou a tampa do bule, sentiu o aroma da infusão e, após verificar a hidratação das folhas, pôs-se a servir o chá lenta e delicadamente, cuidando para que a infusão fosse proporcionalmente distribuída nas duas xícaras.

— Sei que isso não é da minha conta, mas por que não se coloca uma rede na porta?

A proprietária ergueu o rosto e olhou para Aomame:

— Uma rede?

— É. Se colocar uma rede do lado de dentro, a porta fica dupla, e toda vez que for entrar e sair por ela, não será mais necessário tomar tanto cuidado para que as borboletas não fujam.

Com o pires na mão esquerda, a proprietária segurou a xícara com a direita erguendo-a até a altura da boca e, encostando-a levemente nos lábios, tomou um pequeno gole de chá, sem emitir som. Após degustá-lo, aprovou-o com um leve balançar de cabeça. Em seguida, devolveu a xícara ao pires e o pousou sobre a mesa. Depois, pegou o guardanapo e, após pressioná-lo delicadamente nos lábios, deixou-o sobre o colo. Para fazer isso, ela levou — sem exageros — o triplo do tempo que uma pessoa normalmente levaria para tomar um gole de chá. Essa cena fez com que Aomame imaginasse uma fada sugando o nutritivo orvalho matinal nas profundezas da floresta.

Em seguida, a proprietária deu uma discreta tossida para limpar a garganta.

— Não gosto de redes — ela respondeu.

Aomame aguardou a continuação, mas em vão. A conversa encerrou-se assim, sem saber se o fato de ela não gostar de redes estaria relacionado à questão de tolher a liberdade, se por razões estéticas ou, simplesmente, por uma questão de gosto pessoal, sem nenhum motivo especial. Mas naquele momento isso não era importante.

Assim como a proprietária, Aomame também pegou o pires com a xícara e tomou um gole de chá, sem emitir som. Ela não gostava muito de chá. Preferia um café bem forte e quente, pegando fogo; mas tinha de reconhecer que aquilo não seria nem um pouco adequado numa estufa ao entardecer e, por isso, sempre pedia o mesmo que a proprietária. Ela ofereceu-lhe cookies e Aomame aceitou um. O biscoito era de gengibre e tinha acabado de sair do forno. O gosto proporcionava um frescor na boca. Aomame lembrou que, antes da guerra, a proprietária havia morado um tempo na Inglaterra. A proprietária também pegou um cookie e comeu delicadamente em pequenas mordidas, para não acordar a raríssima borboleta pousada em seu ombro.

— Na hora de ir embora, Tamaru, como sempre, irá lhe dar uma chave — disse ela. — Assim que resolver as coisas devolva-a pelo correio, como de costume.

— Pode deixar.

Por um tempo, manteve-se um silêncio acalentador. Dentro da estufa fechada não se ouvia nenhum som do mundo exterior. A borboleta continuava a dormir sossegada.

— Nós não estamos fazendo nada de errado — disse a proprietária, olhando para o rosto de Aomame.

Aomame mordiscou levemente os lábios. Balançou a cabeça concordando.

— Eu sei.

— Veja o conteúdo desse envelope — disse a proprietária.

Aomame pegou o envelope que estava sobre a mesa e, após tirar sete fotos Polaroid de dentro dele, colocou-as ao lado do bule de finíssima porcelana. Era como distribuir as cartas de tarô, todas de mau agouro. Eram fotos do corpo de uma mulher jovem nua, tiradas por partes: costas, seios, nádegas, coxas e até plantas dos pés. Só não havia a foto do rosto. Em todas elas havia marcas de equimoses e vergões, resquícios de violência, provavelmente feitas com cinto. Os pelos pubianos estavam raspados e, ali, havia marcas de pontas de cigarro. Aomame franziu a testa involuntariamente. Ela já havia visto fotos desse tipo, mas não tão graves como estas.

— É a primeira vez que você vê algo assim, não é? — perguntou a proprietária.

Aomame apenas assentiu, sem se pronunciar de imediato.

— Eu tinha algumas informações, mas é a primeira vez que vejo algo assim.

— Quem fez isso foi *aquele homem* — disse a velha senhora.

— As três fraturas foram tratadas, mas uma das orelhas está com sintomas de bradiacusia e, provavelmente, sua audição ficará prejudicada — disse a proprietária. Sua voz continuava baixa, mas o tom estava frio e seco. A borboleta que dormia em seu ombro percebeu a abrupta mudança em sua voz e, assustada, abriu as asas e alçou voo.

A proprietária continuou:

— Não se pode simplesmente ignorar alguém que é capaz de tamanha atrocidade.

Aomame reuniu as fotos e as guardou no envelope.

— Você não acha?

— Acho — concordou Aomame.

— Nós fizemos a coisa certa — disse a proprietária.

Ela se levantou e, provavelmente para se acalmar, pegou o regador que estava ao seu lado, como se fosse uma arma sofisticada. Seu rosto estava levemente pálido. Seus olhos estavam fixos, mirando atentamente um canto da estufa. Aomame olhou na mesma direção, mas não viu nada de diferente; apenas um vaso com flores de cardo.

— Obrigada pela visita. Você fez um bom trabalho — disse a proprietária, segurando o regador vazio. Com isso, dava para entender que a conversa entre elas chegava ao fim.

Aomame também se levantou e pegou a bolsa.

— Obrigada pelo chá.

— Agradeço-lhe novamente por tudo — disse a proprietária.

Aomame esboçou um leve sorriso.

— Não há com o que se preocupar, está bem? — disse a proprietária. De uma hora para outra, o tom de sua voz estava novamente sereno, e uma luz cálida brilhava em seus olhos. Tocando levemente o braço de Aomame, reiterou: — Nós fizemos a coisa certa.

Aomame concordou. A conversa entre elas sempre terminava com essa fala. Provavelmente ela repetia essa frase para se convencer disso, pensou Aomame. Era como uma espécie de mantra ou um tipo de oração:

— Não há com o que se preocupar, nós fizemos a coisa certa.

Após verificar se não havia nenhuma borboleta por perto, Aomame entreabriu a porta, saiu e a fechou rapidamente. A proprietária ficou na estufa com o regador na mão. Ao sair da estufa, o ar fresco estava impregnado do cheiro do gramado e das árvores. Aqui é o mundo real onde o tempo flui normalmente. Aomame encheu os pulmões com aquele ar impregnado de realidade.

Tamaru aguardava Aomame no terraço, sentado na cadeira de teca, para lhe entregar a chave da caixa postal.

— Já acabou? — ele perguntou.

— Creio que sim — respondeu Aomame. Ela se sentou na cadeira ao lado dele, recebeu a chave e a guardou na bolsa.

Durante um tempo, os dois ficaram em silêncio observando os pássaros que visitavam o jardim. O ar continuava parado, e os salgueiros pendiam silenciosos com algumas das pontas de seus galhos quase a tocar o chão.

— E a mulher, está bem? — perguntou Aomame.

— Que mulher?

— A esposa daquele homem que teve um ataque do coração num hotel de Shibuya.

— No momento, não se pode dizer que esteja bem — disse Tamaru franzindo a testa. — Parece que ainda não se recuperou do choque. Ela não consegue falar direito. Creio que vai levar um tempo.

— Como ela é?

— Tem uns trinta e poucos anos, sem filhos. É bonita, causa uma boa impressão, tem estilo. Mas, infelizmente, neste ano ela não vai poder vestir roupas de praia no verão. Talvez, nem no ano que vem. Você viu as fotos?

— Acabei de ver.

— Assustador, não é?

— E como... — disse Aomame.

— É um padrão muito comum — continuou Tamaru. — Perante a sociedade, é um homem competente, tem uma ótima reputação entre os conhecidos, teve uma boa educação, boa escolaridade, e possui um bom nível social.

— Mas, quando chega em casa, torna-se outra pessoa — Aomame continuou, pegando o gancho. — Quando bebe, se torna violento. É daqueles que só sabem levantar a mão para a mulher: só têm coragem de bater na esposa. Mas, para os de fora, ele é um homem bom. É um marido calmo que causa sempre uma boa impressão. Se a esposa denunciá-lo dizendo o quanto ela sofre nas mãos dele, certamente ninguém irá acreditar. O homem sabe muito bem disso e, quando quer maltratá-la, faz questão de escolher um local em que ninguém possa presenciar a cena. Ou trata de maltratá-la sem deixar vestígios. Não é um tipo assim?

Tamaru concordou, meneando a cabeça.

— Na maior parte dos casos é assim. Mas, neste caso, ele não bebe uma gota sequer de álcool. Esse cara é do tipo que bate na frente de todo mundo em plena luz do dia, totalmente sóbrio. Esse tipo de caráter é dos piores. Ela queria se divorciar, mas o marido não aceitava a separação. Quem sabe ele até gostasse dela ou, talvez, não quisesse largar uma vítima que estava ao alcance das mãos. Ou ele gostava mesmo era de estuprá-la.

Tamaru levantou um pouco o pé para, novamente, verificar se os sapatos de couro estavam bem lustrados. Feito isso, continuou a conversa:

— Se ela apresentasse provas de violência doméstica, evidentemente obteria o divórcio, mas para isso seria preciso tempo e dinheiro. Se o marido resolvesse contratar um bom advogado, ela passaria por maus bocados. A vara de família está abarrotada de serviço, e faltam juízes. Mesmo que ela conseguisse obter o divórcio, são poucos os homens que cumprem à risca a determinação de pagar alguma indenização ou pensão alimentícia. É fácil arranjar uma desculpa para não pagá-las. No Japão, não existem casos em que o ex-marido tenha sido preso por se recusar a pagar alguma indenização. Basta ele mostrar que tem a intenção de pagar e acertar alguma coisa para que o tribunal faça vista grossa. A sociedade japonesa é muito tolerante com os homens.

— E, dias atrás, esse marido violento, de maneira muito conveniente, teve um ataque do coração no quarto de um hotel em Shibuya — disse Aomame.

— O termo *conveniente* é muito direto — disse Tamaru, estalando a língua de leve. — Eu prefiro dizer *graças à providência divina*. De qualquer modo, como não existe nenhuma suspeita quanto às causas da morte, e o valor do seguro também não é tão exorbitante, creio que a empresa de seguros não vai desconfiar de nada. Provavelmente, vão liberar o valor sem questionar. Se bem que, se a gente pensar bem, é uma quantia considerável. Com o dinheiro do seguro, ela poderá começar uma vida nova, com a vantagem de economizar tempo e dinheiro com as questões judiciais, evitar aqueles processos complicados e sem sentido, além de ser poupada do desgaste emocional que esses assuntos costumam acarretar.

— Além do mais, um canalha perigoso como aquele não estará solto por aí procurando uma nova vítima.

— Providência divina — completou Tamaru. — Graças a uma parada cardíaca, tudo se resolveu naturalmente. Tudo é bom quando termina bem.

— Admitindo que exista um fim em algum lugar — disse Aomame.

Pequenas rugas surgiram nos cantos dos lábios de Tamaru, rugas que lembravam um esboço de sorriso.

— Pois saiba que sempre, em algum lugar, existe um final. A gente apenas não vê escrito por aí "Aqui é o fim". Você já viu escrito no último degrau da escada algo como "Aqui é o último degrau. Por favor, não tente subir mais"?

Aomame balançou negativamente a cabeça.

— É a mesma coisa — disse Tamaru.

— Com senso prático e olhos bem abertos — disse Aomame —, a própria pessoa conseguirá perceber claramente onde é o fim.

Tamaru concordou:

— Mesmo que não consiga perceber... — ele moveu o dedo em uma curva descendente — ...de um modo ou outro, há de se encontrar o fim.

Os dois ficaram em silêncio ouvindo o canto dos pássaros. Era uma tarde tranquila de abril; sem indícios de maldade ou violência.

— Quantas mulheres estão *hospedadas* aqui? — perguntou Aomame.

— Quatro — Tamaru respondeu prontamente.

— Todas estão na mesma situação?

— Mais ou menos — disse Tamaru, e se calou por uns instantes. — Não são casos tão graves. Como sempre, esses maridos são uns imbecis, mas não tão ruins como esse cara de que falávamos.

Não passam de um bando de insignificantes que cantam de galo. Não são caras que mereçam a sua preocupação, creio que nós podemos nos encarregar deles.

— Conforme a lei.

— Digamos que seja *praticamente* conforme a lei. O que não quer dizer que não tenhamos que usar um pouco de intimidação. Mas um ataque do coração não deixa de ser uma morte legalmente reconhecida.

— Tem razão — disse Aomame.

Tamaru manteve-se em silêncio e, com as mãos sobre o colo, observou os galhos dos salgueiros que pendiam placidamente. Após hesitar um pouco, Aomame quebrou o silêncio:

— Você poderia me tirar uma dúvida, Tamaru?

— Qual?

— Quando foi que o uniforme e a arma dos policiais mudaram?

Tamaru franziu levemente as sobrancelhas. O tom de voz com que Aomame fez a pergunta possivelmente provocou seu instinto de prudência.

— Por que, de repente, você me pergunta isso?

— Nenhum motivo em especial. É que acabei de me lembrar.

Tamaru fitou os olhos de Aomame. O olhar de Tamaru era totalmente imparcial, desprovido de sentimento. Isso lhe dava tempo para pensar na melhor posição a ser adotada.

— Em meados de outubro de 1981 houve aquele grande conflito armado nas proximidades de Motosu, entre a polícia da província de Yamanashi e um grupo extremista. No ano seguinte, houve uma mudança radical na polícia. Isso já faz dois anos.

Aomame balançou a cabeça, como se aceitasse a informação, sem alterar a expressão do rosto. Ela não se lembrava do incidente, mas achou melhor concordar.

— Foi um incidente sangrento. Os antigos revólveres de seis tiros contra cinco Kalashnikovs AK-47. Aquilo nem poderia ser chamado de enfrentamento. Não havia como. Coitados dos três policiais que viraram peneira. Imediatamente, as Forças de Autodefesa mandaram helicópteros. A polícia ficou desmoralizada. Foi então que, logo depois, o primeiro-ministro Nakasone começou a trabalhar seriamente no sentido de aumentar o poder de fogo da polícia. Ocorreram grandes mudanças na estrutura policial, foi criada uma força armada especial e todos os policiais passaram a portar semiautomáticas mais potentes: as Beretta modelo 92. Você já experimentou uma?

Aomame fez que não com a cabeça. Nunca! Ainda mais ela, que nem sequer tinha disparado uma espingarda de ar comprimido...

— Eu já — disse Tamaru. — Uma pistola automática de quinze tiros que usa munição Parabellum de nove milímetros. É uma senhora arma, usada pelo exército americano. Não é barata, mas compensa por ser mais em conta que a Sig ou a Glock. Não é uma arma fácil de ser manuseada por amadores. Os antigos revólveres pesavam apenas quatrocentos e noventa gramas, enquanto essas pistolas pesam oitocentos e cinquenta. Por isso, não adianta entregar esse tipo de arma nas mãos dos policiais japoneses se eles não sabem como usá-las. Imagine o problema que é disparà-la em meio à multidão! Certamente, o desfecho será trágico.

— Onde foi que você atirou com ela?

— Ah! É aquela velha história... Um dia eu estava tocando a minha harpa na beira de uma fonte quando, de repente, surgiu uma fada que me entregou uma Beretta 92 e pediu para eu testá-la num coelhinho branco que estava ali por perto.

— Fale sério.

As rugas nos cantos dos lábios de Tamaru ficaram um pouco mais vincadas.

— Eu só digo a verdade — disse ele. — De qualquer modo, foi há dois anos, na primavera, que, oficialmente, os uniformes e as armas foram trocados. Foi mais ou menos nessa época. Será que eu respondi a sua pergunta?

— Dois anos atrás — disse Aomame.

Tamaru novamente lançou um olhar perspicaz em direção a ela.

— Se alguma coisa está te preocupando, é melhor dizer. Você está enrascada com a polícia?

— Não é isso — respondeu Aomame para, em seguida, agitar de forma ligeira as mãos num gesto de negativa. — Eu só fiquei meio intrigada com essa coisa do uniforme. Não me lembrava de quando ele havia sido trocado.

Houve um novo silêncio e a conversa terminou naturalmente. Tamaru estendeu mais uma vez a mão direita.

— Que bom que tudo acabou bem — disse ele. Aomame retribuiu o gesto segurando-lhe a mão. Esse homem sabia. Sabia que, após terminar um trabalho árduo que envolve a vida de uma pessoa, necessita-se de um contato físico acolhedor e complacente.

— Tire umas férias — disse Tamaru. — Pare e respire fundo. E saiba que, de vez em quando, é preciso esvaziar a cabeça. Vá passear com seu namorado em Guam.

Aomame se levantou, posicionou a alça da bolsa no ombro e endireitou o capuz. Tamaru também se levantou. Apesar de ele não ser alto, toda vez que ficava em pé Aomame tinha a impressão de que um paredão de pedra se erguia diante dela.

Tamaru observou em silêncio ela se afastar. Enquanto caminhava, Aomame sentia o olhar dele em suas costas e, por isso, abaixou o queixo, endireitou a postura e andou em linha reta com passos firmes. No entanto, em algum lugar onde a vista não podia alcançar, ela estava confusa. Em algum lugar desconhecido estavam acontecendo coisas que ela nem fazia ideia. Até bem pouco tempo atrás, tinha o mundo na palma da mão: não havia nenhuma falha ou contradição. Agora tudo estava desmoronando.

Conflito armado em Motosu? Beretta modelo 92?

O que estava acontecendo? Impossível Aomame ter deixado passar uma notícia tão importante como aquela. Algo no sistema que rege o mundo estava começando a pirar. Enquanto caminhava, o cérebro de Aomame trabalhava a mil. Independentemente do ocorrido, ela precisava agrupar e atar esse mundo num único feixe. Precisava encontrar uma justificativa para tudo, e bem rápido. Senão, algo ruim poderia acontecer.

Tamaru certamente percebera o quanto Aomame estava confusa por dentro. Ele era um homem prudente, de grande percepção intuitiva e, além de tudo, um homem perigoso. Sentia um respeito profundo pela proprietária e sua lealdade era absoluta. Para protegê-la, seria capaz de qualquer coisa. Aomame e Tamaru nutriam um respeito mútuo; havia entre eles uma certa afeição. Ou, pelo menos, algo que lembrava esse sentimento. Mas se, por algum motivo, a existência de Aomame não fosse mais considerada necessária para a proprietária, ele certamente não hesitaria em resolver a situação dando cabo de Aomame com extrema eficiência. Ela, no entanto não se via no papel de criticá-lo. Afinal, aquele era o seu dever.

    Assim que Aomame passou pelo jardim, o portão se abriu. Ela olhou para a câmera de segurança e, sorrindo o mais gentilmente que podia, deu um discreto aceno de mão: como se nada tivesse acontecido. Ao cruzá-lo, ele se fechou lentamente às suas costas. Enquanto descia a ladeira íngreme de Azabu, Aomame organizou e listou mentalmente o que teria de fazer: com extrema competência, nos mínimos detalhes.

8
Tengo
Encontrar um desconhecido num local desconhecido

Para a maioria das pessoas, a manhã de domingo simboliza um momento de descanso. Mas, quando criança, Tengo nunca associou a manhã de um domingo com algo alegre. Muito pelo contrário, os domingos sempre o deixavam triste. Era só chegar o fim de semana para sentir o corpo pesado, dolorido, e perder o apetite. Para Tengo, o domingo era como uma lua disforme que revela somente o seu lado escuro. Durante a infância, não foram poucas as vezes que pensou em como seria bom se não existissem os domingos; como seria bom se as aulas fossem ininterruptas, sem essa coisa de férias. Chegou até a rezar para que o domingo não chegasse nunca: evidentemente, o pedido nunca foi atendido. De vez em quando, mesmo agora, já adulto — em que o domingo deixou de ser uma ameaça real —, acordava melancólico, sem motivo algum. Às vezes, sentia as articulações rangerem e, não raro, a reação vinha acompanhada de ânsias de vômito. Era um sintoma arraigado em sua mente. Com profundas raízes fincadas no âmago de seu subconsciente.

Aos domingos, desde que Tengo era pequeno, seu pai, que era cobrador da NHK, o levava consigo nas visitas. Desde antes de Tengo entrar para o jardim de infância até a quinta série do primário, exceto quando havia alguma atividade especial na escola. Ao acordar às sete da manhã, seu pai mandava lavar o rosto com sabonete, depois verificava as orelhas e as unhas e, na medida do possível, vestia-o com roupas limpas — mas não chamativas — prometendo que, depois, ele o levaria para comer alguma coisa gostosa.

Tengo não sabia se os outros cobradores da NHK também costumavam trabalhar no dia de folga, mas, até onde ele se lembrava, seu pai sempre trabalhou aos domingos; aliás, trabalhava com muito mais afinco do que nos outros dias. Era preferencialmente aos domingos que seu pai conseguia encontrar as pessoas que, durante a semana, não ficavam em casa.

Havia alguns motivos para o pai levar o pequeno Tengo em suas cobranças. Um deles era porque não podia deixar uma criança pequena sozinha em casa. Nos dias de semana e aos sábados ele podia deixar Tengo na creche, no jardim de infância ou na escola primária, mas, no domingo, não havia expediente. Um outro motivo era mostrar para o filho que tipo de trabalho o pai fazia para que este soubesse de onde provinha o sustento deles e, desde pequeno, ensinar-lhe o significado do trabalho. O pai dele, desde que se entendia como gente, sempre trabalhara na lavoura sem nunca tirar um único domingo de folga e, nos períodos em que o serviço apertava, era obrigado a faltar na escola. Era esse o tipo de vida que seu pai considerava normal.

O terceiro e último motivo era estritamente interesseiro e, por isso, era o que mais machucava os sentimentos de Tengo. Seu pai sabia muito bem que, estando com uma criança, seria mais fácil fazer a cobrança. Afinal, era embaraçoso destratar um cobrador dizendo "não vou pagar, vá embora" vendo-o de mãos dadas com uma criança. Muitos acabavam pagando o que não tinham a intenção de pagar só de ver, em silêncio, os olhinhos da criança. Por isso, aos domingos, o pai de Tengo fazia questão de seguir um itinerário que incluía o maior número de casas que ofereciam resistência para pagar. Desde o começo, Tengo intuiu que seu pai depositava nele a expectativa de que cumprisse o seu papel, e Tengo detestava isso. Mas, para deixar seu pai contente e ser bem-tratado por ele, Tengo também tinha de usar a cabeça e, como um macaquinho de circo, atuar como ele queria.

Seu único consolo era que a área de cobrança do pai era distante do bairro em que moravam. Tengo morava num bairro residencial no subúrbio da cidade de Ichikawa, e a área de cobrança do pai era a do centro. O distrito escolar também era outro. Pelo menos isso evitou que aparecessem nas casas dos seus colegas do jardim de infância ou da escola primária. Mesmo assim, de vez em quando, ao andar pela zona comercial do centro, encontrava algum colega de sala. Quando isso acontecia, Tengo rapidamente se escondia atrás de seu pai para que o colega não o visse.

A maioria dos pais de seus colegas trabalhava no centro de Tóquio como assalariados, e muitos achavam que a cidade de

Ichikawa pertencia à capital, apesar de fazer parte da província de Chiba. Quando chegava segunda de manhã, os colegas contavam animadamente onde haviam estado e o que fizeram no domingo. Eles iam ao parque de diversões, ao jardim zoológico e aos campos de beisebol. No verão, nadavam na praia de Minamibôsô e, no inverno, iam esquiar. Passeavam de carro com os pais ou escalavam montanhas. Os colegas contavam essas experiências com entusiasmo e trocavam informações sobre vários lugares. Tengo não tinha nada do que falar. Ele nunca tinha visitado um local turístico e, tampouco, brincado num parque de diversões. Aos domingos, desde cedo até o anoitecer, ele sempre estava com seu pai apertando as campainhas das casas de gente desconhecida; abaixavam a cabeça para quem atendia a porta e recebiam o dinheiro. Se alguém se recusava a pagar, o pai usava da intimidação ou da persuasão. Se alguém reclamava, começavam a discutir. Às vezes, eram enxotados feito vira-latas. Tengo não via o porquê de expor esse tipo de experiência aos colegas de classe.

Na terceira série, a classe já sabia que o pai de Tengo era cobrador da NHK. Alguém o tinha visto com o pai fazendo cobranças. Não era para menos; afinal, todos os domingos, da manhã à noite, ele seguia o pai por todos os cantos da cidade. Era natural que um dia alguém o visse (ainda mais porque Tengo já estava grande demais para se esconder atrás do pai). Mais estranho seria se ninguém nunca o tivesse visto.

E, desde então, apelidaram-no de "NHK". Era inevitável que, num grupo de filhos de funcionários de classe média, Tengo fosse considerado "diferente". O que era normal para essas crianças, para Tengo não era. Tengo vivia num mundo distinto, e seu tipo de vida também era bem diferente do de outras crianças. Na escola, as notas de Tengo eram excepcionalmente boas e ele se destacava nos esportes. Tinha uma estrutura física robusta e era forte. Os professores o tratavam com especial atenção. Por isso, mesmo sendo "diferente", a classe nunca o excluiu do grupo; muito pelo contrário, ele sempre era o centro das atenções. No entanto, quando algum amigo o convidava para sair no domingo ou o chamava para ir brincar em sua casa, ele nunca podia aceitar, pois sabia de antemão que, no momento em que ele dissesse ao seu pai "Nesse domingo vai ter uma festa na casa de um amigo, posso...", ele simplesmente ignoraria o pedido. Por isso, Tengo sempre precisou recusar os convites dando a desculpa de que no domingo não dava para ir. De tanto recusar, as pessoas deixaram de convidá-lo. Quando se deu conta, descobriu que estava só, que não fazia parte de nenhum grupo.

  Houvesse o que houvesse, todos os domingos, da manhã até o entardecer, ele precisava acompanhar o pai no roteiro de cobranças. Era uma regra imutável. Uma regra que não admitia exceção e que não tinha margem para nenhum tipo de mudança. Mesmo gripado e tossindo sem parar, mesmo com febre ou com dor de barriga, seu pai não o poupava. Quando estava nesse estado, caminhando com dificuldade atrás do pai, Tengo imaginava como seria bom desmaiar e morrer ali mesmo. Quem sabe assim seu pai parasse para refletir um pouco sobre suas atitudes e chegasse à conclusão de que fora muito duro com o filho. No entanto, felizmente ou infelizmente, Tengo tinha uma saúde de ferro: mesmo com febre, dor de barriga e ânsia de vômito, nunca ficou de cama ou desmaiou e, sem nunca se queixar para o pai, continuou a segui-lo nos longos percursos de cobrança.

No último ano da guerra, o pai de Tengo voltou da Manchúria sem nenhum tostão no bolso. Terceiro filho de uma família de agricultores da região de Tôhoku, ele havia partido com alguns amigos da vila após se inscrever num grupo de colonização da Manchúria e da Mongólia. Resolvera partir não porque acreditava nas propagandas do governo de que a Manchúria era um paraíso, as terras eram abundantes e férteis, e que lá a vida seria boa. Ele sempre soube que nunca, em lugar nenhum, existiu essa coisa de paraíso. O que o levou foi somente a pobreza e a fome. A única perspectiva de permanecer no campo era vivendo no limite da inanição e, com a terrível recessão econômica, houve um considerável aumento do número de desempregados. Ir para a cidade não era garantia de conseguir um bom emprego. Diante dessa situação, a única saída para sobreviver era partir para a Manchúria. Antes, recebeu treinamento básico sobre o uso de armas de fogo para uma eventual emergência, instruções gerais sobre as condições agrícolas da Manchúria e, após três vivas efusivos, deixou a terra natal. Em Dalian seguiu de trem até um local próximo à fronteira da Manchúria com a Mongólia. Chegando lá, deram-lhe um pedaço de terra cultivável, ferramentas agrícolas e um rifle e, junto com seus amigos, começou a trabalhar na terra. Uma terra estéril e cheia de pedregulhos que, no inverno, ficava totalmente congelada. Sem o que comer, tiveram de se alimentar de cachorros de rua. Mesmo assim, eles só conseguiram sobreviver graças ao auxílio que o governo lhes ofereceu durante os primeiros anos.

Em agosto de 1945, quando finalmente a vida começou a apresentar os primeiros sinais de estabilidade, a União Soviética quebrou o tratado de paz e invadiu a Manchúria. O exército russo havia encerrado sua campanha na frente europeia e, gradativamente, deslocava um grande contingente de tropas rumo às fronteiras do Extremo Oriente utilizando a Estrada de Ferro Transiberiana. Naquela época, o pai de Tengo tinha um amigo que era funcionário do governo e este, discretamente, o alertara sobre o iminente ataque, deixando-o de sobreaviso sobre uma possível invasão. Esse seu amigo aconselhou, ao pé do ouvido, que ele deixasse tudo pronto para fugir sozinho; as forças armadas japonesas do Kwantung, de tão enfraquecidas, dificilmente conseguiriam conter as tropas russas. Aconselhou também a optar pelo meio mais rápido de fuga. Por isso, assim que o pai de Tengo soube que o exército russo havia cruzado a fronteira, imediatamente partiu para a estação montado num cavalo previamente preparado, e conseguiu pegar o antepenúltimo trem com destino a Dalian. Dentre os companheiros da vila que haviam viajado juntos, o único que conseguiu voltar para o Japão a salvo naquele ano foi o pai de Tengo.

Depois da guerra, ele foi para Tóquio e trabalhou como contrabandista no mercado negro, foi aprendiz de carpinteiro, mas nada disso deu certo. Ele mal conseguia manter o seu próprio sustento. No outono de 1947, quando trabalhava de entregador numa das tavernas do bairro de Asakusa, casualmente reencontrou aquele seu amigo do tempo da Manchúria, o funcionário público. Esse amigo tinha sido transferido temporariamente para a Manchúria para trabalhar no então Ministério dos Correios e Telecomunicações, mas, de volta ao Japão, trabalhava no antigo Ministério das Telecomunicações. Talvez por ele ter nascido na mesma região que o pai de Tengo, e por reconhecer que era um homem muito trabalhador, simpatizava com ele e, nesse dia, o convidou para uma refeição.

Ao saber que o pai de Tengo não conseguia arranjar um emprego decente e passava por apuros, o amigo indagou se ele não gostaria de trabalhar como cobrador da NHK. O amigo se ofereceu para falar com uma pessoa que ocupava um posto no departamento. O pai de Tengo agradeceu dizendo que, se ele pudesse fazer isso, seria ótimo. Não tinha ideia do que a NHK fazia, mas, desde que ganhasse um salário fixo, qualquer coisa era bem-vinda. O amigo assinou uma carta de recomendação e até assumiu o papel de fiador. Graças à ajuda, seu pai conseguiu o emprego de cobrador sem dificuldades. Fez o curso, ganhou o uniforme e aprendeu as normas da empresa. As pessoas finalmente começavam a superar o choque de terem sido derrotadas na guerra e buscavam diversão em meio a uma vida miserável. As músicas, os programas humorísticos e os esportes transmitidos pela rádio eram uma diversão das mais acessíveis e baratas, e os aparelhos de rádio tornaram-se tão populares que não havia como comparar com o do período anterior à guerra. A emissora NHK tinha uma grande necessidade de contratar pessoas que circulassem pelas casas dos ouvintes para lhes cobrar a taxa de transmissão.

O pai de Tengo se dedicou ao trabalho de corpo e alma. Seu ponto forte era ter saúde e ser muito perseverante. Para uma pessoa que pouquíssimas vezes havia se alimentado até a saciedade, trabalhar como cobrador da NHK estava longe de ser algo penoso. Por mais que fosse hostilizado, isso em nada o afetava, pois, mesmo no baixo escalão, sentia-se orgulhoso de fazer parte de uma grande organização. No primeiro ano, ele recebeu como comissionado, sem nenhuma garantia de contratação, mas, com o seu excelente desempenho e a sua postura diante do trabalho, logo foi efetivado, passando a fazer parte do quadro regular de funcionários. Normalmente, a NHK não promovia o funcionário com tanta rapidez, mas não se podia ignorar o fato de que seu pai tinha obtido resultados satisfatórios numa área considerada muito problemática. Evidentemente, não se podia esquecer também a influência do funcionário do Ministério das Telecomunicações, que, além do mais, era seu fiador. Além de receber um salário fixo, passou a ter outros benefícios: morar numa das residências funcionais da empresa e ser admitido para o plano de saúde. A diferença de tratamento entre um cobrador comissionado, totalmente descartável, e um funcionário da empresa era imensa. Conseguir esse emprego era, de longe, a melhor coisa que lhe havia acontecido em toda a sua vida. Finalmente ele havia conquistado uma posição no pedestal de um totem.

Tengo cansou de ouvir a história do pai. Ele não cantava canções de ninar nem contava histórias da carochinha. Mas, em compensação, não se cansava de contar e recontar suas experiências de vida. Que ele nascera numa família de agricultores pobres de Tôhoku; vivera como um cão, sempre trabalhando e apanhando; que emigrara para a Manchúria como um colono; que, naquele lugar em que a urina virava gelo antes de cair no chão, desbravara a terra e cuidara da plantação com o rifle nas mãos para afugentar lobos e bandidos a cavalo; que tivera de fugir das tropas russas só com a roupa do corpo; que conseguira voltar são e salvo para o Japão sem que o mandassem para o campo de concentração da Sibéria; que, mesmo faminto, sobrevivera às agruras do período pós-guerra e que, felizmente, por obra do acaso, conseguira se tornar um cobrador efetivo da NHK. Esse era o final feliz de sua história.

O pai era um ótimo contador de histórias. Apesar de ser impossível comprovar sua veracidade, ela era ao menos coerente. Não tinha um significado profundo, mas era rica em detalhes, e era contada de modo expressivo. Havia histórias divertidas, histórias comoventes, histórias violentas, histórias sem pé nem cabeça de cair o queixo e histórias difíceis de engolir, por mais que seu pai tentasse convencê-lo. Se o valor de uma vida fosse avaliado pela variedade de episódios que ela possui, a vida de seu pai poderia ser considerada rica.

No entanto, após ser contratado como cobrador da NHK, a história do pai perdia completamente todo o colorido e o realismo. Perdia também a riqueza de detalhes e a coerência. Era como se não valesse a pena continuar a contá-la. Seu pai conhecera uma mulher, casara-se com ela e tivera um filho — Tengo. Meses depois de dar à luz, a mãe adoeceu e morreu. Seu pai não se casou de novo e, enquanto trabalhava zelosamente para a NHK, cuidou sozinho de Tengo. E tem sido assim até hoje. Fim.

O pai nunca lhe contou como conheceu e se casou com sua mãe. Também nunca disse como ela era nem o motivo de sua morte (estaria relacionado com o nascimento de Tengo?): se foi uma morte tranquila ou sofrida. Sobre esse tipo de assunto o pai de Tengo se calava. Se Tengo perguntasse, o pai se esquivava sem dar respostas. Na maioria das vezes, o pai ficava mal-humorado e se fechava. Não havia uma foto sequer de sua mãe. Nem do casamento. A justificativa do pai era que na época não tinha condições de fazer uma festa e, tampouco, ter uma máquina fotográfica.

No entanto, no fundo, Tengo não acreditava na conversa do pai. Sabia que ele havia inventado a história para ocultar a verdade. A mãe de Tengo não havia morrido meses depois de seu nascimento. Em sua memória, sua mãe estava viva até seu um ano e meio de idade. E, ao lado de Tengo adormecido, ela abraçava intimamente outro homem que não era o seu pai.

Sua mãe tirou a blusa, soltou a alça da camisola branca e um homem, que não era seu pai, chupava os bicos de seus seios. Tengo dormia ao lado com um leve ressonar. Ao mesmo tempo, ele não dormia. Ele olhava para a mãe.

Essa era a fotografia que Tengo tinha como lembrança da mãe. Uma cena de dez segundos nitidamente gravada na tela de sua consciência. A cena era a única informação concreta que ele tinha dela. A consciência de Tengo usava a imagem para ligá-lo, ainda que sutilmente, à figura da mãe: um hipotético cordão umbilical. Sua consciência estava mergulhada no líquido amniótico da lembrança, fazendo-o escutar os ecos do passado. No entanto, seu pai não sabia que Tengo tinha essa imagem nitidamente gravada em sua mente e que constantemente — como um boi no pasto — ruminava a cena tentando tirar daí algum nutriente importante. Pai e filho carregavam, em suas recônditas escuridões, os seus respectivos segredos.

Era uma manhã de domingo agradavelmente ensolarada, mas as frias rajadas de vento insinuavam que, mesmo em meados de abril, a estação podia simplesmente retroceder. Tengo vestia uma jaqueta com padrões em zigue-zague que tinha desde os tempos de escola, um suéter preto de malha fina e gola redonda, calça bege e sapatos

Hush Puppies marrons. Sapatos que, por sinal, eram relativamente novos. Esse era o seu jeito mais caprichado de se vestir.

Quando Tengo chegou numa das extremidades da plataforma da linha Chûô da estação Shinjuku, sentido Tachikawa, Fukaeri já o aguardava. Ela estava sentada em um banco, sozinha, totalmente imóvel, com os olhos semicerrados olhando o vazio. O vestido de algodão estampado que ela usava era típico de verão, e, por cima, vestia um casaco de inverno verde-escuro e calçava um tênis cinza desbotado, sem meias. Era uma combinação no mínimo inusitada para a estação em que estavam. O vestido era muito fino, e o casaco muito grosso. No entanto, esse seu jeito de vestir não causava estranhamento. *Não combinar* as peças talvez fosse seu jeito de expressar uma visão particular do mundo. Mas o mais provável era que tivesse escolhido aleatoriamente as roupas sem pensar em nada.

Ela não estava lendo jornal, livro ou ouvindo música no walkman; estava apenas sentada, quietinha, com seus olhos grandes e negros voltados para a frente. Parecia tanto estar vendo algo, como também parecia não estar vendo nada. É provável que estivesse pensando em algo, mas, ao mesmo tempo, parecia não pensar em coisa alguma. De longe, era como uma estátua esculpida com material especial, dessas que dão a impressão de serem reais.

— Esperou muito? — perguntou Tengo.

Fukaeri o olhou e balançou alguns centímetros a cabeça de um lado para o outro. Seus olhos negros tinham um brilho sedoso, mas o rosto continuava inexpressivo, como da vez passada. Parecia não estar a fim de conversa. Por isso Tengo desistiu de puxar assunto e, em silêncio, sentou-se no banco ao lado dela.

Com a chegada do trem, Fukaeri se levantou sem dizer nada. Os dois entraram no vagão. Por ser domingo, o expresso para Takao tinha poucos passageiros. Tengo e Fukaeri sentaram lado a lado na poltrona e, mantendo o silêncio, observaram a paisagem urbana passar pela janela. Fukaeri continuava quieta, Tengo também. Ela juntou as pontas da gola do casaco e as segurou firmemente, como que a se preparar para enfrentar um frio intenso.

Tengo começou a ler um livro de bolso que trouxera, mas sentiu apreensão e acabou desistindo. Guardou o livro no bolso da jaqueta e, como se fizesse companhia a Fukaeri, limitou-se a olhar para a frente, em silêncio, com as mãos sobre o colo. Quis pensar em algo, mas não conseguiu se lembrar de nada. Talvez, por ter ficado muito tempo concentrado em reescrever a *Crisálida de ar*, seu cérebro se recusasse a pensar em algo concreto. Havia um bolo de fios emaranhados no centro de seu cérebro.

Tengo observava a paisagem passar pela janela enquanto prestava atenção no barulho monótono do trem correndo pelos trilhos. A linha Chûô seguia infinitamente, como se percorresse uma linha reta previamente traçada no mapa. Não. Não era *como se*, pois, certamente, as pessoas de cem anos atrás queriam que o trajeto fosse daquela forma. Nessa região da planície de Kantô não há nenhum acidente topográfico digno de nota. E é por isso que construíram uma estrada de ferro sem a necessidade de curvas, desníveis, pontes ou túneis. Bastou traçar uma linha reta e fazer o trem correr rumo ao seu destino.

Sem querer, não saberia dizer desde quando, Tengo acabou dormindo. E, ao acordar com o balanço do trem, viu que ele reduzia gradativamente a velocidade para parar na estação Oguikubo. Foi um cochilo rápido. Fukaeri continuava do mesmo jeito, olhando fixamente para a frente. Tengo não fazia a mínima ideia do que ela estaria realmente vendo. Mas, do modo como estava compenetrada, uma coisa era certa: eles não deixariam o trem tão cedo.

— Que tipo de livro você costuma ler? — perguntou Tengo para quebrar a monotonia. O trem atravessava a região de Mitaka. Essa era uma pergunta que ele realmente queria fazer.

Fukaeri o fitou de relance e voltou a olhar para a frente:
— Não leio livros — ela respondeu sucintamente.
— Nunca?
Fukaeri balançou rapidamente a cabeça, em negativa.
— Você não gosta de ler livros? — perguntou Tengo.
— Levo tempo para ler — respondeu Fukaeri.
— Não lê livros porque leva tempo? — Tengo perguntou, por achar que não tinha entendido bem.

Fukaeri continuou olhando para a frente sem dar resposta. Essa sua atitude parecia dizer que *não se daria ao trabalho de tentar contradizê-lo.*

Em geral, leva-se certo tempo para ler um livro. É diferente de assistir à televisão ou ler um mangá. A leitura requer esforço contínuo, durante um espaço de tempo relativamente longo. No entanto, ao dizer "leva tempo", Fukaeri parecia empregar uma nuance diferente à dinâmica de leitura.

— Dizer que leva tempo significa que é *muito* tempo? — perguntou Tengo.

— *Muito* — afirmou Fukaeri.

— Muito mais tempo do que as pessoas em geral costumam levar?

Fukaeri prontamente concordou.

— Se é assim, você deve passar apuros na escola. Você precisa ler muitas coisas durante as aulas, não é? Se você demora tanto assim para ler...

— Eu finjo que estou lendo — disse Fukaeri, como se isso fosse algo mais que natural.

Tengo ouviu em alguma das portas de seu cérebro uma batida agourenta. Se pudesse, preferiria ignorar esse toque, mas não podia. Ele precisava descobrir a verdade. Perguntou:

— O que você está querendo dizer tem algo a ver com dislexia?

— Dislexia — repetiu Fukaeri.

— Dificuldade para ler.

— Alguém me disse isso. Dis...

— Quem te disse?

A garota encolheu discretamente os ombros.

— Então... — Tengo selecionou as palavras, como se tateasse no escuro para encontrá-las. — Você sempre foi assim desde pequena?

Fukaeri concordou balançando a cabeça.

— Ou seja, você nunca leu romances.

— Sozinha, não — respondeu Fukaeri.

Isso explicava o porquê de seu texto não ter a influência de nenhum escritor. Uma explicação perfeitamente coerente.

— Você nunca leu sozinha — disse Tengo.

— Alguém lia — disse Fukaeri.

— Seu pai ou sua mãe liam para você em voz alta?

Fukaeri nada respondeu.

— Mas, mesmo que você não leia, não tem problemas para escrever, certo? — perguntou Tengo, com certa preocupação.

Fukaeri negou com a cabeça:

— Escrever também leva muito tempo.

— Leva *muito* tempo?

Ela novamente encolheu discretamente os ombros. Queria dizer sim.

Tengo se ajeitou no banco.

— Então quer dizer que não foi você que escreveu a *Crisálida de ar*.

— Eu não escrevi.

Por alguns segundos, Tengo se calou. Eram segundos que sustentavam um peso significativo.

— Quem foi, então, que escreveu?

— Azami — respondeu Fukaeri.

— Quem é Azami?

— Dois anos *mais nova*.

Instalou-se novamente um breve silêncio.

— Foi essa garota que escreveu *Crisálida de ar* em seu lugar?

Fukaeri concordou, como se fosse a coisa mais natural do mundo.

O cérebro de Tengo começou a trabalhar a todo o vapor.

— Então você ditou a história e ela escreveu. É isso?

— Ela digitou e imprimiu — disse Fukaeri.

Tengo mordeu os lábios e, após organizar as inúmeras informações novas, disse:

— Então quer dizer que foi Azami quem enviou o texto impresso para concorrer ao prêmio literário da revista? E foi ela que, sem falar para você, colocou o título *Crisálida de ar*.

Fukaeri inclinou a cabeça de um jeito que não dava para saber se concordava ou não. De qualquer modo, como ela não teve nenhuma outra reação, era de se supor que o que Tengo dissera provavelmente estava correto.

— Essa Azami é sua amiga?

— Moramos juntas.

— Ela é sua irmã mais nova?

Fukaeri concordou, balançando a cabeça.

— É a filha do professor.

— Professor? — perguntou Tengo. — Esse *professor* também mora com você?

Fukaeri discordou, como quem diz "por que raios você me pergunta isso?".

— Essa pessoa que vou encontrar hoje deve ser esse professor, não deve?

Fukaeri olhou para Tengo por um tempo, como a observar uma nuvem distante flutuando no céu. Um tempo depois, concordou.

— Nós vamos nos encontrar com o professor — respondeu Fukaeri, com uma voz inexpressiva.

A conversa, por ora, encerrou-se aí. Tengo e Fukaeri ficaram novamente em silêncio por um tempo, observando a paisagem que passava pela janela. Uma série de edifícios a perder de vista, todos sem graça, se perfilava nas inexpressivas terras planas. Inúmeras antenas, como insetos, apontavam para o céu. Será que as pessoas que moram aqui pagam pontualmente as taxas de recepção da NHK? Aos domingos, qualquer coisa fazia Tengo pensar na taxa. Era algo que não conseguia evitar.

Nessa manhã ensolarada de domingo, em pleno mês de abril, algumas verdades, não muito agradáveis, vieram à tona. Primeiro, ficou claro que Fukaeri não tinha escrito a *Crisálida de ar*. Se o que Fukaeri disse era verdade — não havia nada que depusesse contra —, ela tinha apenas contado a história, e uma outra garota a havia redigido. O processo era o mesmo que o utilizado na transcrição das narrativas orais observadas em obras como o *Kojiki* (Relatos de fatos antigos) ou o *Heike Monogatari* (As narrativas de Heike). Essa constatação, por um lado, amenizou seu sentimento de culpa em ter de mexer no texto, mas, por outro, tornou a situação ainda mais complexa. Tengo se sentiu — dito de modo claro — num beco sem saída.

Além disso, ela tinha um problema de atenção e era incapaz de ler corretamente um livro. Tengo tentou se lembrar do que sabia sobre a dislexia. No curso de licenciatura da faculdade, ele chegara a assistir a uma palestra sobre a doença. Teoricamente, quem tem dislexia consegue ler e escrever. E a pessoa não possui problemas quanto à capacidade intelectual. No entanto, leva muito tempo para ler. Não encontra dificuldades em ler frases curtas, mas, se as frases forem compostas e extensas, não tem capacidade de processar as informações de modo a assimilá-las. Não consegue associar mentalmente o signo a seu significado. Esse seria o quadro geral da dislexia. As causas ainda não foram totalmente esclarecidas. Mas, mesmo que uma classe tenha uma ou duas crianças disléxicas, não há motivo para preocupação. Einstein também tinha dislexia, assim como Thomas Edison e Charles Mingus.

Tengo não sabia se uma pessoa com dificuldade para ler também tinha dificuldade para escrever. A contar pelo caso de Fukaeri, parecia que sim. Para ela era difícil tanto ler quanto escrever.

O que será que Komatsu vai dizer quando souber disso? Tengo suspirou involuntariamente. Essa garota de dezessete anos nasceu com problemas de atenção e não consegue ler nem escrever frases longas. Numa conversa — claro, se ela não estiver blefando —, ela só consegue falar uma frase de cada vez. Fazê-la se passar por uma escritora profissional, mesmo que seja apenas de fachada, é algo completamente inviável. Mesmo que Tengo consiga reescrever satisfatoriamente a *Crisálida de ar*, mesmo que a obra seja premiada e se torne um sucesso após a publicação, eles não conseguiriam enganar a sociedade por muito tempo. No começo, até que poderiam se sair bem, mas, com o tempo, certamente as pessoas começariam a achar que "algo está estranho". Se, nessa horá, descobrissem a verdade, todos os envolvidos seriam decapitados. A carreira de Tengo como romancista — antes mesmo de começar — estaria arruinada.

Um plano assim, cheio de falhas, não tinha como dar certo. Desde o começo, Tengo sempre se sentira como se pisasse numa fina placa de gelo, mas agora a expressão parecia tênue demais. Antes mesmo de caminhar pelo gelo, dava para ouvir a placa trincando. A única coisa plausível a fazer era, assim que chegasse em casa, telefonar para Komatsu e dizer: "Sinto muito, Komatsu, não vou mais fazer parte desse plano. É arriscado demais." É o que faria uma pessoa com a cabeça no lugar.

Entretanto, quando pensava em *Crisálida de ar*, Tengo se sentia confuso e dividido. Por mais que o plano de Komatsu fosse arriscado, àquela altura do campeonato Tengo não queria parar de reescrevê-la. Se não tivesse começado, aí sim conseguiria desistir. Mas agora era impossível. Ele estava enterrado até o pescoço naquela obra. Já estava respirando o ar e gravitando na órbita daquele mundo. A essência do enredo havia se impregnado em suas vísceras. A história requeria que Tengo a melhorasse, e ele sentia isso na própria pele. Era algo que apenas Tengo podia fazer e que não só valia a pena fazer, como também *era preciso fazer*.

Tengo fechou os olhos e tentou imaginar o que deveria fazer para enfrentar e solucionar a situação. No entanto, não encontrou uma saída. Era impossível que uma pessoa confusa e dividida encontrasse uma solução coerente.

— A Azami escreve exatamente do jeito que você fala? — perguntou Tengo.

— Do jeito que eu falo — respondeu Fukaeri.

— Você fala, e ela escreve o que você falou — perguntou Tengo.

— Mas tenho de falar bem baixinho.

— Por que você tem de falar tão baixinho?

Fukaeri deu uma rápida olhada ao redor. Dentro do vagão havia poucos passageiros: uma mãe e duas crianças pequenas estavam sentadas em um banco à frente, porém um pouco afastadas de onde Tengo e Fukaeri estavam. Mãe e filhos pareciam estar a caminho de algum passeio divertido. No mundo também existem pessoas felizes.

— Para que *eles* não possam ouvir — disse Fukaeri, num sussurro.

— Eles? — perguntou Tengo.

Como seus olhos não focavam em nenhum lugar específico, era evidente que ela não se referia à mãe e a seus filhos. Referia-se a algumas pessoas concretas que ela conhecia muito bem — e que Tengo não conhecia —, que não estavam ali.

— Quem são *eles*? — perguntou Tengo, também com a voz ligeiramente baixa. Fukaeri nada disse, apenas cerrou os lábios, e uma pequena ruga se formou entre as sobrancelhas. — São o Povo Pequenino?

A pergunta continuou sem resposta.

— Será que *eles* ficarão bravos quando a história sair impressa, for divulgada e se tornar assunto de conversa?

Fukaeri também não respondeu a essa pergunta. Seus olhos continuavam a não se fixar em nada. Após aguardar um tempo e verificar a sua falta de resposta, Tengo mudou de assunto:

— Será que você não poderia me falar algo sobre essa pessoa que você chama de professor? Como ele é?

Fukaeri olhou para Tengo e, antes de responder, ela o observou como se indagasse "o que você quer dizer?":

— Vamos encontrar o professor.

— Realmente — disse Tengo. — Realmente, você tem razão. Vou me encontrar com ele, não vou? E, sendo assim, eu mesmo posso ver como ele é assim que o encontrar.

Na estação Kokubunji surgiu um grupo de idosos com trajes de alpinismo. Eram dez no total, cinco homens e cinco mulheres, com idade entre sessenta e setenta e cinco anos. Todos carregavam mochilas, usavam boné e pareciam contentes e bem-dispostos, como se fossem alunos do primário num dia de excursão. Alguns carregavam o cantil na cintura, outros, no bolso da mochila. "Será que quando eu envelhecer também vou estar tão contente quanto eles?", pensou Tengo. E, depois de balançar discretamente a cabeça, concluiu: "Não. Acho difícil." Começou a imaginar a cena de satisfação desses idosos bebendo água do cantil no topo de uma montanha.

> Apesar de terem um corpo diminuto, o Povo Pequenino tomava muita água. E a água que eles mais apreciavam não era a encanada, mas a água das chuvas e a que corria num pequeno rio das redondezas. Por isso, durante o dia, a garota ia até o rio encher um balde de água para dar de beber ao Povo Pequenino. Quando chovia, colocava o balde embaixo

da calha para colher essa água. Os seres pequeninos preferiam a água da chuva à do riacho, a despeito de ambas serem naturais. Eles sentiam gratidão pela gentil atitude da garota.

Tengo percebeu quão difícil era se concentrar num único pensamento. Isso não era um bom sinal. Possivelmente, estava relacionado ao fato de ser domingo. Dentro dele, surgia uma espécie de confusão mental. Em algum lugar das pradarias de seus sentimentos uma tempestade de areia sinistra começava a se formar. Aos domingos, vez por outra, isso costumava acontecer.

— Aconteceu algo — perguntou Fukaeri, sem o tom de interrogação. Ela parecia captar a tensão de Tengo.
— Será que vou fazer direito? — indagou Tengo.
— O quê.
— Será que vou conseguir conversar direito?
— Você vai conseguir conversar direito — perguntou Fukaeri. Ela parecia não ter entendido o que ele estava querendo dizer.
— Com o professor — disse Tengo.
— Se você vai conseguir conversar direito com o professor? — Fukaeri refez a pergunta.

Tengo hesitou um pouco antes de expor o que sentia:
— No final das contas, sinto que muitas coisas não se encaixam e isso me dá a sensação de que vai dar tudo errado.

Fukaeri mudou de posição para olhar Tengo de frente.
— Do que tem medo — perguntou Fukaeri.
— Do que tenho medo? — Tengo refez a pergunta.
Ela assentiu apenas balançando a cabeça.
— Acho que tenho medo de me encontrar com pessoas que não conheço. Especialmente, numa manhã de domingo — disse Tengo.
— Por que domingo — perguntou Fukaeri.

Tengo sentiu o suor brotar em suas axilas e uma forte sensação de aperto no coração: conhecer uma pessoa nova e o que de novo ela traz era como uma ameaça para a sua existência.

— Por que domingo — Fukaeri perguntou de novo.
Tengo se lembrou dos domingos de sua infância. Quando terminavam a rota prevista de cobrança, seu pai o levava para o res-

taurante em frente à estação e deixava que ele pedisse qualquer coisa que gostasse de comer. Era como uma recompensa. Para eles, que tinham uma vida modesta, essa era a única ocasião em que os dois podiam comer fora. No restaurante, seu pai excepcionalmente pedia uma cerveja (ele raramente tomava bebidas alcoólicas). No entanto, mesmo o pai oferecendo a refeição, Tengo não tinha apetite. Ele costumava ter fome o tempo inteiro, mas não sentia nenhum prazer com a comida aos domingos. Para ele, era penoso ter de comer tudo, pois era imperdoável deixar comida no prato. De vez em quando, ele tinha até vontade de vomitar. Esse era o domingo de Tengo quando criança.

    Fukaeri fitou seu rosto. Ela pareceu descobrir algo em seus olhos. Estendeu o braço e segurou sua mão. De início, Tengo se surpreendeu com esse gesto, mas tentou disfarçar para que seu rosto não o denunciasse.

    Fukaeri segurou delicadamente a mão de Tengo até o trem parar na estação Kokuritsu. Sua mão macia era muito mais firme do que imaginava: não era quente nem fria. E tinha a metade do tamanho da mão de Tengo.

    — Não tenha medo. Não é o domingo de sempre — disse ela, como se anunciasse um fato conhecido por todos.

    Tengo pensou: era a primeira vez que Fukaeri formava uma frase com duas sentenças.

9
Aomame
O cenário muda, as regras também

Aomame foi para a biblioteca municipal mais próxima de sua casa. Dirigiu-se ao balcão e solicitou microfilmes de jornais para consulta: material de três meses, de setembro a novembro de 1981. A bibliotecária informou que tinha os jornais *Asahi*, *Yomiuri*, *Mainichi* e *Nikkey*, e perguntou qual deles ela preferia. Era uma senhora de meia-idade, de óculos, que mais parecia uma dona de casa fazendo um bico do que uma funcionária contratada. Não era exatamente gorda, mas seus pulsos eram rechonchudos como presunto.

Aomame respondeu que podia ser qualquer um, já que tudo era a mesma coisa.

— Pode até ser, mas terá de escolher um, senão não tenho como ajudá-la — respondeu a mulher com uma voz desprovida de emoção, sem margem para contestações. Aomame também não tinha intenção de discutir e, por isso, escolheu ao acaso o jornal *Mainichi*. Em seguida, sentou-se numa mesa com divisórias, abriu seu caderno e, caneta na mão, começou a ler os artigos.

No início do outono de 1981 não aconteceu nenhum incidente realmente grave. Em julho daquele ano, o príncipe Charles e a princesa Diana se casaram e as notícias sobre o casal continuavam sendo veiculadas: onde eles estiveram, o que fizeram, as roupas e os acessórios que a princesa usava. Da cerimônia de casamento do príncipe Charles e da princesa Diana, obviamente Aomame se lembrava. Mas não fora algo a despertar especial interesse. Aliás, o que Aomame não conseguia entender era o porquê de as pessoas se interessarem tanto pela vida do príncipe e da princesa da Inglaterra. Para ela, Charles mais parecia um professor de física com problemas estomacais do que um príncipe.

Na Polônia, o conflito entre o "Solidariedade" — comandado por Lech Walesa — e o governo estava se agravando, e o governo russo declarou "estado de atenção". Dito de modo claro, o que os russos estavam querendo dizer é que, se o governo polonês não fosse capaz de controlar aquele grupo, os russos enviariam tanques de guerra como na Primavera de Praga, em 1968. Aomame, ainda que em linhas gerais, lembrava-se do incidente e lembrava também que, após inúmeros acontecimentos, a União Soviética desistiu da invasão. Por isso, não viu a necessidade de ler detalhadamente o artigo, a não ser um trecho em que o presidente norte-americano Reagan declarava — possivelmente com a intenção de intervir na política externa da União Soviética — que "a sua expectativa era de que o projeto de cooperação russo-americano para a construção de uma base permanente na Lua não viesse a ser prejudicado em decorrência da tensão na Polônia". Construção de uma base permanente na Lua? Sobre esse assunto, ela nem sequer tinha ouvido falar. Aomame tinha uma vaga lembrança de que, recentemente, ouvira alguma coisa a respeito num noticiário da TV. Foi na noite em que fizera sexo no hotel de Akasaka com aquele homem calvo, de meia-idade, de Kansai.

No dia 20 de setembro, foi realizado em Jacarta o maior Campeonato Mundial de Pipas, evento que reuniu mais de dez mil participantes. Aomame não sabia disso, mas não havia motivo para estranhamento. Quem se lembraria de um campeonato de pipas em Jacarta três anos antes?

No dia 6 de outubro, o presidente do Egito, Anwar el-Sadat, foi assassinado por um grupo terrorista islâmico. Disso ela também se lembrava. Ao recordar o incidente, sentiu novamente pena do presidente El-Sadat. Além de apreciar sua calvície, ela sentia um tremendo ódio pelos fanatismos religiosos. Sentia o sangue subir à cabeça só de pensar em como aquelas pessoas tinham uma visão de mundo intolerante, nutriam uma presunçosa superioridade e eram capazes de impor seus princípios com total falta de sensibilidade. A raiva de Aomame era tamanha que mal conseguia controlá-la. Mas não tinha nada a ver com o problema que enfrentava naquele momento. Para se acalmar, respirou profundamente algumas vezes e passou à página seguinte.

No dia 12 de outubro, no bairro residencial de Itabashi, em Tóquio, um cobrador da NHK, de cinquenta e seis anos, após discutir com um estudante universitário que se recusava a pagar a taxa de recepção da emissora, esfaqueou-o na barriga com uma faca de cozinha — dessas pontiagudas e de lâmina grossa — que trazia na maleta, deixando-o gravemente ferido. O cobrador foi detido no local pelo policial que atendeu a ocorrência. O cobrador estava parado, segurando em estado de choque a faca ensanguentada, e em nenhum momento tentou resistir à prisão. Segundo um colega de trabalho, o cobrador era funcionário da NHK havia seis anos e, além de ser uma pessoa muito dedicada, seu desempenho no trabalho era excelente.

Aomame não sabia daquele incidente. E apesar disso era assinante do jornal *Yomiuri* e diariamente passava os olhos em todas as páginas. Os noticiários locais — especialmente os relacionados a algum tipo de crime —, ela os lia todos, nos mínimos detalhes. Esse incidente ocupava quase a metade de uma página da edição vespertina. Ela não poderia ter deixado passar um artigo daquele tamanho. No entanto, a possibilidade de a notícia ter-lhe escapado por alguma razão não era de todo improvável. Seria muito difícil de acontecer, mas não impossível.

Aomame franziu a testa e pensou nessa possibilidade. Em seguida, registrou a data e o resumo do incidente no caderno.

O nome do cobrador era Shin'nosuke Akutagawa. Um belo nome, digno de um escritor ilustre. A foto do cobrador não fora publicada, mas havia a imagem de Akira Tagawa, estudante do terceiro ano de direito da Universidade do Japão, segundo grau de kendô. Se portasse uma espada de bambu, certamente não teria sido apunhalado com a mesma facilidade, mas, convenhamos, uma pessoa normal não costuma conversar com um cobrador da NHK com uma espada nas mãos. Por outro lado, um cobrador normal da NHK não anda com uma faca de cozinha na maleta. Aomame acompanhou atentamente as notícias veiculadas nos dias subsequentes, mas não encontrou nenhuma dizendo que o estudante esfaqueado havia morrido. Provavelmente sobrevivera.

No dia 16 de outubro ocorreu um grave acidente nas minas de carvão próximas à cidade de Yûbari, província de Hokkaido. Um incêndio ocorrido numa galeria a mil metros de profundidade matou por asfixia mais de cinquenta trabalhadores. As labaredas que subiram em direção à superfície mataram mais dez trabalhadores. Para conter o fogo, a empresa resolveu inundar a galeria com uma bomba d'água sem verificar se ainda havia sobreviventes. Com isso o total de mortes subiu para noventa e três. Um acidente de cortar o coração. O carvão é uma fonte de energia considerada "suja", e o trabalho de escavação nessas minas é arriscado. A empresa de mineração não investia em equipamentos adequados, e as condições de trabalho eram péssimas. Os acidentes nas minas eram frequentes e os pulmões eram fatalmente atingidos. No entanto, por ser uma energia barata, sempre existiam pessoas e empresas que precisavam dela. Aomame se lembrava muito bem do acidente.

O fato que Aomame procurava ocorreu no dia 19 de outubro, em meio à repercussão do acidente de Yûbari. Ela não sabia de nada até Tamaru ter-lhe contado algumas horas atrás. Era difícil acreditar no que aparecia estampado em letras garrafais na primeira página da edição matutina:

Tiroteio entre grupos radicais e a polícia nas
montanhas de Yamanashi
— três oficiais mortos —

Havia uma foto bem grande. Uma foto aérea do local do incidente, próximo a Motosu. Havia também um mapa esquematizado da região. O local ficava no meio das montanhas, distante de uma área de veraneio. Os rostos dos três policiais mortos que pertenciam à polícia de Yamanashi também foram divulgados. Helicópteros haviam sido mobilizados para transportar uma equipe do comando de operações especiais das Forças de Autodefesa, com seus uniformes camuflados e seus rifles automáticos com miras telescópicas.

Durante um bom tempo, Aomame manteve a cara amarrada. Distendeu ao máximo cada músculo facial para expressar com exatidão o que sentia. Como havia divisórias em ambos os lados da mesa, ninguém viu a enorme transformação que ocorreu em seu rosto. Em seguida, ela respirou profundamente como as baleias que, ao emergir, renovam o ar de seus enormes pulmões: inspirou o máximo de ar à sua volta, expirando-o igualmente com toda a força. O estudante secundarista sentado atrás de Aomame chegou a se virar assustado com o barulho da respiração, mas logicamente não falou nada. Foi apenas um susto.

Após ficar um pouco com o rosto contraído, esforçou-se para relaxar os músculos para que sua expressão voltasse ao normal. Em seguida, bateu repetidamente os dentes da frente na base da caneta. Tentou organizar os pensamentos. Deveria haver alguma razão para isso. Ou melhor, *tinha de haver* uma razão. Ela não poderia ter deixado escapar um acontecimento de tamanha repercussão como aquele incidente que abalara o Japão.

Não. E não se tratava apenas daquele incidente. Ela também não se lembrava do caso do cobrador da NHK que esfaqueara o estudante universitário. Era tudo muito estranho. Ela não podia ter deixado passar sucessivamente dois fatos tão graves; era uma pessoa metódica e muito cuidadosa. Era capaz de perceber diferenças milimétricas. Confiava na capacidade de sua memória. E era justamente por ter essa capacidade que jamais cometia erros e conseguia se manter viva mesmo mandando algumas pessoas para o *outro lado*. O fato de ela afirmar que todo dia lia o jornal atentamente significava que "ler atentamente o jornal" era não deixar passar nenhuma notícia, e nisso incluíam-se todas as notícias minimamente significativas.

O incidente de Motosu ocupou várias páginas dos jornais durante alguns dias. As Forças de Autodefesa e a polícia local organizaram uma intensa perseguição montanha adentro à procura dos dez membros do grupo radical que estavam foragidos: três foram baleados, outros dois ficaram gravemente feridos e quatro — entre eles uma mulher — foram capturados. Apenas um conseguiu escapar. Todos os jornais só falavam desse caso e, por isso, o incidente do cobrador da NHK que esfaqueou o estudante universitário em Itabashi foi deixado de lado.

Com certeza, para a NHK — obviamente, sem revelar de forma aberta — isso foi muito oportuno. Se não houvesse ocorrido um incidente de tamanha repercussão como o de Motosu, a imprensa certamente voltaria os olhos para ela, passando a questionar publicamente não só o sistema de cobrança de taxas como também a estrutura da empresa como um todo. No início daquele ano, membros do Partido Liberal Democrático do Japão levantaram críticas contra a transmissão que tratava especificamente do caso de suborno da Lockheed, obrigando a NHK a mudar o conteúdo televisivo. Antes de colocar a notícia no ar, a emissora precisava apresentar seu conteúdo detalhado para alguns políticos do partido do governo e, com deferência, solicitar a eles uma espécie de aprovação: "Podemos transmitir essa notícia?" Por incrível que possa parecer, esse tipo de procedimento era tido como normal. Como era o Parlamento que aprovava o orçamento da NHK, a cúpula da emissora temia se indispor com os políticos do partido do governo e sofrer futuras retaliações. Para muitos políticos do partido, a NHK era uma espécie de órgão de publicidade do governo. Com a revelação do que se passava nos bastidores, grande parte da população passou a desconfiar da autonomia e da imparcialidade política dos programas da emissora. E o movimento contra o pagamento da taxa de recepção começou a ganhar força.

Tirando esse incidente de Motosu e o do cobrador da NHK, Aomame se lembrava claramente de todos os demais acontecimentos, incidentes e acidentes ocorridos naquela época. Os únicos fatos de que não se lembrava de jeito nenhum eram aqueles dois. Por que será? Mesmo que houvesse algum problema em seu cérebro, seria possível ter deixado escapar apenas aquelas duas notícias? Ou será que ela habilmente conseguira apagá-las da memória?

Aomame fechou os olhos e, com os dedos, pressionou com força as têmporas. "Espere um pouco... pode ser algo perfeitamente plausível...", pensou ela. "Talvez minha mente seja capaz de recriar a realidade; quem sabe nela exista um tipo de função cerebral responsável por encobrir — com um véu negro — determinadas notícias de minha vista e, com isso, impossibilitar que minha memória as registre. Notícias como a mudança oficial de armas e uniformes da polícia; que os Estados Unidos e a União Soviética constroem em conjunto uma base permanente na Lua; que um cobrador da NHK esfaqueou um estudante universitário; que houve um intenso tiroteio entre o comando especial das Forças de Autodefesa e um grupo extremista na região de Motosu."

Mas, afinal, o que todos aqueles acontecimentos tinham em comum?

Aomame continuava a bater os dentes na base da caneta. Novamente, parou para refletir.

Após certo tempo, ela se deu conta de que era possível pensar na seguinte hipótese: "O problema pode não ser comigo, mas com o mundo que me cerca. Não há nada de errado com o meu juízo ou minha mente, mas a ação de alguma força desconhecida é que altera o mundo ao meu redor."

Quanto mais pensava nisso, mais se convencia de que aquela hipótese era a mais coerente. Não conseguia admitir algum tipo de perda de memória ou disfunção mental.

Com base nessa hipótese, desenvolveu o seguinte raciocínio: *Não fui eu que enlouqueci, foi o mundo.*

"É isso. Isso mesmo", pensou.

Em algum momento, o mundo que ela conhecia havia desaparecido e saído de cena, e fora substituído por outro. Era como mudar a posição da agulha numa linha férrea. Ou seja, apesar de sua consciência, aqui e agora, estar conectada ao mundo anterior, o mundo atual era diferente. Em seu mundo anterior, as mudanças dos eventos ainda eram bem restritas. Grande parte dos acontecimentos deste novo mundo ainda não havia migrado para o mundo que ela até então conhecia. Em sua vida cotidiana, a discrepância entre os dois mundos não oferecia — pelo menos por enquanto — um real transtorno. Mas, com o passar do tempo, "a parte alterada" provavelmente provocaria grandes mudanças à sua volta. A diferença entre os dois mundos aumentaria gradativamente e, dependendo da situação, faria com que suas ações deixassem de ser coerentes, conduzindo-a a um erro fatal. E isso poderia literalmente levá-la à morte.

Um mundo paralelo.

Aomame fez uma careta, como se colocasse na boca algo extremamente azedo. Porém, dessa vez, a contração do rosto não foi tão exagerada quanto antes. Começou a bater com força os dentes na ponta da caneta e, do fundo de sua garganta, soltou um gemido intenso. O secundarista sentado atrás dela certamente a havia escutado, mas dessa vez fingiu ignorá-la.

"Parece ficção científica", pensou Aomame.

Mas será que ela não teria inventado a hipótese apenas para se proteger? Será que, na verdade, tudo estava acontecendo simplesmente porque *sua cabeça é que estava esquisita*? Para Aomame, sua mente estava perfeitamente normal e ela estava certa de não ter nenhum tipo de distúrbio. Mas afirmar que tinha razão enquanto o mundo estava louco não seria uma típica alegação das pessoas com doenças mentais? Será que inventar uma hipótese de mundos paralelos não seria um modo de justificar a própria loucura?

Precisava de uma segunda opinião.

No entanto, não podia procurar um psiquiatra. Sua situação era delicada e havia muitas coisas das quais não podia falar. O "trabalho" que ela fizera outro dia, por exemplo, era totalmente ilegal. Afinal, ela matava certos homens com um instrumento parecido com um picador de gelo feito em casa. Ela não podia revelar uma coisa assim para o médico. Ainda que a vítima fosse um sujeito indecente, repugnante, que merecia morrer.

Mesmo que conseguisse omitir aquela parte ilegal de sua vida, a outra parte, ainda que dentro da lei, tampouco era exatamente digna de elogios. Era como uma mala abarrotada de roupa suja que precisara ser socada para fechar. Nela havia material suficiente para levar uma pessoa a desenvolver distúrbios mentais. Não; havia o suficiente não só para uma pessoa, mas duas ou três. Sua vida sexual, por exemplo, não poderia ser comentada abertamente.

"Não posso consultar um psiquiatra", pensou Aomame. Precisava encontrar uma outra saída.

Foi então que resolveu desenvolver um pouco mais sua hipótese.

Se ela estivesse correta, ou seja, se o mundo em que estava tivesse sido *de fato* alterado, restava saber o ponto exato de quando, onde e como isso aconteceu.

Aomame novamente concentrou-se para vasculhar suas lembranças.

A primeira vez que ela percebera que algo havia mudado tinha sido alguns dias antes, quando dera um jeito naquele especialista em campos petrolíferos no quarto do hotel em Shibuya. Fora no mesmo dia em que deixara o táxi em plena Rota 3 da Rodovia Metropolitana, descera para a Rota 246 utilizando a escada de emergência, trocara as meias e fora para a estação Sangenjaya da linha Tôkyû. No caminho, Aomame passara por um policial e, pela primeira vez, notara que alguma coisa estava diferente. Foi aí que tudo começou. Se tinha sido lá que ela percebeu a mudança, isso significava que o ponto em que ocorrera a alteração do mundo fora um pouco antes. Ainda mais que, na manhã daquele mesmo dia, Aomame havia se deparado com um policial perto de sua casa que ainda usava o uniforme e o revólver antigos.

Aomame se lembrou daquela experiência de sentir algo estranho ao ouvir a introdução da *Sinfonietta* de Janáček naquele táxi em pleno congestionamento. Era como se seu corpo estivesse sendo *torcido*, sua estrutura corporal apertada como um pano de chão. Foi então que o motorista do táxi comentou que havia uma escada de emergência na rodovia, ela tirou os sapatos de salto e desceu por aquela escada perigosa. Enquanto descia com os pés descalços em meio aos ventos fortes, a parte introdutória da *Sinfonietta* não lhe saía da cabeça. "Talvez tudo tenha começado ali", pensou Aomame.

O taxista também tinha algo de estranho. Ela ainda se lembrava muito bem do que ele dissera na hora de ela deixar o táxi. Tentou reproduzir mentalmente aquelas palavras, o mais exatas possível:

Quando se faz algo incomum, as cenas cotidianas se tornam um pouco diferentes do normal. Mas não se deixe enganar pelas aparências. A realidade é sempre única.

Naquela ocasião, Aomame tinha achado estranho o que o motorista lhe dissera, mas, como não entendeu direito o significado daquelas palavras, não deu muita importância. Ela tinha pressa e não estava com tempo para pensar sobre assuntos complexos. No entanto, ao se lembrar disso, percebeu como aquelas palavras haviam sido ditas de modo estranho e inesperado. Podiam ser interpretadas como um tipo de advertência, ou uma mensagem velada. O que o taxista tentava lhe dizer?

E a música de Janáček...

Como explicar o fato de ela reconhecer de imediato a *Sinfonietta* de Janáček? Como é que ela sabia que a música fora composta em 1926? O trecho inicial da *Sinfonietta* não é tão popular a ponto de ser facilmente reconhecida. E ela nunca foi uma assídua ouvinte de música clássica. Era incapaz de distinguir uma música de Händel de uma de Beethoven. Sendo assim, como foi que ela soube, de imediato, que a música que tocava no rádio do táxi era a *Sinfonietta* de Janáček? Por que será que a música provocara uma reação tão particular e intensa em seu corpo?

O modo como a música a afetou era *singular*. Era como se uma lembrança guardada havia muito tempo em seu subconsciente tivesse sido abrupta e inesperadamente despertada por alguma razão e, nesse despertar, ela sentia como se os seus ombros fossem sacudidos. Isso significava que, em algum momento de sua vida, essa música tivera uma relação profunda com ela. Ao ouvi-la pelo rádio, automaticamente uma chave foi acionada, despertando algumas lembranças para a realidade. *Sinfonietta* de Janáček. Mas, por mais que vasculhasse o fundo de seu baú de lembranças, Aomame nada encontrou sobre essa possível relação.

Após dar uma rápida olhada ao redor, Aomame observou as palmas de suas mãos, examinou o formato de suas unhas e, por via das dúvidas, achou melhor verificar a forma de seus seios apalpando-os sobre a blusa. Não havia nada de errado. Eles continuavam com o mesmo tamanho. Ela era a mesma de sempre, e o mundo continuava o mesmo. Mas alguma coisa começava a mudar. Ela pressentia isso. Era como um jogo de sete erros: dois desenhos colocados lado a lado numa parede, aparentemente idênticos, mas que, ao serem examinados atentamente, nota-se a existência de detalhes que os diferenciam.

Após deixar de lado esse pensamento, Aomame prosseguiu a leitura do jornal microfilmado e anotou detalhes sobre o conflito de Motosu. Havia suspeitas de que o grupo possuía cinco Kalashnikovs AK-47 de fabricação chinesa, contrabandeados via Coreia. Possivelmente, tratava-se de artefatos utilizados pelo exército e que, apesar de serem de segunda mão, ainda se encontravam em bom estado. Havia também farta munição. A costa do mar do Japão era extensa, e transportá-los em barcos disfarçados de pesqueiros na calada da noite não era uma tarefa tão difícil. Era dessa maneira que drogas e armas entravam no Japão, e que grandes quantidades de moeda japonesa saíam do país.

Os policiais de Yamanashi não sabiam da existência de um arsenal desse porte em mãos do grupo extremista. Ao receberem um mandado de captura por crime de lesão corporal, duas patrulhas e um micro-ônibus dirigiram-se — em averiguação de rotina

— à sede do grupo conhecido como Akebono, ou "Aurora". Os membros do grupo mantinham como fachada a administração de uma fazenda de agricultura orgânica. E estes prontamente impediram a entrada da polícia para investigar a denúncia. Possivelmente, houve uma discussão no local e, por algum motivo, desencadeou-se o tiroteio.

Apesar de não terem sido usadas, descobriu-se que o grupo extremista também possuía granadas muito sofisticadas de fabricação chinesa. Se eles não as usaram era porque tinham acabado de adquiri-las, e não haviam tido tempo suficiente para aprender a manuseá-las. Isso realmente foi muito bom, pois, caso contrário, o número de vítimas entre os policiais e a equipe das Forças de Autodefesa teria sido bem maior; os policiais nem ao menos usavam coletes à prova de bala. As autoridades policiais competentes foram criticadas por subestimar as informações de que dispunham e por portarem armas obsoletas. No entanto, o que mais mexeu com a opinião pública foi a constatação de que, sem que ninguém soubesse, o grupo extremista estava muito bem-organizado e se preparava para a luta armada. Até então, todos achavam que aquelas espalhafatosas "revoluções" que agitaram a segunda metade da década de sessenta eram coisas do passado, e que todos os membros que restaram do grupo extremista também tinham sido dizimados no incidente que ficou conhecido como Asama Sansô, em 1972.

Após anotar tudo, Aomame devolveu o material microfilmado ao balcão; em seguida, pegou da prateleira um livro bem grosso de música intitulado *Compositores de todo o mundo* e voltou para a mesa de leitura. Abriu na página que falava de Janáček.

Leoš Janáček nasceu numa aldeia da Morávia em 1854 e morreu em 1928. No livro havia uma imagem de seu rosto de quando já estava velho. Não era calvo; uma farta cabeleira branca cobria-lhe a cabeça, daquelas que lembravam uma relva viçosa. Não dava para ver o formato de sua cabeça. A *Sinfonietta* foi composta em 1926. Janáček estava infeliz no casamento, mas, em 1917, aos sessenta e três anos, conheceu e se apaixonou por Camila, uma mulher casada. Era um amor concebido entre duas pessoas casadas, em idade madura. Ele, que passava por um período de estagnação, recuperou o seu grande poder de criação após o encontro com Camila. Nos anos finais de sua vida, compôs grandes obras-primas, uma após a outra.

Um certo dia, quando os dois caminhavam pelo parque, se depararam com um concerto ao ar livre e resolveram assistir. Naquele momento, de repente, Janáček sentiu a felicidade aflorar por todo o seu corpo, e foi ali que nasceu o tema da *Sinfonietta*. Posteriormente, ao recordar esse passado nostálgico, Janáček revelou que naquele dia sentiu como se algo rompesse dentro de sua cabeça, proporcionando-lhe uma agradável sensação de êxtase. Naquela época, por acaso, ele estava incumbido de compor uma fanfarra para uma grande competição esportiva, e a *Sinfonietta* surgiu justamente da junção do tema da fanfarra e da "inspiração musical" que teve no parque. O livro ressaltava que, apesar da denominação "pequena sinfonia", a composição nada tinha de tradicional, e a combinação de metais utilizados em fanfarra — para ocasiões festivas e grandiosas — com instrumentos de corda, das refinadas orquestrações da Europa Central, criava uma atmosfera única, original.

Por via das dúvidas, Aomame achou melhor anotar no caderno os dados biográficos e a explicação sobre a composição da obra. O livro não lhe dava nenhuma pista de qual seria a relação entre ela e a *Sinfonietta*, ou qual relação *seria possível* entre os dois. Ao deixar a biblioteca, já perto do anoitecer, Aomame caminhou sem rumo pelas ruas. Às vezes gesticulava ou balançava a cabeça.

É claro que tudo não passava de uma suposição, pensou Aomame enquanto caminhava. Mas, naquele momento, era a hipótese mais convincente. Enquanto não encontrasse uma explicação plausível, era com base naquela hipótese que deveria agir. Caso contrário, seria atropelada e atirada a algum canto. Era preciso encontrar uma maneira adequada de denominar a nova situação em que se encontrava. Era necessário criar um termo especial para diferenciar o mundo novo daquele *mundo anterior* em que os policiais ainda usavam revólveres. Até mesmo os gatos e os cachorros recebiam nomes. Um novo mundo também precisava de um.

"1Q84 — É assim que vou chamar esse mundo novo", decidiu Aomame. "Com a letra 'Q', de *Question mark*; um 'quê' de dúvida, de interrogação."

Enquanto caminhava, balançava a cabeça como se reafirmasse sua decisão.

Querendo ou não, ela agora se encontrava nesse "1Q84". O ano de 1984 que ela conhecia deixara de existir. Agora estava em 1Q84. Houve uma mudança no ar, uma mudança no cenário. Precisava se adaptar o mais rápido possível às regras desse mundo novo com esse *quê* de interrogação. Precisava agir como um animal solto numa floresta desconhecida: para se proteger e conseguir sobreviver, tinha de conhecer o quanto antes o local, e se adaptar rapidamente às novas regras.

Aomame foi a uma loja de discos perto da estação Jiyûgaoka atrás da *Sinfonietta* de Janáček. Janáček não é um compositor muito conhecido; a estante reservada para seus discos era bem pequena e nela havia somente um único disco com a *Sinfonietta*. Era da orquestra de Cleveland, regida pelo maestro George Szell. No lado A, havia o *Concerto para orquestra* de Bartók. Como não havia outras opções, resolveu comprar o LP mesmo sem conhecer a outra composição. Ao voltar para casa, tirou uma garrafa de Chablis da geladeira e, após abri-la, colocou o vinil no toca-discos e posicionou a agulha sobre ele. Tomando o vinho, resfriado na temperatura ideal, pôs-se a escutar atentamente a música. A conhecida introdução da fanfarra soou magnífica. Era a mesma música que escutara no táxi. Não havia dúvida. Aomame fechou os olhos e concentrou sua atenção na música. A execução não era ruim, mas nada ocorreu. A música apenas continuava a tocar: não sentiu nenhuma torção no corpo, nada de diferente.

Após escutar toda a música, Aomame guardou o disco na sobrecapa e, sentada no chão com as costas apoiadas na parede, continuou a tomar o vinho. Um vinho que se toma sozinha, mergulhada em vários pensamentos, não era tão gostoso. Foi ao banheiro e lavou o rosto com água e sabonete, aparou as sobrancelhas com uma tesoura pequena e limpou os ouvidos com cotonetes.

Das duas uma: ou ela estava ficando louca, ou fora o mundo que enlouquecera. Impossível saber. A tampa não servia para a garrafa, e o problema podia estar tanto na tampa quanto na garrafa. Mas uma coisa era certa: os tamanhos eram incompatíveis.

Aomame abriu a geladeira. Como não fazia compras havia alguns dias, não tinha muita coisa. Pegou um mamão papaia maduro, cortou-o ao meio com uma faca e comeu a polpa às colheradas. Em seguida, pegou três pepinos, lavou-os em água corrente e os comeu com maionese, mastigando-os demoradamente. Para acompanhar, tomou um copo de leite de soja. Esse foi o seu jantar. Uma refeição simples, mas ideal para evitar uma prisão de ventre. Uma das coisas que Aomame mais odiava no mundo era a prisão de ventre. Odiava tanto quanto àqueles desgraçados que abusavam das mulheres ou aos religiosos fanáticos e intolerantes.

Após a refeição, Aomame tirou a roupa e tomou uma ducha quente. Enxugou o corpo com a toalha e se olhou nua, de corpo inteiro, no espelho pendurado atrás da porta. Cintura fina e músculos firmes. Um par de seios sem graça, com bicos tortos e pelos pubianos que pareciam um campo de futebol mal-aparado. Enquanto observava seu corpo, Aomame lembrou que faltava uma semana para completar trinta anos. Novamente, outro desses aniversários maçantes. "Mas que coisa! Quem diria que eu faria trinta anos nesse mundo sem pé nem cabeça", pensou. E franziu as sobrancelhas.

1Q84.

Esse era o lugar em que ela estava agora.

10
Tengo
Uma revolução de verdade com derramamento de sangue

— Vamos trocar de trem — disse Fukaeri, segurando novamente a mão de Tengo, um pouco antes de chegarem à estação Tachikawa.

Desceram do trem, subiram e desceram um lance de escadas e, até chegarem à plataforma seguinte, Fukaeri não largou, nem por um segundo, a mão de Tengo. Aos olhos de quem os via, eles pareciam um casal de namorados que se dava bem. A diferença de idade entre eles era grande, mas Tengo aparentava ser bem mais jovem do que era. Para os eventuais transeuntes, a diferença de tamanho também deveria provocar uma certa graça. Um passeio alegre numa manhã primaveril de domingo.

No entanto, o jeito de Fukaeri segurar a mão de Tengo não tinha nenhuma conotação amorosa. Ela a segurava sempre com a mesma força, e seus dedos tinham um toque preciso, como o de um médico que mede a pulsação de um paciente. Através do toque de seus dedos e das palmas de suas mãos, essa garota possivelmente conseguia trocar informações que não podiam ser expressas em palavras. Isso foi o que Tengo casualmente cogitou. Mas, se ela realmente conseguisse captar e sentir por meio da palma algo na mente de Tengo, isso era muito mais unilateral do que propriamente uma troca de informações, uma vez que ele próprio não tinha como saber o que se passava na cabeça dela. Mas isso não era exatamente um problema. Independentemente do que ela fosse capaz de captar, inexistia nele algum tipo de informação ou de sentimentos que o deixasse constrangido diante dela.

E, mesmo que ela não o visse como um tipo atraente, Tengo achava que ela tinha certa afeição por ele, ou que pelo menos ele não lhe causava má impressão. Se não fosse assim — independentemente de quais fossem as *intenções* dela — certamente ela não ficaria segurando a mão dele durante tanto tempo.

Na plataforma da linha Ôme, os dois entraram no primeiro trem do dia, que aguardava o horário de partida. E, por ser domingo, o vagão estava bem mais cheio do que o esperado, com famílias e idosos com trajes de montanhismo. Os dois, em vez de se sentarem, permaneceram em pé, lado a lado, próximos à porta.

— Parece que viemos numa excursão — comentou Tengo, olhando as pessoas no interior do vagão.

— Posso segurar sua mão — perguntou Fukaeri, sem entonação. Ela continuava a segurar a mão de Tengo mesmo depois de eles entrarem no trem.

— É claro que pode — respondeu ele.

Fukaeri continuou a segurá-la, e agora parecia mais à vontade. Os dedos e a palma de sua mão tinham um toque macio, não estavam nem um pouco suados. Ela parecia buscar algo existente dentro dele.

— Não tem mais medo — Fukaeri perguntou.

— Acho que não estou mais com medo — respondeu Tengo. Ele não estava mentindo. De fato, aquele estado de pânico que costumava atormentá-lo nas manhãs de domingo desaparecera, possivelmente por ela ter lhe dado a mão. Elas não suavam mais, e tampouco ele ouvia as intensas palpitações de seu coração. As visões também deixaram de importuná-lo. A respiração voltou ao ritmo normal e tranquilo de sempre.

— Que bom — disse Fukaeri, a voz neutra.

"Que bom", Tengo também pensou.

Após um breve anúncio de que o trem ia partir, a porta se fechou emitindo um barulho espalhafatoso de rápido tremular, como se um gigantesco animal pré-histórico despertasse e começasse a sacolejar. E, finalmente decidido a partir, o trem começou a se distanciar lentamente da plataforma.

De mãos dadas com Fukaeri, Tengo observava a paisagem pela janela. No começo, perfilavam-se típicos bairros residenciais, mas, à medida que o trem avançava, a planície de Musashino foi cedendo lugar a uma paisagem pontuada de montanhas. A partir da estação Higashi-Ôme, a composição seguiu por via férrea única. Dali, fizeram a baldeação para um trem de quatro vagões e, conforme seguiam adiante, notava-se uma presença cada vez maior de montanhas a compor a paisagem. A região já estava fora do perímetro de quem se desloca diariamente para trabalhar na capital. As montanhas preservavam uma coloração desbotada do inverno, mas, em meio a essa paisagem, as árvores perenes se destacavam com suas folhagens de verde intenso. Ao chegarem à estação de destino, a porta se abriu e Tengo sentiu, de imediato, que o ar tinha um aroma diferente. Ele notou que o som do ambiente também parecia ecoar de modo ligeiramente diferente. Ao longo da via férrea, chamava a atenção a enorme quantidade de plantações e de casas tipicamente rurais. Notava-se também que o número de caminhonetes era bem maior do que o de carros de passeio. "Parece que estamos bem longe", pensou ele. "Até onde será que vamos?"

— Não se preocupe — disse Fukaeri, como se lesse seus pensamentos.

Tengo assentiu balançando a cabeça. "Até parece que vou encontrar seus pais para pedi-la em casamento", pensou.

Os dois desceram numa estação chamada Futamatao. Tengo nunca tinha ouvido falar de um estação de nome tão estranho, "bifurcação". Era uma estação pequena em madeira, bem antiga e, além dos dois, outros cinco passageiros desceram. Ninguém entrou no trem. As pessoas costumavam vir até Futamatao para caminhar nas montanhas e respirar ar puro. Ninguém ia até ali para assistir à apresentação de *O homem de La Mancha*, dançar numa discoteca badalada e *selvagem*, ver uma exposição de carros Aston Martin ou conhecer um restaurante francês famoso pelas lagostas gratinadas. Era só observar a aparência das pessoas que desciam na estação.

Em frente à estação não havia estabelecimentos que pudessem ser chamados de lojas e tampouco havia transeuntes. Na rua, havia um único táxi estacionado. Provavelmente dirigia-se à estação nos horários de chegada do trem. Fukaeri deu uns toques, bem de leve, na janela do táxi. A porta se abriu e ela entrou. De dentro do táxi, fez um sinal para que Tengo também entrasse. A porta se fechou, Fukaeri indicou sucintamente o local para onde iam e o motorista meneou a cabeça.

Eles não ficaram muito tempo no táxi, mas o caminho era extremamente difícil. Era uma estreita estrada de terra com subidas e descidas bem íngremes, que mal dava para dois carros passarem.

Uma estrada cheia de curvas e guinadas. Como o motorista não diminuía a velocidade nesses locais, Tengo — sentindo o coração sair pela boca — ficou o tempo todo agarrado à maçaneta. Depois de subir uma ladeira assustadoramente íngreme, como uma pista de esqui, o táxi finalmente parou num local que parecia ser o cume de uma pequena montanha. Para Tengo, foi como andar num carrinho de parque de diversões, não em um táxi. Ele tirou duas notas de mil ienes da carteira e guardou o troco e o recibo.

Em frente a essa casa antiga em estilo japonês havia um Mitsubishi Pajero preto, modelo compacto, e um enorme Jaguar verde. O Pajero estava bem polido e reluzente, mas, em compensação, o Jaguar, um modelo antigo, tinha uma camada de poeira esbranquiçada que chegava a dificultar a identificação de sua cor original. O para-brisa também estava bem sujo; parecia que o carro não era usado havia um bom tempo. O ar da região era surpreendentemente puro, e o silêncio reinava absoluto. Uma quietude que, de tão profunda, exigia dos ouvidos uma readaptação auditiva. O céu parecia bem mais alto; os raios de sol incidiam sobre a pele, aquecendo-a delicadamente. De vez em quando, ouvia-se o canto estridente de um pássaro desconhecido, que não se podia ver.

A casa era grande e estilosa. Era uma construção antiga, mas muito bem-conservada. As árvores do jardim estavam meticulosamente podadas. De tão bem-podadas, algumas pareciam feitas de plástico. Um pinheiro grande projetava uma enorme sombra sobre o chão. A vista era ampla, e até onde se podia alcançar não se avistava nenhuma casa. Tengo presumiu que somente uma pessoa que detestasse manter contato com a civilização faria questão de morar num local tão distante.

Fukaeri abriu ruidosamente a porta do terraço, que estava destrancada e, após entrar na casa, sinalizou para que Tengo a acompanhasse. Ninguém apareceu para recebê-los. Após tirar os sapatos no terraço exageradamente amplo e silencioso, Tengo foi conduzido pelo corredor gelado e recém-lustrado até a sala de visita. Da janela se descortinava a visão panorâmica das cadeias montanhosas e do leito de um rio sinuoso em cujas águas se refletia a luz do sol. Era uma visão maravilhosa, mas Tengo não se sentia tranquilo para contemplá-la com o devido prazer. Fukaeri fez com que ele se sentasse num sofá grande e, sem dizer nada, deixou a sala. O sofá exalava o cheiro de tempos ancestrais, tempos que Tengo não fazia ideia de quão antigos seriam.

Na sala, a ausência de decoração era estarrecedora. Sobre a mesa baixa, feita de uma única peça de madeira espessa, não havia nada: nem toalha nem cinzeiro. Na parede também não havia quadros, relógio ou calendário. Não havia sequer um vaso de flores, nem mesmo um aparador ou algo que o valha. Nada de livros e tampouco revistas. As únicas coisas que havia na sala eram um tapete antigo, que de tão descorado não se podia identificar a padronagem, e um conjunto de sofás igualmente antigos. Tengo estava sentado em um sofá que, de tão grande, parecia uma balsa, e havia outras três poltronas individuais. Fora os sofás, havia uma enorme lareira no meio da sala, sem vestígios de ter sido usada recentemente. Apesar de estarem em meados de abril, o aposento estava bem fresco, como se o frio do inverno ainda estivesse impregnado no ambiente. Era como se a sala estivesse havia muito tempo categoricamente decidida a não ter de receber visitas. Fukaeri retornou à sala e, como era de se esperar, sentou-se ao lado de Tengo sem dizer nada.

Os dois permaneceram em silêncio por um bom tempo. Fukaeri se fechou em seu exclusivo mundo enigmático e Tengo tentava relaxar respirando fundo, de modo discreto. A não ser pelo canto dos pássaros que se ouvia de vez em quando, na sala era o *silêncio* que imperava, soberano. Ao prestar atenção nessa quietude, Tengo intuiu que ela continha significados. Não se tratava apenas de uma mera ausência de sons. Era como se o próprio silêncio tivesse algo a dizer. Tengo olhou casualmente para o relógio de pulso. Depois ergueu o rosto, olhou para a paisagem através da janela e, novamente, voltou os olhos para o relógio. O tempo praticamente não havia passado: nas manhãs de domingo, as horas costumavam se mover bem devagar.

Após cerca de dez minutos, a porta se abriu de repente e um homem magro entrou apressadamente na sala. Aparentava ter uns sessenta e cinco anos. Apesar de sua estatura ser de apenas um metro e sessenta, sua postura não lhe conferia ares de pobreza. A coluna, de tão ereta, parecia escorada numa barra de ferro, e o queixo era bem retraído. As sobrancelhas eram grossas, e os óculos de aro espesso e preto pareciam ter sido feitos propositalmente para afugentar as pessoas. Seus movimentos lembravam uma sofisticada máquina compacta com peças precisamente encaixadas e ajustadas, todas em perfeito funcionamento. Tengo fez menção de levantar para cumprimentá-lo, mas, num gesto rápido, o homem sinalizou com as mãos para que permanecesse sentado. Enquanto Tengo seguia a recomendação e voltava a se sentar, o homem, como que competindo com ele, sentou-se rapidamente na poltrona a sua frente. Ficou um bom tempo olhando para o rosto de Tengo sem dizer nada. Seu olhar não era exatamente penetrante, mas seus olhos eram atentos a tudo, aos mínimos detalhes. E, como um fotógrafo ajustando o diafragma da lente de sua câmera, seus olhos ora se estreitavam, ora se abriam.

O homem vestia um suéter verde-escuro sobre uma camisa branca e uma calça de lã cinza-escura. Essas roupas pareciam fazer parte de seus hábitos cotidianos por pelo menos dez anos. Mas, apesar de terem um bom caimento, mostravam alguns sinais de desgaste. Possivelmente, era uma pessoa que não se importava muito com o que vestia ou, talvez, não tivesse alguém junto dele que se preocupasse com o que fosse usar. Os cabelos ralos destacavam o alto da cabeça, ressaltando-lhe o formato oblongo. Tinha a barba feita e o queixo quadrado. A única coisa que destoava em seu rosto era a boca pequena e rechonchuda, como de uma criança. Em alguns pontos do rosto havia alguns fios de barba por fazer, mas podia ser apenas o reflexo da luz. Os raios de sol dessa região montanhosa que penetravam pela janela tinham uma composição diferente daquela claridade que Tengo estava acostumado a ver.

— Desculpe-me por tê-lo feito vir de tão longe — disse o homem, com um jeito peculiar de modular a voz. Falava como alguém que, durante muito tempo, habituara-se a discursar diante de um grande público, expondo e defendendo suas ideias. — Certas circunstâncias me impedem de sair daqui, por isso não tive outra escolha senão pedir-lhe que viesse.

Tengo respondeu que não se incomodava de ter vindo. Depois, disse seu nome e pediu desculpas por não ter trazido um cartão de visita.

— Eu me chamo Ebisuno — disse o homem. — Também não tenho cartão.
— Ebisuno — repetiu Tengo.
— Mas todos me chamam de professor. Até mesmo a minha própria filha, não sei por quê, me chama de professor.
— Como se escreve Ebisuno?
— É um nome diferente. Muito raro de encontrar. Eri, escreva o meu nome e mostre-lhe.

Fukaeri assentiu e, pegando um bloco de papel e caneta, começou a escrever muito lentamente os ideogramas "selvagem" e "campo" numa folha de papel em branco. Os ideogramas pareciam ter sido esculpidos no tijolo, com o auxílio de um prego. Não se podia ignorar que os traços continham um certo encanto.

— Em inglês seria *field of savages*. Antigamente, eu trabalhava no campo da antropologia cultural e, nessa área, pode-se dizer que o meu nome era bem apropriado — disse o professor, esticando os cantos dos lábios num esboço de sorriso. Mas nem por isso seus olhos, sempre atentos, baixaram a guarda. — Mas faz um bom tempo que me desvinculei completamente dessa área. O que faço hoje não tem nenhuma relação com ela. Vivo num outro tipo de *field of savages*.

Realmente era um nome diferente, mas Tengo já tinha ouvido falar nele. Se não estava enganado, na segunda metade da década de sessenta havia um renomado pesquisador de nome Ebisuno. Publicara vários livros que, naquela época, tiveram grande repercussão. Tengo não sabia exatamente o assunto de que tratavam, mas do nome ainda se lembrava. No entanto, de uma hora para outra, seu nome deixara de circular.

— Acho que já ouvi falar nesse nome — disse Tengo, sondando o assunto.

— Pode ser — disse o professor com o olhar distante, como se estivesse falando de alguém ausente. — De qualquer modo, isso foi há muito tempo...

Tengo conseguia sentir a respiração serena de Fukaeri, sentada ao seu lado: uma respiração lenta e profunda.

— Tengo Kawana — disse o professor, como que lendo um cartão de visita em voz alta.

— Isso mesmo — respondeu Tengo.

— Você é graduado em matemática e, atualmente, leciona na escola preparatória de Yoyogi — disse o professor. — Mas, por outro lado, também escreve romances. Isso é o que Eri me contou sobre você. Essa informação está correta?

— Está — respondeu Tengo.

— Você não tem cara de professor de matemática e, tampouco, de escritor.

Tengo esboçou um sorriso amarelo e respondeu:

— Não faz muito tempo que alguém me disse a mesma coisa. Acho que é por causa da minha aparência.

— Não me leve a mal — disse o professor, pousando o dedo na ponte dos óculos de aro preto. — Quando se diz que uma pessoa não se parece com algo, isso não deve ser entendido como uma crítica. Na verdade, apenas significa que ela ainda não está completamente moldada.

— Fico feliz em ouvir isso, mas, realmente, ainda não sou escritor. Eu apenas estou tentando escrever um romance.

— Tentando?

— Ou seja, estou ainda na fase dos erros e acertos.

— Entendo — disse o professor, esfregando as mãos como se só então percebesse o quanto a sala estava fria. — E, até onde fiquei sabendo, você pretende reescrever o romance de Eri e, com o texto melhorado, fazê-lo concorrer ao prêmio de novos autores promovido por uma revista literária. A intenção é lançá-la como escritora perante a sociedade. Será que eu entendi certo?

Tengo procurou escolher cuidadosamente as palavras:

— Basicamente, sim. A ideia partiu de um editor chamado Komatsu. Eu não sei se esse plano vai realmente dar certo e, muito menos, se é ou não eticamente correto. Nessa história, a única parte em que estou diretamente envolvido é a de reescrever o texto da *Crisálida de ar*. Sou apenas um técnico da escrita. Quem se responsabiliza por todo o resto é esse editor, Komatsu.

O professor ficou quieto, concentrado, pensando em algo. O silêncio voltou a imperar na sala de tal modo que parecia ser possível ouvir os mecanismos de seu cérebro em pleno funcionamento. Após um tempo, o professor disse:

— A ideia partiu desse editor chamado Komatsu e você é um colaborador técnico.

— Isso mesmo.

— Bem, sou um pesquisador acadêmico e, sinceramente, nunca fui um leitor assíduo de obras literárias e, por isso, não entendo muito bem como funciona esse mundo, mas o que vocês estão tentando fazer, para mim, soa como um tipo de fraude. Será que estou equivocado?

— Não, de jeito nenhum. Eu também acho — disse Tengo.

O professor esboçou uma discreta careta:

— Mas, mesmo questionando o ponto de vista ético do plano, você está condescendente e disposto a participar dele.

— Não estou exatamente condescendente, mas realmente quero participar.

— Por quê?

— É uma pergunta que venho fazendo a mim mesmo há cerca de uma semana — disse Tengo, com sinceridade.

O professor e Fukaeri aguardavam em silêncio o que Tengo tinha a dizer.

— O meu lado racional, o bom-senso e a minha intuição pedem que eu desista o quanto antes. Normalmente, sou uma pessoa cautelosa e sensata. Não gosto de apostas nem de correr riscos. Eu diria que sou um tipo covarde. Mas, neste caso, quando Komatsu me falou de seu plano arriscado, não consegui dizer não. A única explicação é que estou completamente apaixonado pela *Crisálida de ar*. Se fosse uma outra obra, sem dúvida eu já teria recusado.

O professor ficou um bom tempo observando Tengo com uma expressão de surpresa.

— Então quer dizer que você não se interessa pelas questões éticas, mas, por outro lado, tem um grande interesse em reescrever o livro. É isso?

— Isso mesmo. É muito mais que um *grande interesse*. Se a *Crisálida de ar* deve ser reescrita, não quero deixar esse trabalho a cargo de outra pessoa.

— Entendo — disse o professor, para logo em seguida fazer uma cara de quem colocou por engano algo azedo na boca. — Entendo. Acho que entendi o que você está querendo dizer. Mas qual seria o objetivo desse tal Komatsu? É dinheiro? Fama?

— Para falar a verdade, não sei direito o que Komatsu sente a respeito disso — respondeu Tengo. — Mas tenho a impressão de que, mais do que dinheiro e fama, ele tem outra motivação bem maior para fazer isso.

— Por exemplo?

— Acho que ele mesmo não admitiria isso, mas Komatsu é um homem obcecado pela literatura. Pessoas assim buscam uma única coisa: descobrir durante a vida uma obra autêntica e oferecê-la com exclusividade ao mundo.

Após observar por um bom tempo o rosto de Tengo, o professor disse:

— Quer dizer que vocês dois possuem motivações distintas: não é dinheiro nem fama.

— Creio que sim.

— Mas, apesar da natureza dessas motivações, como você mesmo já disse, o plano é muito arriscado. Se, em algum momento, a verdade vier à tona, certamente será um escândalo e as críticas não se voltarão apenas contra vocês. Isso poderá causar uma ferida fatal na vida de Eri, que tem apenas dezessete anos. Esse é o ponto que mais me preocupa.

— É natural que isso o preocupe — concordou Tengo, balançando a cabeça. — O senhor tem toda a razão.

O espaço entre as fartas sobrancelhas negras do professor diminuiu cerca de um centímetro.

— Mesmo ciente de que esse plano pode prejudicar Eri, você quer reescrever a *Crisálida de ar*?

— Como eu disse há pouco, esse desejo é um sentimento que não consigo controlar, é algo que está além da razão ou do senso prático. Obviamente, na medida do possível, minha intenção é proteger Eri, mas não posso, de maneira alguma, garantir que ela não vai correr perigo. Isso seria uma mentira.

— Entendo — disse o professor, e tossiu brevemente, como uma pausa na arguição. — Bem, de qualquer modo, você me parece uma pessoa honesta.

— Pelo menos tento ser uma pessoa sincera, na medida do possível.

O professor dirigiu um rápido olhar para as suas mãos apoiadas no colo, como se estas não lhe fossem familiares: olhou para o dorso e, em seguida, virou-as para observar as palmas. Depois levantou o rosto e disse:

— E esse editor, Komatsu, acredita mesmo que o plano vai dar certo?

— Ele é da opinião de que "há dois lados para tudo" — disse Tengo. — Um lado bom e outro que não é tão ruim.

O professor pôs-se a rir.

— Sem dúvida, um ponto de vista autêntico. Esse Komatsu, afinal, é meio otimista ou muito confiante?

— Acho que nenhum dos dois. Eu diria que ele é apenas cínico.

O professor concordou, balançando discretamente a cabeça.

— Ou seja, quando ele quer dar uma de cínico, ele se torna otimista ou, dependendo do caso, uma pessoa autoconfiante, é isso?

— Acho que ele tem uma certa tendência de agir assim.

— Parece um sujeito difícil.

— É uma pessoa muito difícil — concordou Tengo. — Mas não é bobo.

O professor soltou lentamente o ar e olhou para Fukaeri.

— E então, Eri, o que você acha?

Fukaeri ficou um bom tempo olhando para um determinado ponto no espaço, para então dizer:

— Pode ser.

O professor acrescentou algumas palavras em sua resposta concisa.

— Você quer dizer que não se importa que ele reescreva a *Crisálida de ar*, é isso?

— Não me importo — disse Fukaeri.

— Pode ser que você tenha problemas com isso.

Sobre essa observação, Fukaeri nada respondeu. A única reação foi segurar ainda mais firme a gola do casaco. Um gesto que indicava claramente que sua decisão era inabalável.

— Creio que ela tenha razão — disse o professor, num tom de voz de expressa resignação.

Tengo observava as pequeninas mãos de Fukaeri, fechadas em punho.

— Há mais uma questão — disse o professor, olhando para Tengo. — Você e Komatsu querem tornar pública a *Crisálida de ar* e lançar Eri como escritora. Porém, ela tem dificuldades de leitura. Ela tem dislexia. Você sabia disso?

— Há pouco, no trem, falamos sobre isso.

— Acho que é genético. Por conta disso, na escola, achavam que ela era portadora de alguma doença mental, mas, na verdade, é muito inteligente e possui grande sabedoria. O fato de ela ser disléxica, sutilmente falando, não a tornaria inadequada para esse plano?

— Quantas pessoas sabem disso?

— Fora ela, três — respondeu o professor. — Eu, minha filha Azami e agora você. Mais ninguém.

— Os professores da escola que ela frequentava não sabem?

— Não. Era uma escola primária muito pequena, do interior. Creio que nunca sequer ouviram a palavra dislexia. E ela estudou lá muito pouco tempo.

— Se é assim, acho que podemos dar um jeito de esconder isso.

O professor avaliou Tengo por um momento.

— Parece que a Eri confia muito em você — disse ele a seguir. — Não sei por quê, mas...

Tengo aguardou a continuação.

— Mas eu confio nela. Se ela diz que vai confiar o trabalho a você, só me resta concordar. Porém, se você realmente pretende levar adiante esse plano, tem algumas coisas que precisa saber sobre ela — disse o professor, batendo levemente com uma das mãos na coxa direita, como se limpasse alguns fiapos sobre a calça. — É bom que você saiba como foi sua infância, as circunstâncias que fizeram com que eu assumisse os seus cuidados, enfim, se eu for lhe contar tudo, a conversa será longa.

— Gostaria de saber — disse Tengo.

Ao lado de Tengo, Fukaeri ajeitou-se para se sentar com as costas eretas. Ela continuava segurando a gola do casaco, juntando--as na altura do pescoço.

* * *

— Muito bem — disse o professor. — A história tem início nos anos sessenta. O pai de Eri e eu éramos amigos íntimos, de longa data. Apesar de eu ser dez anos mais velho, lecionávamos no mesmo departamento de uma universidade. Tínhamos personalidades e visões de mundo diferentes, mas, mesmo assim, nos dávamos bem. Tanto ele quanto eu casamos tarde e tivemos uma filha logo depois de casados. Como morávamos no mesmo prédio residencial da universidade, tínhamos também uma convivência familiar, estávamos sempre juntos. Tudo ia bem, inclusive no campo profissional. Naquela época éramos conhecidos como "acadêmicos corajosos" e, de vez em quando, virávamos notícia. Foi uma época muito boa, por inúmeras razões.

"Mas, no final da década de sessenta, o mundo começou a dar sinais de fumaça. Em setenta, o protesto de movimentos estudantis contra a renovação do Tratado de Segurança entre o Japão e os Estados Unidos atingiu o seu clímax, o que acarretou o fechamento de universidades, enfrentamento com o batalhão de choque, rebeliões internas com derramamento de sangue e mortes. Por conta disso e daquilo, a situação se agravou e foi então que resolvi deixar a universidade. Desde o começo, eu nunca tive uma ligação plena com o mundo acadêmico, mas esses fatos foram decisivos para me tornar totalmente hostil a ele. Estar ou não a favor do sistema não vem ao caso. É tudo uma questão de conflitos entre organizações. Ainda que, *para início de conversa*, não confio em nenhum tipo de organização: grande ou pequena. Nessa época, você ainda não era um estudante universitário, era?"

— Quando entrei na faculdade, os protestos já tinham sido totalmente reprimidos.

— Quer dizer que você chegou bem no fim da festa.

— Digamos que sim.

O professor manteve as mãos por um tempo no ar e, abaixando-as sobre o colo, continuou:

— Dois anos depois de eu ter deixado a universidade, o pai de Eri também acabou saindo. Naquela época, ele chegou a ser partidário das ideias de Mao Tse-tung e apoiava a revolução cultural chinesa. Na época, tínhamos pouca informação de quão cruel e desumano eram os bastidores dessa revolução. Citar as palavras de Mao Tse-tung passou a ser moda em alguns dos círculos acadêmicos. O pai de Eri chegou a organizar no campus um grupo de estudantes para criar um exército radical inspirado no Exército Vermelho, incitando-os a participar de greves na universidade. Estudantes de outras universidades também começaram a participar da organização, tornaram-se seus seguidores. Houve um período em que essa facção atingiu um número considerável de adeptos. A direção da universidade solicitou a intervenção da polícia de choque e, uma vez encurralados, ele e seus alunos foram capturados, interrogados e punidos pela lei. A universidade o expulsou. Eri ainda era muito pequena, ela não deve se lembrar disso.

Fukaeri manteve-se calada.

— O nome de seu pai era Tamotsu Fukada. Após deixar a universidade, ele ingressou na Escola Takashima, levando consigo dez alunos que faziam parte do núcleo de seu exército vermelho. Como a maioria dos alunos tinha sido expulsa da universidade, era necessário encontrar um lugar para eles. E, nesse sentido, a Escola Takashima não era uma má opção. Naquela época, o caso chegou a ter um certo destaque na imprensa. Você se lembra?

Tengo balançou a cabeça em negativa:

— Não fiquei sabendo dessa história.

— A família de Fukada também o acompanhou, ou seja, sua esposa e a filha, Eri. A família foi para Takashima. Você já ouviu falar dessa escola?

— Muito superficialmente — respondeu Tengo. — É uma espécie de organização de base comunitária que vive da agricultura. Também trabalham com laticínios em escala nacional. Não admitem o acúmulo de bens pessoais e tudo o que possuem é de propriedade coletiva.

— Isso mesmo. Dizem que Fukada buscava uma utopia nesse tipo de sistema — disse o professor com uma expressão de descontentamento no rosto. — Mas, convenhamos, por mais que se busque tal utopia, sabemos que ela não existe em parte alguma; assim como não existe a alquimia da pedra filosofal ou o moto-contínuo. Na minha opinião, o que a organização em Takashima faz é apenas criar um bando de robôs incapazes de pensar. Eles retiram do cérebro o circuito que permite que a pessoa pense por conta própria. É um mundo semelhante ao que George Orwell descreveu em seu livro. Porém, como você bem sabe, não são poucas as pessoas que buscam avidamente viver nesse estado de morte cerebral. Viver desse jeito é muito mais fácil: não é preciso se preocupar com nenhum tipo de problema e basta acatar em silêncio as ordens dos superiores. E, de quebra, não é preciso passar fome. Para quem busca um mundo assim, certamente Takashima era a própria utopia.

"Mas Fukada não era assim. Ele era uma pessoa de opinião, gostava de pensar por conta própria e fazia disso sua profissão. Era óbvio desde o início que ele sabia perfeitamente que não se sentiria bem num lugar daqueles. Porém, sem ter para onde ir — após ser expulso da universidade, e acompanhado de estudantes inteligentes —, resolveu se refugiar temporariamente nesse local. Em outras palavras, o que ele de fato buscava era conhecer o sistema de Takashima. E, para começar, eles precisavam aprender as técnicas agrícolas, ainda que Fukada e seus alunos, todos criados na cidade grande, não tivessem nenhuma noção dos trabalhos no campo. Comparativamente, seria como eu, que nada sei de engenharia robótica. Por isso eles precisavam aprender na prática a aplicação da teoria e de suas técnicas, tudo isso a partir do zero. Tinham, portanto, muitas coisas a aprender: distribuição de mercadorias, possibilidade e limitações da autogestão e, também, as regras práticas do convívio comunitário. Ele aprendeu tudo o que foi possível nos dois anos em que viveu em Takashima. Era uma turma motivada, que entendia tudo muito rápido. Fizeram um estudo analítico dos pontos favoráveis e desfavoráveis de Takashima. Depois, Fukada deixou Takashima com seu grupo e se tornou independente."

— Takashima era legal — comentou Fukaeri.

O professor sorriu.

— Para uma criança, deve ser realmente muito bom. Mas, quando elas crescem e começam a desenvolver as suas respectivas personalidades, a vida em Takashima torna-se um inferno para muitas delas. Tenta-se esmagar à força o desejo natural que elas possuem de pensar. É como atrofiar o cérebro, usando o método do *tensoku*.

— *Tensoku* — indagou Fukaeri.

— Antigamente, na China, os pés das meninas eram colocados à força num sapato pequeno para que não crescessem — explicou Tengo.

Fukaeri não disse nada, mas parecia imaginar a cena. E o professor continuou:

— O núcleo desse grupo, liderado por Fukada, era composto por aqueles estudantes que participaram com ele do movimento estudantil inspirado no Exército Vermelho, mas a estes se somaram muitas outras pessoas, de modo que ele cresceu como uma bola de neve, numa proporção até então inimaginável. E, dentre elas, não eram poucas as que tinham entrado em Takashima em busca de um ideal, mas que, insatisfeitas com o funcionamento da comuna, sentiam-se desiludidas: eram pessoas que queriam ter uma vida comunitária como a dos hippies; estudantes de esquerda frustrados com a derrota que sofreram no conflito universitário ou pessoas que, por estarem fartas da vida mundana, buscavam um mundo novo, mais espiritual. Havia solteiros e alguns, como Fukada, tinham família. Uma verdadeira miscelânea, um grupo diversificado de pessoas, liderado por Fukada. Ele era um líder nato, como Moisés guiando os hebreus. Fukada era inteligente, eloquente, com um grande poder de discernimento. E era, também, muito carismático. Tinha um aspecto robusto, digamos que tinha um físico como o seu. As pessoas naturalmente o viam como o líder do grupo e aceitavam suas decisões.

O professor abriu os braços para mostrar o físico de Fukada. Fukaeri observou a distância entre os braços e, em seguida, olhou para o corpo de Tengo, mas nada disse.

— Fukada e eu temos personalidades e aparências totalmente diferentes. Ele é um líder nato e eu sou um lobo solitário. Enquanto ele é um indivíduo político, sou totalmente apolítico. Ele é grandalhão, eu sou pequeno. Ele é bonito e marca presença, eu sou um pobre intelectual que tem uma cabeça com formato esquisito. Mas, mesmo assim, éramos bons amigos: o respeito e a confiança eram recíprocos. Não seria exagero dizer que ele foi o único amigo que realmente tive na vida.

* * *

O grupo liderado por Tamotsu Fukada encontrou uma vila despovoada que servia para seus propósitos em meio às montanhas da província de Yamanashi. Uma vila praticamente deserta, em que os idosos não podiam dar continuidade aos trabalhos do campo por falta de sucessores. O grupo conseguiu adquirir terras e casas quase de graça, além de algumas estufas. As repartições públicas locais também ofereceram subsídios, com a condição de que eles continuassem a trabalhar com a terra. E, durante os primeiros anos, concederam-lhes descontos fiscais. Além disso, Fukada também tinha um capital próprio. Montante que nem mesmo o professor Ebisuno sabia de onde e como ele teria conseguido.

— Sobre a fonte desse dinheiro, Fukada mantinha segredo e não o revelava para ninguém. Mas o fato é que o dinheiro necessário para conduzir a comuna vinha *de algum lugar*. Foi com esse capital que o grupo comprou máquinas, implementos agrícolas e materiais de construção, além de criar um fundo de reserva. Eles próprios reformaram as casas que já existiam e construíram instalações básicas para que pelo menos trinta deles pudessem viver nelas. Isso foi em 1974. A recém-inaugurada comuna passou a ser chamada de "Sakigake".

"Sakigake?", pensou Tengo. O nome não lhe era estranho, mas não conseguiu lembrar onde foi que o ouvira. Não conseguir lembrar o deixou irritado. O professor continuou:

— Fukada estava ciente das dificuldades que teria de enfrentar, principalmente nos primeiros anos da comuna, até que todos se adaptassem às novas terras, mas, contrariando as suas expectativas, tudo correu bem. Além de o tempo ajudar, eles também podiam contar com a cooperação dos moradores locais. Fukada, que era o líder, ganhou a simpatia da população, que o respeitava por ser uma pessoa íntegra, e os jovens de Sakigake também eram admirados pela dedicação ao trabalho no campo. Os moradores costumavam aparecer e dar vários conselhos úteis. E foi assim que eles foram adquirindo conhecimentos práticos sobre a agricultura e aprendendo a viver em contato com a terra.

"Basicamente, Sakigake seguia os mesmos princípios de Takashima, porém com algumas inovações, como mudar completamente o tipo de produção para o sistema de agricultura orgânica.

Deixaram de usar fertilizantes químicos e iniciaram o cultivo de verduras usando apenas adubo orgânico. Com o objetivo de atender uma classe urbana abastada, passaram a vender os produtos por encomenda. Assim, podiam cobrar mais caro por unidade. De alguma forma eles foram os precursores do que conhecemos hoje como agricultura ecológica. E acertaram em cheio. Muitos dos membros do grupo haviam sido criados nos centros metropolitanos e, por isso, sabiam muito bem o que os homens da cidade grande desejavam, mesmo pagando caro: verduras frescas, saborosas e sem agrotóxicos. Eles firmaram contrato com empresas de distribuição e, para agilizar, criaram um sistema otimizado de entrega rápida. Eles também foram pioneiros em transformar as 'verduras de tamanhos desiguais e com terra' em produtos de grande aceitação."

— Fui algumas vezes à fazenda de Fukada conversar com ele — disse o professor. — Ele estava muito animado por ter construído esse novo ambiente, e com a perspectiva de poder vivenciar novas possibilidades. Acho que essa época foi a mais tranquila e de maior satisfação para ele. Sua família também parecia ter se adaptado muito bem à nova vida.
"A quantidade de pessoas que se dirigiam para lá com o desejo de se juntar ao grupo aumentava na medida em que ficavam sabendo como era boa a vida na fazenda Sakigake. Com o sistema de remessa de produtos, a fazenda foi se tornando cada vez mais conhecida, e a imprensa passou a citá-la como exemplo de uma comuna bem-sucedida. Como muitos queriam fugir desse mundo dominado pelo dinheiro e pelo excesso de informação, e tinham vontade de suar a camisa trabalhando na natureza, Sakigake começou a acolhê--los. Quando uma pessoa pedia para trabalhar na fazenda, ela passava por uma entrevista e só era admitida se fosse considerada útil ao grupo. Nem todos eram aceitos. Existia um certo critério para manter o nível qualitativo e a boa conduta moral. Eles precisavam de pessoas com conhecimento de técnicas agrícolas e homens saudáveis, capazes de aguentar trabalhos físicos intensos. Almejavam também uma proporção equivalente de homens e mulheres, e portanto elas também eram bem-vindas. Com o aumento da população, a fazenda

precisou aumentar sua extensão. Como ainda havia muita oferta de terras e casas nas redondezas, a ampliação não foi uma tarefa difícil. No início, os membros eram em sua maioria jovens solteiros; mas, à medida que o tempo foi passando, começou a aumentar o número de pessoas que vinham com suas famílias. Dentre os novos membros, alguns tinham formação universitária, como médicos, engenheiros, professores, contadores... Eram sempre bem-vindos na comunidade. Afinal, eram especialidades que, de certa forma, eram muito úteis para a comuna."

— A comuna também adotou o sistema comunista de Takashima? — indagou Tengo.

O professor negou, balançando a cabeça.

— Não. Fukada não quis adotar o sistema de propriedade coletiva. Politicamente, ele era um radical, mas nunca deixou de ser realista e ponderado. Ele adotou um sistema comunitário mais flexível, pois não queria transformar a comunidade numa sociedade de formigas. O grupo foi dividido em unidades e, em cada uma delas, seguiam-se regras, porém não muito rígidas. Era permitido possuir bens pessoais e todos recebiam alguma remuneração. Se uma pessoa não estivesse satisfeita com a sua unidade, ela tinha a liberdade de mudar para outra ou simplesmente deixar a fazenda. Os membros podiam manter contato com o mundo exterior e não havia nenhum tipo de educação ideológica ou lavagem cerebral. Fukada aprendeu em Takashima que, para aumentar a eficiência no trabalho, deveria adotar um sistema mais livre, não tão rígido.

Sob o comando de Fukada, a administração da fazenda Sakigake mantinha-se sobre os trilhos, mas, com o tempo, a comuna se dividiu em duas facções bem distintas. Essa divisão era em parte inevitável no sistema adotado por ele. Uma das facções defendia a revolução e era a favor da luta armada; era liderada por aquele antigo grupo de estudantes inspirados no Exército Vermelho criado pelo próprio Fukada. O grupo achava que a vida na comuna agrícola era apenas uma fase preparatória para a revolução. Eles acreditavam que o trabalho agrícola era um tipo de disfarce para que, chegado o momento, pudessem pegar em armas e partir para a ação. Era uma postura inquebrantável.

A outra facção era moderada. Ambas eram contra o sistema capitalista, mas esta não se envolvia com política e tinha como ideal viver em contato com a natureza, mantendo uma vida comunitária centrada na subsistência. Os moderados eram os mais numerosos na fazenda. As facções eram como água e óleo. Em relação ao trabalho na lavoura, partilhavam o mesmo objetivo e por isso não ocorriam problemas graves, mas, quando o assunto envolvia alguma decisão administrativa, as opiniões sempre divergiam. Vez por outra, quando não conseguiam chegar a uma solução, a discussão se tornava violenta. Estava claro que a divisão da comuna era apenas uma questão de tempo.

Tornou-se cada vez mais difícil manter uma posição neutra na comuna. Diante dessa situação, Fukada se viu forçado a decidir de que lado ficaria. Naquela época, ele estava ciente de que o Japão dos anos setenta não era mais o lugar nem o momento para uma revolução. Na verdade, desde o início, Fukada se referia à revolução apenas como uma possibilidade, ou melhor, como uma metáfora; uma mera hipótese. Ele acreditava que as ideias de oposição e insubordinação tinham papéis essenciais numa sociedade saudável. No entanto, o objetivo de seus alunos era o de promover uma revolução de verdade, com derramamento de sangue. E Fukada era, em parte, responsável por isso. Acompanhando o ritmo da época, foi ele que incutiu na mente dos alunos essas ideias malconcebidas com seus discursos acalorados. Ele próprio nunca admitiu que se tratava de uma revolução de fachada. Era um homem honesto e inteligente. Um intelectual brilhante. Mas, infelizmente, tinha a propensão de se embriagar com os próprios discursos, faltando-lhe, no fundo, a autocrítica e o espírito investigativo.

Foi assim que a comuna Sakigake se dividiu em duas. A facção moderada manteve o nome Sakigake e permaneceu na fazenda; já a facção em prol da luta armada transferiu-se para uma outra área, a cerca de cinco quilômetros dali, e, nesse local, estabeleceu a base do movimento revolucionário. Fukada e sua família permaneceram com as demais famílias em Sakigake. A separação foi praticamente amistosa. Dizem que foi Fukada que novamente conseguiu juntar, de alguma forma, o capital necessário para erguer a comuna dissidente. Mesmo após a separação, as duas fazendas mantiveram formalmente as relações de cooperação: trocavam mercadorias que necessitavam e, por questões econômicas, utilizavam o mesmo meio de distribuição para os produtos. Se as duas pequenas comunas quisessem sobreviver, era necessário manter a ajuda mútua.

No entanto, com o passar do tempo, as idas e vindas dos membros entre a antiga Sakigake e a nova comuna dissidente foram interrompidas. Os objetivos que almejavam eram muito diferentes. Mesmo após a cisão, no entanto, Fukada continuou a se comunicar com os estudantes radicais. Ele sentia uma grande responsabilidade por eles, pois fora sua a ideia de levá-los para o interior das montanhas de Yamanashi. A essa altura, ele não podia mais simplesmente abandoná-los, pensando apenas em suas próprias conveniências. E a comuna dissidente precisava daquele capital que Fukada conseguia misteriosamente obter.

— Acho que Fukada estava numa situação antagônica — disse o professor. — No fundo, ele já não acreditava mais que a revolução fosse cabível nem idealizava mais essa possibilidade, porém não conseguia negá-la por completo. Negar a revolução seria o mesmo que negar tudo que defendera durante muitos e muitos anos e, ainda, admitir o seu erro perante os outros. Isso era algo que ele não podia fazer. Era orgulhoso demais e sabia que, caso resolvesse desistir, certamente haveria um conflito com os estudantes. Naquela época, Fukada ainda conseguia controlá-los.

"Essas foram as razões que o levaram a continuar a frequentar a comuna dissidente. De um lado, ele era o líder de Sakigake e, do outro, tornou-se conselheiro da facção em prol da revolução armada: uma pessoa que, a despeito de não acreditar mais na revolução, continuava a defender seus ideais. Os dissidentes seguiam trabalhando na lavoura e, paralelamente, começaram a aprender a usar armas e a adquirir conhecimentos sobre as doutrinas ideológicas. Do ponto de vista político, foram assumindo posições cada vez mais radicais, totalmente contrárias ao posicionamento de Fukada. A comuna adotou uma postura de segregação, de modo a impedir a entrada de pessoas de fora. As forças de segurança pública consideravam que o grupo ameaçava iniciar uma revolução armada, e era potencialmente perigoso; passaram, portanto, a monitorar seus movimentos, mas ainda sem lhes dar uma atenção extrema."

O professor olhou novamente para os joelhos e, em seguida, levantou o rosto.

— A divisão de Sakigake ocorreu em 1976. No ano seguinte, Eri conseguiu escapar de lá e veio até a minha casa. Desde então, a comuna dissidente passou a ter um novo nome: Akebono.

Tengo levantou o rosto e estreitou os olhos.

— Espere um pouco — disse ele. Akebono. Ele tinha certeza de que já ouvira o nome em algum lugar, mas a lembrança era vaga e não se lembrava de onde. A única coisa que conseguia recordar eram alguns fragmentos vagos que *pareciam* reais. — Por acaso essa "Akebono" não é aquela que pouco tempo atrás causou um incidente grave?

— Isso mesmo — disse o professor Ebisuno, pela primeira vez olhando para Tengo com uma expressão séria. — Sem dúvida, estamos falando daquela famosa "Akebono" que trocou tiros com a polícia nas montanhas perto de Motosu.

"Tiros", pensou Tengo. Ele se lembrava. Fora um grave incidente. No entanto, não entendia por que não conseguia se lembrar dos detalhes. As coisas estavam embaralhadas. Tudo parecia muito confuso e, quando tentava ordenar os pensamentos, sentia como se o corpo estivesse sendo torcido. Era como se a metade superior e a metade inferior fossem puxadas em direções opostas. Tengo sentiu uma intensa e aguda dor no centro da cabeça e, de uma hora para outra, o ar à sua volta parecia ter rareado. Ouvia o som amortecido, como se estivesse dentro d'água. A qualquer momento ele poderia ter aquele "ataque".

— O que aconteceu? — perguntou o professor, preocupado. A voz parecia vir de longe.

Tengo balançou a cabeça. Forçando a voz, respondeu:

— Está tudo bem. Logo vai passar...

11
Aomame
O corpo é um santuário

Pouquíssimas devem ser as pessoas que conseguem dar um chute certeiro nos testículos com tamanha destreza como Aomame. Além de estudar com afinco as várias maneiras de dar pontapés, nunca deixava de praticá-las exaustivamente. A coisa mais importante é, antes de tudo, deixar de lado a hesitação. A parte vulnerável do adversário deve ser acertada sem compaixão, com a velocidade de um raio. É o mesmo ímpeto com que Hitler violou a declaração de neutralidade da Holanda e da Bélgica e, sem titubear, atacou o ponto vulnerável da linha defensiva da França — a linha Maginot — conquistando-a facilmente. Não se pode hesitar. Um instante de indecisão pode ser fatal.

Essa seria a única maneira de uma mulher enfrentar e vencer um homem grande e forte. A convicção de Aomame sobre isso era inabalável. Essa parte do corpo que o sexo masculino possuía — ou que trazia pendurada — era o seu ponto mais vulnerável. E, em geral, ela não ficava devidamente protegida. Uma vantagem que não devia ser ignorada.

Era lógico que Aomame, sendo mulher, não sabia e tampouco poderia adivinhar como era a dor de levar um chute nos testículos. Mas ao menos podia imaginar essa dor observando a reação de quem levava o chute. Parecia ser realmente insuportável até mesmo para os grandalhões. Além disso, o impacto também parecia afetar, e muito, o orgulho deles.

— A dor é tanta que parece que o mundo vai acabar. Não sei explicar direito. Só sei que não é uma dor qualquer — essa foi a resposta de um homem a Aomane, após pensar seriamente no assunto quando ela pediu explicações.

Aomame pensou um pouco sobre a analogia. Fim do mundo?

— Será que podemos inverter a ordem e dizer que, se o mundo estiver prestes a acabar, sentiríamos o mesmo que levar um chute certeiro nos testículos? — perguntou ela.

— Isso eu não posso afirmar, pois ainda não tive a experiência de fim do mundo, mas creio que seja algo assim — disse o homem, para em seguida fixar o olhar no espaço vazio. — A única coisa que se sente nessa hora é um profundo sentimento de impotência. Tudo é escuridão, angústia e perdição.

Depois dessa conversa, Aomame assistiu por acaso ao filme *A hora final* na TV, durante a madrugada. Era um filme americano produzido por volta dos anos sessenta. Ao eclodir a guerra entre os Estados Unidos e a União Soviética, quantidades enormes de mísseis nucleares cruzavam ostensivamente os céus de um lado para outro, como cardumes de peixes voadores, provocando a destruição da Terra e matando pessoas em todo o mundo. Mas, devido à direção dos ventos ou por alguma outra razão, a Austrália, no Hemisfério Sul, era o único local ainda não atingido pelas nuvens das cinzas mortais. Para isso acontecer era apenas questão de tempo. Nada mais podia ser feito para evitar a destruição da humanidade. Aos sobreviventes, restava apenas aguardar o derradeiro fim, cada um vivendo a seu modo os últimos dias de suas vidas. Esse era o enredo do filme. Um filme sombrio, sem salvação. (Aomame, porém, enquanto o via, teve a certeza de que, no fundo, todos aguardam o fim do mundo.)

De qualquer modo, enquanto assistia ao filme, sozinha na madrugada, pensou "Ah! Então é assim que uma pessoa se sente ao levar um chute nos testículos", e só então conseguiu se convencer da explicação que lhe fora dada.

Após se formar em educação física, Aomame trabalhou durante quatro anos numa empresa fabricante de bebidas esportivas e alimentos saudáveis, e era a jogadora principal (como arremessadora e quarta batedora) do time de softball feminino. O time conquistou uma posição de destaque e entrou para a lista dos oito melhores no Campeonato Nacional. Mas, um mês após a morte de Tamaki Ôtsuka, Aomame decidiu pedir demissão da empresa e pôs um ponto final em sua carreira de jogadora. Ela não tinha mais vontade de participar das competições. Seu desejo era mudar radicalmente de vida. Foi por meio da indicação de um amigo da faculdade que ela conseguiu emprego como instrutora num clube esportivo em Hiroo.

As aulas que ela assumiu no clube eram principalmente as de musculação e de artes marciais. Era um clube de elite, muito conhecido, que cobrava altas taxas de matrícula e mensalidades, com muitos sócios famosos. Aomame organizou algumas classes de defesa pessoal para mulheres, área em que se considerava exímia especialista. Ela montou um boneco de pano imitando um homem grande, costurou uma luva de algodão preta na virilha, para delimitar a área dos testículos, e treinava as mulheres a chutarem exaustivamente essa área. Para dar mais veracidade, às vezes ela colocava duas bolas de squash dentro das luvas e fazia com que as alunas chutassem repetidas vezes o local, com rapidez e sem dó. A maioria das mulheres gostava do treinamento, e era evidente o progresso delas no uso da técnica. Mas algumas pessoas que observavam as aulas costumavam franzir as sobrancelhas — logicamente, a maioria era do público masculino — e levaram à direção sua indignação: "Aquilo é um absurdo." Por conta disso, o gerente chamou Aomame e pediu que parasse com as aulas de chutar testículos.

— Mas, na prática, é impossível uma mulher se defender do ataque de um homem a não ser chutando os testículos — argumentou Aomame enfaticamente com o gerente do clube. — Normalmente, o homem é maior e mais forte. O único jeito de uma mulher vencê-lo é acertar rapidamente os testículos. O próprio Mao Tse-tung disse isso: é preciso achar o ponto fraco do adversário e atacá-lo antes que o outro reaja. Só assim a guerrilha tem chance de vencer o exército regular.

— Você deve estar ciente de que este clube é um dos melhores e mais exclusivos da cidade — disse o gerente, com uma expressão de contrariedade no rosto. — Muitos dos nossos sócios são celebridades, e precisamos manter nossa dignidade. A imagem é fundamental. Não importam quais sejam os motivos, mas treinar jovens, na flor da idade, a chutar a virilha de um boneco, soltando gritos esquisitos, denigre a reputação do clube. Algumas pessoas que vieram nos conhecer, com o desejo de se tornar sócias, desistiram de se filiar após assistirem por acaso às suas aulas. Não importa o que Mao Tse-tung ou Gêngis Khan tenham dito: o fato é que aquela cena incomoda, irrita e aborrece a maioria dos homens.

Aomame não se importava em incomodar, irritar e aborrecer os sócios masculinos do clube. Comparado à dor de quem é estuprada, sentir-se incomodado era o de menos. Mas, como não podia desobedecer às ordens do chefe, teve de reduzir drasticamente os treinamentos de ataque em suas aulas de defesa pessoal. O uso do boneco também foi proibido. Por conta disso, suas aulas se tornaram insossas e convencionais. Isso deixou Aomame desmotivada e algumas sócias também reclamaram, descontentes. Mas, como ela era apenas uma funcionária, nada pôde fazer para mudar a situação.

Aomame era da opinião de que, se uma mulher não souber chutar em cheio os testículos de um homem ao ser atacada, não havia praticamente mais nada a fazer. Num combate real, uma técnica avançada como a de pegar o braço, torcer e levantar o adversário com as costas para derrubá-lo é algo que dificilmente costuma dar certo. A vida real não é como nos filmes. Em vez de tentar fazer isso, a melhor coisa é não fazer nada e, simplesmente, sair correndo.

De qualquer modo, Aomame sabia pelo menos dez maneiras de chutar os testículos. Testou-as, na prática, num colega antigo no clube, pedindo para ele usar o protetor. "O chute que você dá nas bolas é dolorido demais, não adianta usar protetor. Por favor, pare com isso", ele implorava, aos berros. Se necessário fosse, Aomame não hesitaria em pôr em prática a técnica que aprimorou. Se um engraçadinho a atacasse, estava decidida a mostrar-lhe ao vivo e em cores como era o fim do mundo. Faria com que ele visse nitidamente a chegada do Reino dos Céus. Ela o mandaria direto para o Hemisfério Sul, para respirar as cinzas mortais ao lado dos cangurus e dos *walabi*.

Enquanto pensava no Reino dos Céus, Aomame bebia em pequenos goles uma dose de Tom Collins no balcão de um bar. De vez em quando, olhando para o relógio, fingia estar aguardando alguém, ciente de que ninguém viria. A única coisa que ela queria era encontrar algum homem adequado entre os clientes. O relógio marcava oito e meia da noite. Ela vestia uma blusa azul-clara, jaqueta castanho-avermelhada da Calvin Klein e uma minissaia azul-marinho. Nesse dia, ela deixara seu picador de gelo especial, embrulhado numa toalha, repousando tranquilamente na gaveta da cômoda.

O bar ficava no bairro de Roppongi e era conhecido como um bom lugar para solteiros. Era famoso por ser frequentado por homens à caça de mulheres, ou o contrário. Também era muito frequentado por estrangeiros. A decoração era inspirada num bar das Bahamas a que Hemingway costumava ir. Peixe-espada na parede, redes de pesca penduradas no teto, várias fotos de pessoas exibindo peixes enormes e um retrato a óleo de Hemingway. O retrato de Papá Hemingway alegre. As pessoas ali não pareciam particularmente incomodadas com o fato de o escritor ter se suicidado com uma espingarda de caça, motivado pelo sofrimento que o alcoolismo lhe causara na velhice.

Alguns homens vieram falar com Aomame, mas nenhum era do seu tipo. Dois jovens playboys universitários convidaram-na para uma noitada, mas ela nem se deu ao trabalho de responder. Um homem muito mal-encarado de uns trinta anos, que parecia ser um assalariado, também se aproximou, mas ela rispidamente recusou dizendo esperar alguém. A maioria dos jovens não lhe agradava. Eles ofegavam, eram cheios de si, tinham uma conversa pobre e sem graça e, na cama, eram apressados, não sabiam curtir o verdadeiro prazer do sexo. O seu tipo de homem era o de meia-idade, com uma aparência levemente cansada e, de preferência, sinais de calvície. Tinha de ser asseado, e nunca vulgar. E, ainda por cima, o formato da cabeça tinha de ser bonito. Mas homens assim não são fáceis de encontrar, por isso ela se via obrigada a fazer algumas concessões.

Aomame deu uma olhada pelo bar e suspirou silenciosamente. "Por que será que é tão difícil encontrar um 'homem adequado' nesse mundo?", pensou ela, imaginando alguém como Sean Connery. E, só de pensar no formato de sua cabeça, sentiu alfinetadas no corpo. "Se ele aparecesse de repente por aqui, eu faria de tudo para tê-lo comigo", pensou. Mas nem é preciso dizer que Sean Connery jamais surgiria num bar de solteiros em Roppongi decorado como nas Bahamas.

Na TV gigante pendurada na parede passava um vídeo do Queen. Aomame não gostava muito das músicas do grupo, por isso evitava olhar para a tela e tentava ignorar o som das caixas acústicas. Quando finalmente aquilo terminou, começou a passar um vídeo do Abba. "Essa não!", pensou, intuindo que a noite não seria das melhores.

* * *

Aomame conhecera a dona da Mansão dos Salgueiros no clube esportivo em que trabalhava. Ela fazia as aulas de defesa pessoal de Aomame: aquele curso radical de chutar o boneco que não durara muito tempo. Apesar de a senhora ser pequena e a mais idosa da turma, seus movimentos eram ágeis, e seu chute muito forte. Aomame suspeitava de que ela não hesitaria em chutar os testículos de um adversário, e gostava dela por ser uma pessoa que não falava à toa. Quando falava, fazia-o sem rodeios.

— Na minha idade, não creio que seja realmente necessário aprender defesa pessoal... — disse ela, certa vez, no final da aula, abrindo um sorriso encantador.

— Não é uma questão de idade — respondeu Aomame, em tom categórico. — Tem a ver com o modo de encarar a vida. É importante estarmos sempre preparadas para defender nosso corpo. Não podemos ficar resignadas esperando o ataque. O sentimento crônico de impotência destrói a pessoa.

A senhora ficou calada um bom tempo, apenas mirando os olhos de Aomame. Suas palavras, ou o tom de sua voz, pareciam ter lhe causado uma forte impressão. Em seguida, ela concordou, balançando a cabeça.

— O que você disse é correto. Realmente, você pensa com lucidez.

Passados alguns dias, Aomame recebeu um envelope deixado na recepção do clube. Nele havia uma carta curta, escrita com uma caligrafia muito bonita, com o nome e o telefone da velha senhora, pedindo a gentileza de Aomame entrar em contato quando tivesse um tempo livre.

Quem atendeu o telefone parecia ser um secretário. Assim que Aomame se identificou, ele transferiu a ligação sem dizer nada. A velha senhora atendeu e, após agradecer a ligação, perguntou se Aomame aceitaria jantar com ela, pois tinha um assunto que gostaria de tratar pessoalmente, com calma. Aomame respondeu que aceitava com prazer. A velha senhora perguntou se podia ser no dia seguinte, à noite, e Aomame concordou. "O que ela quer conversar comigo?", pensou, um tanto intrigada.

As duas jantaram num restaurante francês localizado numa área tranquila de Azabu. A senhora parecia ser uma cliente antiga e, ao ser encaminhada para uma mesa nos fundos, foi gentilmente atendida por um garçom de meia-idade que dava a impressão de conhecê-la de longa data. A velha senhora usava um vestido verde-claro de belíssimo corte (parecia um Givenchy dos anos sessenta) e um colar de jade. Durante a refeição, o gerente apareceu e a cumprimentou com extrema reverência. Os pratos eram principalmente à base de verduras, de sabor suave e refinado. A sopa especial do dia, por coincidência, era a preferida de Aomame. A velha senhora tomou somente uma taça de Chablis, e Aomame a acompanhou. Era um vinho delicado, de gosto suave, assim como os pratos servidos. Aomame escolheu um peixe de carne branca grelhado como prato principal. A velha senhora escolheu um prato de legumes. A forma como ela se alimentava era majestosa como uma obra de arte. Comentou que na sua idade era possível viver comendo muito pouco e, num tom de brincadeira, disse:

— E, se possível, somente coisas boas.

A velha senhora perguntou se Aomame podia dar aulas particulares em sua casa, de duas a três vezes por semana: artes marciais e, se possível, exercícios de alongamento.

— É claro, é possível — respondeu Aomame. — Basta solicitar as aulas particulares na recepção do clube.

— Então está bem — disse a velha senhora. — Mas, quanto à programação das aulas, gostaria que fosse decidida entre nós, está bem? Quero evitar o incômodo de ter de conversar sobre isso com terceiros. Você concorda?

— Concordo.

— Então vamos começar na semana que vem — disse a velha senhora.

Encerraram assim o assunto.

Foi então que a velha senhora disse:

— Aquilo que você disse outro dia no clube me deixou muito impressionada. Aquela conversa sobre o sentimento de impotência, que destrói a pessoa. Lembra?

Aomame concordou:

— Lembro.

— Posso te fazer uma pergunta? — disse a velha senhora. — Para economizar o tempo, vou ser direta.

— Pode perguntar o que quiser — respondeu Aomame.

— Você é feminista ou lésbica?

Aomame ficou levemente ruborizada e negou com a cabeça.

— Não. É apenas uma opinião estritamente pessoal. Não sou feminista nem lésbica.

— Está bem — disse a velha senhora. E, esboçando uma expressão de alívio, levou o pedaço de brócolis graciosamente até a boca, mastigou-o com elegância e tomou um pequeno gole de vinho. Depois disse: — Saiba que, se você fosse feminista ou lésbica, eu não me importaria. Seria o de menos. Mas, para ser sincera, isso me deixa mais à vontade. Você me entende?

— Entendo — disse Aomame.

Duas vezes por semana, Aomame ia à mansão da velha senhora e dava suas aulas de artes marciais. As duas trabalhavam o corpo com sequências meticulosas de exercícios numa sala grande com espelhos, onde a filha tivera lições de balé quando criança. A despeito da idade, a velha senhora tinha um corpo flexível, e o progresso foi rápido. Apesar de pequena, sempre soube cuidar do corpo. Além das aulas de artes marciais, Aomame também ensinou exercícios básicos de alongamento e fazia massagens para relaxar os músculos.

Aomame era uma massagista perita. Quando cursara a faculdade de educação física, era considerada a melhor aluna dessa matéria. Ela sabia de cor todos os nomes dos ossos e músculos do corpo humano. Conhecia todas as funções e características dos músculos e sabia como colocá-los no lugar e mantê-los em forma. O corpo é um santuário e, independentemente do que se cultue nele, Aomame tinha a convicção inabalável de que se devia, no mínimo, mantê-lo forte, belo e limpo.

Não satisfeita em dominar os conhecimentos básicos da medicina esportiva, resolveu aprender acupuntura. Durante muitos anos, frequentou aulas de um professor chinês e dedicou-se seriamente aos estudos. O professor, admirado com seu rápido progresso, chegou a lhe dizer que podia atuar profissionalmente. Aomame aprendia com facilidade e tinha uma insaciável sede de conhecer a fundo todas as funções do corpo. Acima de tudo, possuía uma extraordinária sensibilidade intuitiva na ponta dos dedos. Assim como existem pessoas capazes de ouvir e identificar os sons absolutos, ou encontrar veios de água subterrânea, Aomame conseguia discernir, somente com o toque dos dedos e em questão de segundos, o ponto exato que controla determinada função do corpo humano. E isso ninguém lhe ensinara; era um conhecimento inato.

Após os treinos e a massagem, Aomame e a velha senhora passavam o tempo juntas tomando chá e conversando sobre vários assuntos. Tamaru sempre trazia um jogo de chá numa bandeja de prata. No primeiro mês, como Tamaru nunca abria a boca, ela teve vontade de perguntar à velha senhora se por acaso era mudo.

Certo dia, a velha senhora perguntou se ela já tinha posto em prática sua técnica de chutar os testículos para se proteger.

Aomame respondeu que sim.

— E deu certo? — perguntou a velha senhora.

— Deu — respondeu Aomame, sem entrar em detalhes.

— Você acha que daria certo com Tamaru?

Aomame balançou a cabeça em negativa.

— Acho que não. Tamaru já conhece esse tipo de coisa. Se uma pessoa percebe a intenção, não há o que fazer. O chute só funciona em amadores, que não estão acostumados a lutar.

— Quer dizer que para você Tamaru não é um amador, é isso?

Aomame respondeu, escolhendo cuidadosamente as palavras:

— Digamos que ele tem um ar diferente das pessoas comuns.

A velha senhora colocou creme no chá preto, misturando-o delicadamente com a colher.

— Então o homem que você chutou era amador, não é? E era forte?

Aomame confirmou balançando a cabeça, mas não disse nada. Era robusto e parecia ser muito forte, mas, como era também arrogante, fez pouco caso de enfrentar uma mulher e baixou a guarda. Até então, ele nunca fora acertado nos testículos, muito menos por uma mulher, e jamais imaginou que isso pudesse acontecer.

— Essa pessoa se machucou? — perguntou a velha senhora.

— Não. Não se machucou. Apenas ficou um bom tempo com uma dor dilacerante.

A velha senhora manteve-se em silêncio. Depois perguntou:

— Alguma vez você agrediu algum homem? Não só para fazê-lo sofrer, mas para machucá-lo intencionalmente?

— Sim — respondeu Aomame. Mentir não era o seu forte.

— Você poderia falar sobre isso?

Aomame balançou discretamente a cabeça.

— Sinto muito, mas é difícil falar desse assunto.

— Tudo bem. Sei que não deve ser fácil. Não se sinta obrigada a contar — respondeu a velha senhora.

As duas tomaram o chá em silêncio, cada qual mergulhada em pensamentos distintos.

Um tempo depois, a velha senhora quebrou o silêncio:

— Mas, se algum dia quiser falar, você me conta o que aconteceu?

Aomame respondeu:

— Pode ser que um dia eu consiga contar, mas talvez esse dia nunca chegue. Para falar a verdade, eu mesma não sei...

A velha senhora ficou um tempo olhando para o rosto de Aomame, para depois dizer:

— Não pergunto por curiosidade.

Aomame manteve-se em silêncio.

— É que acho que você guarda alguma coisa dentro de si. Algo que está te pesando muito. Sinto isso desde o momento em que te conheci. Você possui um olhar firme e poderoso. Para ser sincera, eu também tenho *algo assim*. Também carrego algo muito pesado, e é por isso que te entendo. Não é preciso ter pressa, mas acho que, se um dia você conseguir colocar isso para fora, você se sentirá melhor. Sou uma pessoa extremamente discreta e disponho de recursos materiais. Se forem bem-empregados, creio que podem ser úteis a você.

Quando Aomame decidiu contar a história para a velha senhora, uma nova porta se abriu em sua vida.

* * *

— Olá. O que você está bebendo? — alguém perguntou próximo a seu ouvido. Era a voz de uma mulher.

Aomame voltou a si e, erguendo o rosto, virou-se para a pessoa. Uma jovem com rabo de cavalo no estilo anos cinquenta estava sentada no tamborete, bem ao seu lado. Seu vestido tinha estampas de flores pequenas, e ela carregava no ombro uma bolsinha da Gucci. As unhas bem-feitas estavam pintadas com esmalte rosa-claro. Não era gorda, mas seu rosto era redondo, cheio, e parecia ser muito gentil. Seus seios eram grandes.

Aomame ficou um pouco confusa. Ela não esperava que uma mulher lhe dirigisse a palavra. Afinal, ali os homens é que assediavam as mulheres.

— Tom Collins — respondeu Aomame.

— É gostoso?

— Muito. E não é tão forte; dá para tomar aos golinhos.

— Por que se chama Tom Collins?

— Bem, isso eu não sei — disse Aomame. — Será o nome da pessoa que inventou o drinque? Mas não me parece uma descoberta excepcional.

A jovem balançou a mão para chamar o barman e pediu um Tom Collins, que rapidamente lhe foi servido.

— Será que posso me sentar ao seu lado? — perguntou a jovem.

— Pode. Está vazio — respondeu Aomame, enquanto pensava: "Mas você já não está sentada?" No entanto, ela não disse nada.

— Você não tem nenhum encontro marcado com alguém, tem? — perguntou a jovem.

Aomame fez questão de não responder e se ateve a observar, em silêncio, o rosto da jovem, que devia ser uns três ou quatro anos mais nova que ela.

— Ah! Não se preocupe. Eu não tenho inclinação *para esse outro lado* — disse a jovem, bem baixinho, como se fizesse uma confidência. — Caso você esteja com o pé atrás, saiba que eu também prefiro homens. Como você.

— Como eu?

— Você está aqui, sozinha, para encontrar um homem interessante, não está?

— É o que parece?

A jovem comprimiu levemente os olhos.

— É fácil saber. Aqui é um lugar para isso. E, pelo visto, não somos profissionais.

— É claro que não — disse Aomame.

— Pois então, que tal fazermos uma parceria? Acho que para os homens é mais fácil puxar conversa com duas mulheres do que com uma sozinha. Ainda por cima, é mais cômodo agir em dupla e, de quebra, é mais seguro, não acha? Digamos que eu pareço mais feminina e você é mais forte, como um menino; acho que podemos formar uma boa dupla.

"Como um menino", pensou Aomame. Era a primeira vez que alguém lhe dizia aquilo.

— Podemos até formar uma equipe, mas podemos ter gostos diferentes para homens, não é? Será que vai dar certo?

A jovem torceu levemente os lábios.

— É, você tem razão. O tipo de homem... já que tocamos nesse assunto, qual é o seu tipo?

— De preferência, os de meia-idade — disse Aomame. — Não gosto muito dos jovens. Prefiro os que estão começando a ficar calvos.

— Hmm — a jovem parecia surpresa. — Puxa! Você gosta dos mais velhos... Já eu prefiro os jovens saudáveis, de boa aparência. Não tenho muito interesse nos homens de meia-idade, mas, já que você os prefere, posso até experimentar um, só para te acompanhar. Afinal, tudo é uma questão de experiência. Eles são bons? Bem, você sabe, né? Me refiro ao sexo.

— Depende da pessoa — respondeu Aomame.

— Tem razão — concordou a jovem, estreitando os olhos como se avaliasse uma teoria científica. — Realmente, sexo é algo que não se pode generalizar; mas, na média, o que me diz?

— Nada mau. Não podem transar várias vezes, mas, em compensação, sabem aproveitar o tempo, sem afobação. E, quando tudo vai bem, te fazem gozar algumas vezes.

A jovem pensou um pouco.

— Você despertou minha curiosidade. Acho que vou experimentar.

— Você é quem sabe — respondeu Aomame.

— Já experimentou fazer sexo a quatro? Com troca de parceiros?
— Não.
— Eu também não, mas você quer experimentar?
— Acho que não — disse Aomame. — Bem, já que vamos formar uma equipe e agir juntas, ainda que temporariamente, quero saber um pouco mais sobre você. Porque podemos estar em sintonias completamente diferentes.
— Tudo bem. Você tem razão. O que você quer saber sobre mim?
— Por exemplo, que tal... Que tipo de trabalho você faz?

A jovem tomou um gole de Tom Collins e colocou o copo sobre o descanso. Depois, limpou a boca apertando levemente o guardanapo de papel nos lábios. Por fim, examinou a cor do batom aderido no papel.

— Isso é muito bom — disse a jovem. — É à base de gim, não é?
— Gim, suco de limão e soda.
— Realmente, não é uma invenção genial, mas é gostoso.
— Que bom.
— Bem, você quer saber do meu trabalho, certo? É um pouco complicado. Se eu te disser a verdade, creio que você não vai acreditar.
— Então vamos começar por mim — disse Aomame. — Sou instrutora de um clube esportivo. Dou aulas de artes marciais e musculação.
— Artes marciais? — disse a jovem, surpresa. — Como Bruce Lee?
— É, *parecido*.
— Você é boa?
— Dou para o gasto.

A jovem sorriu e ergueu o copo num brinde.

— Então vamos formar uma dupla invencível. Pode não parecer, mas eu treino aikidô há muito tempo. Para falar a verdade, sou policial.

* * *

— Policial? — disse Aomame, boquiaberta. Não conseguiu dizer mais nada.

— Trabalho no Departamento da Polícia Metropolitana de Tóquio. Quem olha não acredita, não é? — disse a jovem.

— Realmente — respondeu Aomame.

— Mas sou mesmo. De verdade. Eu me chamo Ayumi.

— E eu, Aomame.

— Aomame. É seu nome de verdade?

Ela confirmou num tom sério. E falou:

— Se você é policial, quer dizer que usa uniforme, anda armada e percorre a cidade num carro de patrulha?

— Eu quis ser policial justamente para fazer isso, mas por enquanto eles não me deixam — disse Ayumi e, pegando um pretzel do pires, pôs-se a mastigá-lo ruidosamente. — A minha principal função hoje é usar aquele uniforme engraçado, andar num carrinho e multar as infrações de trânsito. Não me deixam nem portar uma pistola. Afinal, não há necessidade de intimidar, com tiros de advertência, um cidadão comum que estacionou o seu Corolla na frente de um hidrante, não é? Nas aulas de tiro eu sempre me destaquei, mas isso ninguém valoriza. Só porque sou mulher. Dia após dia, a única coisa que me deixam fazer é andar com um bastão com giz na ponta e escrever a hora e o número da placa no asfalto.

— A pistola que você sabe usar é uma Beretta semiautomática?

— É. Agora só se usa dessas. Eu acho a Beretta um pouco pesada para mim. Carregada, ela deve ter cerca de um quilo.

— O peso da arma é de oitocentos e cinquenta gramas — disse Aomame.

Ayumi fitou Aomame como uma penhorista avaliando um relógio de pulso.

— Nossa, Aomame, como é que você sabe esses detalhes?

— É que sempre tive interesse por armas de fogo — respondeu Aomame. — É claro que, na prática, eu nunca disparei uma arma.

— Ah é? — disse Ayumi, parecendo convencida com a explicação. — Na verdade, eu gosto de atirar. A Beretta realmente é pesada, mas o coice não é tão forte quanto o do revólver antigo, por isso, desde que se pratique bem, até mesmo uma mulher pequena pode usá-

-la. Mas os meus superiores não pensam assim. Para eles, uma mulher é incapaz de atirar. Os oficiais do alto escalão são todos um bando de machistas e, ainda por cima, fascistas. Eu também era muito boa com o cassetete. Dificilmente perdia para um homem. Mas nunca fui valorizada. A única coisa que sabem dizer são insinuações maliciosas, do tipo: "O jeito de você segurar o cassetete é perfeito, mas se você quiser praticar melhor é só falar comigo, está bem? Não precisa ficar acanhada." Esses caras têm a cabeça de um século e meio atrás.

Após dizer isso, Ayumi pegou um maço de Virginia Slims da bolsa e, como se estivesse habituada, tirou um cigarro e o acendeu com um pequeno isqueiro dourado. Soltou a fumaça tranquilamente em direção ao teto.

— Por que você resolveu entrar para a polícia? — perguntou Aomame.

— No começo eu não queria ser policial, mas também não queria trabalhar em escritório. Como eu não tinha nenhuma habilidade especial, o leque de escolhas profissionais era limitado. Foi então que, no quarto ano da faculdade, resolvi prestar o exame de admissão do Departamento de Polícia Metropolitana. Além disso, minha família é cheia de policiais; meu pai e meu irmão mais velho são da polícia. Tenho também um tio que é policial. Basicamente, a polícia é uma sociedade de coleguismos e, se você tem algum parente que é policial, eles te dão preferência na hora da admissão.

— Uma família de policiais.

— Isso mesmo. Mas até entrar e, de fato, começar a trabalhar, eu não sabia que a polícia era um local de tamanha discriminação entre homens e mulheres. No mundo policial, as mulheres não passam de cidadãs de segunda categoria. Elas só fazem trabalhos muito chatos, como aplicar multas, ficar sentadas atrás da mesa organizando documentações, visitar escolas primárias para ensinar as regras de segurança no trânsito, revistar mulheres suspeitas, coisas desse tipo. Enquanto isso, homens que, sem dúvida, são muito menos competentes do que eu são remanejados para trabalhar em áreas muito mais interessantes. Os superiores falam bonito e, da boca para fora, dizem que na polícia existe igualdade de condições entre os sexos, mas, na prática, está longe de ser verdade. Isso faz com que você perca a motivação de trabalhar. Você entende?

Aomame concordou.

— Isso me dá nos nervos.

— Você tem namorado? — perguntou Aomame.

Ayumi franziu as sobrancelhas. Por instantes, se ateve a observar o cigarro fino preso entre os dedos.

— Na prática, uma mulher que se torna policial encontra muitas dificuldades para arranjar um namorado. Primeiro, não temos um horário regular de trabalho, ele quase nunca coincide com o de uma pessoa normal. Depois, mesmo que o namoro possa dar certo, quando digo que sou policial os homens normalmente saem de fininho. São como caranguejos na orla da praia. Não é uma tristeza?

Aomame concordou, balançando a cabeça.

— O único jeito de encontrar o amor é no local de trabalho, mas o problema é que, no trabalho, realmente não existem homens decentes; apenas um bando de inúteis que só sabem fazer piadas obscenas. Das duas, uma: ou já nasceram burros ou só pensam na ascensão profissional. E eles é que são responsáveis pela segurança da sociedade. O futuro do Japão não parece dos melhores.

— Mas você é bonita, e a impressão que tenho é que deve haver muitos homens atrás de você — disse Aomame.

— Bem, é verdade, desde que eu não fale o que faço. É por isso que, num lugar como este, costumo dizer que trabalho numa seguradora.

— Você vem muito aqui?

— Não *muito*, mas digamos que venho aqui de vez em quando — respondeu Ayumi. Após pensar um pouco, disse em tom de confidência: — É que às vezes me dá muita vontade de transar. Vou ser direta: fico querendo um homem. É como se fosse um desejo cíclico. Quando me sinto assim, me produzo toda, capricho nas roupas íntimas e venho para cá. Escolho um parceiro e transo a noite toda. Depois, durante um bom tempo, fico sossegada. É apenas um apetite sexual saudável. Como não sou ninfomaníaca ou maníaca sexual, gosto de me soltar e, quando o faço, me sinto muito bem. Mas nunca me envolvo com os parceiros. No dia seguinte, estou pronta para me dedicar à aplicação de multas por estacionar em local proibido. E você?

Aomame pegou o copo de Tom Collins e tomou um gole silencioso.

— Acho que comigo também é mais ou menos assim.

— Você não tem namorado?

— Procuro não ter. Detesto complicações.

— Você acha complicado ter um único homem?

— De certa forma, acho.

— Mas, de vez em quando, você fica doida para *transar* — disse Ayumi.

— Gostei mais da expressão que você usou, *vontade de se soltar*. Acho que, no caso, ela é mais adequada para mim.

— Que tal *desejar uma noite deslumbrante*, hein?

— Também é boa.

— De todo modo, é um parceiro para só uma noite, sem envolvimento, certo?

Aomame concordou.

Ayumi segurou o queixo com as mãos, os cotovelos apoiados no balcão, e parecia pensar no assunto.

— Acho que temos muita coisa em comum, não acha?

— Acho que sim — concordou Aomame. "Mas você é uma policial e eu mato pessoas. Estamos em lados opostos da lei e isso certamente nos torna muito diferentes", pensou.

— Vamos combinar o seguinte — disse Ayumi. — Nós duas trabalhamos na mesma seguradora. O nome da empresa é segredo. Você está na empresa há mais tempo que eu e, como tivemos um dia desagradável na firma, resolvemos tomar algo para espairecer. E agora estamos nos sentindo muito bem. Que tal?

— Acho que está bom, mas não entendo nada de companhia de seguros.

— Deixe comigo. Inventar histórias é o meu forte.

— Conto com você — disse Aomame.

— Pois bem, na mesa bem atrás de nós há dois homens que parecem mais velhos e que, faz algum tempo, estão olhando para todos os lados com cara de quem procura algo — disse Ayumi. — Discretamente, dê uma olhada e diga o que acha deles.

Aomame virou-se sutilmente, conforme o pedido de Ayumi. Pulando uma mesa, na seguinte havia dois homens de meia-idade.

Usavam terno e gravata e pareciam ser funcionários tentando relaxar após um dia exaustivo de trabalho. Os ternos não estavam surrados e as gravatas eram de bom gosto. Pelo menos não pareciam indecentes. Um deles devia ter mais de quarenta e cinco, e o outro um pouco menos de quarenta. O mais velho era magro, de rosto oval e entradas na testa. O mais jovem parecia ter sido jogador de rúgbi na faculdade, mas, por falta de exercícios, havia ganhado peso. O rosto preservava um ar juvenil, mas, logo abaixo do queixo, a pele começava a ganhar volume. Eles conversavam animadamente tomando uísque com água; sem dúvida, seus olhos estavam à procura de algo.

Ayumi os analisou:

— À primeira vista, parece que não estão acostumados a frequentar lugares deste tipo. A intenção deles é diversão, mas não conseguem puxar assunto com uma mulher. Possivelmente são casados e, de certa forma, se sentem culpados.

Aomame ficou surpresa com a precisão desse seu olhar. Como ela conseguira tirar todas essas informações enquanto conversavam? Não era à toa que vinha de uma família de policiais.

— Então, Aomame, você prefere o que tem menos cabelo, certo? Nesse caso, eu fico com o mais forte, está bem?

Aomame olhou novamente para trás. O formato da cabeça do mais calvo não era tão ruim. Estava a anos-luz de distância de Sean Connery, mas dava para encarar. Afinal, para quem suportara Queen e, ainda por cima, Abba, não podia se dar ao luxo de exigir muito.

— Por mim, tudo bem. Como vamos fazer para que eles nos convidem?

— Não podemos ficar aqui esperando tranquilamente o dia amanhecer. Nós é que vamos convidá-los: com um sorriso no rosto, de modo amistoso e com iniciativa — disse Ayumi.

— É sério?

— Claro que é. Deixe comigo, eu vou até lá conversar um pouco com eles. Fique aqui, está bem? — disse Ayumi. Em seguida, virou o copo de Tom Collins e esfregou as palmas das mãos. Depois, pronta para agir, colocou a bolsa Gucci no ombro e sorriu. — Está na hora de praticar um pouco o uso do cassetete.

12
Tengo
Venha a nós o Vosso Reino

O professor virou-se para Fukaeri e disse:

— Eri, por favor, você poderia trazer uma xícara de chá para nós?

A garota se levantou e deixou a sala, fechando a porta sem fazer barulho. Em silêncio, o professor aguardou Tengo, que estava sentado no sofá, recuperar o ritmo da respiração e seu estado voltar ao normal. Enquanto isso, o professor tirou os óculos de aro preto e, após limpar as lentes com um lenço que não parecia exatamente limpo, tornou a colocá-los. Pela janela, alguma coisa pequena e preta passou rapidamente cruzando o céu. Poderia ter sido um pássaro ou, quem sabe, a alma de alguém sendo levada para o fim do mundo.

— Desculpe-me — disse Tengo. — Já estou me sentindo melhor. Não foi nada, continue por favor...

O professor concordou balançando a cabeça e retomou a conversa:

— A comuna dissidente Akebono foi destruída em 1981, após o grave tiroteio. Isso foi há três anos. Esse incidente aconteceu quatro anos após Eri ter vindo para cá. Mas, a princípio, o assunto que estamos tratando não tem nada a ver com o problema da Akebono. Eri veio morar conosco quando tinha dez anos. Ao aparecer aqui no terraço de casa, sem avisar, estava totalmente diferente da Eri que eu conhecia. Apesar de ser uma menina quieta e dificilmente falar com estranhos, desde pequena ela fora apegada a mim e, por isso, sempre conversávamos. Mas, naquele dia, ela não conseguia falar com ninguém. Era como se tivesse perdido a fala. A única coisa que conseguia fazer, quando alguém lhe perguntava algo, era acenar sim ou não com a cabeça.

A fala do professor ficou mais rápida, a voz mais nítida, dando a impressão de que pretendia avançar na conversa antes de Fukaeri retornar.

— Não deve ter sido fácil para ela chegar até o topo dessa montanha. Apesar de ter um pouco de dinheiro e o endereço escrito num papel, não podemos nos esquecer de que ela vivia num ambiente isolado e tinha dificuldades para se comunicar. Mesmo assim, com o endereço em mãos, conseguiu fazer as conexões de trem e depois chegar até o terraço desta casa.

"Assim que a vi, percebi que algo de muito ruim havia acontecido. Azami e a mulher que trabalha aqui passaram a cuidar dela. Após alguns dias, quando Eri parecia mais tranquila, telefonei a Sakigake para falar com Fukada. No entanto, me disseram que ele não estava em condições de atender. Quis saber se estava bem, mas nada disseram. Pedi, então, para falar com a esposa dele, mas, mesmo em relação a ela, disseram que não podia me atender. Enfim, não consegui falar com nenhum dos dois."

— O senhor avisou que Eri estava em sua casa?

O professor balançou negativamente a cabeça:

— Não. Algo me dizia que era melhor não falar, a não ser diretamente com Fukada. É claro que, depois disso, tentei falar várias vezes com ele. Lancei mão de todos os meios possíveis, mas foi tudo em vão.

Tengo franziu as sobrancelhas:

— Quer dizer que o senhor nunca conseguiu falar com os pais dela nesses últimos sete anos?

O professor confirmou, balançando a cabeça:

— Sete anos sem nenhuma notícia...

— E, durante esse tempo todo, os pais da Eri nem sequer procuraram saber onde ela estava?

— Ah! Isso sim é muito estranho, pois sei o quanto os pais gostavam dela e a tratavam com carinho. Se ela precisasse procurar por alguém, esse alguém só poderia ser eu. Os pais dela tinham cortado os laços familiares e ela crescera sem conhecer os avós. O único lugar para onde poderia ir era esta casa. A orientação de seus pais era para ela me procurar caso acontecesse alguma coisa. Mesmo assim, nenhum dos dois entrou em contato comigo. É algo impensável.

Tengo indagou:

— O senhor disse que a comuna Sakigake era aberta ao público.

— Isso mesmo. Ao ser fundada, Sakigake era uma comuna aberta, mas, um pouco antes de Eri fugir, a comuna passou gradativamente a cortar relações com o mundo exterior. A primeira vez que notei isso foi quando as notícias de Fukada se tornaram menos frequentes. Ele sempre foi um homem que prezava manter correspondência e costumava me enviar extensas cartas não só contando os acontecimentos da comuna, como também o que sentia ou pensava sobre diversos assuntos. Mas, de repente, parou de escrever. Apesar de eu lhe enviar cartas, ele não as respondia. Quando eu telefonava, não transferiam a ligação e, mesmo quando eventualmente a passavam, a conversa era sempre breve e limitada: o próprio Fukada falava de modo ríspido, como se alguém estivesse na escuta.

O professor juntou as mãos sobre o colo.

— Fui algumas vezes até Sakigake. Afinal, precisava conversar com Fukada sobre Eri e, como não conseguia falar com ele por telefone nem por carta, o único jeito era tentar encontrá-lo. Mas, chegando lá, fui impedido de entrar na comuna. Fui rudemente barrado na entrada. Retornei várias vezes e, mesmo assim, não me deram ouvidos. De uma hora para outra, toda a área da comuna estava cercada por muros altos, e aqueles que não pertenciam ao grupo eram expulsos na entrada.

"Quem estava de fora não tinha como saber o que se passava lá dentro. Esse tipo de política do silêncio seria compreensível se estivéssemos falando da comuna Akebono. Afinal, o objetivo deles era a revolução armada e, para isso, tinham muito o que esconder. Mas Sakigake sempre foi pacífica, voltada para a agricultura orgânica e, desde o início, mantinha uma relação amistosa com as pessoas de fora. Tinham inclusive a simpatia da população local. Mas, desde então, a comuna se transformou numa verdadeira fortaleza. As atitudes e a expressão nos rostos de seus moradores também mudaram de uma hora para outra. Assim como eu, os vizinhos também estavam perplexos com a mudança ocorrida em Sakigake. Diante disso, fiquei muito preocupado com a possibilidade de que algo grave tivesse acontecido com o casal Fukada. Porém, naquele momento, a única coisa que eu realmente podia fazer era acolher e cuidar de Eri com carinho. Assim se passaram sete anos. Sete anos sem nenhuma notícia."

— O senhor não sabe nem se Fukada está vivo? — perguntou Tengo.

O professor meneou a cabeça.

— Isso mesmo. Não tenho nenhuma pista. Procuro, na medida do possível, não pensar em coisas ruins. Mas é muito estranho ficar sete anos sem dar notícias, a não ser que algo tenha ocorrido — disse em voz baixa. — Ele deve estar sendo mantido sob custódia, ou algo bem pior.

— Algo bem pior?

— O que estou tentando dizer é que não podemos deixar de esperar o pior. Sakigake não é mais aquela pacífica comuna agrícola de antes.

— Será que a comuna tomou um rumo perigoso?

— Acho que sim. Segundo os moradores, a quantidade de pessoas que entram e saem de Sakigake é bem maior do que antes, e muitos carros têm placas de Tóquio. É também frequente aparecerem carros luxuosos, o que é raro no campo. O número de integrantes da comuna também teve um súbito aumento, assim como a quantidade de casas e instalações repletas de equipamentos. Eles passaram a comprar avidamente muitas terras nas redondezas com preços baixos e trazer muitos tratores, escavadeiras e betoneiras. Mantiveram os trabalhos agrícolas, uma vez que a atividade era uma importante fonte de renda. As verduras com a marca "Sakigake" eram cada vez mais conhecidas e, com o tempo, eles passaram a vender diretamente para os restaurantes que serviam pratos preparados com produtos naturais. Firmaram também contratos com supermercados de luxo. Possivelmente, os lucros também deviam ser grandes. Mas, simultaneamente, eles pareciam desenvolver *alguma outra coisa*. As vendas de produtos agrícolas não seriam suficientes para levantar o capital necessário para tamanha expansão. Independentemente do que a comuna Sakigake estivesse fazendo, os moradores locais desconfiavam de que todo esse segredo se devia a algo que não podia ser revelado publicamente.

— Eles estariam envolvidos de novo em alguma atividade política? — perguntou Tengo.

— Não deve ser uma atividade política — respondeu o professor, sem hesitar. — A comuna Sakigake girava em torno de um outro eixo que não o político. Tanto que decidiram se separar de Akebono.

— Mas algo deve ter acontecido por lá para que Eri tivesse de fugir.

— Alguma coisa aconteceu — disse o professor. — Algo muito significativo. Algo que fez com que ela tivesse de deixar seus pais e fugir sozinha. Mas, sobre isso, Eri não fala absolutamente nada.

— Será que ela não consegue se expressar direito por ter sofrido um choque ou por estar emocionalmente abalada?

— Não. Ela não parecia em choque, com medo ou insegura por estar sozinha e longe dos pais. Parecia apenas apática. Mesmo assim, conseguiu se adaptar muito bem aqui em casa. Ficamos impressionados com tamanha capacidade de adaptação.

O professor olhou para a porta da sala e, em seguida, tornou a fitar Tengo.

— Independentemente do que tenha acontecido com Eri, não quis forçá-la a falar. O que ela realmente precisava era de tempo. Por isso, não perguntei absolutamente nada e fingi que estava tudo bem, a despeito de ela continuar calada. Eri sempre ficava com Azami. Quando Azami voltava da escola, as duas almoçavam rapidamente e se enfurnavam no quarto. Não sei o que faziam, mas creio que entre elas havia uma espécie de diálogo. Por isso, deixei-as à vontade e nunca quis me intrometer. Conviver com ela não era difícil, desde que se ignorasse o fato de ela não falar. É uma garota inteligente e muito obediente. Azami e ela se tornaram grandes amigas. O único porém é que, naquela época, Eri não podia frequentar a escola. Eu não podia enviar à escola uma criança que não falava.

— Até então o senhor morava apenas com Azami?

— Faz dez anos que minha esposa faleceu — disse o professor e, após uma pausa, continuou: — Vítima de um acidente de carro, morreu na hora. Ficamos apenas eu e Azami. Uma senhora de parentesco distante mora aqui perto e ela passou a cuidar da casa e das meninas. A perda da minha esposa foi terrivelmente dolorosa tanto para mim quanto para Azami. A morte dela foi tão repentina que não tivemos tempo de nos preparar. De qualquer forma, a chegada de Eri foi muito boa para nós. Mesmo não havendo diálogo, só o fato de ela estar aqui nos faz sentir uma inexplicável paz. No decorrer desses sete anos, Eri foi recuperando pouco a pouco a fala e, comparada à época em que chegou, sua capacidade de comunicação melhorou a olhos vistos. O jeito como ela fala deve soar estranho, não? Mas, para nós, esse progresso é simplesmente extraordinário.

— Hoje em dia a Eri frequenta alguma escola?

— Não. Não frequenta, mas está formalmente matriculada. Ela ainda não está em condições de acompanhar regularmente as aulas, por isso tanto eu quanto meus alunos que frequentam minha casa damos aulas particulares para ela nas horas vagas. As lições são, em geral, sobre assuntos diversos e, nesse sentido, não são muito convencionais. Como ela tem dificuldade de ler sozinha, sempre que possível fazemos a leitura em voz alta e, também, compramos livros narrados em fitas-cassete, fáceis de encontrar em qualquer loja. Isso é praticamente tudo o que proporcionamos em termos de educação. Mas ela é uma menina excepcionalmente inteligente. Quando decide assimilar algo, ela o faz rapidamente, de modo muito profundo e com extrema competência. Essa capacidade de assimilação é realmente brilhante. Mas, em contrapartida, quando algo não lhe interessa, ela nem se dá ao trabalho de olhar. A diferença de atitude entre os extremos é enorme.

A porta da sala continuava fechada. Parecia que esquentar a água e preparar o chá levava muito tempo.

— Então foi a Eri que ditou a *Crisálida de ar* para Azami, é isso? — perguntou Tengo.

— Como eu estava dizendo, Eri e Azami se fecham no quarto durante a noite e eu nunca soube o que faziam. Era um segredo entre elas, mas, a partir de um certo dia, o assunto principal, ao que parece, passou a ser a história contada por Eri. Azami começou a escrever ou gravar a história numa fita-cassete para depois digitá-la com o processador de texto do meu gabinete. Foi a partir daí que Eri recuperou gradativamente suas reações emocionais. O véu da indiferença foi desaparecendo e uma pequena parte das expressões faciais voltou a se esboçar em seu rosto, tornando-a mais parecida com a Eri de antes.

— Então ela está a caminho da recuperação?

— Não totalmente, mas em parte. Mas você tem razão. É possível que a recuperação de Eri tenha começado com a narração dessa história.

Tengo pensou um pouco sobre isso. Depois, mudou de assunto.

— A falta de notícias do casal Fukada foi comunicada à polícia?

— Ah, sim. Procurei a polícia local. Não falei nada sobre Eri, mas expliquei que tinha um amigo que morava lá e que eu não conseguia falar com ele havia muito tempo; que eu desconfiava de que ele poderia estar confinado. Mas, naquela época, a polícia também não podia fazer nada. A área de Sakigake era uma propriedade particular, e só poderiam entrar com alguma prova concreta de que ocorrera um crime. Insisti muito, mas não me deram ouvidos. Foi então que, a partir de 1979, a polícia ficou impossibilitada de entrar na comuna para fazer qualquer tipo de investigação.

O professor balançou a cabeça várias vezes, recordando aqueles tempos.

— Aconteceu alguma coisa em 1979? — perguntou Tengo.

— Naquele ano, Sakigake obteve autorização para se tornar um grupo religioso.

Tengo perdeu a fala por um tempo.

— Grupo religioso?

— Realmente, é inacreditável — respondeu o professor. — De uma hora para outra, a comuna Sakigake se tornou um grupo religioso devidamente oficializado pelo próprio governador da província de Yamanashi. Uma vez reconhecido como grupo religioso, a polícia ficou impossibilitada de entrar na propriedade para averiguá-la, porque o ato pode ser interpretado como uma espécie de violação à liberdade de crença, assegurada pela Constituição. Os advogados de Sakigake adotaram uma postura radical em defesa dessa lei. A polícia local estava de mãos atadas.

"Quando estive na polícia e me contaram que Sakigake tinha se tornado um grupo religioso, fiquei em estado de choque. No começo, custei a acreditar e, mesmo após verificar com meus próprios olhos as documentações, não foi fácil engolir os fatos. Conheço Fukada de longa data e sei muito bem como é o seu caráter, que tipo de pessoa ele é. Como antropólogo social, meu conhecimento sobre os assuntos relacionados com religião não é superficial; por outro lado, Fukada sempre foi um político nato, com argumentos embasados no raciocínio lógico. Ele tinha aversão a qualquer coisa ligada a religião. Por mais que isso faça parte de uma estratégia, não consigo acreditar que ele aceitou transformar Sakigake num centro religioso."

— E não deve ser fácil conseguir essa autorização.

— Nem sempre — disse o professor. — Certamente, há de se passar por algum tipo de triagem e outros tantos trâmites burocráticos que demandam um acompanhamento minucioso junto à Prefeitura, mas essas barreiras podem ser facilmente removidas com alguma influência política nos bastidores. A linha que separa a religião e o culto é muito tênue. Como não existe um conceito claro e preciso do que vem a ser um e outro, essa definição torna-se apenas uma questão de interpretação. E, como existe uma brecha para interpretações, sempre há margem para concessões e manipulações políticas. Uma vez que o grupo foi reconhecido como religioso, passou a ter incentivos fiscais e ampla proteção jurídica.

— Ou seja, Sakigake deixou de ser apenas uma comuna agrícola para se tornar um grupo religioso. Um grupo religioso extremamente fechado.

— Uma nova religião. Ou, dito de modo mais claro, um culto.

— Não dá pra entender. Deve ter acontecido alguma coisa muito grave para uma mudança tão drástica.

O professor olhou para o dorso de suas mãos, tomado de pelos grisalhos retorcidos.

— Você tem razão. Com certeza aconteceu algo muito grave para que ocorresse essa mudança. Eu também fiquei muito tempo pensando sobre isso. Aventei inúmeras possibilidades, mas não cheguei a nenhuma conclusão. Afinal, o que aconteceu? Não temos como saber o que se passa lá dentro, por conta dessa postura radicalmente sigilosa. Só sei que, depois disso, nunca mais se ouviu falar de Fukada, que, até então, era o líder de Sakigake.

— E, três anos atrás, houve o tiroteio, e Akebono foi destruída — disse Tengo.

O professor assentiu.

— Sakigake, que, na prática, se separou de Akebono, sobreviveu e continua com suas atividades, só que agora como grupo religioso.

— Ou seja, o incidente armado não chegou a abalar Sakigake.

— Exatamente — disse o professor. — Pelo contrário, serviu de publicidade. Eles foram muito espertos. Usaram os fatos a seu favor. De qualquer modo, isso aconteceu depois de Eri ter fugido de Sakigake. E, como já te disse, acho que o incidente não tem nenhuma relação com Eri.

Tengo supôs que o professor queria mudar de assunto, e perguntou:

— O senhor já leu *Crisálida de ar*?

— Claro que sim.

— O que achou?

— É uma história muito interessante — respondeu o professor. — Muito sugestiva. Mas, para ser sincero, eu não saberia dizer o que quer dizer. Não sei o que a cabra cega, o Povo Pequenino ou a crisálida de ar significam.

— O senhor acha que essa história surgiu de uma experiência concreta que ela viveu ou presenciou em Sakigake?

— Talvez. Mas acho difícil discernir a realidade da fantasia. A obra pode ser lida como uma espécie de mito, ou uma alegoria bem-elaborada.

— A Eri me disse que o Povo Pequenino *realmente existe*.

Ao ouvir isso, o professor esboçou uma expressão de preocupação. Um tempo depois, indagou:

— Você está querendo me dizer que a história em *Crisálida de ar* aconteceu *de fato*?

Tengo negou com a cabeça.

— O que estou tentando dizer é que um dos pontos fortes desse romance são os detalhes, descritos de maneira extremamente minuciosa e realista.

— E você pretende reescrever a história com suas palavras, de modo a deixar claro esse *algo* contido no contexto. É isso?

— Se tudo correr bem, é o que pretendo fazer.

— Minha área de especialização é a antropologia cultural — disse o professor. — Apesar de não atuar mais nesse campo, ele está impregnado em minha alma. Um dos objetivos dessa disciplina é comparar todas as imagens individuais para descobrir elementos universais compartilhados por todos e, novamente, trazer essa informação para o indivíduo. Com isso, as pessoas tomam consciência de seu pertencimento a algo maior, a despeito de suas vidas independentes. Você entende o que estou dizendo?

— Acho que sim.

— Ou seja, é o mesmo que você está tentando fazer.

Tengo abriu as mãos sobre os joelhos.

— Parece muito difícil.

— Mas acho que vale a pena tentar.

— Não sei se tenho capacidade para fazer isso.

O professor observou Tengo com um brilho especial nos olhos.

— O que eu gostaria de saber é se aconteceu alguma coisa com Eri em Sakigake. E, se possível, qual foi o destino dos Fukada. Durante sete anos tentei descobrir isso do meu jeito, mas não consegui obter nenhuma informação. Deparei com um muro alto e resistente, que não pude destruir. Pode ser que dentro da *Crisálida de ar* exista a chave para desvendar o enigma. Por mínima que seja essa possibilidade, se ela existir, apostarei todas as minhas fichas. Não sou eu quem deve dizer se você está ou não capacitado para reescrevê-la, mas sei o quanto você considera a obra, e o quanto está realmente envolvido com ela. Isso, para mim, já é uma prova de que você está apto a reescrevê-la.

— Tem uma coisa que gostaria que respondesse claramente se sim ou não — disse Tengo. — Foi para lhe perguntar isso que estou aqui. O senhor me autoriza a reescrever a *Crisálida de ar*?

O professor balançou a cabeça afirmativamente e, em seguida, disse:

— Gostaria de ler a *Crisálida de ar* quando você terminar de reescrevê-la. Eri parece confiar muito em você. É a única pessoa em quem ela confia, além, é claro, de Azami e eu. Por isso, acho que você deve fazer. Confiarei a obra a você. Ou seja, a minha resposta é sim.

Uma vez que a conversa cessou, o silêncio assentou-se pesadamente na sala, parecendo cumprir uma função predeterminada. Foi então que Eri apareceu trazendo o chá, como se calculasse o tempo exato de a conversa terminar.

* * *

Tengo voltou sozinho. Fukaeri havia saído para passear com o cachorro. Ele verificou o horário de partida do trem e pediu para chamar um táxi para levá-lo até a estação Futamatao. Em Tachikawa fez a baldeação para a linha Chûô.

Na estação Mitaka, mãe e filha se sentaram em frente a Tengo. As duas estavam bem-vestidas, apesar de certamente não usarem peças caras e tampouco novas; mas as roupas eram asseadas e bem-cuidadas. As peças brancas estavam impecavelmente alvas e muito bem-passadas. A menina devia estar na segunda ou terceira série do curso primário. Tinha uns olhos grandes e o rosto bonito. A mãe era magra, tinha os cabelos presos atrás, usava óculos de aro preto e carregava uma sacola de pano grosso desbotado. A sacola estava cheia, repleta de coisas. Ela também tinha um rosto bonito, mas as marcas de fadiga nas extremidades de seus olhos faziam com que aparentasse ser mais velha do que provavelmente era. Apesar de estarem em meados de abril, ela carregava uma sombrinha que, de tão bem-enrolada, mais parecia um bastão ressecado.

As duas ficaram sentadas sem dizer nada durante todo o trajeto. A mãe parecia planejar algo mentalmente e a menina, sem ter o que fazer, olhava para os sapatos, o piso, o anúncio que pendia do teto ou olhava para Tengo, sentado a sua frente. O corpo grande e as orelhas amassadas de Tengo pareciam ter chamado sua atenção. As crianças pequenas costumavam fitá-lo desse mesmo jeito: como se olhassem um animal esquisito, porém inofensivo. A menina praticamente não mexia o corpo nem a cabeça, mas, em compensação, seus olhos não paravam quietos, mirando avidamente tudo que havia ao redor.

Mãe e filha desceram na estação Ogikubo. Quando o trem começou a reduzir a velocidade, a mãe, com a sombrinha na mão esquerda e a sacola na direita, levantou-se sem dizer nada. A filha tratou de fazer o mesmo: levantou-se rapidamente e, seguindo a mãe, desceu do vagão. Quando a menina se levantou, ela deu uma rápida olhada em Tengo. Nesse olhar havia um brilho estranho, como se pedisse ou se queixasse de algo. Era um brilho tênue, mas suficiente para que ele percebesse que aquela menina lhe enviava um sinal —

aquele olhar o fez sentir isso. Mesmo que fosse verdade, que o sinal fosse para ele, não podia fazer nada. Ele não sabia quais eram as circunstâncias, e tampouco tinha o direito de se intrometer. A menina desceu com a mãe na estação Ogikubo, a porta se fechou e Tengo continuou sentado até a próxima estação. No local em que a menina estivera, três estudantes que pareciam voltar de um simulado para o vestibular se sentaram e começaram a conversar animadamente em voz alta. Mesmo assim, a imagem daquela menina quieta continuou a pairar um bom tempo naquele lugar.

  Seus olhos fizeram Tengo se lembrar de uma outra menina. Uma que estudara com ele durante dois anos, na terceira e quarta séries do primário. Ela tinha o mesmo olhar da menina do trem. E também costumava olhar para Tengo daquela maneira. E...

Os pais da garota eram Testemunhas de Jeová: uma ramificação do cristianismo que pregava o fim do mundo, fervorosos no cumprimento do trabalho missionário e que seguiam ao pé da letra tudo o que estava escrito na Bíblia. Não podiam fazer transfusão de sangue, por exemplo. Por isso, se a pessoa sofresse um acidente de carro e estivesse em estado grave, as chances de sobreviver seriam muito menores. Submeter-se a uma cirurgia grande também estava fora de cogitação. Em compensação, quando chegar o fim do mundo, eles serão salvos e, como eleitos de Deus, passarão a viver no Reino de Cristo na Terra por mil anos.

  Essa menina também tinha os olhos grandes e bonitos como os da garota no trem. Eram olhos que chamavam a atenção. O rosto também era bonito, mas a impressão que se tinha era de que uma membrana fina e opaca cobria-lhe o rosto, como se apagasse sua existência. A não ser em casos estritamente necessários, jamais falava na frente de alguém. Nunca expressava no rosto seus sentimentos. Seus lábios estavam sempre cerrados, formando uma linha reta.

  A primeira vez que Tengo reparou nela foi num fim de semana, quando a viu acompanhando sua mãe no trabalho de evangelização. Nas famílias de Testemunhas de Jeová, as crianças acompanham os pais em sua pregação assim que começam a andar. A partir dos três anos, a criança passa a acompanhar principalmente a mãe, de casa em casa, distribuindo uma revista chamada *Sentinela* e divulgando os ensinamentos das Testemunhas de Jeová. Sua mãe explicava com uma linguagem simples os inúmeros acontecimentos do mundo atual que sinalizavam o fim do mundo. Os seguidores chamavam seu Deus de "Okatasama", ou seja, "Jeová". Na maioria das casas visitadas, eram enxotados assim que apareciam. As pessoas fechavam a porta na cara deles. Muitos achavam que a doutrina era por demais intolerante, unilateral e distante da realidade — ou, no mínimo, distante da realidade que consideravam ser a verdadeira. Mas, ainda que raramente, sempre aparecia alguém disposto a escutá-los. Sempre existem pessoas que buscam alguém para conversar, não importa o assunto. E, nessa minoria, ainda que muito mais raramente, existe pelo menos um que passa a frequentar as reuniões do grupo. É em busca desse um em um milhão que continuam tocando as campainhas de casa em casa. Essa constante dedicação de fazer com que as pessoas — ainda que poucas — despertem para a Verdade é que legitima o cumprimento de uma missão divina a eles atribuída. Quanto mais difícil o dever a ser cumprido ou maior o objetivo a ser almejado, mais gloriosa será a recompensa.

 A menina andava com a mãe nessa missão de evangelização. A mãe carregava numa das mãos uma sacola de pano cheia de exemplares da *Sentinela* e, na outra, geralmente uma sombrinha. A uns passos atrás, a menina a seguia sempre com os lábios cerrados e o rosto inexpressivo. Tengo passou por ela algumas vezes andando na rua quando fazia a rota de cobrança das taxas da NHK com seu pai. Ele a reconhecia e ela também. E toda vez que isso acontecia, Tengo tinha a impressão de ver um brilho furtivo em seus olhos. Mas eles nada diziam. Nem sequer se cumprimentavam. O pai de Tengo estava ocupado em melhorar sua classificação entre os cobradores da empresa, e a mãe dela em explicar quão perto estava o fim do mundo. Somente aos domingos as duas crianças se entreolhavam rapidamente enquanto caminhavam apressadas, puxadas pelos pais.

 Todos os colegas de classe sabiam que ela era Testemunha de Jeová. Por motivos religiosos, ela não participava das festividades de Natal nem das excursões a santuários xintoístas e templos budistas. Não participava também das gincanas esportivas nem cantava os hinos da escola e da pátria. Esse tipo de conduta, que, no mínimo, poderia ser exagerada, deixava-a completamente isolada do resto da classe. Na hora do almoço, antes de se servir, ela precisava recitar uma oração especial. E a oração tinha de ser dita em voz alta, de modo bem claro para que todos pudessem ouvi-la. As crianças ao redor ficavam assustadas e, com certeza, a menina não devia gostar de rezar na frente de todos. Mas, de tanto martelarem na cabeça dela que era preciso rezar antes das refeições, ela não podia simplesmente deixar de fazê-lo porque não havia outros devotos. E sabia que Okatasama estava no Céu e que Ele tudo via, sem deixar escapar nada.

Pai nosso que estais no Céu, santificado seja o Vosso Nome; venha a nós o Vosso Reino. Perdoai as nossas ofensas. Conceda-nos a Vossa bênção em nossa humilde caminhada. Amém.

A memória é uma coisa muito estranha. Tengo ainda era capaz de lembrar essa prece de vinte anos atrás. **Venha a nós o Vosso Reino.** No primário, toda vez que ele a escutava, tentava imaginar como seria esse reino; e se nele existia a NHK. Lógico que não. Se não tinha a NHK, não tinha cobradores. Sendo assim, Tengo achava que o melhor seria que esse reino chegasse logo.
Tengo nunca conversou com ela. Apesar de estudarem na mesma classe, ele nunca teve a oportunidade. A menina costumava ficar sozinha, distante dos outros, e só falava o estritamente necessário. Ninguém a procurava para conversar. Mas, no fundo, Tengo tinha simpatia por ela. Em parte, porque tinham algo em comum: aos domingos, eram forçados a acompanhar os pais tocando as campainhas de casa em casa. Apesar das diferenças entre a evangelização e o trabalho de cobrador, Tengo sabia muito bem quão profundo era o sofrimento de uma criança obrigada a acompanhar os pais nesse tipo de atividade. Domingo é o dia de as crianças brincarem à vontade com outras crianças. Não é para ficarem por aí ameaçando as pessoas a pagar taxas ou propagando a trágica chegada do fim do mundo. Esse tipo de coisa — se fosse realmente necessário — deveria ser feito somente por adultos.

* * *

Uma única vez, Tengo ajudou a menina por conta de um pequeno incidente. Foi no outono, na quarta série. No laboratório de ciências, ela foi duramente criticada pelo grupo de colegas que compartilhavam a mesa de experiências, pois havia errado no procedimento. Tengo não se lembrava mais do erro que ela cometera. Naquele dia, um dos meninos começou a debochar dela por ser Testemunha de Jeová e ter de ficar batendo de porta em porta distribuindo livretos idiotas. Começou a chamá-la de Okatasama. Foi algo inusitado, pois a turma, em vez de rir dela ou maltratá-la, normalmente agia como se ela fosse uma *coisa inexistente*, ignorando-a por completo. No entanto, na aula de ciências, em que o trabalho é realizado em grupo, não se podia excluí-la. E, naquele dia, as palavras desferidas pelo menino foram realmente venenosas. Apesar de Tengo estar sentado na mesa ao lado, não conseguiu ignorar esse abuso. Ele não sabia o motivo, mas não conseguiu deixar a coisa passar.

Tengo foi até a outra mesa e pediu que a menina fosse para o grupo dele. Disse isso sem pensar muito, sem hesitar; foi uma atitude instintiva. Em seguida, explicou detalhadamente os pontos essenciais da experiência. A menina ouviu atentamente, entendeu e não errou mais. Apesar de estudarem juntos havia dois anos, essa foi a primeira vez (e a última) em que se falaram. Tengo tinha boas notas, era grande e forte. Todos o respeitavam. Por isso, ninguém ousou debochar de Tengo por ter protegido a menina — pelo menos não naquele momento. Mas, apesar de ninguém o dizer, o fato de ele ter protegido a Okatasama parecia ter diminuído sua reputação perante a classe. Era como se a turma achasse que Tengo estava contaminado só porque a defendera.

Tengo não dava a mínima. Ele sabia muito bem que ela era uma garota comum. Se os pais dela não fossem Testemunhas de Jeová, certamente teria uma vida normal, como qualquer outra garota, e seria aceita por todos. Com certeza, teria bons amigos. Mas só pelo fato de seus pais serem Testemunhas de Jeová, todos na escola a tratavam como se ela fosse invisível. Ninguém queria falar com ela. E nem sequer a olhavam. Para Tengo, isso tudo era muito injusto.

Depois daquele episódio, Tengo e a menina nunca mais se falaram. Não havia necessidade nem tiveram oportunidade para isso. No entanto, quando, sem querer, seus olhos se encontravam, o rosto dela parecia esboçar uma pequena tensão que a deixava levemente ruborizada. Tengo percebia isso. Ela podia estar chateada com sua ajuda no laboratório de ciências. Poderia estar brava, achando que teria sido melhor ele não ter feito nada, deixando-a em paz. Tengo não sabia exatamente o que pensar. Ele ainda era criança e não sabia interpretar, na expressão facial do outro, as sutilezas do coração.

 Certo dia, a menina segurou a mão de Tengo. Era uma tarde ensolarada de início de dezembro. Da janela, dava para ver o céu alto com faixas de nuvens brancas. Naquele dia, após o término das aulas, os dois estavam sozinhos e tinham acabado de terminar a limpeza da sala. Não havia mais ninguém. A menina, decidida, atravessou rapidamente a sala e se postou ao seu lado. Sem hesitar, pegou sua mão e, sem dizer nada, ergueu a cabeça para fitá-lo (Tengo tinha uns dez centímetros a mais que ela). Tengo a olhou de volta, surpreso. Ela manteve seu olhar. Foi então que ele descobriu uma profundidade translúcida em suas pupilas que jamais tinha visto na vida. A menina ficou um bom tempo segurando sua mão, quieta. Segurava-a firme, sem soltá-la por um segundo sequer. Um tempo depois, ela a soltou, deu uma rápida meia-volta, girando a barra da saia, e saiu correndo.

 Tengo ficou mudo, petrificado, sem entender nada. A primeira coisa que lhe passou pela cabeça foi a sorte que teve de ninguém tê-lo visto. Não conseguia imaginar o alvoroço que isso poderia provocar, caso alguém tivesse presenciado a cena. Ele olhou ao redor e ficou aliviado. Logo depois, sentiu-se muito abalado.

A mãe e a filha que sentaram na frente de Tengo da estação Mitaka até Ogikubo podiam ser Testemunhas de Jeová. Podiam estar em atividade missionária, como sempre faziam aos domingos. Naquela sacola de pano estariam carregando exemplares da *Sentinela*. Ao ver a mãe segurando a sombrinha e perceber aquele brilho tênue nos olhos da menina, ele se lembrou daquela menina quieta que estudara na mesma classe que ele.

 Não. Elas não eram Testemunhas de Jeová, eram apenas mãe e filha normais, a caminho de alguma aula. Dentro da sacola havia partituras de música, material para caligrafia, algo assim.

Tengo achou que estava muito suscetível. Fechou os olhos e soltou o ar lentamente. Aos domingos, o tempo flui de modo estranho, e a paisagem se distorce de forma misteriosa.

Ao voltar para casa, preparou alguma coisa simples e jantou. Foi quando se deu conta de que não tinha almoçado. Após o jantar, pensou em telefonar para Komatsu. Com certeza, ele estaria ansioso para saber do encontro. Mas, por ser domingo, não estaria no trabalho. Tengo não tinha seu número residencial. "Deixa pra lá, se ele realmente quiser saber como foi, vai ligar", pensou.

    Os ponteiros do relógio indicavam que já eram dez da noite e, quando Tengo se preparava para dormir, o telefone tocou. Logo pensou que era Komatsu. Ao atender, ouviu a voz de sua namorada casada.

    — Oi! Não vou poder ficar muito, mas será que depois de amanhã posso dar um pulinho aí? — ela perguntou.

    Ao fundo, dava para ouvir um leve som de piano. O marido provavelmente ainda não tinha voltado. Tengo respondeu que sim. Se ela aparecesse, teria de interromper por um tempo a revisão de *Crisálida de ar*. No entanto, ao ouvir sua voz, sentiu o quanto realmente necessitava de seu corpo. Após desligar, foi para a cozinha, colocou no copo uma dose de Wild Turkey e, em pé, ali mesmo, de frente para a pia, tomou-o num só gole. Em seguida, deitou-se na cama, leu algumas páginas de um livro e dormiu.

    Assim terminou o longo e estranho domingo de Tengo.

13
Aomame
Vítima por natureza

Ao despertar, percebeu como a ressaca era forte. Normalmente, Aomame não ficava assim. Podia beber à vontade que, na manhã seguinte, acordava lúcida e com disposição para as tarefas do dia. Era algo de que se orgulhava. Mas, justamente naquele dia, não entendia o porquê das pontadas nas têmporas e de sentir uma bruma a turvar sua consciência. Era como se um anel de ferro envolvesse sua cabeça, comprimindo-a contínua e impiedosamente. Os ponteiros do relógio passavam das dez. A luz do final da manhã provocava-lhe doloridas alfinetadas no fundo dos olhos, e o ronco das motos passando em frente a sua casa reverberava no quarto como máquinas de tortura.

Apesar de estar deitada totalmente nua na cama, não conseguia se lembrar de como voltara para casa. As roupas que vestia na noite passada estavam espalhadas pelo chão, jogadas de qualquer jeito. Da forma como jaziam, fora provavelmente ela quem as arrancara e as atirara ao chão. A bolsa estava sobre a mesa. Aomame foi para a cozinha pulando as roupas e bebeu seguidamente vários copos de água da torneira. Depois, foi ao banheiro lavar o rosto com água fria e, nua, parou em frente a um espelho. Observou atentamente todas as partes do corpo e, ao constatar que não havia nenhum machucado, respirou aliviada: "Que bom", pensou. Mesmo assim, da cintura para baixo, restava aquela típica sensação da manhã seguinte a uma intensa noite de sexo: uma agradável languidez ao sentir que seu corpo fora todo remexido por dentro. Então sentiu também um leve desconforto no ânus. "Mas que coisa!", pensou, apertando as têmporas com as pontas dos dedos. "Até isso aqueles caras fizeram..." Infelizmente, ela não se lembrava de nada.

Com a consciência envolta em brumas, tomou uma ducha quente com uma das mãos apoiada na parede. Lavou o corpo com sabonete, esfregando-o com força para apagar as lembranças — ou essa coisa inominável que a elas se assemelhava — da noite anterior.

Lavou com especial esmero a vagina e o ânus. Lavou também os cabelos. E, suportando o cheiro enjoativo da pasta mentolada, escovou os dentes para tirar o denso mau hálito. Depois, recolheu as peças íntimas e a meia-calça espalhadas pelo quarto e, olhando de soslaio o cesto de roupas, jogou-as dentro de qualquer jeito.

Verificou o conteúdo da bolsa sobre a mesa. A carteira estava dentro. O cartão de crédito e o cartão do banco também. O dinheiro praticamente não tinha diminuído. O que ela gastara na noite anterior teria sido apenas o valor do táxi da volta. A única coisa que faltava eram os preservativos que sempre carregava por precaução. Ao contar, verificou que faltavam quatro. Quatro? Dentro da carteira encontrou uma folhinha dobrada ao meio com um número de telefone na cidade. Mas ela não tinha nenhuma ideia de quem poderia ser.

Deitou-se novamente na cama e tentou resgatar ao máximo os acontecimentos da noite anterior. Ayumi fora até a mesa em que os homens estavam, conversara amigavelmente com eles, os quatro começaram a beber e o clima ficou animado. Depois, fizeram o previsível. Ocuparam dois quartos num hotel das proximidades. Conforme o combinado, Aomame fez sexo com o homem de cabelos ralos e Ayumi ficou com o jovem de compleição grande. O sexo até que não foi ruim. Ela e seu par tomaram banho de ofurô e fizeram um longo e caprichado sexo oral. Antes da penetração, não descuidaram da camisinha.

Cerca de uma hora depois, o telefone tocou. Era Ayumi, perguntando se podiam ir até o seu quarto para beberem juntos. Aomame concordou. Um pouco depois, Ayumi e o seu acompanhante chegaram. Pediram uma garrafa de uísque e um balde de gelo ao serviço de quarto e os quatro começaram a beber.

Aomame não conseguia se lembrar do que acontecera depois. Ao que tudo indicava, depois que os quatro se juntaram ela deve ter ficado bêbada rapidamente. Teria sido por conta do uísque — Aomame não costumava tomá-lo — ou será que, diferente das outras vezes em que ficava sozinha com um homem, dessa vez ela teria baixado a guarda por estar com uma parceira? Tinha uma vaga lembrança de que trocaram de pares e, novamente, transaram. Ela ficou com o rapaz na cama e Ayumi com o homem calvo no sofá. Parece que tinha sido isso. E depois... Depois, tudo estava envolto numa densa névoa. Não conseguia se lembrar de nada. Tudo bem. O jeito era esquecer — o que quer que fosse —, nem ao menos tentar se lembrar. O mais importante na história é que ela tinha feito muito sexo, e pra valer. E que, provavelmente, nunca mais veria aqueles caras de novo.

Mas será que da segunda vez também usara camisinha? Era uma dúvida que a perseguia. Não podia se dar ao luxo de engravidar ou pegar uma doença venérea por conta de um deslize daqueles. Mas não havia de ser nada. Por mais que estivesse embriagada ou com a mente confusa, pelo menos isso ela não poderia ter deixado passar.

"Será que hoje eu tinha algum compromisso de trabalho? De trabalho, não. Hoje é sábado, dia em que não costumo trabalhar. Não. Espera um pouco. Hoje fiquei de ir às três horas fazer uma sessão de musculação com a senhora da Mansão dos Salgueiros em Azabu", pensou Aomame. Dias antes, Tamaru entrara em contato pedindo para mudar o compromisso da sexta para o sábado, dizendo que a velha senhora precisava ir ao hospital fazer exames. Aomame tinha se esquecido totalmente disso. Mas ainda faltavam quatro horas e meia. Com certeza até lá a dor de cabeça deveria passar e sua mente ficaria mais desanuviada.

Preparou um café forte e se forçou a tomar vários goles para preencher o estômago. Depois vestiu o roupão de banho e, deitada na cama, passou praticamente a manhã olhando o teto, sem ânimo para se mover. Apesar de não ver nada de interessante ali, não tinha do que reclamar. Afinal, o teto não estava lá para divertir as pessoas. O relógio marcava meio-dia, mas ela estava sem apetite. Os motores dos carros e das motos continuavam a reverberar estrepitantes em sua cabeça. Era a primeira vez que tinha uma ressaca assim.

Apesar disso, o sexo parecia ter sido muito benéfico para seu corpo. Ser abraçada por um homem, deixar o seu corpo nu ser contemplado, tocado, lambido, mordido; sentir o pênis penetrá-la, fazendo-a gozar inúmeras vezes, eliminou aquela incômoda *tensão* que sentia. Era horrível estar de ressaca, mas isso era plenamente compensado pela total sensação de alívio.

"Mas até quando faria isso?", pensou Aomame. Afinal, até quando ela *conseguiria continuar* a fazer isso? Logo completaria trinta anos. E, num piscar de olhos, os quarenta estariam logo ali.

Achou melhor não pensar nisso. Faria isso em uma outra ocasião, com mais calma. Por enquanto, o assunto não era urgente. Para pensar seriamente nisso, ela...

Foi então que o telefone tocou. Aos ouvidos de Aomame, a campainha soou como um ruído ensurdecedor. Era como se estivesse dentro de um trem expresso na saída de um túnel. Levantou cambaleante da cama e pegou o fone. O relógio grande na parede marcava meio-dia e meia.

— Aomame? — perguntou uma voz de mulher meio rouca. Era Ayumi.

— É ela — respondeu Aomame.

— Tudo bem? Pela sua voz, parece que você acabou de ser atropelada por um ônibus.

— Acho que foi quase isso.

— Está de ressaca?

— Pois é. E das bravas — disse Aomame. — Como é que você descobriu o meu telefone?

— Você não se lembra? Foi você mesma que me deu por escrito dizendo que, em breve, poderíamos nos encontrar de novo. Se não me engano, acho que meu telefone deve estar na sua carteira.

— Ah! Então é isso. Não consigo me lembrar de nada.

— Hum. Bem que desconfiei. E foi por isso que te liguei. Fiquei preocupada — disse Ayumi. — Queria ter certeza de que voltou pra casa, apesar de eu ter te colocado num táxi em um cruzamento de Roppongi e ter indicado o endereço.

Aomame suspirou.

— Não consigo me lembrar, mas, pelo visto, consegui chegar. Quando acordei, estava na cama.

— Que bom!

— O que você está fazendo?

— Trabalhando — respondeu Ayumi. — Estou num minicarro-patrulha aplicando multas desde as dez. Agora dei uma parada para descansar um pouco.

— Puxa, que máximo — disse Aomame, admirada.

— Mas realmente faltou dormir um pouco mais. Mas quer saber? Ontem à noite foi muito legal. Foi a primeira vez que me diverti assim. Graças a você.

Aomame apertou a têmpora com o dedo.

— Para ser sincera, não me lembro bem o que aconteceu do meio em diante. Ou seja, do que aconteceu depois que vocês vieram para o nosso quarto.

— Ah, que pena! — disse Ayumi com a voz séria. — Depois de ficarmos todos juntos é que foi demais. Nós quatro fizemos tantas coisas que nem dá pra acreditar. Foi como num filme pornô. Eu e você, peladas, fingindo que éramos lésbicas. E ainda...

Aomame interrompeu rapidamente a conversa.

— Tudo bem, sem problemas; mas será que eles usaram camisinha? Estou preocupada, não consigo me lembrar...

— Claro que usaram. Não se preocupe. Fiquei o tempo todo atenta a isso. Saiba que, além de aplicar multas, visito as escolas secundárias do distrito, reúno as alunas no auditório e, entre outras coisas, ensino detalhadamente a maneira correta de colocar a camisinha.

— Ensina a usar camisinha? — perguntou Aomame, surpresa. — Mas por que cargas-d'água uma policial precisa fazer isso?

— A princípio, o objetivo das visitas é alertar as garotas sobre os riscos de abusos sexuais, sobre como elas devem agir contra os agressores, e como evitar que sejam vítimas de violência sexual. Mas eu aproveito a oportunidade para dar o meu recado: digo a elas que, se forem transar, já que isso acontece, é preciso se cuidar para não correr o risco de engravidar ou pegar uma doença venérea. É claro que, na frente dos professores, não falo disso tão abertamente. Por isso, usar camisinha já faz parte de meu instinto profissional. Por mais que eu tenha bebido, nunca me descuido. Pode ficar tranquila. Você está totalmente limpa. O meu lema é: sem camisinha, sem penetração.

— Muito obrigada. Isso me deixa mais tranquila.

— Você não quer saber os detalhes do que fizemos ontem à noite?

— Vamos deixar pra outro dia — disse Aomame, soltando o ar denso acumulado nos pulmões. — Da próxima vez você me conta, está bem? Agora parece que minha cabeça vai rachar ao meio.

— Entendi. Da próxima vez te conto — disse Ayumi, bem-humorada. — Aomame, desde que acordei hoje de manhã estive pensando... você não acha que formamos uma bela dupla? Será que posso te ligar de novo? Quero dizer, posso te ligar quando tiver vontade de fazer aquilo de ontem?

— Pode sim — respondeu Aomame.
— Legal.
— Obrigada por ligar.
— Cuide-se — disse Ayumi, e desligou o telefone.

Às duas da tarde, graças ao café forte e à soneca, sua cabeça havia se desanuviado. A dor de cabeça também tinha passado. Sentia apenas uma leve moleza no corpo. Aomame saiu de casa com sua bolsa de ginástica. Naturalmente, sem o picador de gelo especial. Levava somente uma muda de roupa e uma toalha. Como sempre, Tamaru a recebeu no terraço.

Aomame foi conduzida ao estreito e comprido solário. As amplas janelas de vidro voltadas para o jardim estavam abertas, mas todas tinham cortinas de renda para evitar a visão de quem estava do lado de fora. Nos peitoris havia uma fileira de plantas com belas folhagens. Dos pequenos alto-falantes do teto ouvia-se uma serena música barroca: uma sonata para flauta doce e cravo. No centro da sala havia uma mesa para massagens e, sobre ela, a velha senhora, com um robe branco, aguardava-a de bruços.

Assim que Tamaru se retirou da sala, Aomame trocou de roupa, colocando as que costumava usar para se exercitar. Deitada na cama e com a cabeça voltada para Aomame, a velha senhora a observava. Aomame não se importava em ser vista nua por alguém do mesmo sexo. Para quem é atleta, era a coisa mais natural do mundo, sem contar que a velha senhora também costumava ficar praticamente nua na hora da massagem, para que Aomame verificasse seu condicionamento muscular. Aomame tirou a blusa e o calção de algodão e vestiu um conjunto de duas peças em jérsei. Em seguida, dobrou as roupas e as acomodou num canto da sala.

— Você tem o corpo tão rígido e bem-delineado — disse a velha senhora, para em seguida se levantar, tirar o robe e ficar apenas com um conjunto de duas peças de seda.

— Muito obrigada — respondeu Aomame.

— Antigamente, eu tinha um corpo como o seu.

— Acredito que sim — disse Aomame. Ela realmente achava isso. Mesmo hoje, com mais de setenta anos, seu corpo ainda tinha vestígios nítidos da juventude. Não perdera a linha da silhueta e os seios mantinham-se relativamente firmes. A alimentação comedida e os exercícios diários preservaram sua beleza natural. Uma beleza que Aomame achava que também era preservada graças a pequenas cirurgias plásticas que, de tempos em tempos, amenizavam algumas rugas, e um pouco de lifting para os contornos dos olhos e lábios. — Seu corpo ainda hoje é muito bonito — disse Aomame.

A velha senhora contorceu levemente os lábios.

— Obrigada. Mas não se compara com o de antes.

Aomame não disse nada.

— Aquele corpo me deu muito prazer e também proporcionou muito prazer ao meu companheiro. Você entende o que estou dizendo, não entende?

— Entendo.

— E você? Tem prazer com o seu corpo?

— De vez em quando — respondeu Aomame.

— De vez em quando é pouco — disse a velha senhora deitada de bruços. — O prazer é algo que, quando se é jovem, deve se ter, e muito. Até a mais completa satisfação. Quando estiver velha e não puder mais senti-lo, serão essas lembranças que aquecerão seu corpo.

Aomame se lembrou da noite anterior. Ela ainda sentia um leve resquício da penetração anal. Será mesmo que aquele tipo de lembrança conseguiria aquecer-lhe o corpo quando estivesse velha?

Colocou as mãos no corpo da senhora e, compenetrada, iniciou a sessão de alongamento. Agora já não sentia mais aquela sensação de moleza. Ao colocar o conjunto de jérsei e tocar a velha senhora, seus sentidos estavam novamente apurados.

Com a ponta dos dedos, verificou os músculos da velha senhora como num mapa. Aomame registrava detalhadamente cada músculo retesado, e sua reação ao toque, como uma pianista memorizando uma extensa partitura. Aomame tinha um poder inerente de minuciosa memorização. Se porventura esquecesse algum detalhe, seus dedos fariam com que recordasse. Se pelo toque ela percebesse que algum músculo estava um pouco fora do normal, ela o estimulava com massagens feitas de vários ângulos, com graus diferentes de intensidade, e aproveitava para verificar o tipo de reação que isso provocava: dor, alívio ou indiferença. Quando algum estava tenso, Aomame não se limitava apenas a deixá-lo relaxado, mas também ensinava a velha senhora a fazer, ela própria, exercícios musculares. Logicamente, havia regiões em que, sozinha, a velha senhora dificilmente conseguiria aliviar a tensão. Ali, Aomame orientava cuidadosamente alguns exercícios de alongamento, pois o que os músculos realmente mais apreciavam e acolhiam era o esforço diário da própria pessoa.

— Dói aqui? — perguntou Aomame. Os músculos da parte superior das coxas estavam muito mais retesados que de costume. Terrivelmente enrijecidos. Aomame apoiou a mão no intervalo e flexionou um pouco a coxa num determinado ângulo.

— Muito — disse a velha senhora, contorcendo o rosto.

— Muito bem. Sentir dor é um bom sinal. O pior seria deixar de senti-la. Vai doer mais um pouco, consegue aguentar?

— É claro que sim — respondeu a velha senhora. Na verdade, era desnecessário perguntar esse tipo de coisa. A velha senhora era muito perseverante e geralmente era capaz de aguentar tudo sem soltar um gemido. Seu rosto se contorcia, mas ela jamais gritava. Aomame presenciou várias vezes homens grandes e fortes inadvertidamente gritarem de dor durante a massagem. Era por isso que sempre admirara a força de vontade dessa velha senhora.

Aomame apoiou o cotovelo direito, mantendo-o fixo como uma alavanca, e flexionou ainda mais a coxa da velha senhora. Ouviu-se um barulho brusco e seco, e a articulação se moveu. A velha senhora ofegou de dor, mas sem emitir sons.

— Com isso, vai ficar bem — disse Aomame. — Vai se sentir mais aliviada.

A velha senhora expirou aliviada. Gotas de suor brilhavam em sua testa.

— Obrigada — disse em voz baixa.

Durante exatamente uma hora, Aomame massageou todo o corpo da velha senhora de modo a estimular e alongar os músculos e relaxar as articulações. Isso normalmente era acompanhado de muita dor. Não se obtinham resultados sem sofrimento. Aomame sabia disso, e a velha senhora também. Durante essa hora, as duas praticamente não abriram a boca. Em algum momento a sonata terminou e o toca-discos manteve-se quieto. A não ser pelo canto dos pássaros que visitavam o jardim, nada mais podia se ouvir.

— Sinto o meu corpo bem mais leve — disse a velha senhora um pouco depois. Ela estava de bruços, exausta. A toalha grande que cobria a mesa de massagem estava escura, molhada de suor.

— Que bom! — disse Aomame.

— É ótimo poder contar com você. Se você algum dia não puder mais vir, com certeza ficarei triste.

— Não se preocupe. No momento, não tenho nenhuma intenção de deixá-la.

A velha senhora pareceu um pouco confusa e, após uma breve pausa, perguntou:

— Perdoe-me a intromissão num assunto que não me diz respeito, mas você gosta de alguém?

— Eu gosto de uma pessoa — respondeu Aomame.

— Isso é muito bom.

— Mas, infelizmente, ela não gosta de mim.

— Sei que é uma pergunta um tanto estranha — disse a senhora —, mas por que essa pessoa não gosta de você? Objetivamente falando, você é uma mulher jovem e atraente.

— É porque essa pessoa não sabe que existo.

Durante um bom tempo, a velha senhora ficou em silêncio, refletindo sobre o que acabara de ouvir.

— Você não tem vontade de deixar essa pessoa saber de sua existência?

— No momento, não — respondeu Aomame.

— Há alguma razão para isso? Algo que a impeça de se aproximar dela?

— Existem várias razões, mas muitas são de problemas emocionais meus.

A velha senhora olhou para Aomame com uma expressão de admiração.

— Já conheci muitas pessoas excêntricas, e creio que você seja uma delas.

Aomame entreabriu levemente os lábios.

— Eu não tenho nada de especialmente diferente. Apenas tento ser sincera com os meus sentimentos.
— Uma vez que você define uma regra, segue-a firmemente.
— É isso.
— É um tanto teimosa e irascível.
— Em parte, sim.
— Mas ontem à noite caiu na farra.
Aomame enrubesceu.
— Dá para perceber?
— Basta ver a sua pele. Sentir o seu cheiro. Em seu corpo ainda existem resquícios de homem. Com a idade, passamos a entender muitas coisas, sabia?
Aomame fez uma leve careta.
— Eu preciso disso. Às vezes. Sei que não é algo digno de se gabar, mas...
A velha senhora estendeu os braços e colocou suas mãos delicadamente sobre as de Aomame.
— É claro que sim. De vez em quando, isso também é necessário. Não se preocupe. Não estou te recriminando. Mas acho que você poderia ser feliz de um jeito mais *comum*. Casar com uma pessoa de quem gosta e ter um final feliz.
— Eu também queria que isso acontecesse, mas é difícil, não é?
— Por quê?
Aomame não respondeu. Achava difícil explicar.
— Se você tiver um assunto pessoal e precisar de alguém para conversar, por favor, me procure, está bem? — disse a velha senhora, tirando as mãos das dela para, em seguida, limpar o suor do rosto com a toalha.
— Sobre qualquer coisa. Talvez eu possa te ajudar.
— Muito obrigada — disse Aomame.
— Há coisas que não se aliviam apenas caindo na farra.
— Tem toda a razão.
— Você não está fazendo nada de prejudicial a você — disse a velha senhora. — Absolutamente nada. Está ciente disso, não está?
— Estou — respondeu Aomame. Era realmente o que ela pensava: que não estava fazendo nada que a prejudicasse. Mesmo

assim, alguma coisa deixava sorrateiramente o seu rastro. Como as borras no fundo de garrafas de vinho.

Ainda hoje, Aomame se lembrava constantemente das circunstâncias que culminaram na morte de Tamaki Ôtsuka. Só de pensar que nunca mais conversaria com Tamaki, já sentia seu corpo dilacerado. Tamaki foi a primeira amiga que teve na vida. Era com quem podia trocar confidências, sem esconder nada. Antes de Tamaki, Aomame nunca tivera amigos e, depois dela, também nunca mais teve alguém. Ninguém poderia substituí-la. Se Aomame não a tivesse conhecido, sua vida teria sido muito mais triste e sombria.

As duas tinham a mesma idade e jogavam no mesmo time de softball da escola secundária municipal. Do ginásio ao colegial, Aomame dedicou-se especialmente aos torneios de softball. No começo, não estava muito animada e só jogava por jogar, quando substituía alguém no time, mas, com o passar do tempo, o esporte tornou-se sua razão de viver. Ela se entregava de corpo e alma ao jogo como uma pessoa que se agarra a um poste para não ser levada pelo vendaval. Ela precisava de algo assim. Apesar de não perceber, havia muito tempo que já possuía as qualidades que a destacavam como atleta. Tanto no ginásio quanto no colegial era a atleta principal e, graças a ela, o time conquistou, meio que na brincadeira, vários torneios. As vitórias deram a Aomame uma espécie de confiança — não exatamente confiança, mas algo bem próximo disso. Sua existência no time não era insignificante e, ainda que fosse um mundo pequeno, ter uma posição clara e definida dentro dessa equipe a tornava feliz. *Ela sabia que alguém precisava dela.*

Aomame jogava como arremessadora e quarta batedora e, literalmente, era a principal arremessadora e batedora do time. Tamaki Ôtsuka jogava na segunda base e, além de ser ponta, era também a capitã. Tamaki era baixa, mas tinha reflexos desenvolvidos e sabia usar a inteligência. Conseguia captar rapidamente múltiplas circunstâncias. Na hora de lançar a bola, sabia exatamente como devia inclinar o corpo e, após avaliar rapidamente a direção da bola rebatida, saía correndo para uma cobertura correta. Era muito difícil encontrar uma jogadora de base capaz de fazer isso. Impossível contar o número de jogos vencidos graças a sua capacidade de avaliação. Ela não era uma batedora de longa distância como Aomame, mas, em compensação, sua batida era certeira, e suas pernas, muito ágeis. Como líder, Tamaki também era excelente. Mantinha o grupo unido, criava táticas de jogo, costumava dar bons conselhos para as jogadoras e sabia encorajar a turma. Nos treinamentos, costumava ser muito rigorosa, mas as atletas tinham confiança em sua liderança. Graças a isso, a cada dia o time se tornava mais forte, a ponto de chegar às finais do Torneio de Tóquio. Participaram também do Torneio Nacional das escolas secundárias. Aomame e Tamaki foram escolhidas para fazer parte da seleção de Kantô — que englobava a área de Tóquio e adjacências.

Aomame e Tamaki reconheciam o talento uma da outra e, naturalmente, isso as aproximou; com o tempo, tornaram-se amigas íntimas. Quando o time viajava para jogar, as duas passavam um longo tempo juntas. Elas não tinham segredos entre si. Na quinta série, Aomame decidiu cortar relações com seus pais e foi morar na casa de um tio materno. A família do tio entendeu a situação e todos da casa a acolheram carinhosamente, mas, mesmo assim, ela sabia que aquele não era seu lar. Ela se sentia sozinha e carente. Não sabia o que fazer para encontrar sentido na vida. A família de Tamaki era rica e tinha uma boa posição social, mas, como o relacionamento de seus pais era muito ruim, o ambiente familiar estava em ruínas. O pai quase nunca voltava para casa, e a mãe frequentemente ficava em estado de confusão mental. Fortes dores de cabeça a impossibilitavam de sair da cama por vários dias. Tamaki e o irmão caçula viviam praticamente abandonados. Era comum terem de fazer as refeições em restaurantes da vizinhança, em fast-foods ou se virar com as refeições prontas do tipo *obentô*. Tanto Tamaki quanto Aomame tinham motivos de sobra para se dedicarem ao softball.

Essas garotas solitárias, cada qual com seus problemas, tinham muito a conversar. Nas férias de verão viajaram sozinhas. Quando, uma vez, a conversa se esgotou, uma aos poucos começou a tocar o corpo da outra, deitadas na cama do hotel. Foi um acontecimento único e inusitado, que nunca mais repetiram e jamais ousaram comentar. No entanto, após o episódio, o relacionamento entre elas se tornou muito mais profundo e mais cúmplice.

Mesmo após concluir o colegial e entrar para a faculdade de Educação Física, Aomame continuou a jogar softball. Por ser conhecida como excelente jogadora, ela recebeu um convite para estudar, com uma bolsa de estudos especial, numa faculdade particular de Educação Física. Como não poderia deixar de ser, atuou como atleta principal de softball da faculdade. Enquanto participava dos torneios, também começou a se interessar por medicina esportiva, passando a se dedicar com afinco aos estudos. Também se interessou por artes marciais. Queria aproveitar o período em que estava matriculada na faculdade para adquirir o máximo de conhecimento e habilidade técnica. Não tinha tempo a perder.

Tamaki começou a cursar Direito numa conceituada universidade particular e, após se formar no colegial, largou as competições de softball. Para quem, como ela, tirava notas altas, o softball era apenas uma atividade passageira. Sua intenção era prestar o exame para a magistratura estatal e se tornar juíza. Mesmo seguindo caminhos diferentes, as duas continuaram a ser grandes amigas. Aomame passou a morar no dormitório para estudantes subsidiado pela universidade, isenta de pagar aluguel, e Tamaki continuava a viver na casa dos pais — a mesma casa desolada, mas que ainda lhe proporcionava um certo conforto financeiro. Uma vez por semana elas se encontravam para fazer alguma refeição e colocar os assuntos em dia. Eram tantos os assuntos que as conversas nunca tinham fim.

No outono do primeiro ano, Tamaki perdeu a virgindade. O rapaz era membro do clube de tênis da faculdade e um ano mais velho que ela. Após o encontro do grupo, ele a convidou ao seu quarto e praticamente a estuprou. Não era o caso de dizer que ela não gostava dele, razão pela qual prontamente aceitara o convite, mas o que realmente a deixou chocada foi o modo como ele violentamente a forçou ao sexo, e sua atitude egocêntrica e rude de agir durante o ato. Depois disso, Tamaki resolveu sair do clube de tênis e, durante um bom tempo, ficou deprimida. Esse incidente despertou nela um profundo sentimento de impotência. Perdeu o apetite e, em um mês, emagreceu seis quilos. Tamaki desejara que o rapaz tivesse sido compreensivo e carinhoso. Se tivesse agido assim, se tivesse lhe dado um tempo para se sentir pronta, não haveria problema em se entregar a ele. Tamaki não conseguia entender o motivo daquilo. Não entendia o motivo de tanta violência. Não havia necessidade.

Aomame a consolou e aconselhou-a a dar uma lição no sujeito. Mas Tamaki discordou, dizendo que o erro também fora dela e que, àquela altura, não adiantava mais se queixar. Disse, também, que assumia a responsabilidade por ter aceitado o convite de ir ao quarto dele sozinha e que, sendo assim, a melhor coisa a fazer era esquecer o assunto. No entanto, Aomame sentia na pele quão profunda era a dor que o incidente causara em sua amiga. Não fora apenas uma questão banal sobre a perda da virgindade, mas sobre ferir o que existe de mais sagrado na alma de uma pessoa. Onde ninguém tinha o direito de pisar com os sapatos enlameados. O sentimento de impotência é algo que consome a pessoa até acabar com ela.

Diante disso, Aomame resolveu puni-lo por conta própria. Conseguiu descobrir, por meio de Tamaki, o endereço do apartamento do rapaz e foi até lá com um bastão de softball escondido num tubo de plástico para guardar mapas. Naquele dia, Tamaki fora para Kanazawa assistir a uma cerimônia budista em memória de um parente ou coisa assim, e esse seria seu álibi. Aomame sabia, de antemão, que o rapaz não estava em casa. Com uma chave de fenda e um martelo, partiu a fechadura e entrou no apartamento. Uma vez lá dentro, enrolou várias vezes o bastão com uma toalha e, cuidando para não fazer barulho, começou a quebrar tudo que havia no quarto: televisão, luminária de mesa, relógio, discos, torradeira, vaso de flores... quebrou tudo que fosse possível quebrar. Com uma tesoura cortou o fio do telefone. Arrancou e rasgou as capas dos livros e espalhou no carpete todo o conteúdo da pasta de dentes e do creme de barbear. Espalhou molhos na cama. Tirou os cadernos da gaveta e rasgou as folhas. Quebrou os lápis e as canetas. Quebrou todas as lâmpadas. Rasgou as cortinas e furou as almofadas com uma faca de cozinha. Cortou com a tesoura todas as camisas do armário. Despejou ketchup nas gavetas de cuecas e meias. Tirou o fusível da geladeira e o jogou pela janela. Tirou a tampa da caixa de descarga do vaso sanitário e a quebrou. Esmagou o chuveiro. A destruição foi meticulosa e total, de ponta a ponta. O quarto ficou parecido com o de uma foto tirada logo após um bombardeio em Beirute que ela vira, tempos atrás, estampada no jornal.

* * *

Tamaki era uma garota inteligente — Aomame, em questão de notas, não chegava nem perto dela — e uma jogadora de softball alerta e cautelosa. Quando Aomame se via em apuros no meio de uma partida, Tamaki corria para a área de lançamento, dava um rápido conselho, sorria e dava uma batidinha na bunda de Aomame com a mão enluvada, e voltava rapidamente para a posição de defesa. Tamaki tinha uma visão ampla, era simpática e bem-humorada. Nos estudos também era esforçada, além de comunicativa. Se continuasse a estudar assim, certamente seria uma excelente juíza.

No entanto, diante dos homens, era incrível como sua capacidade de discernimento desaparecia.

Tamaki gostava de rapazes bonitos. Era, por assim dizer, uma pessoa que prezava a beleza física. Aomame achava que sua tendência para o belo beirava a obsessão. Por mais que um homem de bom caráter e extremamente competente se interessasse por ela e a convidasse a sair, ela não daria a mínima se não o considerasse bonito. O tipo de homem de que ela gostava era sempre aquele sem conteúdo e de rosto meigo. Tamaki era uma pessoa inflexível quando o assunto era homem, e jamais acatava os conselhos de Aomame. Normalmente, costumava ouvir e respeitar as opiniões da amiga; mas, se a crítica era sobre os seus namorados, Tamaki nunca lhe dava ouvidos. Com o tempo, Aomame desistiu de aconselhar Tamaki por achar que não valia a pena perder a amizade com discussões desse tipo. Afinal, a vida era de Tamaki. A melhor coisa que Aomame podia fazer era deixá-la agir como bem entendesse. De qualquer modo, enquanto eram universitárias, Tamaki se envolveu com vários homens e sempre estava às voltas com problemas: foi traída, magoada e, por fim, abandonada. Toda vez que isso acontecia, Tamaki ficava num estado de semiloucura. Teve que abortar duas vezes. Em relação aos homens, Tamaki era realmente uma vítima por natureza.

Já Aomame nunca teve namorado sério. De vez em quando, aceitava algum convite para sair, mas, apesar de um ou outro valer a pena, nunca chegou a firmar um relacionamento.

— Você não vai arranjar um namorado? Pretende ficar virgem para sempre? — perguntou Tamaki.

— É que estou ocupada — respondeu Aomame. — Mal consigo dar conta das tarefas diárias, quanto mais de um namorado.

Após se formar, Tamaki continuou na pós-graduação para se preparar para o exame de magistratura.

Aomame começou a trabalhar numa empresa de bebidas esportivas e produtos naturais, e continuou a jogar softball. Mudou-se para o alojamento da empresa no bairro de Yoyogi, enquanto Tamaki permanecia na casa dos pais. Como nos tempos de estudante, nos fins de semana as duas se encontravam para comer fora e pôr as intermináveis conversas em dia.

Aos 24 anos, Tamaki casou-se com um homem dois anos mais velho que ela. Interrompeu os estudos de pós-graduação e desistiu do exame de direito, porque seu marido era contra. Aomame encontrou-se uma única vez com ele. Era de família rica e, como era de se esperar, tinha o rosto bonito, mas de uma beleza apenas superficial. Seu hobby era andar de iate. Tinha a fala mansa e, de certo modo, podia se dizer inteligente, mas não tinha personalidade nem era uma pessoa de palavra. Era um típico homem ao gosto de Tamaki, que provocou em Aomame um pressentimento ruim. Assim que o viu, ela não foi com a cara dele. E ele também parecia não ter ido com a dela.

— Esse casamento não vai dar certo — foi o que ela disse a Tamaki. Aomame não queria se meter, mas, como o assunto era casamento, e não mais um namorico qualquer, ela não podia simplesmente fazer vista grossa a uma amiga tão querida e de longa data. Foi nesse dia que as duas tiveram a primeira discussão acalorada. Ao se ver contrariada, Tamaki ficou histérica e disse coisas muito ríspidas, que Aomame preferia não ter escutado. Aomame não compareceu ao casamento.

Um tempo depois, elas se reconciliaram. Assim que Tamaki voltou da lua de mel, procurou Aomame sem avisar e pediu desculpas por tê-la ofendido. Pediu para Aomame esquecer tudo o que ela dissera e admitiu que, na ocasião, estava fora de si. Disse também que, durante a lua de mel, não parara de pensar em Aomame. Ao ouvir isso, Aomame tranquilizou-a, dizendo que não precisava se preocupar, pois nem se lembrava mais do que havia acontecido. Após essa conversa, as duas se abraçaram longamente e até contaram piadas, dando boas gargalhadas.

Mesmo assim, após o casamento os encontros diminuíram drasticamente. Passaram, então, a trocar cartas e a conversar por telefone, uma vez que Tamaki parecia nunca conseguir tempo para saírem juntas. Ela se justificava dizendo que tinha muitos afazeres, que a vida de dona de casa não era fácil. No entanto, passava a impressão de que seu marido não gostava de vê-la sair de casa para se encontrar com alguém. O fato de Tamaki morar com os pais do marido tolhia ainda mais sua liberdade. Aomame nunca foi convidada para conhecer a nova casa de Tamaki.

Sempre que podia, Tamaki falava que sua vida de casada estava muito boa. Comentava que o marido era carinhoso, e que os pais dele eram gentis com ela. E que não tinham dificuldades financeiras. De vez em quando, nos fins de semana, ela andava de iate em Enoshima. Dizia não se arrepender de ter largado os estudos, pois a pressão de ter de passar no exame era muito grande. Reconhecia que a vida comum que estava levando era a mais acertada e que, com o tempo, teria filhos e se tornaria uma daquelas típicas mães aborrecidas. E que, possivelmente, Aomame não ligaria mais para ela. Tamaki contava essas coisas sempre com a voz alegre, e não havia motivos para desconfiar do que dizia. Aomame lhe dizia que estava contente. E, realmente, sentia-se feliz em ouvir aquilo. Era muito melhor saber que ela tinha errado na previsão sobre o casamento do que constatar que acertara. Aomame achou que Tamaki havia encontrado dentro de si algo que lhe proporcionava paz interior. Pelo menos era disso que queria se convencer.

Como Aomame não tinha mais nenhuma outra pessoa que pudesse considerar amiga, na medida em que o contato com Tamaki foi se espaçando, a vida cotidiana de Aomame tornou-se de certa forma entediante. Já não conseguia mais se dedicar ao softball como antigamente. E, conforme Tamaki se distanciava de sua vida, seu interesse por competições também diminuía. Aomame tinha 25 anos, mas continuava virgem. Às vezes, quando irritada, costumava se masturbar. Mas isso não era motivo para se sentir sozinha, pois, para ela, era penoso manter um relacionamento sério. Ela achava muito melhor continuar só.

* * *

Tamaki se suicidou num dia de ventos fortes de final de outono, três dias antes de completar 26 anos. Usou uma corda para se enforcar em casa. Foi seu marido que a encontrou na tarde do dia seguinte, ao voltar de uma viagem de negócios.

— Não tínhamos problemas em casa e ela nunca se queixou comigo. Não tenho a mínima ideia do motivo do suicídio — disse ele à polícia. Seus pais afirmaram o mesmo.

Mas não era verdade. O constante e violento sadismo do marido deixaram inúmeras feridas em Tamaki, tanto física quanto emocionalmente. O comportamento do marido chegava à beira da paranoia e os pais dele, em parte, sabiam disso. No momento da autópsia, os policiais chegaram a desconfiar de algo ao ver o estado em que o corpo se encontrava, mas isso não veio a público. O marido chegou a ser interrogado, mas, como a causa da morte era claramente suicídio e ele estava em Hokkaido a trabalho, nenhuma ação judicial foi movida contra ele. Quem contou isso em segredo para Aomame foi o irmão caçula de Tamaki, dias depois do ocorrido.

As agressões ocorriam desde o começo, mas, com o tempo, foram se tornando cada vez mais constantes, com requintes de crueldade. No entanto, Tamaki não conseguia fugir daquele lugar, daquele pesadelo. Nunca dissera uma única palavra sobre aquilo para Aomame, talvez por saber de antemão o que ela lhe diria:

— Você tem de sair imediatamente dessa casa.

Mas ela não podia fazer isso.

Um pouco antes de se suicidar, nos momentos finais, Tamaki enviou uma extensa carta a Aomame. A carta começava dizendo que, desde o início, Aomame sempre tivera razão, e que ela é que estava errada. Tamaki terminava dizendo:

> Todos os dias da minha vida têm sido um inferno. Mesmo assim, não consigo sair deste inferno. Se eu sair daqui, não sei direito para onde ir... Estou aprisionada num terrível sentimento de impotência. Eu mesma entrei nessa cela, tranquei a porta e joguei a chave longe. Meu casamento foi um erro. Você tinha razão. Mas o problema mais grave não está no meu marido ou na vida de casada, mas dentro

de mim. Eu mereço sofrer todas essas dores. Não posso culpar ninguém. Você sempre foi minha melhor amiga e a única pessoa em quem confio neste mundo. Mas saiba que não tenho mais salvação. Se possível, jamais se esqueça de mim. Teria sido tão bom se pudéssemos continuar jogando softball juntas, para sempre...

Aomame começou a passar mal enquanto lia a carta. Seu corpo tremia sem parar. Telefonou inúmeras vezes para a casa de Tamaki, mas ninguém atendia, e a ligação caía sempre na secretária eletrônica. Aomame pegou o trem e foi até a casa de Tamaki, em Okusawa, no bairro de Setagaya. A casa era grande, cercada de muros altos. Tocou o interfone e, como o esperado, ninguém atendeu. Apenas se ouvia o cachorro latir. O jeito foi desistir. Aomame não tinha como saber, mas, naquela hora, Tamaki já se encontrava morta. Estava sozinha, pendurada numa corda atada ao corrimão da escada. Em meio ao silêncio que reinava na casa, o telefone e a campainha eram as únicas coisas que inutilmente continuavam a tocar.

A notícia de sua morte não pegou Aomame totalmente de surpresa. No fundo, ela já previa isso. Na hora, nem sequer sentiu tristeza. Tratou de dar uma resposta mecânica, desligou o telefone, sentou-se numa cadeira e só depois de muito tempo é que todos os fluidos de seu corpo começaram a correr. Durante um bom tempo não conseguiu sequer se levantar da cadeira. Telefonou para a empresa, tirou alguns dias de folga dizendo que não estava passando bem e ficou quietinha, confinada dentro de casa. Não comia, não dormia e quase não bebia água. Não foi ao enterro. Sentia como se a chave de algum dispositivo interior tivesse sido virada, emitindo um barulho seco. Foi a partir desse momento que entendeu com muita intensidade que não seria mais a mesma.

Decidiu que aquele homem deveria ser castigado. E que, não importa o que houvesse, ele deveria ser mandado para o fim do mundo, caso contrário certamente faria o mesmo com outra pessoa.

Aomame levou um bom tempo elaborando um plano. Ela sabia exatamente em que ponto da nuca, e com que ângulo, deveria inserir uma agulha fina para causar morte instantânea. A proeza não era para qualquer um, mas ela sabia como fazê-lo. O que precisava agora era aperfeiçoar o toque, para sentir o ponto delicado de modo preciso e rápido, e também obter um instrumento adequado para tal fim. Aomame juntou as ferramentas necessárias e, durante várias horas, dedicou-se a criar um instrumento especial, que parecia um picador de gelo fino e pequeno. Sua extremidade era excepcionalmente fina, fria e pontuda. Ela passou, então, a treinar cuidadosamente as várias maneiras de usá-lo. Quando se convenceu de que estava bom, colocou seu plano em ação. Sem hesitar, com tranquilidade e precisão, fez com que o Reino dos Céus desabasse sobre a cabeça daquele homem. Terminado isso, Aomame chegou até mesmo a fazer uma prece. Uma oração que saiu espontaneamente:

> Pai nosso que estais no céu, santificado seja o Vosso Nome; venha a nós o Vosso Reino. Perdoai as nossas ofensas. Conceda-nos a Vossa bênção em nossa humilde jornada. Amém.

Foi a partir de então que Aomame passou a, periodicamente e com muita intensidade, necessitar do corpo de um homem.

14
Tengo
Coisas que a maioria dos leitores nunca viu antes

Komatsu e Tengo marcaram um encontro no local de sempre, uma cafeteria próxima à estação Shinjuku. O cafezinho não era barato, mas, em compensação, a distância entre as mesas permitia uma conversa sem a preocupação com bisbilhoteiros. O ar era relativamente limpo e a música ambiente fluía em volume baixo, sem atrapalhar. Como sempre, Komatsu chegou vinte minutos atrasado. Ele nunca chegava na hora, e Tengo nunca se atrasava; já era ponto pacífico. Komatsu trazia consigo uma pasta de couro e vestia o habitual blazer axadrezado sobre uma camisa polo azul-marinho.

— Desculpe tê-lo feito esperar — disse Komatsu, sem contudo demonstrar estar realmente chateado pelo atraso. Ele parecia mais bem-humorado que o normal e seus lábios sorriam, esboçando uma lua crescente em plena madrugada.

Tengo aceitou apenas balançando a cabeça, sem dizer nada.

— Desculpe ter te apressado. Sei que não deve ter sido fácil — disse Komatsu sentando-se na cadeira em frente a Tengo.

— Sem exageros, posso dizer que durante esses dez dias eu mesmo não sabia se estava vivo ou morto — disse Tengo.

— Mas você se saiu realmente muito bem. Além de conseguir a aprovação do tutor de Fukaeri, você reescreveu todo o romance. Isso é digno de nota. Foi um feito extraordinário para alguém que, como você, vive no mundo da lua. Confesso que me surpreendeu.

Tengo não deu atenção aos elogios:

— Você leu aquele texto, em forma de relatório, sobre a situação de Fukaeri? Aquele bem extenso...

— Ah! Claro que li. Com muita atenção. Digamos que é uma história um tanto complexa. Digna de um capítulo de uma saga. Mas uma coisa é certa, eu jamais poderia imaginar que aquele

professor, Ebisuno, fosse o tutor de Fukaeri. O mundo realmente é pequeno. E o professor perguntou alguma coisa de mim?
— De você?
— É. De mim.
— Ele não comentou nada.
— Isso é muito estranho — disse Komatsu, inconformado. — Eu e o professor Ebisuno trabalhamos juntos. Eu costumava buscar os manuscritos dele em seu gabinete na universidade. Foi há muito tempo, eu ainda era um jovem editor.
— Como faz muito tempo, vai ver que ele esqueceu. O professor até perguntou que tipo de pessoa você era.
— Que coisa — respondeu Komatsu, balançando a cabeça com uma expressão de contrariedade. — Não pode ser. Isso é impossível. Aquele professor nunca se esquece de nada. A memória dele é excepcional, sei disso porque naquela época conversávamos sobre muitas coisas... Mas tudo bem. Digamos que é um senhor de difícil trato. E, pelo que você escreveu, a situação de Fukaeri parece ser bem complicada.
— Não se trata apenas de ser complicada. Estamos com uma bomba-relógio nas mãos. Fukaeri não é uma garota comum, digo isso em todos os sentidos da palavra. Ela não é simplesmente uma garota bonita de 17 anos. Ela é disléxica e mal consegue ler um livro. Mal consegue escrever uma frase. Além do mais, tem algum tipo de trauma e, por conta disso, perdeu parte da memória. Viveu numa espécie de comuna e não frequentou escolas. O seu pai foi líder de uma organização revolucionária de extrema esquerda e, ao que tudo indica, está diretamente envolvido no incidente do grupo Akebono. A pessoa que a acolheu era conhecida como famoso antropólogo cultural. Se o romance virar notícia, a imprensa vai adorar descobrir esses fatos extremamente *saborosos*. Vai ser um horror.
— Realmente, é como abrir a tampa do caldeirão do inferno. Um tremendo escândalo! — disse Komatsu, mantendo um sorriso nos lábios.
— Deveríamos desistir do plano.
— Desistir do plano?
— O assunto é muito complexo. Arriscado demais. O melhor é devolver o original.

— Não é tão fácil assim. A *Crisálida de ar* que você reescreveu já foi encaminhada para impressão e deve estar na fase das provas tipográficas. Assim que o material for impresso, será encaminhado para os editores e os quatro membros do júri. A essa altura, não posso simplesmente chegar e dizer: "Desculpem-me. Tudo isso foi um erro. Finjam que não aconteceu nada e, por favor, me devolvam o livro."

Tengo suspirou.

— Paciência. Não podemos voltar no tempo — disse Komatsu. Acendeu um Marlboro que tinha na boca com a caixinha de fósforos da cafeteria, estreitando os olhos. — Vou pensar seriamente em como fazer daqui pra frente, você não precisa se preocupar. Se a *Crisálida de ar* for premiada, vamos fazer o máximo para que Fukaeri não se exponha. Inventaremos uma história do tipo "jovem escritora misteriosa que não quer falar em público". Eu assumo o papel de editor encarregado e faço de conta que sou uma espécie de porta-voz. Não se preocupe; está tudo sob controle.

— Não quero questionar sua capacidade, mas lembre-se de que Fukaeri não é dessas garotas comuns. Ela não é de ficar quieta e se limitar a obedecer às ordens. Se ela decidir fazer uma coisa, não importa o que os outros digam, ela o fará de qualquer jeito. O que não lhe agrada simplesmente entra por uma orelha e sai pela outra. Lidar com ela não vai ser tão fácil.

Komatsu, sem dizer nada, girava a caixa de fósforos na mão.

— Saiba que, a essa altura, só nos resta seguir em frente. Para início de conversa, a *Crisálida de ar* que você reescreveu está primorosa! Muito além das minhas expectativas. Quase perfeita. Certamente, o livro vai vencer o prêmio de autor revelação e se tornará notícia. Agora não posso mais enterrá-lo. Na minha opinião, seria um crime. E, como já te disse antes, as coisas estão fluindo.

— Um crime? — indagou Tengo, fitando Komatsu fixamente.

— Existe uma máxima — falou Komatsu — que diz: "Toda arte, toda investigação e, similarmente, toda ação e toda escolha parecem visar alguma forma de bem; portanto, diz-se que o bem é aquilo que todas as coisas visam."

— O que é isso?

— É Aristóteles. *Ética a Nicômaco*. Você já leu Aristóteles?
— Quase nada.
— É bom ler. Você vai gostar. Quando eu não tenho nenhum livro para ler, gosto de ler os filósofos gregos. Nunca me canso. Sempre encontro algo novo para aprender.
— E qual seria o fundamento dessa citação?
— Que todas as coisas visam, em última análise, um dado fim, o bem. O bem, em outras palavras, é aquilo que todas as coisas visam. Deixe as indagações para o dia seguinte — respondeu Komatsu. — Esse é o ponto.
— O que Aristóteles diz sobre o holocausto?
O sorriso de lua crescente de Komatsu tornou-se ainda mais enfático:
— Nesse trecho, Aristóteles só fala de arte, conhecimento e ofício.

Tengo conhecia Komatsu de longa data e nesse período passou a compreender melhor suas duas facetas: a pública e a privada. No mundo editorial, Komatsu era um lobo solitário que fazia o que queria. Muitas pessoas eram enganadas por esse seu jeito. No entanto, se observássemos atentamente a abrangência de suas ações, descobriríamos que tudo o que ele fazia era meticulosamente planejado. Se fosse um jogo de *shôgui*, o xadrez japonês, equivaleria dizer que ele conseguia prever várias jogadas à frente. E, realmente, ele gostava de elaborar estratégias, mas, uma vez que demarcava uma linha limítrofe, nunca ousava extrapolá-la. Arriscaríamos dizer que ele é do tipo nervoso, e que grande parte do que diz ou faz não passa de mera encenação.

Komatsu tomava o cuidado de manter algumas garantias para conseguir sobreviver. Por exemplo, ele mantinha uma coluna literária semanal num jornal vespertino. Ali ele podia elogiar ou criticar diversos escritores. Quando resolvia criticar alguém, seu texto era contundente. Diga-se de passagem, ele era muito bom nisso. A coluna era anônima, mas todas as pessoas do meio literário sabiam quem a escrevia. Como ninguém queria ser malfalado num jornal, os escritores tomavam o máximo de cuidado para nunca se indispor com ele. Se Komatsu pedisse que escrevessem um texto para a revista, dificilmente recusariam o pedido. No mínimo, aceitariam fazê-lo esporadicamente. Se assim não o fizessem, seria imprevisível o que Komatsu escreveria em sua coluna.

Tengo não gostava muito desse lado calculista e interesseiro de Komatsu. Se por um lado ele fazia questão de desprezar os círculos literários, por outro sabia manipular e se beneficiar desse sistema. Komatsu possuía um excepcional instinto de editor, e sempre fora muito generoso com Tengo. Geralmente, seus conselhos sobre como escrever romances eram preciosos. Apesar disso, Tengo procurava manter uma certa distância. Se Tengo se aproximasse demais, Komatsu poderia puxar-lhe o tapete, e as consequências seriam catastróficas. Nesse sentido, Tengo agia como uma pessoa muito cautelosa.

— Como acabei de dizer, a *Crisálida de ar* que você reescreveu está quase perfeita. Muito bom! — disse Komatsu, dando continuidade à conversa. — Mas existe um trecho, um único trecho, que, se possível, gostaria que você mudasse. Não precisa ser agora. Para concorrer ao prêmio o nível do texto está mais que bom. Corrija esse trecho após a premiação, um pouco antes de a obra ser publicada na revista.

— Que trecho?

— Quando o Povo Pequenino termina de fazer a crisálida de ar, aparecem duas luas. A garota olha para o céu e as vê ali. Você se lembra dessa parte?

— É claro que sim.

— Na minha opinião, as referências sobre as luas são insuficientes. Falta explicação. Quero que você as descreva objetivamente, com maior riqueza de detalhes. Este é o único trecho que eu lhe peço para refazer.

— Realmente, a descrição desse trecho é bem enxuta. Mas é que evitei explicar demais para não comprometer o ritmo da narrativa de Fukaeri.

Komatsu levantou a mão com o cigarro entre os dedos.

— Tengo, pense no seguinte. O leitor já deve ter visto inúmeras vezes uma única lua no céu. Não é? Mas certamente ele nunca viu duas. Quando você introduz no romance certas coisas que a maioria dos leitores *nunca* viu antes, é necessário descrevê-las com mais riqueza de detalhes, e o mais exato possível. As únicas descrições que você pode omitir ou que deve excluir são aquelas que a maioria dos leitores já *tenha* visto.

— Entendi — disse Tengo. As palavras de Komatsu faziam sentido. — Vou descrever mais detalhadamente essa parte das duas luas.

— Ótimo! Com isso ficará perfeito — disse Komatsu, para logo em seguida amassar a ponta do cigarro e apagá-lo. — De resto, não tenho mais nada a dizer.

— Fico muito lisonjeado em receber seus elogios, mas, neste caso em particular, não consigo me alegrar de verdade — comentou Tengo.

— Seu desenvolvimento foi rápido — disse Komatsu, de modo bem pausado, para enfatizar as palavras. — Aperfeiçoou o seu domínio da escrita e se aprimorou como escritor. Você devia se alegrar de verdade. Afinal, ao reescrever a *Crisálida de ar*, você deve ter aprendido muitas coisas sobre como escrever romances. Isso vai te ajudar muito quando for escrever seu próximo livro.

— Se houver um próximo.

Komatsu abriu um largo sorriso.

— Não se preocupe. Você já fez o que tinha de fazer. Agora é a minha vez de entrar em cena. Sente-se no banco e assista ao jogo tranquilamente.

A garçonete se aproximou e encheu os copos com água gelada. Tengo tomou metade para só então descobrir que não queria bebê-la.

— Foi Aristóteles que disse que a alma do homem se divide em razão, vontade e desejo? — perguntou Tengo.

— Quem disse isso foi Platão. Aliás, Aristóteles e Platão são tão diferentes como Mel Tormé e Bing Crosby. De qualquer modo, as coisas antigamente eram bem menos complicadas — disse Komatsu. — Você não acha divertido imaginar a razão, a vontade e o desejo sentados ao redor de uma mesa em acalorada discussão?

— Dá até para imaginar qual deles não teria nenhuma chance de ganhar.

— Sabe do que eu gosto em você, Tengo? — disse Komatsu, erguendo o dedo indicador. — É desse seu senso de humor.

Não se trata de humor, pensou Tengo; mas achou melhor se calar.

Após se despedir de Komatsu, Tengo passou na livraria Kinokuniya e, em seguida, foi a um bar das redondezas tomar uma cerveja e ler os livros que acabara de comprar. Era a melhor maneira de conseguir relaxar: comprar livros recém-lançados numa livraria, entrar em algum bar e ler com uma bebida na mão.

Mas, naquela noite, por algum motivo, ele não conseguia se concentrar na leitura. A imagem de sua mãe — que costumava aparecer nas visões — surgia vagamente diante de seus olhos e custava a desaparecer. Ela soltava a alça da camisola branca e mostrava os seios de belo formato, oferecendo-os para que o homem os beijasse. Esse homem não era o seu pai. Era bem mais corpulento, mais jovem e, também, mais bonito. No berço, Tengo, ainda um bebê, dormia com um leve ressonar. Enquanto o homem chupava os seios de sua mãe, ela esboçava no rosto uma expressão de êxtase. Uma expressão muito parecida com a de sua namorada casada ao atingir o orgasmo.

Certa vez, para satisfazer um desejo, Tengo pediu que ela viesse de camisola branca.

— Tudo bem — ela concordou, achando graça. — Se você gosta disso, da próxima vez eu levo uma. Você tem algum outro pedido? Pode pedir qualquer coisa, não precisa ficar envergonhado, está bem?

— Então, se puder, gostaria que viesse de blusa branca. Quanto mais simples, melhor.

Na semana seguinte, ela veio de blusa e camisola brancas. Ele a fez tirar a blusa, abaixou a alça da camisola e chupou seus seios. Do mesmo jeito e na mesma posição do homem que aparecia em suas visões. Naquele instante, sentiu uma leve vertigem. Sua cabeça parecia envolta em névoa, fazendo-o perder a noção do antes e do depois. Teve uma sensação indefinida na parte inferior do corpo que rapidamente se espalhou e, quando se deu conta, seu corpo tremia numa intensa ejaculação.

— Nossa! O que aconteceu? Já gozou? — ela perguntou surpresa.

Tengo não soube dizer o que tinha acontecido. Ele havia ejaculado sobre a camisola, na altura do quadril.

— Me desculpe. Não foi essa a intenção.

— Não precisa se desculpar — disse a namorada para consolá-lo. — Não é nada, basta lavar rapidinho com um pouco de água. É *aquilo de sempre*, não é? Se fosse molho de soja ou vinho tinto, aí sim daria um pouco mais de trabalho.

Ela tirou a camisola e, no banheiro, lavou o sêmen, esfregando delicadamente. Depois, pendurou-a na haste da cortina do chuveiro, para secar.

— A excitação foi tão intensa assim? — ela comentou com um sorriso meigo. Acariciou delicadamente sua barriga. — Pelo visto, Tengo gosta de camisola branca...

— Não é isso — respondeu ele. Mas não podia explicar o verdadeiro motivo do pedido.

— Se você tem alguma outra fantasia pode se abrir comigo, está bem? Prometo que vou colaborar. Eu também adoro fantasias. Não podemos viver sem elas, não acha? Você quer que da próxima vez eu também venha de camisola branca?

Tengo negou com a cabeça.

— Não precisa. Uma vez está bom. Obrigado.

Tengo sempre desconfiou se esse homem jovem que aparecia em suas visões chupando os bicos dos seios de sua mãe não seria seu pai biológico. Seu suposto pai — aquele considerado excelente cobrador da NHK — não se parecia nem um pouco com ele. Tengo era alto, robusto, tinha a testa larga, nariz estreito e orelhas de formato redondo e amassado. Seu pai era baixo, gordo e nada atraente: testa estreita, nariz achatado e orelhas pontudas como as de um cavalo. As feições também eram muito diferentes, praticamente opostas. Tengo era mais para meigo e tranquilo, e, seu pai, nervoso e sovina. Muitas pessoas, quando os comparavam, chegavam a comentar que não pareciam pai e filho.

No entanto, mais do que fisicamente, o que Tengo realmente estranhava era a diferença psicológica quanto à natureza e às inclinações existentes entre eles. Seu pai não tinha o que se poderia chamar de curiosidade intelectual. Certamente não havia recebido uma educação satisfatória; nascera numa família pobre e não tivera a oportunidade de estruturar sua formação intelectual. Nesse sentido, Tengo sentia pena das circunstâncias de vida de seu pai. Mesmo assim, ele não demonstrava sentir o menor desejo de obter conhecimentos gerais — desejo esse que Tengo acreditava fazer parte de cada um, em maior ou menor grau. O pai tinha conhecimentos práticos para enfrentar a vida, mas inexistia nele a postura de quem se esforça para se tornar uma pessoa melhor, aprofundar conhecimentos e ter uma visão de mundo mais ampla.

Apesar de ele viver nesse mundo pequeno, preso a regras rígidas, não parecia sofrer com a limitação nem com a estagnação em que vivia. Em casa, Tengo nunca vira seu pai pegar num livro. Nem sequer assinava um jornal (dizia que assistir aos noticiários regulares da NHK era o suficiente). Não se interessava por música ou cinema. Nunca viajou. A única coisa pela qual ele ainda se interessava um pouquinho era a sua rota de cobrança. Traçava o mapa da região e, com caneta colorida, marcava-o com diferentes cores e, toda vez que sobrava um tempo, costumava verificá-lo. Parecia um biólogo classificando cromossomos.

Em contrapartida, desde pequeno Tengo era considerado o menino prodígio da matemática. Suas notas em aritmética eram excepcionais. No terceiro ano do primário já conseguia resolver problemas do colegial. E, mesmo nas outras matérias, ele se destacava com notas altas sem precisar necessariamente se esforçar. Quando sobrava um tempo, aproveitava para ler livros, e era como se os devorasse. Era muito curioso e, assim como uma escavadeira retira do chão grandes quantidades de terra, ele assimilava rapidamente cada matéria. Por isso, toda vez que olhava para seu pai, não se conformava com o fato de que cerca de metade dos genes que o formavam tivesse sido herdada daquele homem limitado e sem instrução.

A conclusão a que Tengo chegou quando adolescente era de que seu verdadeiro pai devia estar em outro lugar. E que, por algum motivo, ele estava sendo criado por aquele homem que chamava de pai mas, na verdade, não tinha nenhum laço sanguíneo com ele. Assim como as crianças desafortunadas dos romances de Dickens.

Quando era adolescente, essa possibilidade lhe parecia um pesadelo e, ao mesmo tempo, era algo que desejava muitíssimo. Ele praticamente devorava os livros de Dickens. O primeiro que leu foi *Oliver Twist* e, a partir de então, tornou-se um aficionado pelas obras do autor. Leu tudo o que havia na biblioteca. Enquanto viajava nesse universo ficcional, deixava-se levar pela imaginação, sem impor limites. As histórias que imaginava — ou as fantasias que criava — foram se tornando cada vez mais extensas e complexas. O padrão era sempre o mesmo, mas as variações, infinitas. Em todas elas, ele tentava se convencer de que seu verdadeiro lugar não era aquele, de que estava preso na jaula errada. E que um dia, com certeza, seus verdadeiros pais o encontrariam, guiados por uma casualidade. Nesse dia, ele finalmente seria resgatado da jaula horrível e sufocante, voltando para seu lugar de direito. Com isso, poderia desfrutar livremente de um domingo maravilhoso e tranquilo.

  Seu pai ficava contente com as excelentes notas de Tengo na escola. Isso não só o deixava envaidecido, como fazia com que demonstrasse para os vizinhos o orgulho que sentia. Ao mesmo tempo, era possível notar que, em alguma parte recôndita de seu pai, havia um desagrado pelo filho ser tão inteligente e capaz. Quando Tengo estudava debruçado sobre a mesa, o pai costumava atrapalhá-lo, muitas vezes de propósito. Mandava-o fazer tarefas domésticas e procurava qualquer pretexto para perturbá-lo insistentemente com suas queixas. As queixas eram sempre as mesmas: que ele, como cobrador, trabalhava arduamente todos os dias e que, além de caminhar longas distâncias, vez por outra precisava também aguentar insultos e que Tengo, enquanto isso, tinha uma vida confortável e boa. Contava que, quando ele tinha a idade de Tengo, era explorado pela família e, por qualquer coisinha, levava uma surra do pai e do irmão mais velho. Que mal tinha o que comer e era tratado como um animal doméstico. Por fim, jogava na cara de Tengo que ele não devia ficar todo vaidoso só porque ia bem na escola. Seu pai insistia em repetir isso várias e várias vezes.

  A partir de certo momento, Tengo passou a achar que esse homem tinha inveja. O comportamento de Tengo ou o que ele representava deviam causar uma tremenda insatisfação no pai. Mas um pai pode realmente sentir ciúmes de seu próprio filho? Para Tengo, que ainda era uma criança, era muito difícil lidar com aquilo. No entanto, não podia deixar de sentir uma aversão visceral daquela *mesquinhez* lastimável que fluía através das palavras e das ações do pai. E não era somente uma questão de inveja. De vez em quando, Tengo também sentia que o homem odiava algo que existia dentro dele. O pai não odiava a figura do filho. Ele odiava esse *algo* no interior do filho; era algo que não conseguia perdoar.

A matemática era um meio eficaz de fuga para Tengo. Ao se refugiar no mundo das expressões numéricas, ele conseguia escapar dessa incômoda jaula chamada realidade. Desde pequeno, descobriu que bastava mudar o interruptor mental para facilmente se transportar para esse outro mundo. E descobriu que, nesse universo de ilimitadas coordenadas, ele tinha total liberdade para explorá-lo, desde que tivesse a disposição de andar de um lado para o outro. Ele caminhava por corredores sinuosos de um edifício gigante, abrindo as portas numeradas, uma a uma. Ao se deparar com um novo cenário, os vestígios desagradáveis do mundo real se dissipavam por completo. Para Tengo, o mundo regido pelas expressões matemáticas era um ambiente íntegro e seguro para se esconder. Ele conhecia a geografia desse mundo mais que ninguém, e era capaz de escolher com precisão o percurso correto. Ninguém conseguia alcançá-lo. Enquanto estivesse no mundo de lá, ele podia ignorar as regras e esquecer o fardo imposto pelo mundo real.

Se para Tengo a matemática era um grandioso edifício fantástico, o mundo das histórias de Dickens era uma densa floresta encantada. A matemática o conduzia aos céus; já a floresta era algo que se expandia silenciosamente diante de seus olhos. Como uma raiz robusta, fincava-se nas profundezas da terra. Um local sem mapas e sem portas numeradas.

Durante o primário e o ginásio, Tengo mergulhou de cabeça na matemática. O que mais o fascinava era a clareza e o sentimento de liberdade, coisas imprescindíveis em sua vida. Mas, ao atingir a puberdade, começou a ter um sentimento crescente de que aquilo era insuficiente. Enquanto estava no mundo da matemática, nada de errado acontecia. Tudo era conforme o previsto. Nada poderia obstruir-lhe o caminho. No entanto, ao se distanciar desse mundo e retornar ao mundo real — não podia deixar de voltar —, Tengo novamente se via dentro dessa lamentável jaula de sempre. A situação continuava a mesma, sem nenhuma melhora. Aliás, pelo contrário, a impressão era de que as algemas lhe pesavam mais. Sendo assim, para que servia a matemática? Seria apenas um subterfúgio para fugir temporariamente deste mundo? Ou ela apenas servia para piorar ainda mais a situação do mundo real?

À medida que essas dúvidas aumentavam, Tengo resolveu se distanciar da matemática. Assim, a floresta de histórias passou a exercer uma atração ainda mais intensa sobre ele. É claro que ler histórias também não deixava de ser um tipo de fuga, pois, ao fechar as páginas do livro, era preciso voltar ao mundo real. No entanto, certo dia, Tengo percebeu que o retorno do mundo das histórias não era tão frustrante quanto o do mundo da matemática. Mas por quê? Pensou seriamente e chegou à seguinte conclusão: na floresta de histórias, independentemente de elucidar as intrínsecas relações entre os fatos, não há como obter uma resposta clara. Esse era o ponto que a distinguia da matemática. A finalidade da narrativa, em linhas gerais, é desenvolver um problema colocando-o sob outro parâmetro. Conforme a maneira de se expressar e o sentido dessa colocação, a própria história é que vai sugerir algumas respostas possíveis. Era com essas sugestões em mãos que Tengo voltava para o mundo real. Era como se trouxesse consigo um pedaço de papel com palavras mágicas a serem decifradas. Às vezes essas palavras eram incoerentes e, de imediato, não serviam para nada. Mas, mesmo assim, elas continham uma possibilidade. A de um dia conseguir desvendá-las. Era justamente essa possibilidade, vinda de seu âmago, que lhe aquecia o coração.

Com o decorrer dos anos, o modo como as narrativas lhe proporcionavam sugestões passou a atrair cada vez mais seu interesse. A matemática, mesmo hoje, com ele já adulto, era também uma de suas maiores alegrias. Quando ensinava matemática aos alunos da escola preparatória, sentia brotar espontaneamente uma imensa alegria, a mesma que sentia quando criança. E sua vontade era a de compartilhá-la, no sentido ideológico do termo. Poder fazê-lo era algo maravilhoso. Mas o Tengo de agora não conseguia mais adentrar o mundo governado pelas expressões aritméticas sem sentir uma certa restrição. Ele estava ciente de que, por mais que conseguisse explorar o mundo, nele jamais encontraria as respostas que realmente desejava obter.

Na quinta série, após refletir muito, Tengo disse a seu pai que não queria mais acompanhá-lo nas cobranças da NHK. Que, em vez disso, preferia aproveitar o tempo para estudar, ler e passear. Disse que, assim como o pai tinha o seu trabalho, ele também tinha coisas a fazer. Queria ter uma vida normal, como todo mundo.
    Isso foi o que disse. Curto e grosso.
    Seu pai ficou muito bravo. Disse que a família dos outros não tinha nada a ver com a deles e que cada uma tinha o seu próprio jeito de viver. Injuriado, perguntou a Tengo o que ele queria dizer com "ter uma vida normal". Mandou parar com as bobagens e o afrontou ao perguntar quem ele pensava que era para querer uma vida normal. Tengo não retrucou. Limitou-se a ficar quieto. Sabia de antemão que não adiantava falar nada. "Se é assim, tudo bem", disse o pai. "Não vou mais sustentar um filho que ousa me desobedecer. Saia de casa, imediatamente."
    Atendendo ao pedido de seu pai, Tengo juntou as coisas e partiu. Desde o início, já estava decidido e, por mais que seu pai ficasse bravo, xingasse ou levantasse a mão — apesar de não tê-lo feito —, ele não ficaria com medo.
    É claro que uma criança de dez anos não tem condições de se sustentar sozinha. Sem alternativas, naquele dia, após as aulas, Tengo procurou a professora responsável por sua classe e lhe contou a situação em que se encontrava. Disse que não tinha onde dormir naquela noite. Disse o quanto era penoso ter de sair todos os domingos com o pai para cumprir a rota de cobrança da NHK. A tutora era uma mulher solteira na faixa dos 35 anos. Não era bonita e usava óculos de lentes grossas com uma armação horrível, mas era uma pessoa bondosa e justa. Tinha baixa estatura e, normalmente, era gentil e de poucas palavras, mas sua aparência enganava, pois, no fundo, era impaciente e, quando ficava brava, se transformava em outra pessoa, de modo que ninguém podia com ela. Tamanha transformação deixava todos boquiabertos. Mesmo assim, Tengo gostava dela. Mesmo quando estava brava, Tengo não sentia medo.

A professora ouviu sua explicação, entendeu o que ele sentia e se compadeceu. Naquela noite, ela o deixou dormir em sua casa. Estendeu um cobertor no sofá da sala para ele. Preparou o café da manhã e, no final da tarde do dia seguinte, acompanhou Tengo até sua casa e conversou durante horas com o pai.

Tengo não soube o que os dois conversaram, pois pediram a ele que se retirasse da sala. Mas, no final, seu pai teve de voltar atrás. Por mais que estivesse bravo, não podia simplesmente abandonar uma criança de dez anos na rua. A lei estabelecia que os pais eram obrigados a cuidar dos filhos.

Como resultado da conversa, Tengo passaria a ter os domingos livres para passar como quisesse, desde que, no período da manhã, ele fizesse as tarefas domésticas. Mas depois podia fazer o que bem entendesse. Era a primeira vez que Tengo conseguia concretamente conquistar um direito. Seu pai ficou um bom tempo sem falar com ele, mas, para Tengo, era o de menos. O que de fato importava era ter conseguido conquistar algo realmente importante. Era o primeiro passo para a conquista de sua liberdade e independência.

Após terminar o primário, Tengo ficou um bom tempo sem ver sua tutora. Vez por outra, ele recebia convites para participar do encontro de ex-alunos. Se tivesse ido a algum deles, provavelmente a teria reencontrado, mas Tengo nunca quis ir. Não guardava nenhuma boa lembrança dos tempos de escola. Mesmo assim ele às vezes se lembrava dela. Afinal, ela o deixara dormir por uma noite em sua casa e, ainda por cima, conseguira persuadir o teimoso do seu pai. O que ela fizera por Tengo não era algo fácil de esquecer.

Ele a reencontrou no segundo ano do colegial. Ele fazia parte da equipe de judô, mas, por ter machucado a panturrilha, ficou durante dois meses afastado dos treinos. Nesse ínterim, foi temporariamente realocado para ser percussionista da banda da escola porque, a alguns dias de um concurso, os dois percussionistas haviam sido obrigados a sair: um por ter de mudar repentinamente de escola e o outro por estar com uma forte gripe. A banda ficou em sérios apuros e, diante dessa situação, pediram a ajuda de qualquer um que soubesse segurar as baquetas. Por acaso, o professor de música notou que Tengo estava com o pé machucado, entediado por não fazer nada. Com a promessa de porções extras no refeitório e de fazer vista grossa no relatório final do semestre, o professor conseguiu que Tengo aceitasse o convite, e ele começou a participar dos ensaios.

Até então, ele nunca tinha tocado um instrumento de percussão, muito menos demonstrara interesse. Mas, assim que começou a acostumar o ouvido, descobriu que aquilo se adaptava perfeitamente às características de seu cérebro. Dividir o tempo em pequenos fragmentos para depois reorganizá-los em uma série de sons era algo que lhe dava uma alegria genuína. Todos os sons surgiam esquematizados em sua mente e, como uma esponja, ele absorvia os diversos padrões rítmicos. Por intermédio do professor de música, Tengo conheceu um percussionista de uma orquestra sinfônica e passou a frequentar sua casa para ter as primeiras lições de tímpano. Bastaram algumas horas para que aprendesse as noções gerais de como tocá-lo. Também não teve dificuldades de aprender a ler as partituras, pois lhe pareciam equações.

O professor teve uma agradável surpresa ao descobrir o excepcional talento de Tengo. Após comentar que ele tinha uma aptidão natural para perceber os ritmos compostos e que seus ouvidos eram apurados, vislumbrou uma promissora carreira caso Tengo continuasse a se dedicar à música.

O tímpano é um instrumento de difícil execução. Possui expressivos recursos que dão profundidade e intensidade às infinitas combinações sonoras. Naquela época, eles ensaiavam pequenos trechos de alguns dos movimentos da *Sinfonietta* de Janáček, adaptados para os instrumentos de sopro. Essa seria a música que a banda tocaria no concurso musical na modalidade "tema livre". A *Sinfonietta* de Janáček era uma música de difícil execução para alunos do colegial. A parte introdutória tinha uma grande atuação do tímpano. O professor de música, condutor da banda, a havia escolhido por ter em seu grupo dois excelentes percussionistas, mas, pelos motivos expostos, ele se vira em dificuldades quando inesperadamente ficara sem eles. Ao substituí-los, Tengo assumiu um papel muito importante. Mas nem por isso se sentiu pressionado. Tanto que conseguiu tocar a música com prazer e satisfação.

No dia do concurso, após o término das apresentações — não ganharam o prêmio, mas conquistaram um lugar entre os melhores —, a antiga professora do ginásio o procurou. Ela o elogiou, dizendo que a apresentação fora magnífica.

— Só de bater o olho, reconheci você — disse a pequena professora (Tengo não conseguia lembrar seu nome). — Como a interpretação do tímpano era muito boa, resolvi observar atentamente o rosto de quem o tocava e, para minha surpresa, não é que era você, Tengo? Você ficou grande, mas, assim que vi o seu rosto, logo te reconheci. Quando você começou a tocar?

Tengo contou sucintamente a história. Após ouvi-la, a professora ficou admirada.

— Você tem inúmeros talentos!

— Acho o judô bem mais fácil — disse Tengo, rindo.

— E o seu pai? Ele está bem? — perguntou a professora.

— Ele está bem — disse Tengo. A resposta era apenas da boca para fora. Ele não sabia se o pai estava bem ou não, e tampouco queria pensar no assunto. Naquela época, Tengo já havia saído de casa e morava no alojamento estudantil. Fazia tempo que não conversava com o pai. — E o que a senhora faz num lugar desses... — perguntou.

— É que minha sobrinha, que estuda em outra escola, é clarinetista numa banda e, como ela ia tocar um solo, me convidou para vê-la — disse a professora. — Você pretende continuar na música?

— Assim que minha perna melhorar, pretendo voltar para o judô. Se eu continuar no judô, não vou passar fome. A minha escola valoriza muito esse esporte. Eles me dão acomodação e tenho direito a três fartas refeições por dia. Se eu ficar na banda, não é a mesma coisa.

— Você quer evitar ao máximo ter de depender de seu pai, não é?

— Ele continua daquele jeito... — disse Tengo.

Tengo reavaliou a pequena professora. E recordou o dia em que dormira na casa dela. Lembrou-se do apartamento funcional e limpo em que ela morava: cortinas de renda, alguns vasos, uma tábua de passar roupas e livros que aguardavam leitura. Um pequeno vestido rosa-choque pendurado na parede. O cheiro do sofá em que dormiu. E agora, vendo-a diante dele, Tengo percebeu que ela parecia hesitante como uma garotinha. Então se deu conta de que ele não era mais um menino indefeso de dez anos, mas um jovem alto e forte de dezessete. Seu tórax era robusto, ele tinha barba e um tremendo apetite sexual. Percebeu também que, quando estava com uma mulher mais velha, estranhamente se sentia mais tranquilo.

— Gostei de te rever — disse a professora.

— Eu também fiquei contente em revê-la — disse Tengo. O sentimento era realmente verdadeiro. Mas não sabia o porquê de não conseguir lembrar seu nome de jeito nenhum.

15
Aomame
Prender firmemente o balão com uma âncora

Aomame tinha um cuidado especial com suas refeições. Eram à base de verduras, legumes e frutos do mar, principalmente peixes de carne branca. Quanto às carnes, comia de vez em quando a de frango. Os ingredientes eram sempre frescos e, para temperá-los, utilizava o mínimo de condimentos. Evitava alimentos com alto teor de gordura e controlava a quantidade de carboidratos. Não usava molhos prontos para saladas, temperando-as apenas com azeite de oliva, sal e limão. A questão não era apenas comer verduras em quantidade, mas saber combinar vários tipos de hortaliças de modo balanceado, conhecendo detalhadamente cada um dos nutrientes que as compõem. Ela elaborava cardápios personalizados e dava orientações nutricionais quando algum membro do clube pedia. "Esqueça essa coisa de contar calorias", é o que costumava dizer. "Se você desenvolver o bom-senso para escolher alimentos adequados e souber comê-los na quantidade certa, não vai mais precisar se preocupar com números."

No entanto, isso não significava que ela se agarrava com unhas e dentes a esse cardápio ascético. Quando sentia muita vontade de comer algo, não hesitava em entrar num restaurante e pedir um bife bem grande ou umas costeletas de cordeiro. Era da opinião de que, se o corpo vez por outra sentia um desejo incontrolável de algo, era sinal de que, por alguma razão, ele necessitava daquele alimento. Portanto ela tratava de obedecer a esse pedido espontâneo.

Ela gostava de tomar vinho e saquê, mas, para não prejudicar o fígado e controlar o nível de açúcar, assim como evitar excessos, reservava três dias da semana sem consumir álcool. Para Aomame, o corpo era o seu santuário e, como tal, precisava mantê-lo limpo: sem poeiras nem manchas. O que eventualmente cultuaria nele seria uma outra história; um assunto para se pensar depois.

Seu corpo, por enquanto, não tinha gorduras, apenas músculos. Todos os dias, ela se mirava no espelho totalmente nua para examinar cuidadosamente sua condição. Não significava que era fascinada por seu corpo. Muito pelo contrário. Seus seios eram pequenos e, ainda por cima, assimétricos. Os pelos pubianos pareciam capins pisoteados por soldados em marcha. Toda vez que ela se olhava no espelho não podia evitar uma careta. Mas, em compensação, não tinha gordura, não tinha nenhum excesso que pudesse pegar com os dedos.

Aomame levava uma vida modesta. A única coisa com que ela não se importava em gastar era com a alimentação. Em matéria de comida, não poupava gastos e só bebia vinhos de qualidade. Quando eventualmente comia fora, fazia questão de escolher um restaurante pela sua culinária bem-cuidada e caprichada. Fora isso, nada mais a interessava em especial.

Não se interessava por roupas, maquiagem nem acessórios. Para trabalhar no clube esportivo, bastava usar roupas informais do tipo jeans e malha. Uma vez dentro do clube, ficava o dia inteiro com um conjunto de duas peças de jérsei. E, obviamente, não usava acessórios. Dificilmente tinha algum compromisso em que precisasse se arrumar. Não tinha namorado nem com quem sair. Depois que Tamaki Ôtsuka se casou, Aomame não tinha mais nenhuma amiga para compartilhar uma refeição. Para os encontros casuais com parceiros sexuais desconhecidos, costumava se maquiar e caprichar na aparência, mas era algo que acontecia no máximo uma vez por mês e, para isso, não precisava de muitas roupas.

Quando necessário, Aomame andava pelas butiques de Aoyama e comprava uma roupa do tipo "vestida para matar", um ou dois acessórios e um par de sapatos de salto alto. Isso era mais que suficiente. Normalmente, ela calçava um sapato sem salto e prendia o cabelo para trás. Para manter a pele sempre sedosa, bastava lavar o rosto com sabonete e passar uma base. Se seu corpo estivesse limpo e saudável, não tinha do que reclamar.

Desde pequena, estava acostumada a levar uma vida simples e sem ostentações. Desde que se entendia por gente, a ascese e a temperança foram valores incrustados em sua mente. Em sua casa não havia excessos. "Que desperdício!" era a expressão mais usada. Não tinham televisão nem assinavam jornal. Lá, as informações eram simplesmente consideradas *desnecessárias*. Carnes e peixes eram pratos raros à mesa e, por isso, os nutrientes necessários para o crescimento de Aomame foram obtidos principalmente das refeições servidas na escola. Enquanto todos reclamavam que a comida era ruim e a deixavam no prato, ela tinha vontade de comer a sobra dos outros.

Ela sempre usara roupas de segunda mão. Os devotos organizavam reuniões em que faziam trocas de roupas que não usavam mais. Por isso, a não ser o uniforme de ginástica da escola, nunca ganhara uma roupa nova e tampouco se lembrava de ter usado uma roupa ou um par de sapatos que fossem do seu tamanho. As combinações de cores e estampas também eram horríveis. Se sua família fosse pobre, e viver desse modo fosse inevitável, dava até para se conformar, mas a família de Aomame estava longe de ser considerada pobre. Seu pai era engenheiro e seus rendimentos eram compatíveis com os da média da população. No caso deles, esse estilo humilde de vida era apenas uma questão de princípios.

A vida que Aomame levava era muito diferente daquela das crianças com quem convivia e, por conta disso, durante muito tempo não conseguiu fazer uma única amizade. Além de não ter roupas adequadas para sair com as amigas, geralmente não tinha dinheiro. Nunca recebeu mesada e, se alguém a convidasse para uma festa de aniversário — o que, feliz ou infelizmente, nunca havia acontecido —, não teria dinheiro para comprar nem mesmo um presentinho.

Era por isso que Aomame não só odiava seus pais como também odiava profundamente seu mundo e a ideologia que seguiam. O que ela desejava era ter uma *vida normal*, como qualquer outra pessoa. Não desejava uma vida luxuosa. Queria apenas uma rotina normal e modesta, mais nada. Aomame não via a hora de crescer para poder morar sozinha e do seu jeito, longe dos pais. Queria comer o que tivesse vontade, e gastar o dinheiro do jeito que desejasse. Queria vestir uma roupa nova que lhe agradasse, calçar sapatos do seu tamanho e sair para onde quisesse. Queria fazer muitos amigos e trocar presentes embrulhados em belos papéis.

No entanto, a Aomame adulta descobrira que o único jeito de se sentir em paz era levando uma vida comedidamente ascética.

O que mais desejava não era se embonecar para sair com alguém, mas vestir um conjunto de jérsei e ficar sozinha no quarto.

Após a morte de Tamaki, Aomame saiu da empresa de bebidas esportivas, deixou o dormitório e alugou um apartamento de um quarto e cozinha americana em Jiyûgaoka. Não era grande, mas parecia espaçoso. Exceto pelo conjunto de utensílios de cozinha, ela tinha apenas o mínimo de mobília e poucos objetos pessoais. Gostava de livros, mas uma vez que os lia vendia-os em sebos. Gostava também de escutar música, mas nem por isso colecionava discos. Fosse o que fosse, causava-lhe sofrimento ver o acúmulo de coisas. Toda vez que comprava algo era invadida por um sentimento de culpa. Pensava que *na verdade não precisava daquilo*. Sentia um aperto no coração, sentia-se sufocada sempre que via roupas e sapatos bonitos em seu armário embutido. Por isso, esse cenário de liberdade e opulência paradoxalmente trazia à lembrança sua infância de privações e restrição.

Muitas vezes ela se perguntava o que significava conquistar a liberdade, e se isso não seria o mesmo que escapar habilmente de uma jaula para cair numa outra ainda maior.

Quando ela despachava um homem para outro mundo, a velha senhora de Azabu lhe dava uma recompensa: um pacote com um maço de dinheiro era deixado numa caixa postal dos correios, sem a indicação de destinatário e remetente. Tamaru entregava-lhe a chave da caixa postal, ela retirava o embrulho e devolvia a chave. Sem conferir o conteúdo, deixava o pacote lacrado num cofre do banco, onde já havia mais dois pacotes que, de tão compactados, pareciam tijolos.

Aomame não tinha tempo de gastar o salário mensal e possuía, também, uma certa poupança. Quando recebeu pela primeira vez a recompensa que a velha senhora lhe ofereceu, ela lhe explicou que não precisava do dinheiro.

— É apenas uma formalidade — disse a velha senhora com uma voz baixa e serena. — Por favor, considere isso uma regra. Por isso você deve aceitá-lo. Se você não precisa de dinheiro, não precisa gastá-lo. E se, mesmo assim, isso a desagradar, doe-o anonimamente para alguma instituição de caridade. Você tem toda a liberdade de fazer o que quiser com ele. Mas, se você me permite um conselho, acho que por enquanto o melhor a fazer é guardá-lo em algum lugar e não mexer nele durante um tempo.

— É que eu não queria fazer isso por dinheiro — disse Aomame.

— Sei como se sente, mas saiba que foi graças a você que aqueles desgraçados foram *muito bem despachados* e, por isso, não será preciso perder tempo com o desgastante processo do divórcio nem se envolver com brigas pela guarda dos filhos. A esposa não vai mais precisar viver com medo nem com a incerteza de quando o marido vai chegar, e se vai espancá-la até desfigurar seu rosto. Ela receberá o seguro de vida e a pensão do marido. Pense que o dinheiro que você está recebendo é uma *forma* de essas pessoas poderem demonstrar gratidão. Não há dúvidas de que você fez a coisa certa. Mas não pode ser feito de graça. Sabe por quê?

— Não — respondeu Aomame, com sinceridade.

— Porque você não é um anjo nem Deus. Sei que seus atos são motivados por sentimentos puros, e é por isso que entendo as razões de você não querer aceitar o dinheiro. Mas saiba que um sentimento verdadeiramente puro também possui os seus perigos. Não é nada fácil para uma pessoa de carne e osso carregar isso durante a vida. É por isso que você precisa fixar esse sentimento em terra; seria como prender firmemente o balão com uma âncora. E esse dinheiro é para isso. Não podemos fazer qualquer coisa só porque a atitude é correta ou o sentimento é puro. Você está me entendendo?

Após refletir sobre o que acabara de ouvir, Aomame respondeu:

— Não entendi muito bem, mas vou seguir o seu conselho.

A velha senhora sorriu e, em seguida, tomou um gole do chá de ervas.

— Não deposite o dinheiro em conta corrente. Se a receita pegar, eles vão desconfiar e querer saber de onde veio. Guarde-o em espécie em um cofre no banco. Um dia ele será útil.

Aomame concordou, dizendo que faria isso.

Ao voltar do clube, ela preparava o jantar quando o telefone tocou.

— Aomame? — Era a voz de uma mulher, uma voz um pouco rouca. Era Ayumi.

Aomame apoiou o fone no ombro e, esticando o braço, abaixou o fogo.

— E então, como vai o trabalho na polícia?

— Continuo a aplicar multas e a ser odiada pela população. Não tenho nenhum homem à vista, somente muito trabalho e disposição.

— Isso é ótimo!

— E você? O que está fazendo agora?

— Preparando o jantar.

— Você está livre depois de amanhã? À noite, é claro.

— Estou, mas não quero repetir o que fizemos outro dia. Vou dar um tempo.

— Também não estou a fim de fazer aquilo tão cedo. É que faz um tempo que não nos encontramos, então achei que seria legal sairmos juntas para conversar.

Aomame pensou um pouco, mas não conseguiu se decidir de imediato.

— É que agora estou com a panela no fogo... — respondeu ela. — Não posso largar a fritura. Será que você poderia me ligar daqui a meia hora?

— Posso sim. Te ligo daqui a meia hora, está bem?

Aomame desligou o telefone e terminou a fritura. Depois, fez uma sopa de soja com brotos de feijão e a comeu com uma porção de arroz integral. Tomou meia lata de cerveja e jogou a outra metade na pia. Lavou a louça e, assim que se sentou no sofá para descansar, Ayumi telefonou.

— Queria te convidar para jantarmos juntas — disse Ayumi. — É muito chato comer sozinha.

— Você sempre come sozinha?

— Moro numa pensão que serve refeições e sempre como conversando com alguém, mas às vezes tenho vontade de comer algo gostoso, com calma, num local tranquilo. E, de preferência, num lugar um pouco mais chique. Mas não gosto de ir sozinha. Você me entende, não é?

— É claro.

— Mas, nessas horas, não tenho ninguém do meu círculo de amizades com quem possa sair: nem homens nem mulheres. Eles preferem os bares. Foi então que pensei... achei que você aceitaria ir num lugar desses comigo. Só espero não estar te incomodando.

— Não é incômodo nenhum — disse Aomame. — Posso, sim. Vamos jantar num local bem chique. Faz tempo que eu não faço isso.

— Sério? — perguntou Ayumi. — Que ótimo!

— Pra você, se for depois de amanhã tudo bem, né?

— Isso. Depois de amanhã estarei de folga. Você conhece um bom lugar?

Aomame disse o nome de um famoso restaurante francês em Nogizaka.

Ayumi ficou boquiaberta ao ouvir esse nome.

— Esse restaurante não é aquele superfamoso? Li numa revista que é caríssimo, e que as reservas são feitas com dois meses de antecedência. Com o salário que eu recebo, não é para o meu bico.

— Não se preocupe. O chefe de cozinha, que é também o dono, é sócio do clube em que trabalho, e sou sua *personal trainer*. De vez em quando, faço consultorias sobre os valores nutricionais dos alimentos para ele compor o cardápio. Por isso, se eu pedir a ele, teremos um tratamento preferencial para conseguir uma mesa, e o preço também ficará muito mais em conta. Mas a mesa não será das melhores.

— Por mim pode ser até dentro do armário.

— Venha bem elegante, está bem? — disse Aomame.

Após desligar, Aomame percebeu que sentia uma simpatia espontânea pela jovem policial; constatação que a deixou um tanto surpresa. Ela não sentia isso desde que Tamaki Ôtsuka morrera. Claro, o sentimento não era o mesmo que tinha por Tamaki. Mas havia muito tempo que não sentia vontade de sair com alguém para comer fora, muito menos com uma policial na ativa. Suspirou. O mundo é cheio de surpresas.

Aomame estava de vestido azul-esverdeado de meia-manga, com um cardigã branco nos ombros, e usava um salto alto Ferragamo. Colocou brincos e uma pulseira fina de ouro. Em vez de levar sua costumeira bolsa a tiracolo — com o picador de gelo —, optou por uma carteira da La Bagagerie. Ayumi vestia uma jaqueta preta, simples, da Comme des Garçons, uma camiseta decotada marrom, uma saia rodada de estampa floral e a mesma bolsa Gucci da outra vez. Usava pequenos brincos de pérola e calçados marrons de salto baixo. Estava bem mais bonita e elegante que da primeira vez. Vendo-a assim, não parecia uma policial.

As duas combinaram de se encontrar no bar. Tomaram um coquetel Mimosa e, em seguida, foram conduzidas à mesa. Não era uma mesa ruim. O chefe apareceu para cumprimentá-las e trocar algumas palavras com Aomame. Disse que o vinho era cortesia da casa.

— Por favor, me perdoem, mas a garrafa já foi aberta para uma degustação. Ontem, uma mesa reclamou do gosto do vinho e tivemos de substituí-lo, mas na verdade não há nada de errado com ele. A reclamação partiu de um político famoso e conhecido em seu meio como um profundo entendedor de vinhos, mas, cá entre nós, ele não sabe nada do assunto. Fez questão de reclamar na frente de todo mundo só para se gabar. Chegou até a insinuar que esse Borgonha estava com o gosto um pouco amargo. Com pessoas assim, o melhor a fazer é entrar na delas e responder "Tem razão. O gosto parece estar meio amargo. O importador não soube conservá-lo adequadamente em seu depósito. Vou trocar a garrafa imediatamente. Só mesmo o senhor para perceber isso. É incrível como realmente entende do assunto" e, em seguida, trazer outra garrafa. Assim, evito ofendê-lo. Bem, não posso falar em voz alta, mas, quando isso acontece, é só inflar um pouquinho a conta de modo a cobrir o valor. E o cliente certamente vai lançar o gasto como despesa de trabalho. Em todo caso, o restaurante não pode servir a outro cliente uma garrafa que foi recusada. Claro que não.

— Mas você achou que a gente não se importaria com isso.

O chefe piscou um olho:

— Vocês não vão se importar, vão?

— Claro que não — disse Aomame.

— De jeito nenhum — respondeu Ayumi.

— Esta linda moça que está com você é a sua irmã mais nova? — o chefe perguntou para Aomame.

— É o que parece? — disse Aomame.

— De rosto, vocês não se parecem, mas dá essa impressão — disse o chefe.

— É minha amiga — falou Aomame. — Ela é policial.

— Verdade? — o chefe novamente olhou para ela como quem custa a acreditar. — Você carrega pistola e anda de carro patrulha?

— Ainda não atirei em ninguém — disse Ayumi.

— Eu não disse nada de errado, disse? — perguntou o chefe.

Ayumi balançou a cabeça em negativa:

— De jeito nenhum, nadinha.

O chefe sorriu e, juntando as mãos na altura do peito, disse:

— Não importa quem seja o cliente, recomendo com total segurança este Borgonha pela sua qualidade. É uma bebida de boa procedência, produzida em um local de longa tradição, boa safra e, se um cliente normal pedisse esse vinho, custaria algumas dezenas de milhares de ienes.

O garçom se aproximou e serviu o vinho. Aomame e Ayumi fizeram um brinde. O som do toque das taças reverberou como um sino tocado num paraíso distante.

— Ah! É a primeira vez que tomo um vinho tão gostoso — disse Ayumi, estreitando os olhos, após tomar o primeiro gole. — Quem é que, em sã consciência, consegue reclamar de um vinho desses?

— Tem gente que consegue encontrar defeito em tudo — disse Aomame.

Após o brinde, as duas estudaram atentamente o cardápio. Ayumi olhou cuidadosamente, duas vezes, todos os itens como uma advogada experiente examinando um contrato importante: o olhar atento para não deixar escapar nada, para descobrir uma sutil artimanha. Examinou mentalmente as várias condições e cláusulas e ponderou os resultados. Pesou os prós e os contras na *balança*. Aomame observava atentamente seu comportamento na cadeira em frente.

— Já decidiu? — perguntou ela.

— Quase — respondeu Ayumi.

— E o que vai pedir?

— Sopa de mexilhão, salada com três cebolas e vitela de Iwate braseada no Bordeaux. E você?

— Sopa de lentilhas, salada primavera de legumes no vapor e rã assada no papelote, acompanhada de polenta. Não combinam muito com o vinho, mas, sendo cortesia, não podemos reclamar, não é?

— Podemos trocar e experimentar um pouco de cada prato?

— Claro — disse Aomame. — Se você quiser, podemos também pedir de entrada os camarões grandes fritos para dividir, que tal?

— Perfeito! — disse Ayumi.

— Se você já se decidiu, melhor fechar o cardápio — disse Aomame. — Senão, o garçom nunca virá nos atender.

— Tem razão — disse Ayumi, fechando o cardápio e, antes de colocá-lo sobre a mesa, o olhou com a expressão de quem se despede com tristeza. O garçom se aproximou rapidamente e anotou os pedidos.

— Toda vez que peço alguma coisa no restaurante, a impressão que tenho é de ter feito a escolha errada — disse Ayumi assim que o garçom se afastou. — E você?

— Mesmo que você tenha errado, isso é apenas comida. Comparado aos erros que cometemos na vida, não é nada.

— Você tem razão — disse Ayumi. — Mas, para mim, é muito importante. Desde criança, sempre me arrependo do pedido que faço. "Ah! Em vez de pedir hambúrguer, eu devia ter pedido croquete de camarão." Você sempre foi assim tão calma?

— Na casa em que cresci, por inúmeras razões, não tínhamos o costume de comer fora. Nunca. Desde que me conheço por gente nunca tinha pisado num restaurante. E só soube o que era escolher um prato no cardápio quando já estava bem grande. Dia após dia, comia em silêncio apenas o que me serviam. Nunca pude reclamar que a comida estava ruim, que a quantidade era pouca ou que não gostava de algo. Mesmo hoje, a bem da verdade, posso comer qualquer coisa.

— Hum, então é isso. Não sei direito por quê, mas eu imaginava outra coisa. Tinha impressão de que você estava familiarizada com esse tipo de restaurante.

Quem ensinara tudo aquilo a Aomame fora Tamaki Ôtsuka. Ela ensinara zelosamente, detalhe por detalhe: como se comportar num restaurante fino, como combinar os pratos para não ser menosprezada, como pedir um vinho, como solicitar a sobremesa, como tratar os garçons e como usar corretamente os talheres. Tamaki ensinou-lhe também como escolher a roupa e os acessórios adequados, e como se maquiar. Para Aomame era tudo uma novidade, uma descoberta. Tamaki era de uma família abastada de Yamanote e sua mãe era uma socialite muito exigente com o modo de se portar e de se vestir. Por isso, desde o colegial Tamaki conhecia muito bem esse tipo de ambiente. Ela conseguia se socializar entre adultos sem hesitar. E Aomame absorveu todo esse conhecimento com avidez. Se Aomame não tivesse tido a oportunidade de conhecer uma professora tão dedicada como Tamaki, certamente ela seria um outro tipo de pessoa. Às vezes, Aomame sentia que Tamaki continuava viva, escondida dentro dela.

No começo, Ayumi estava um pouco tensa, mas à medida que tomava o vinho parecia ficar mais relaxada.

— Posso te fazer uma pergunta? — disse ela. — Se não quiser responder, tudo bem, mas é que eu queria muito te perguntar. Você não vai ficar zangada, vai?

— Não vou ficar zangada.

— Por mais que a pergunta pareça estranha, não quero que pense que é maldosa, está bem? É que estou muito curiosa. E por essas e outras as pessoas ficam muito bravas comigo.

— Não se preocupe. Não vou ficar brava com você.

— Verdade? Todas dizem a mesma coisa e depois ficam muito bravas.

— Eu sou diferente. Não se preocupe.

— Pois então, quando você era criança, algum homem fez com você alguma coisa estranha?

Aomame negou levemente com a cabeça.

— Acho que não. Por quê?

— Só pra saber. Se nada aconteceu, está mais que bom — respondeu Ayumi, para logo mudar de assunto. — E então, você já teve algum namorado? Quero dizer, um namorado sério.

— Não.

— Nenhum?

— Nem sequer um — respondeu Aomame. Após ficar um pouco confusa, disse: — Para falar a verdade, eu era virgem até os vinte e seis anos.

Ayumi ficou um instante sem palavras. Descansou o garfo e a faca e limpou a boca com o guardanapo. Durante um bom tempo, em silêncio, observou Aomame com um leve sorriso.

— Uma pessoa tão linda como você. Não dá pra acreditar...

— É que eu não tinha nenhum interesse nessas coisas.

— Você está querendo dizer que não tinha interesse por homens?

— Tinha apenas uma pessoa de quem eu gostava — disse Aomame. — Passei a gostar dele quando eu tinha dez anos e segurei a mão dele.

— Aos dez anos você gostava de um menino. E ficou só nisso?

— Só nisso.

Ayumi pegou o garfo e a faca e cortou o camarão em pedaços bem pequenos enquanto parecia pensar sobre isso.

— E onde ele está? O que ele faz hoje?

Aomame balançou a cabeça.

— Não sei. Estudamos juntos no terceiro e quarto anos do primário em Ichikawa, província de Chiba, mas na quinta série mudei para uma outra escola aqui da capital e, depois disso, nunca mais o vi. Não ouvi mais falar dele. A única coisa que sei é que, se ele estiver vivo, deve estar com vinte e nove anos. É provável que faça trinta no outono.

— Quer dizer que você nem pensou em descobrir onde ele está e o que está fazendo? Acho que não é tão difícil descobrir o seu paradeiro.

Aomame balançou a cabeça categoricamente.

— Não tive vontade de descobrir.

— Que estranho! Se fosse eu, faria de tudo para tentar descobrir onde ele mora. Se você gosta dele, deveria encontrá-lo e falar disso pessoalmente.

— Não quero fazer isso — disse Aomame. — O que eu quero é encontrar com ele casualmente andando na rua ou pegando o mesmo ônibus.

— Um encontro fortuito.

— Algo assim — disse Aomame, tomando um gole de vinho. — Quando isso acontecer, vou me abrir com ele. Vou dizer que é o único homem que amei na vida.

— Parece muito romântico — disse Ayumi, admirada. — Mas acho que a probabilidade de isso acontecer é mínima. Se vocês não se veem há vinte anos, o rosto deve ter mudado. Será que se você cruzar com ele na rua vai reconhecê-lo?

Aomame discordou, balançando a cabeça.

— Por mais que o rosto tenha mudado, se eu olhar para ele, logo o reconhecerei. Não tenho como errar.

— É mesmo?

— É.

— E você está aguardando confiante esse encontro fortuito acontecer.

— É por isso que sempre estou atenta quando ando pelas ruas.

— Puxa! — disse Ayumi. — Mas, mesmo gostando muito dele, você não vê nenhum problema em transar com outros homens, não é? Quero dizer, depois dos vinte e seis anos.

Após pensar um pouco, Aomame respondeu:

— Eles não significam nada, são encontros passageiros.

Não disseram nada durante um tempo, e as duas se concentraram em apreciar a comida. Um pouco depois, Ayumi quebrou o silêncio:

— Sei que estou sendo intrometida, mas aconteceu alguma coisa quando você tinha vinte e seis?

Aomame concordou.

— Aconteceu uma coisa que mudou a minha vida, mas não gostaria de falar sobre isso agora. Me desculpe.

— Tudo bem — disse Ayumi. — Você não está magoada com essa minha intromissão, está?

— Nem um pouco — respondeu Aomame.

A sopa foi servida e as duas a tomaram em silêncio. Durante esse intervalo a conversa ficou suspensa. Assim que as duas descansaram a colher e o garçom retirou os pratos, prosseguiram:

— Mas você não tem medo?

— De quê?

— E se acontecer de você nunca se encontrar com ele? É claro que um reencontro é perfeitamente possível e, sinceramente, espero que aconteça, mas a possibilidade de vocês nunca se verem também é muito grande, não deixa de ser um problema. E, mesmo que vocês se reencontrem, ele pode estar casado e até ter dois filhos, não é? Se isso acontecer, você não tem medo de passar o resto da vida sozinha, sem poder ficar com a única pessoa do mundo que você ama?

Aomame observou a taça de vinho tinto.

— Pode até ser que eu sinta medo, mas pelo menos posso dizer que gosto de alguém.

— Mesmo que ele fale que não gosta de você?

— Se você ama, ainda que uma única pessoa, de verdade, a vida vale a pena. Mesmo que você não fique com ela.

Ayumi parou para pensar sobre isso durante um bom tempo. O garçom se aproximou e encheu as taças de vinho. Aomame tomou um gole e achou que Ayumi tinha razão ao questionar como alguém consegue reclamar de um vinho tão maravilhoso como aquele.

— É incrível esse seu jeito de encarar as coisas, de forma tão filosófica.

— Não se trata de uma visão filosófica; é apenas algo em que realmente acredito.

— Eu também gostei de uma pessoa — disse Ayumi em tom de confissão. — Foi com ele que tive a primeira relação, logo após me formar no colegial. Era três anos mais velho que eu, mas logo arranjou outra. Depois disso fiquei um pouco revoltada. Não foi um período fácil. Eu já desisti dele, mas ainda não consegui me recuperar do sentimento de revolta. Era um sujeito desprezível que ficava com duas ao mesmo tempo, mas sempre sabia agradar. Mesmo sabendo que ele era assim, não sei por que fui gostar dele.

Aomame assentiu. Ayumi também pegou a taça de vinho.

— Mesmo hoje, de vez em quando, ele me telefona perguntando se não quero sair. É claro que só quer o meu corpo. Sei muito bem disso e me recuso a sair com ele, pois, se eu sair, sei que vou sofrer. Mas, mesmo que minha consciência me diga isso, o meu corpo reage querendo desesperadamente ser abraçada por ele. Quando isso se repete, vez por outra, fico com vontade de fazer uma farra. Você me entende?

— Entendo — disse Aomame.

— Esse cara é um verdadeiro idiota. Tem um temperamento péssimo e nem é tão bom assim na cama, mas pelo menos não tem medo de mim e, quando estamos juntos, é muito carinhoso.

— Esse é um tipo de sentimento que não se pode escolher — disse Aomame. — São eles que entram descaradamente na vida da gente sem ser convidados. É bem diferente de escolher um prato do cardápio.

— É a mesma coisa que fazer um pedido errado e se arrepender depois.

As duas começaram a rir.

— Quer saber? Temos a impressão de que escolhemos tanto o cardápio quanto o homem ou qualquer outra coisa, mas na verdade não escolhemos nada. Desde o começo já está tudo decidido e apenas fingimos escolher. Acho que o livre-arbítrio é uma enganação. Às vezes é nisso que penso.

— Se é assim, a vida é sombria demais — disse Ayumi.

— Acho que é.

— Mas se você ama alguém de verdade, mesmo que essa pessoa seja um crápula e que não te corresponda, a vida pelo menos deixa de ser um inferno, por mais sombria que seja.

— É isso.

— Pois é, Aomame — disse Ayumi. — Acho que não existe nenhuma lógica neste mundo, muito menos bondade.

— Acho que sim — disse Aomame. — Mas agora é tarde para trocar.

— O prazo de devolução já expirou há muito tempo — disse Ayumi.

— Jogamos o recibo no lixo.

— É mesmo.

— Mas tudo bem. Num piscar de olhos, este mundo irá se acabar — disse Aomame.

— Isso parece bem divertido.

— E virá o Reino dos Céus.

— Não vejo a hora — disse Ayumi.

Comeram a sobremesa, tomaram um expresso e, na hora de pagar, dividiram a conta (que ficou extremamente barata). Depois, foram a um bar das redondezas tomar um drinque.

— Olha! Aquele homem ali não é o seu tipo?

Aomame olhou na direção dele. Era um sujeito alto de meia-idade que estava sozinho tomando um martíni na extremidade do balcão. Era o tipo de homem que envelhecera preservando um rosto de aluno que tira boas notas e se destaca no esporte. Os cabelos começavam a rarear, mas o rosto estampava jovialidade.

— Pode até ser, mas hoje, nada de homens — respondeu Aomame categoricamente. — Ainda mais que este é um bar requintado.

— Eu sei. Apenas quis fazer um comentário.

— Fica pra próxima, está bem?

Ayumi fitou o rosto de Aomame.

— Quer dizer que você vai sair comigo de novo? Quero dizer, quando estivermos atrás de homens?

— Vou sim — disse Aomame. — Vamos sair juntas.

— Que bom. Ao seu lado eu sinto que sou capaz de fazer qualquer coisa.

Aomame tomava um daiquiri, e Ayumi um Tom Collins.

— Outro dia, no telefone, você me disse que brincamos de ser lésbicas, não é? — perguntou Aomame. — O que foi que aprontamos?

— Ah! Aquilo... — disse Ayumi. — Não fizemos grande coisa. Apenas fingimos ser lésbicas para animar a festa. Você não se lembra? Você estava tão animada!

— Não me lembro de nada. Absolutamente nada — disse Aomame.

— Ficamos totalmente nuas, tocamos uma nos seios da outra e nos beijamos naquele lugar...

— *Nos beijamos naquele lugar?* — Após dizer isso, Aomame olhou imediatamente para os lados. O bar era silencioso e sua voz pareceu ecoar mais alto que o necessário. Por sorte, ninguém parecia tê-la escutado.

— Já te disse que foi apenas uma atuação. Não usamos a língua.

— Puxa vida — suspirou Aomame, apertando as têmporas com os dedos. — Como é que pude fazer uma coisa dessas?

— Desculpe-me — disse Ayumi.

— Não precisa se desculpar. E não se preocupe. A culpa é minha, de me embebedar a esse ponto.

— Mas saiba que *aquele lugar* era muito gracioso e bonito. Parecia novinha em folha.
— Você diz isso, mas ela é realmente nova — disse Aomame.
— Você só a usa de vez em quando?
Aomame concordou.
— É. Por acaso você tem alguma tendência ao lesbianismo?
Ayumi balançou negativamente a cabeça.
— Foi a primeira vez que fiz aquilo. De verdade. Eu também estava muito bêbada e achei que, se fosse com você, podia experimentar. Como era apenas para fazer de conta achei que seria divertido. E você? Tem alguma tendência?
— Eu também não tenho, mas quando estava no colegial tive uma experiência assim com uma amiga. A intenção não era essa, mas no final aconteceu.
— Acho que é perfeitamente possível. Você sentiu prazer?
— Bem, acho que senti — respondeu Aomame, com sinceridade. — Mas só fiz uma vez. Como achei que não era certo, nunca quis fazer de novo.
— Você acha o lesbianismo uma coisa errada?
— Não é isso. Não é uma questão de achar errado ou impuro. Apenas não quis ter esse tipo de relação com *essa pessoa*. Não queria transformar uma amizade que eu considerava muito importante numa relação tão nua e crua.
— Entendo — disse Ayumi. — Se você não se importar, será que posso dormir esta noite na sua casa? Eu não queria ter de voltar para o alojamento. Se eu voltar, todo esse glamour que curtimos esta noite será destruído em questão de segundos.
Aomame tomou o último gole de daiquiri e pousou o copo no balcão.
— Você pode dormir lá em casa, mas *nada* de querer fazer algo diferente, combinado?
— Claro que não. Não é nada disso. Eu apenas queria ficar um pouco mais com você. Não me importo onde você me faça dormir, sou do tipo que consegue dormir no chão ou em qualquer outro lugar, sem problemas. E como amanhã é o dia da minha folga, não preciso me afobar.

* * *

Tomaram o metrô e chegaram ao apartamento de Aomame em Jiyûgaoka. Os ponteiros do relógio marcavam quase onze horas. As duas estavam num estado agradável de embriaguez e sono. Aomame arrumou o sofá e emprestou um pijama para Ayumi.

— Posso dormir um pouco com você na cama? Quero ficar juntinho de você, só por um tempinho. Não vou fazer nada de errado. Palavra de honra — disse Ayumi.

— Está bem — disse Aomame, admirada com o fato de uma mulher que matara três homens estar na cama junto com uma policial.

Ayumi meteu-se debaixo do cobertor e ficou abraçada a Aomame. Os seios firmes de Ayumi ficaram prensados contra o braço de Aomame. Seu hálito era uma mistura de álcool e pasta de dente.

— Aomame, você não acha que os meus peitos são grandes demais?

— De jeito nenhum. São muito bonitos.

— Peitos grandes não dão a impressão de que a pessoa é burra? E dá muita vergonha correr com os peitos balançando, ou ver pendurado no varal um sutiã que parece duas vasilhas de salada presas uma na outra.

— Mas os homens parecem gostar deles assim.

— Ainda por cima, meus bicos são enormes.

Ayumi desabotoou o pijama e mostrou um dos mamilos para Aomame.

— Olha só como é grande. Você não acha esquisito?

Aomame viu que o mamilo não era realmente pequeno, mas também não o achou grande a ponto de ser um problema. Era um pouco maior que o de Tamaki.

— São bonitinhos. Alguém te falou que eram grandes?

— Um sujeito comentou que nunca tinha visto bicos tão grandes.

— Esse cara deve ter visto muito poucos. Do seu tamanho é normal. O meu é que é pequeno demais.

— Mas eu gosto dos seus seios. Têm uma forma elegante, dão a impressão de que você é muito inteligente.

— Você está enganada. Meus peitos são pequenos demais, e o direito é diferente do esquerdo. É difícil encontrar um sutiã para eles, pois cada um é de um tamanho.

— É mesmo? Cada uma vive com seus próprios dilemas.

— Exato — disse Aomame. — Por isso, acho melhor dormirmos.

Ayumi esticou o braço em direção à calça do pijama de Aomame e tentou colocar a mão por dentro. Aomame impediu-a de prosseguir.

— Não pode. Você me prometeu, lembra?

— Me desculpe — disse Ayumi, retirando a mão. — É mesmo. Eu tinha prometido. Acho que estou bêbada. Mas é que eu te admiro muito. Sou como uma colegial impressionada por você.

Aomame ficou em silêncio.

— Então, com certeza você está reservando para aquele homem o que tem de mais importante — disse Ayumi em voz baixa, quase murmurando. — Sinto inveja disso. De se guardar para alguém.

"Ela tem razão", pensou Aomame. "Mas o que é essa coisa tão importante para mim?"

— É melhor você dormir — disse Aomame. — Vou ficar abraçada até você pegar no sono.

— Obrigada — disse Ayumi. — Desculpe-me de novo.

— Não precisa se desculpar — disse Aomame. — Você não está incomodando.

Ela sentiu a cálida respiração de Ayumi entre os braços. Ao longe, um cachorro latia, e alguém fechou violentamente a janela. Durante um bom tempo Aomame ficou acariciando os cabelos de Ayumi.

Aomame saiu da cama deixando Ayumi adormecida. Pelo jeito, ela é que dormiria no sofá nessa noite. Aomame pegou uma garrafa de água mineral na geladeira e tomou dois copos. Em seguida, foi para a varanda e, sentada numa cadeira de alumínio, contemplou a cidade. Era uma tranquila noite de primavera. De alguma estrada distante, a brisa trazia consigo um bramido do mar que parecia artificial. Já passava da meia-noite, e poucas eram as luzes de néon acesas.

Aomame tinha real simpatia por Ayumi, e sua vontade era de cuidar dela com carinho. Após a morte de Tamaki, durante muito tempo Aomame estivera decidida a nunca mais ter uma amizade profunda. No entanto, em relação a Ayumi, ela conseguia abrir espontaneamente o coração. Conseguia revelar seus sentimentos. "Mas ela é bem diferente de você", Aomame explicava para a Tamaki dentro dela. "Você é especial. Nós crescemos juntas. Ninguém pode ser comparada a você."

Aomame inclinou a cabeça de modo que pudesse ver o céu. Sua consciência vagava em reminiscências: o tempo que passara com Tamaki, as conversas que tiveram, e quando seus corpos se tocaram. Enquanto evocava essas lembranças, ela notou que o céu que observava estava diferente do céu que normalmente costumava ver. Alguma coisa havia mudado. Uma sutil e inegável diferença que causava uma intensa sensação de estranhamento.

Aomame demorou para perceber o que estava diferente. Mesmo após constatar o que havia de estranho, sentiu muita dificuldade em aceitar o fato. Sua consciência não conseguia reconhecer o que seus olhos captavam.

No céu havia duas luas: uma pequena e outra grande. As duas estavam emparelhadas. A lua grande era a mesma que ela estava acostumada a ver. Era quase uma lua cheia e de cor amarelada. Mas, ao lado dessa, havia uma outra, bem diferente. Uma lua que ela nunca tinha visto antes. Tinha o formato irregular e sua cor era levemente esverdeada, como se tivesse a superfície coberta por musgos. Era o que sua vista captava.

Aomame estreitou os olhos e observou atentamente ambas as luas. Em seguida, fechou-os longamente, respirou fundo e abriu-os de novo. Sua esperança era de que tudo estivesse de volta ao normal, que encontrasse uma única lua. No entanto, a situação continuava a mesma. Não se tratava de uma ilusão de óptica ou de um problema de visão. No céu havia realmente, sem sombra de dúvida, duas luas flutuando lado a lado. Uma amarela e outra verde.

Aomame pensou em acordar Ayumi para perguntar se realmente havia duas luas. Mas reconsiderou. Ayumi poderia lhe dizer: "É óbvio! Desde o ano passado temos duas luas." Ou então: "Como assim, Aomame? Só há uma lua. Você não está com algum problema de vista?" Independentemente da resposta de Ayumi, o problema de Aomame não teria solução, apenas se tornaria pior.

Aomame cobriu a boca com as mãos e observou atentamente as luas. Com certeza, algo estava acontecendo. As batidas de seu coração começaram a acelerar. Das duas, uma: ou o mundo estava louco, ou ela estava. O problema seria com a garrafa ou com a tampa?

Ela voltou para o quarto, trancou a porta de vidro e puxou a cortina. Tirou do armário uma garrafa de brandy e o colocou no copo. Ayumi dormia confortavelmente na cama com um leve ressonar. Aomame bebeu o brandy em pequenos goles observando Ayumi dormir. E, com os cotovelos apoiados na mesa, tentava não pensar no que havia atrás da cortina.

"Quem sabe realmente estamos próximos do fim do mundo", pensou Aomame.

— E o Reino dos Céus virá até nós — disse ela, bem baixinho.

— Não vejo a hora — alguém, em algum lugar, respondeu.

16
Tengo
Fico feliz que tenha gostado

Após passar dez dias reescrevendo a *Crisálida de ar* e entregá-la transformada em uma nova obra para Komatsu, o cotidiano de Tengo tornou-se calmo e tranquilo. Três vezes por semana dava aulas na escola preparatória e uma vez por semana encontrava sua namorada casada. Nas demais horas, cuidava da casa, saía para caminhar e dedicava um tempo para escrever seu romance. E assim passou o mês de abril. Notava-se a gradativa mudança das estações do ano nos brotos que surgiam nas cerejeiras já sem flores e nas magnólias em plena floração. Os dias transcorriam tranquila e ordenadamente, sem imprevistos. Essa era a vida que Tengo sempre quis: uma semana após a outra fluindo naturalmente, sem interrupções.

No entanto, em meio a essa tranquilidade, havia uma pequena mudança. Uma *mudança boa*. Enquanto escrevia seu romance, Tengo percebeu que uma nova fonte passara a existir dentro dele. Não que fosse uma fonte de águas abundantes, mas uma bem pequena e modesta, a correr entre os rochedos. Apesar de o volume de água ainda ser pequeno, ela brotava pouco a pouco, ininterruptamente. Tengo não precisava ter pressa nem se afobar. Era só esperar a água acumular nos espaços entre as rochas. Uma vez acumulada, bastava recolhê-la com as mãos e, em seguida, se sentar em frente à mesa e transformá-la em texto. Era assim, de modo espontâneo, que sua história se desenvolvia.

Quem sabe a concentração e o empenho de reescrever a *Crisálida de ar* teriam ajudado a deslocar a rocha que até então bloqueava a fonte. O próprio Tengo não sabia o porquê de isso acontecer, mas de uma coisa ele tinha certeza: "Finalmente, aquela tampa pesada fora retirada." Sentia-se leve, como se acabasse de deixar um local apertado e que somente agora pudesse esticar à vontade seus braços e pernas. Possivelmente a *Crisálida de ar* é que teria estimulado esse algo que existia dentro dele.

Tengo percebeu também que dentro de si brotava um sentimento muito parecido com o da ambição. Um sentimento que, desde sempre, pouquíssimas vezes chegara a sentir. Quando era estudante do colegial e da faculdade, seu treinador de judô e seus colegas veteranos sempre lhe diziam: "Você tem talento, força, está sempre praticando, mas não tem ambição." Eles tinham razão. O sentimento de "vencer a todo custo" era muito fraco em Tengo. Por isso, nas competições, ele conseguia chegar com facilidade à semifinal, mas, diante de uma luta decisiva, perdia com a mesma facilidade com que vinha vencendo. Isso não se aplicava apenas ao judô, mas a tudo que se propusesse a fazer. Sempre muito calmo, inexistia nele a atitude de *levar as coisas até o fim, custe o que custar*. O mesmo acontecia em relação ao romance. Seu texto não era ruim, suas histórias eram interessantes, mas faltava-lhe a ousadia de querer impressionar o leitor. Após a leitura, ficava-se com a impressão de que "falta alguma coisa". Tanto que ele sempre chegava até a fase final, mas nunca conseguia ganhar o prêmio literário de autor revelação. Komatsu já lhe havia dito algo sobre isso.

Após reescrever a *Crisálida de ar*, no entanto, Tengo sentiu pela primeira vez algo muito próximo à decepção. Enquanto trabalhava no livro e estava totalmente concentrado nele, o esforço não lhe dera margem para pensar em mais nada. No entanto, após entregá-lo a Komatsu, Tengo teve uma profunda sensação de impotência. Quando esse sentimento se apaziguou, surgiu em seu âmago uma intensa raiva. Uma raiva contra si próprio. Ele reescrevera de modo fraudulento a obra de uma outra pessoa e, ainda por cima, com muito mais empenho do que quando escrevia as suas próprias coisas, e tal constatação o deixou envergonhado. "O papel do escritor não seria o de descobrir a história que existe dentro dele e saber como expressá-la adequadamente por meio das palavras? Será que você não se sente envergonhado? Você também é capaz de fazer isso, desde que assim o queira, não é?", pensou Tengo.

Mas agora precisava provar isso para si mesmo.

Tengo jogou fora tudo o que estava escrevendo e começou a compor do zero uma nova história. Fechou os olhos e durante um bom tempo escutou atentamente as gotas d'água que fluíam de sua pequenina fonte interior. Logo, as palavras começavam a surgir espontaneamente. Tengo foi juntando essas palavras e pouco a pouco, sem pressa, foi transformando-as em texto.

Em maio, Tengo recebeu um telefonema de Komatsu, que havia tempos não dava notícias. Era um pouco antes das nove da noite.
— Saiu o resultado! — disse Komatsu. Sua voz revelava uma sutil excitação que, vindo dele, era algo muito raro.
De início, Tengo não entendeu direito o que Komatsu estava dizendo.
— Do quê?
— Como assim, do quê? Acabaram de escolher *Crisálida de ar* como vencedor do prêmio literário de autor revelação. A decisão do júri foi unânime. Não houve sequer discussão. Isso estava mais que óbvio, afinal a obra é poderosa, não é? De qualquer modo, as coisas estão fluindo. Agora, mais do que nunca, estamos juntos nessa. Vamos seguir adiante com passos firmes.

Tengo olhou o calendário da parede. Realmente, aquele era o dia previsto para o júri se reunir e selecionar o ganhador do prêmio. De tão concentrado em escrever sua história, Tengo tinha perdido a noção do tempo.
— Como vai ser daqui pra frente? Isto é, em termos de agenda? — perguntou.
— Amanhã a notícia será divulgada nos jornais. Será veiculada simultaneamente em todos os jornais do país. Pode até ser que saia alguma foto. Você não acha que a repercussão será grande só pelo fato de a vencedora ser uma garota bonita de dezessete anos? Sinto dizer, mas o peso da notícia será bem maior do que se o ganhador fosse um professor de matemática do curso preparatório, com trinta anos, que parece um urso que saiu da hibernação, não acha?
— Da água para o vinho — disse Tengo.
— A cerimônia de premiação será no dia 16 de maio num hotel de Shinbashi. Nesse mesmo dia teremos a coletiva de imprensa.
— E Fukaeri vai comparecer nesse dia?
— Ela vai ter de ir. Pelo menos desta vez. Não teria cabimento a vencedora deixar de comparecer à cerimônia de entrega do prêmio, não é? Se conseguirmos sair ilesos dessa, depois é só adotar

uma postura mais radical. Vamos dar a desculpa de que a autora não gosta de aparecer em público. Seguimos essa linha para que nunca descubram os *podres*.

Tengo tentou imaginar Fukaeri no salão do hotel dando a entrevista. Microfones enfileirados, inúmeros flashes. Sentiu dificuldades em prever a cena.

— Komatsu, você realmente está pensando em fazer a coletiva?

— Se não fizermos pelo menos uma vez, vai pegar muito mal.

— Com certeza a coletiva será um desastre.

— O seu papel é justamente esse: evitar que seja um desastre.

Tengo manteve-se em silêncio no outro lado da linha. Um mau pressentimento surgiu em sua mente como uma nuvem negra a cobrir o horizonte.

— Ei! Você está aí? — perguntou Komatsu.

— Estou — disse Tengo. — O que você está querendo dizer com... meu papel?

— Quero dizer que você vai ensinar a Fukaeri como funciona uma coletiva de imprensa e como ela deve se comportar nessa situação. As perguntas que os repórteres costumam fazer nesse tipo de ocasião normalmente são todas muito parecidas. Por isso, basta fazer uma lista provável de perguntas e ensiná-la a responder direitinho. Você, como professor de escola preparatória, deve saber fazer isso muito bem.

— E sou eu que devo fazer isso?

— É, você. Não sei por quê, mas Fukaeri confia em você. Se você explicar, ela vai concordar. Eu não tenho como fazer isso. Pra começar, sabia que ela nem sequer quis me conhecer?

Tengo suspirou. Se pudesse, ele queria cortar, de uma vez por todas, tudo que estivesse relacionado à *Crisálida de ar*. Ele já tinha feito o que lhe pediram para fazer e agora queria se concentrar no seu próprio trabalho, mas tinha um pressentimento de que as coisas não seriam tão fáceis assim. E a probabilidade de um mau pressentimento tornar-se real era bem maior do que a de um bom pressentimento.

— Depois de amanhã, no final da tarde, você está livre? — perguntou Komatsu.

— Estou.

— Então esteja às seis horas naquela cafeteria de Shinjuku. Fukaeri estará te aguardando.

— Pois então, Komatsu, acho que não sou a pessoa mais indicada para fazer isso. Eu mesmo nem sei como é que funciona uma coletiva. Nunca vi uma.

— Você não diz que quer se tornar escritor? Então coloque a imaginação para funcionar. O trabalho de um escritor não é justamente imaginar o que nunca viu?

— Mas não foi você mesmo que me disse que eu só precisava reescrever a *Crisálida de ar* e que, feito isso, bastava ficar tranquilamente sentado no banco para assistir ao jogo? E que o resto era por sua conta?

— Tengo, se eu pudesse fazer isso, faria com prazer. Não gosto de ficar pedindo favores, mas como não posso fazer estou humildemente lhe pedindo. Vamos imaginar que estamos num bote. Eu estou ocupadíssimo segurando o leme e não posso soltar as mãos e, por isso, entrego a você o remo. Se você disser que não quer remar, o bote vai virar e todos nós morreremos, inclusive Fukaeri. Você não quer que isso aconteça, quer?

Tengo novamente suspirou. Por que será que ele sempre se metia numa situação em que jamais podia recusar?

— Entendi. Vou fazer o possível. Mas não garanto nada.

— Isso mesmo. Sou-lhe grato. Pelo visto, a Fukaeri decidiu que só quer falar com você — disse Komatsu. — Ah! Tem mais uma coisa. Vamos abrir uma empresa.

— Uma empresa?

— Escritório, gabinete, agência de produção... o nome é o de menos. É para agenciar a carreira literária de Fukaeri. É claro que se trata de uma sociedade fictícia. Oficialmente, é a empresa que fará os pagamentos para Fukaeri. O responsável será o professor Ebisuno. E você, Tengo, também fará parte do quadro de funcionários. Você pode assumir qualquer cargo e receberá as remunerações através dele. Eu também farei parte da empresa, mas anonimamente, pois, se descobrirem, estarei em apuros. A distribuição dos lucros será via empresa. A única coisa que você precisa fazer é assinar alguns documentos. O resto pode deixar comigo. Tenho um amigo que é excelente advogado.

Tengo pensou a respeito.

— Komatsu... Posso ficar de fora? Não quero nenhuma remuneração. Foi muito bom reescrever a *Crisálida de ar*. Graças a isso, aprendi muitas coisas. O mais importante é que Fukaeri conseguiu ganhar o prêmio. Vou prepará-la para que se saia bem na coletiva. Isso eu ainda posso fazer, mas não quero me envolver nesse tipo de empresa. É como uma fraude organizada.

— Tengo, não dá mais para desistir — disse Komatsu.

— Fraude organizada? Pensando bem, acho que você tem razão. É isso mesmo. Mas você já sabia disso desde o começo. Combinamos de lançar uma escritora fictícia chamada Fukaeri, e assim enganar a sociedade. Não era isso? É claro que tudo que envolve dinheiro requer um sistema elaborado para poder administrá-lo. Não se trata de uma brincadeira de criança. Agora não adianta mais você dizer que está com medo, que não quer mais fazer parte disso e não quer mais o dinheiro. Se você queria pular fora, devia ter feito isso bem antes, quando a correnteza ainda estava mansa. Agora é tarde. Para montar uma empresa é preciso ter um mínimo de pessoas, ainda que nominalmente, e não seria o caso de colocar alguém que não sabe de nosso plano. Você realmente precisa fazer parte da empresa. As coisas estão se encaminhando e você já faz parte disso tudo.

Tengo pensou sobre o assunto, mas nenhuma boa ideia lhe surgiu na mente.

— Tenho uma pergunta — disse. — Pelo jeito que você falou, o professor Ebisuno está totalmente de acordo com o seu plano. Inclusive o de ser o responsável por essa empresa fictícia, é isso mesmo?

— O professor está ciente de toda a situação e, como responsável por Fukaeri, aprovou o plano. Depois que falei com você naquele dia, logo telefonei para ele. E o professor, obviamente, se lembrava de mim. Ele apenas quis ouvir de você o que achava de mim. Ficou admirado com sua apurada capacidade de observar as pessoas. O que você andou falando de mim, hein?

— O que o professor Ebisuno ganha com isso? Não creio que o interesse dele seja o dinheiro.

— Tem razão. Ele não é uma pessoa que se envolve por alguns trocados.

— Então qual é o motivo de ele se envolver num plano tão arriscado? Ele tem algo a ganhar com isso?
— Não sei. Ele é um tipo de homem que não demonstra o que pensa.
— Se você também é uma pessoa que não demonstra o que pensa, a incógnita é bem maior do que parece.
— Pois é — disse Komatsu. — Aparentemente ele é um velhinho inocente, mas, na verdade, é um tipo muito enigmático.
— Até que ponto Fukaeri sabe disso?
— Sobre os bastidores ela não sabe nada, e creio que não é necessário saber. Fukaeri confia no professor Ebisuno e tem simpatia por você. E é por isso que estou te pedindo este favor.

Tengo trocou o fone de mão. Precisava estar a par dos acontecimentos.

— Pois então, o professor Ebisuno não é mais um acadêmico. Saiu da faculdade e não escreve mais livros, não é?
— Realmente ele não tem mais nenhum vínculo com a vida acadêmica. Ele foi um grande especialista, mas atualmente não tem mais nenhum interesse pelo mundo acadêmico. Para falar a verdade, sempre foi um tipo heterodoxo, que nunca se deu bem com autoritarismos e instituições.
— E o que ele faz hoje?
— Parece que é corretor da bolsa — disse Komatsu. — Se o termo corretor soa antiquado, pode-se dizer que ele é um consultor financeiro. Ele junta um grande volume de dinheiro e consegue tirar uma boa margem de lucro negociando ações. Enfurnado no alto da montanha, ele orienta a compra e venda de ações. Tem uma intuição e tanto. Ele está há muito tempo nesse mercado e criou seu próprio sistema. No começo, ele o fazia por hobby, mas, no final, tornou-se sua profissão principal. Essa é sua história. Ele é muito famoso na área. A única coisa que posso afirmar é que não tem dificuldades financeiras.
— Será que existe alguma relação entre a antropologia cultural e as ações?
— No geral, não. Mas para ele existe.
— E não dá para descobrir o que ele realmente pensa.
— Isso mesmo.

Tengo apertou a têmpora durante um bom tempo. Um pouco depois, já conformado, disse:

— Depois de amanhã, às seis horas da tarde, vou me encontrar com Fukaeri na mesma cafeteria de sempre, em Shinjuku. Vamos conversar sobre a coletiva de imprensa. Está bem?

— Esse é o plano — disse Komatsu. — Por enquanto, não se preocupe demais com isso, deixe as coisas fluírem. Não é algo que comumente acontece na vida da gente. Eis o grandioso mundo do romance picaresco. Faça parte dele e divirta-se com esse denso cheiro do mal. Vamos nos divertir descendo a correnteza e, quando chegar a hora de cair cachoeira abaixo, despencaremos em grande estilo.

Na tarde do segundo dia, Tengo encontrou-se com Fukaeri na cafeteria de Shinjuku. Ela usava jeans azul de corte reto e uma malha fina de verão que evidenciava o contorno dos seios. Tinha os cabelos compridos, bem-aparados, e a pele viçosa. Os homens ao redor não tiravam os olhos dela. Tengo sentia esses olhares. Fukaeri, no entanto, parecia não percebê-los. Realmente, quando for divulgada a notícia de que uma garota como ela ganhou o prêmio de revelação da revista literária, vai dar o que falar.

Fukaeri já havia recebido a notícia de que *Crisálida de ar* havia ganhado o prêmio. Mas não parecia contente ou eufórica. Para ela, tanto fazia ter ou não ganhado o prêmio. Parecia um dia de verão, mas ela pediu chocolate quente. Envolvendo a xícara com as mãos, bebeu o conteúdo como se fosse muito precioso. Ela não havia sido comunicada sobre a coletiva de imprensa, mas, mesmo depois de Tengo informá-la, não esboçou nenhuma reação.

— Você sabe o que é uma coletiva de imprensa?

— Coletiva de imprensa — repetiu Fukaeri.

— Você vai ficar sentada no palco e um grupo de jornalistas vai fazer perguntas a você. Vão tirar fotos. Talvez a televisão também faça alguma cobertura. As perguntas e respostas serão transmitidas em rede nacional. É muito raro uma garota de dezessete anos ganhar um prêmio de novos escritores de uma revista literária, e isso será uma notícia de grande repercussão. A recomendação unânime dos jurados também será motivo de repercussão, por também ser muito difícil de acontecer.

— Fazer perguntas — perguntou Fukaeri.

— Eles vão fazer perguntas e você terá de respondê-las.

— Que tipo de pergunta.

— Diversos assuntos: sobre a obra, sobre você, sua vida pessoal, seus hobbies, seus planos. O melhor a fazer é treinar as possíveis respostas para esses tipos de pergunta.

— Por quê.

— É mais seguro. É para evitar que você fique sem resposta, ou que seja mal-interpretada. Não custa nada treinar um pouco. É como se fosse um ensaio.

Fukaeri tomou o chocolate sem dizer nada. Olhou para Tengo como quem diz: "Não estou nem um pouco interessada, mas já que você insiste..." Seus olhos muitas vezes eram mais expressivos que suas palavras. Em parte porque conseguiam revelar um número maior de frases. Mas ela não podia falar com os repórteres apenas com a expressão do olhar.

Tengo tirou da pasta algumas folhas e as colocou sobre a mesa. Nelas ele listara algumas perguntas que os repórteres poderiam fazer na coletiva. Na noite anterior, preparara a lista após horas matutando.

— Vou fazer algumas perguntas e você me responde como se eu fosse um repórter, ok?

Fukaeri concordou.

— Você já escreveu muitos romances?

— Muitos — respondeu Fukaeri.

— Desde quando você escreve?

— Há muito tempo.

— Está ótimo — disse Tengo. — Responder sucintamente é muito bom. Não é preciso falar coisas desnecessárias. Ótimo. Então, quer dizer que Azami é que escrevia para você?

Fukaeri assentiu.

— Isso você não precisa dizer. É o nosso segredo.

— Não vou dizer — falou Fukaeri.

— Quando você se inscreveu no prêmio, achava que poderia ganhar?

Ela sorriu, mas não abriu a boca. O silêncio prevaleceu.

— Você não quer responder?— perguntou Tengo.

— Não.

— Isso. Se você não quiser responder, mantenha um sorriso. Realmente, é uma pergunta idiota.

Fukaeri concordou novamente.

— De onde surgiu a inspiração para escrever *Crisálida de ar*?

— Da cabra cega.

— Dizer cabra cega não pega bem — comentou Tengo. — Melhor dizer da cabra que não enxerga.

— Por quê?

— Porque a palavra "cega" tem uma conotação discriminatória. Se você disser isso, algum repórter pode ter um ataque do coração.

— Palavra discriminatória.

— Se eu for te explicar, vai levar tempo. De qualquer modo, em vez de dizer cabra cega, será que você poderia dizer da cabra com deficiência visual?

Passado um tempo, Fukaeri disse:

— Da cabra com deficiência visual.

— Agora sim, está ótimo — disse Tengo.

— *Cega* não pode.

— Isso mesmo. Aliás, sua resposta é ótima!

Tengo continuou com as perguntas.

— O que os seus amigos da escola comentaram do prêmio?

— Não frequento a escola.

— Por que não?

Sem resposta.

— Você pretende continuar a escrever romances?

O silêncio se manteve, como era de se esperar.

Tengo bebeu todo o café e devolveu a xícara ao pires. Do alto-falante no teto da cafeteria ouvia-se, em volume baixo, uma versão instrumental da canção *The Sound of Music*.

Raindrops on roses and whiskers on kittens...

— A minha resposta foi ruim — perguntou Fukaeri.

— Não foi ruim — disse Tengo. — De jeito nenhum. Está bom assim.

— Que bom — respondeu Fukaeri.

Tengo falava a verdade. Apesar de ela dizer apenas uma frase de cada vez e não usar sinais de pontuação, suas respostas eram de certo modo perfeitas. O melhor era que conseguia responder sem hesitar. Falava olhando diretamente para os olhos da pessoa, sem piscar. Era uma prova de sinceridade. As respostas curtas não significavam que menosprezasse o interlocutor. Verdade seja dita, frases curtas dificultam a real compreensão do que se quer dizer. Era isso que Tengo queria. Ao mesmo tempo que ela dava a impressão de ser sincera, também conseguia envolver o outro numa cortina de fumaça.

— Que tipo de romance você gosta?
— *As narrativas de Heike*.

Tengo achou a resposta brilhante; mencionar um romance épico em doze volumes compilados entre os séculos XIII e XIV.

— De que parte você mais gosta de *As narrativas de Heike*?
— Todas.
— Você gosta de alguma outra obra?
— *Narrativas de ontem e hoje*.
— Isso é ainda mais antigo! Você não lê literatura moderna?

Fukaeri ficou um bom tempo pensando.
— *O intendente Sanshô*.

Excelente. Se Tengo não estava enganado, *O intendente Sanshô*, de Mori Ôgai, era do início do período Taishô (1912-1926). Significava que, para Fukaeri, a obra era considerada literatura moderna.

— Qual é o seu hobby?
— Ouvir música.
— Que tipo de música?
— Gosto de Bach.
— Alguma música em especial?
— Do BWV 846 ao BWV 893.

Após pensar um pouco, Tengo disse:
— O primeiro e o segundo cadernos do *Cravo bem temperado*.
— É.
— Por que você faz as referências por meio dos números?
— É mais fácil lembrar.

Para os matemáticos, o *Cravo bem temperado* era uma música celestial. Um conjunto de prelúdios e fugas para cada uma das doze escalas, tanto as escalas maiores quanto as menores. Temos as-

sim, ao todo, vinte e quatro conjuntos, sendo que o primeiro e o segundo cadernos totalizam quarenta e oito. Um ciclo completo.
— Alguma outra música de preferência?
— BWV 244.

Tengo não conseguiu lembrar de imediato como era a melodia do BWV 244. O número da composição não lhe era estranho, mas, mesmo assim, não conseguia se lembrar do título. Fukaeri começou a cantar:

Buß' und Reu'
Buß' und Reu'
Knirscht das Sündenherz entzwei
Buß' und Reu'
Buß' und Reu'
Knirscht das Sündenherz entzwei
Knirscht das Sündenherz entzwei
Buß' und Reu'
Buß' und Reu'
Knirscht das Sündenherz entzwei
Buß' und Reu'
Knirscht das Sündenherz entzwei
Daß die Tropfen meiner Zähren
Angenehme Spezerei
Treuer Jesu, dir gebären.

Tengo emudeceu. O tom não estava totalmente de acordo, mas a pronúncia do alemão era clara e admiravelmente correta.
— *Paixão segundo São Mateus* — disse Tengo. — Então quer dizer que você conhece de cor a canção.
— Eu não sei — respondeu a garota.

Tengo pensou em dizer algo, mas faltaram-lhe palavras. Confuso, voltou os olhos para as anotações que tinha em mãos.
— Você tem namorado?

Fukaeri balançou a cabeça para dizer que não.
— Por que não?
— Porque não quero engravidar.
— Mas ter um namorado não significa que você vai engravidar...

Fukaeri manteve-se em silêncio, limitando-se a piscar os olhos com tranquilidade.

— Por que você não quer engravidar?

Fukaeri continuou em silêncio, como era de se esperar. Tengo percebeu como a pergunta tinha sido ridícula.

— Já chega! Vamos parar por aqui — disse Tengo, guardando a lista na pasta. — Pra falar a verdade, é impossível saber o que eles irão perguntar, por isso basta responder do jeito que você achar melhor. Você vai tirar de letra.

— Que bom — disse Fukaeri, e pareceu aliviada.

— Você deve achar uma tremenda perda de tempo treinar as respostas para a entrevista, não é?

Fukaeri encolheu ligeiramente os ombros.

— Eu concordo com você. Mas saiba que não estou fazendo isso porque quero. Quem me pediu isso foi o Komatsu.

Fukaeri assentiu.

— Mas — disse Tengo —, por favor, não diga para ninguém que fui eu que reescrevi a *Crisálida de ar,* está bem? Isso você já sabe, né?

Fukaeri balançou duas vezes a cabeça, concordando.

— Eu escrevi sozinha.

— De qualquer modo, a *Crisálida de ar* é a sua obra, e de mais ninguém. Desde o início, isso é ponto pacífico.

— Eu escrevi sozinha — repetiu Fukaeri.

— Você leu a *Crisálida de ar* depois de reescrita?

— Azami leu para mim.

— O que achou?

— Você escreve muito bem.

— Quer dizer que você gostou?

— Parece que fui eu que escrevi — disse Fukaeri.

Tengo fitou seu rosto. Ela pegou a xícara de chocolate quente e deu um gole. Era necessário muito esforço para que os olhos dele não se voltassem para o volume de seus lindos seios.

— Fico feliz em ouvir isso — disse Tengo. — Foi muito divertido reescrever *Crisálida de ar*. Mas é claro que também foi difícil trabalhar de modo a não descaracterizar essa *obra que é só sua*. Por isso, para mim, é muito importante saber se você gostou do livro refeito.

Fukaeri aprovou, balançando a cabeça, mas continuou quieta. E, para se certificar de algo, tocou sua pequenina orelha de belo formato.

A garçonete se aproximou e encheu os copos com água gelada. Tengo deu um gole para molhar a garganta. Depois, tomou coragem e disse uma coisa que havia cogitado havia algum tempo.

— Eu queria te fazer um pedido pessoal. Claro, se você concordar.

— O que seria.

— Você poderia ir com essa mesma roupa no dia da coletiva?

Fukaeri olhou para Tengo com cara de quem não estava entendendo o que ele queria dizer. Em seguida, observou atentamente cada peça de sua roupa como se, até então, não se desse conta do que vestia.

— Ir com essa roupa lá — Fukaeri indagou.

— É. Ir vestida como hoje, no dia da coletiva.

— Por quê?

— Porque fica bem em você. Minha intuição diz que, se você deixar à mostra os belos contornos dos seus seios, os repórteres, mesmo sem querer, não conseguirão tirar os olhos deles. Quem sabe assim a coletiva se encerre sem que eles façam perguntas muito difíceis.

— A roupa é Azami que escolhe — disse Fukaeri.

— Você não escolhe o que vai vestir?

— Não ligo, uso qualquer coisa.

— A roupa de hoje foi a Azami que escolheu?

— Azami escolheu.

— Ficou muito bem em você.

— Com essa roupa, fica bom o contorno dos seios — perguntou Fukaeri sem o tom de interrogação.

— É isso mesmo. Digamos que a roupa os ressalta.

— A combinação da malha e do sutiã é boa.

Tengo sentiu o rosto ruborizar ao perceber o olhar atento de Fukaeri em direção aos seus.

— Não entendo essa coisa de combinação, mas, de qualquer modo, eu diria que ela produziu um bom resultado.

Fukaeri continuou a observá-lo atentamente e, em seguida, perguntou com uma expressão séria:

— Sem querer acabam olhando.

— Tenho de admitir — respondeu Tengo, escolhendo as palavras.

Fukaeri puxou a malha na altura do pescoço e, como se fosse colocar o nariz dentro, espiou por baixo. Provavelmente, para verificar que tipo de sutiã estava usando. E, durante um tempo, ela observou o rosto ruborizado de Tengo, como se olhasse alguma coisa interessante.

— Vou fazer como pede — disse Fukaeri, um tempo depois.

— Obrigado — agradeceu Tengo. E com isso estava encerrado o encontro.

Tengo acompanhou Fukaeri até a estação Shinjuku. A maioria dos transeuntes andava pelas ruas sem o casaco. Algumas mulheres, inclusive, podiam ser vistas com roupas sem mangas.

O burburinho de vozes e o barulho dos carros se misturavam criando um som coletivo, típico de cidade grande. Uma brisa de início de primavera percorria as ruas, trazendo frescor. Tengo, surpreso, indagava de onde vinha a brisa perfumada que invadia as ruas de Shinjuku.

— Agora você vai voltar para aquela casa? — perguntou Tengo. O trem estava lotado e até chegar lá levaria um tempo absurdo.

Fukaeri negou com a cabeça.

— Tenho um quarto em Shinanomachi.

— Quando fica tarde, você dorme lá, não é?

— Futamatao é muito longe.

Até chegar à estação, Fukaeri segurou a mão esquerda de Tengo como da vez anterior. Parecia uma criança com um adulto, mas, mesmo assim, só pelo fato de uma garota bonita segurar sua mão, espontaneamente, seu coração começou a palpitar.

Ao chegar à estação, Fukaeri soltou a mão de Tengo e se dirigiu até a bilheteria automática para comprar uma passagem até Shinanomachi.

— Não se preocupe com a coletiva — disse Fukaeri.

— Não estou preocupado.

— Não precisa se preocupar, vou me sair bem.

— Sei disso — disse Tengo. — Não estou nem um pouco preocupado. Tenho certeza de que se sairá bem.

Fukaeri não disse mais nada e se adiantou em direção à catraca, desaparecendo em meio à multidão.

Após se separar de Fukaeri, Tengo foi para um barzinho perto da livraria Kinokuniya e pediu um gim-tônica. Era um bar que ele costumava frequentar de vez em quando. De ambientação antiga, o que lhe agradava especialmente ali era que não tinha música ambiente. Sentado no balcão, sozinho, sem ter o que pensar, observou demoradamente sua mão esquerda. Era a mão que Fukaeri segurara até pouco tempo atrás. Tengo ainda sentia o toque de seus dedos. Depois, lembrou-se do contorno dos seios dela. O formato de seus seios era lindo. De tão lindos e tão maravilhosos, perdiam qualquer tipo de conotação sexual.

Enquanto pensava, Tengo teve vontade de falar com a namorada mais velha. O assunto era o de menos. Podiam conversar sobre qualquer coisa: ela podia se queixar das crianças, falar sobre o índice de aprovação do governo Nakazone, o que fosse. O que ele queria era ouvir sua voz e, se possível, encontrá-la imediatamente em algum lugar e fazer sexo. Mas ele não podia ligar para sua casa. O marido poderia atender. A filha poderia atender. Por essas e outras, ele não podia ligar para ela. Esse foi o trato que fizeram.

Tengo pediu mais um gim-tônica e, enquanto aguardava o pedido, imaginou estar numa canoa descendo a correnteza. "Quando chegar a hora de cair cachoeira abaixo, vamos despencar em grande estilo", foi o que Komatsu lhe dissera outro dia ao telefone. Será que as palavras de Komatsu são realmente confiáveis? Será que, um pouco antes de a canoa despencar, Komatsu não vai pular sozinho para cima de um rochedo com alguma desculpa do tipo: "Tengo, foi mal. Acabei de me lembrar de uma coisa que preciso resolver. Você cuida do resto, está bem? Conto com você." E Tengo, sem ter como escapar, despencará sozinho, cachoeira abaixo. Não é algo impossível de acontecer. Muito pelo contrário. É perfeitamente possível.

Ao voltar para casa, dormiu e sonhou. Era um sonho bem nítido daqueles que havia tempos não tinha. Tengo era uma pequenina peça de um quebra-cabeça gigante. Porém ele não era uma peça de característica fixa, pois o seu formato ia se modificando gradativamente, razão pela qual ele não se encaixava em lugar nenhum. Além de procurar um lugar para se encaixar, tinha, também, de recolher as partituras do tímpano. Fortes ventos espalhavam as partituras para todos os lados. Ele tentava recolhê-las, uma a uma, para em seguida verificar as páginas e ordená-las de acordo com a numeração. Enquanto isso, seu formato se modificava como uma ameba. A situação começava a sair do controle quando, sem saber de onde, Fukaeri aparecia e segurava sua mão esquerda. Com isso, Tengo deixava de se transformar. Os ventos cessavam e as partituras paravam de se espalhar. "Que bom", pensou Tengo. Mas seu tempo também estava próximo de acabar. "É o fim", Fukaeri anunciou em voz baixa. Como sempre, com uma única frase. O tempo parou e o mundo também. A Terra foi deixando de girar e todos os sons e luzes cessaram de existir.

No dia seguinte, ao despertar, o mundo continuava a existir. E todas as coisas seguiam adiante, atropelando e esmagando — como o grande carro da mitologia indiana — todos os seres vivos que apareciam em seu caminho.

17
Aomame
Se somos felizes ou infelizes

Na noite seguinte, as duas luas continuavam no céu. A maior era a mesma de sempre. Se desconsiderássemos sua estranha coloração branca — como se tivesse acabado de passar por uma montanha de cinzas — era a velha lua que estamos acostumados a ver. A mesma que possui em sua superfície a marca do pequeno grande passo deixado por Neil Armstrong, naquele escaldante verão de 1969. Ao lado dela, havia uma outra lua menor, disforme e esverdeada, que se aconchegava timidamente como uma criança malformada.

Aomame achou que não estava regulando bem. Sempre existira apenas uma lua e, mesmo hoje, só poderia haver uma. Se, de repente, o número de luas aumentasse para duas, certamente inúmeras mudanças estariam ocorrendo na Terra. A começar por uma drástica alteração no movimento das marés, assunto que estaria sendo amplamente discutido em todo o mundo. Portanto, seria impossível ela ter deixado escapar uma notícia daquela magnitude. Não seria apenas uma questão de mero descuido, como deixar de ler algum artigo de jornal.

Mas será que *realmente* era aquilo? Será que ela poderia afirmar categoricamente, com cem por cento de convicção?

Aomame ficou amuada por um bom tempo. Ultimamente, coisas estranhas aconteciam ao seu redor. Em lugares por ela desconhecidos, o mundo seguia um curso próprio, a seu bel-prazer. Era como participar de um jogo em que a regra era atuar somente enquanto ela estivesse de olhos fechados. Sendo assim, o fato de existirem duas luas no céu não seria tão estranho. Nesse caso, a pequena lua poderia ter surgido sorrateiramente de algum lugar do universo e, fingindo ser um primo distante, teria se fixado no campo gravitacional da Terra.

A polícia renovara os uniformes e substituíra suas armas. Nas montanhas de Yamanashi, ocorrera um violento confronto entre a polícia e um grupo extremista. Tudo acontecera sem que ela soubesse. Fora veiculada a notícia de que os Estados Unidos e a União Soviética construíram em parceria uma base permanente na superfície lunar. Será que aquilo teria alguma relação com o aumento do número de luas? Aomame tentou lembrar se havia algum artigo relacionado a essa segunda lua em algum dos microfilmes que vira na biblioteca, mas, até onde se lembrava, não havia nenhum.

Seria ótimo se pudesse perguntar sobre isso para alguém, mas não tinha nenhuma ideia de como e, muito menos, a quem perguntar. Será que ela podia simplesmente indagar: "Olá! Acho que existem duas luas no céu. Será que você poderia dar uma olhada?" Seria uma estupidez. Se, de fato, o número de luas houvesse aumentado, a pessoa acharia estranho que ela ainda não soubesse disso; mas, por outro lado, se ainda existe — como sempre existiu — somente uma lua, ela certamente seria tachada de louca.

Aomame recostou o corpo na cadeira de alumínio, apoiou as pernas no parapeito da sacada e formulou umas dez maneiras diferentes de fazer a mesma pergunta. Chegou, inclusive, a treiná-las em voz alta. E todas, sem exceção, soaram igualmente idiotas. Paciência. Se a situação era absurda, formular uma pergunta decente seria impossível.

Diante do impasse, ela decidiu temporariamente deixar de lado a questão da segunda lua. Resolveu esperar e ver o que acontecia. Por enquanto, a existência da segunda lua não causava nenhum inconveniente em sua vida prática. Quem sabe um dia, sem que ela se desse conta, a lua não estaria mais lá.

Na tarde do dia seguinte ela foi ao clube em Hiroo e deu duas aulas de artes marciais e uma particular. Ao passar na recepção, recebeu uma mensagem da velha senhora de Azabu, algo muito raro de acontecer. Ela solicitava que entrasse em contato assim que possível.

Como sempre, quem atendeu foi Tamaru.

Segundo ele, a velha senhora queria saber se ela poderia transferir para o dia seguinte o programa habitual de exercícios. E se ela aceitaria compartilhar um modesto jantar após a atividade.

Aomame respondeu que poderia ir depois das quatro horas e aceitou com prazer o convite.

— Ótimo — disse Tamaru. — Então até amanhã depois das quatro.

— Tamaru, você tem visto a lua? — perguntou Aomame.

— A lua? — perguntou Tamaru. — Aquela do céu?

— É.

— De uns tempos para cá, não me lembro de ter parado especialmente para contemplá-la. O que tem a lua?

— Nada de mais — disse Aomame. — Bem, então nos vemos amanhã depois das quatro, está bem?

Tamaru aguardou alguns segundos antes de desligar o telefone.

Naquela noite também havia duas luas. Ambas no segundo dia da fase minguante. Com o copo de brandy na mão, Aomame observou-as detidamente — a grande e a pequena — como quem observa as peças de um quebra-cabeça difícil de montar. Quanto mais ela observava o par de luas, maior se tornava a incógnita. Ela bem que gostaria de perguntar diretamente à lua: "O que aconteceu para que, de repente, essa lua pequena e esverdeada tenha passado a te fazer companhia?" Obviamente, a lua não se daria ao trabalho de responder.

A Lua, mais que ninguém, sempre observou a Terra bem de perto. Certamente presenciou todos os fenômenos e acontecimentos ocorridos neste mundo. Mas sempre se manteve calada. Ela se incumbia de carregar consigo o peso do passado com extrema frieza e exatidão. Lá não existe ar nem ventos. O vácuo é perfeito para preservar, sãos e salvos, os registros de memória. Aomame ergueu o copo e fez um brinde à lua.

— Ultimamente você dormiu abraçada com alguém? — perguntou Aomame a ela.

A lua não respondeu.

— Você tem amigos? — perguntou Aomame.

A lua não respondeu.

— De vez em quando, você não se cansa de viver assim tão indiferente?

A lua não respondeu.

* * *

Tamaru recebeu Aomame na varanda, como de costume.
— Ontem, dei uma olhada na lua — disse Tamaru assim que a viu.
— É mesmo? — disse Aomame.
— Depois que você me perguntou, fiquei intrigado. Mas foi muito bom olhar para a lua depois de tanto tempo. Sente-se uma paz...
— Você viu a lua junto com o seu namorado?
— Isso mesmo — disse Tamaru, tocando a lateral do nariz com o dedo. — Mas então... O que há de errado com a lua?
— Não há nada de errado — respondeu Aomame. E, escolhendo cautelosamente as palavras, disse: — É que ultimamente ando intrigada com ela.
— Sem nenhum motivo?
— Sem nenhum motivo — respondeu Aomame.
Tamaru concordou, balançando a cabeça. Mas parecia desconfiar de algo. Ele não acreditava em coisas desprovidas de motivo. No entanto, não quis insistir e, como sempre, ele a conduziu até o solário caminhando alguns passos à frente. A velha senhora vestia um agasalho esportivo de jérsei e, sentada numa poltrona, lia um livro ouvindo a música instrumental *Lachrimae,* de John Dowland. Era uma das músicas preferidas da velha senhora. Aomame já conhecia a melodia por tê-la ouvido diversas vezes.
— Desculpe-me a mudança de última hora — disse a velha senhora. — O certo seria avisá-la com maior antecedência, mas é que ontem, por acaso, aconteceu de vagar este horário.
— Não se preocupe, por mim está tudo bem — disse Aomame.
Tamaru trouxe na bandeja um bule com chá de ervas e o serviu em duas belíssimas xícaras. Em seguida, retirou-se do solário e fechou a porta. A velha senhora e Aomame tomaram o chá tranquilamente, ouvindo a música de Dowland e contemplando as azaleias que floresciam como labaredas no jardim. Toda vez que Aomame visitava o solário ela se sentia em outro mundo. A impressão era de que o ar se tornava mais denso e as horas fluíam de um modo incomum.

— Quando ouço esta música, às vezes sou tomada por uma estranha sensação em relação ao tempo — disse a velha senhora, como se lesse os pensamentos de Aomame. — E pensar que homens de quatrocentos anos atrás escutavam a mesma música que escutamos agora... não te causa estranhamento?

— É mesmo... — respondeu Aomame. — Mas, pensando assim, podemos dizer que há quatrocentos anos as pessoas também observavam a mesma lua de hoje.

Antes de concordar, a velha senhora olhou para Aomame com uma sutil expressão de surpresa:

— Realmente. Você está coberta de razão. Se pensarmos assim, o fato de estarmos aqui escutando a mesma música de quatro séculos atrás não chega a ser tão estranho.

— Pode-se dizer que a lua é *praticamente* a mesma.

Ao dizer isso, Aomame observou o rosto da velha senhora. Mas seu comentário parecia não ter despertado especial interesse nela.

— A música deste CD foi executada com instrumentos antigos — explicou a velha senhora. — Foram utilizados os mesmos instrumentos e a mesma partitura daquela época. Isso significa que o som que ouvimos é praticamente igual ao que se ouvia naquela época. É como a lua.

Aomame disse:

— As *coisas* podem ser as mesmas, mas o modo como as pessoas de antigamente a percebiam teria sido muito diferente do de hoje. Naquela época, a escuridão da noite devia ser muito mais profunda, de um intenso breu e, consequentemente, a lua era vista como algo muito maior, muito mais claro e mais reluzente. As pessoas obviamente não tinham discos, fitas-cassete e tampouco CDs. No dia a dia elas não tinham condições de ouvir uma música de tão boa qualidade a qualquer hora e no momento desejado. Ouvir música era algo muito especial.

— Você tem razão — admitiu a velha senhora. — O fato de vivermos num mundo como o de hoje, com muitas comodidades, deve ter embrutecido nossa sensibilidade, não acha? A lua pode até ser a mesma, mas nós a enxergamos de maneira diferente. Quatro séculos atrás, talvez tivéssemos um espírito mais desenvolvido e mais conectado à natureza.

— Mas, naquela época, o mundo era cruel. Mais da metade das crianças morriam cedo, antes de se tornarem adultas, vítimas de epidemias ou desnutrição. As pessoas morriam ainda muito jovens devido a doenças como poliomielite, tuberculose, varíola e sarampo. No povo, poucos conseguiam chegar aos quarenta anos. As mulheres tinham muitos filhos e, aos trinta, perdiam os dentes e ficavam como velhas. Para se manterem vivos, muitas vezes tinham de apelar para a violência. As crianças, desde pequenas, eram obrigadas a fazer serviços tão pesados que seus ossos chegavam a deformar-se; e a prostituição de meninas era algo corriqueiro. Creio que a dos meninos também. A maioria das pessoas vivia no limite da subsistência, num mundo totalmente à parte, alheio à sensibilidade e à elevação espiritual. As ruas das cidades estavam repletas de deficientes físicos, mendigos e criminosos. Pouquíssimas eram as pessoas em condições de contemplar a lua, emocionar-se com uma peça de Shakespeare ou ouvir uma música tão bela como a de Dowland.

A velha senhora sorriu.

— Você é uma pessoa muito interessante.

Aomame disse:

— Sou uma pessoa totalmente normal, mas é que gosto de ler livros, sobretudo os de história.

— Eu também gosto dos livros de história. Eles basicamente nos ensinam que somos os mesmos de sempre, não importa se ontem ou hoje. Diferenças podem existir quanto às roupas e ao estilo de vida, mas em relação ao que pensamos e fazemos as diferenças são mínimas. Os seres humanos, no final das contas, não passam de meros veículos, apenas um local de passagem para os genes. Eles transitam de pessoa para pessoa, de geração a geração, como se substituíssem cavalos fatigados por novos. Não sabem discernir entre o bem e o mal. Para eles, pouco importa se somos felizes ou infelizes. Somos apenas um meio. O que realmente importa para os genes é saber o que de fato é proveitoso *para eles*.

— Mesmo assim, cabe a nós refletir o que vem a ser o bem e o mal, não é?

A velha senhora concordou meneando a cabeça.

— Isso mesmo. Os homens não podem deixar de refletir sobre isso, a despeito de os genes controlarem substancialmente nosso modo de viver. É claro que isso gera a contradição — e, dizendo isso, a velha senhora abriu um sorriso.

A conversa sobre história encerrou-se aí. As duas terminaram o chá e passaram a praticar artes marciais.

Nesse dia elas fizeram uma refeição frugal na mansão.

— A refeição que ofereço é bem simples, espero que não se importe — disse a velha senhora.

— Claro que não — respondeu Aomame.

Tamaru trouxe o jantar no carrinho. A refeição provavelmente fora preparada por um cozinheiro profissional, mas a incumbência de servir à mesa era de Tamaru. Ele abriu o vinho branco no balde de gelo e, com mãos experientes, serviu-o nas taças. A velha senhora e Aomame provaram o vinho. O aroma era bom e a temperatura estava perfeita. No jantar foram servidos aspargos brancos cozidos no vapor, salada Niçoise e omelete com carne de caranguejo. À parte, pão francês e manteiga. Os ingredientes eram todos frescos e saborosos. A quantidade servida também foi suficiente para satisfazer o apetite. A velha senhora sempre comia muito pouco. Ela manejava elegantemente o garfo e a faca e, como um passarinho, levava pequenas porções à boca. Enquanto jantavam, Tamaru aguardava num canto distante da sala. Aomame sempre admirava a proeza com que ele conseguia apagar totalmente sua presença por tanto tempo, a despeito de sua imponência.

Durante a refeição, as duas, concentradas no ato de comer, mantiveram conversas entrecortadas. Uma música tocava suavemente ao fundo: um concerto para violoncelo de Haydn. Outra das composições preferidas da velha senhora.

Os pratos foram recolhidos e, na sequência, Tamaru trouxe o café. Quando estava para se afastar da mesa após servi-las, a velha senhora voltou-se para ele e chamou-o erguendo o dedo:

— Por hoje, está dispensado. Muito obrigada.

Tamaru fez uma breve reverência, abaixando discretamente a cabeça, e retirou-se da sala sem fazer barulho. A porta se fechou delicadamente.

Enquanto as duas tomavam o café, o disco terminou e um renovado silêncio invadiu a sala.

— A confiança entre nós é mútua, não é? — indagou a velha senhora.

Aomame concordou de maneira breve e sem ressalvas.

— Compartilhamos um segredo importante — disse a velha senhora. — Em outras palavras, entregamos nossas vidas uma à outra.

Aomame concordou, guardando silêncio.

Tinha sido nessa mesma sala que Aomame revelara seu segredo para a velha senhora. Aomame jamais esqueceria aquela data. Ela sabia que algum dia teria de confessar para alguém o fardo que carregava no coração, pois o ônus de viver com aquilo beirava o insuportável. Por isso, quando a velha senhora lhe dera a oportunidade de se abrir, Aomame revelara o segredo que guardara a sete chaves durante tanto tempo.

Contou-lhe que sua melhor amiga tinha sido vítima da violência doméstica do marido durante muitos anos e, por conta disso, perdera o equilíbrio emocional; sem ter como fugir, no auge do desespero acabou se suicidando. Um ano após a morte da amiga, Aomame inventou um pretexto para ir até a casa do sujeito. Habilmente, criou as condições propícias para matá-lo, espetando uma agulha bem fina na nuca. Bastou um único furo, que não deixou ferimentos nem provocou hemorragia. A morte foi descrita como decorrente de uma doença. Ninguém levantou suspeitas. Aomame nunca pensou ter feito algo errado e, mesmo hoje, pensava o mesmo. Não tinha peso na consciência. Nem por isso, o fato de usurpar a vida de alguém deixava de ser menos pesado a ela.

A velha senhora ouviu atentamente a longa confissão de Aomame. Aguardou em silêncio ela contar, muitas vezes com dificuldades para se exprimir, tudo o que acontecera. Somente após ouvir toda a história é que a velha senhora fez perguntas pontuais sobre passagens que não tinham ficado muito claras. Depois, estendeu os braços e segurou a mão de Aomame durante um bom tempo.

— Você fez a coisa certa — disse ela, pausadamente, para que suas palavras fossem assimiladas por Aomame. — Se ele continuasse vivo, mais cedo ou mais tarde faria o mesmo com outra mulher. Esse tipo de homem sempre consegue encontrar uma nova vítima. Eles continuarão fazendo a mesma coisa várias e várias vezes. Você cortou o mal pela raiz. Não se trata de mera vingança pessoal. Não se preocupe.

Aomame cobriu o rosto com as mãos e chorou durante algum tempo. Chorou por Tamaki. A velha senhora pegou um lenço e enxugou suas lágrimas.

— É uma estranha coincidência — disse a velha senhora com a voz calma, sem hesitar. — Eu também *tive de apagar* uma pessoa por razões muito parecidas.

Aomame ergueu o rosto e olhou a velha senhora. As palavras custavam-lhe a sair. "O que ela quer dizer com isso?", pensou.

A velha senhora prosseguiu:

— É claro que não foi com minhas próprias mãos. Não tenho força física e tampouco conheço uma técnica especial como você. *Apaguei* essa pessoa com os recursos que me eram disponíveis. No entanto, não existe nenhuma prova concreta. Se eu porventura confessar o que fiz, será impossível levantar qualquer tipo de prova contra mim. Assim como no seu caso. Se realmente existe um julgamento após a morte, será Deus quem irá me julgar, mas disso não tenho medo. Não fiz nada de errado. Posso justificar os meus atos diante de qualquer um.

A velha senhora suspirou aliviada e continuou:

— Agora eu e você compartilhamos um segredo muito importante uma da outra. Não é?

Aomame continuava sem entender o que a velha senhora lhe contara. "Como assim... Apagou uma pessoa?" Seu rosto perdia aos poucos a expressão normal, num estado de profunda indagação e intenso choque. Para tranquilizá-la, a velha senhora continuou a conversa com a voz ainda mais serena.

A filha da velha senhora também havia se matado em circunstâncias muito parecidas com as de Tamaki. Ela casara-se com o homem errado. A velha senhora sabia desde o começo que o casamento não daria certo; para ela, era evidente que o homem tinha uma alma desvirtuada. Ele já vinha causando problemas, e a origem desse padrão de comportamento tinha motivações profundamente enraizadas. Mesmo assim, ninguém conseguiu evitar o casamento. Como era de se esperar, a violência doméstica tornou-se corriqueira. Sua filha foi perdendo a autoestima, a confiança e, sentindo-se encurralada, entrou em depressão. O marido minou suas forças, cortou sua independência. Ela passou a viver num inferno, como uma formiga presa numa bacia de areia, sem chances de escapar. Então, certo dia, ela tomou uma grande quantidade de calmantes com uísque.

Na autópsia, foram encontradas marcas de violência pelo corpo. Hematomas provocados por espancamento e golpes muito violentos, fraturas de ossos e inúmeras queimaduras com pontas de cigarro. Os pulsos tinham marcas de terem sido fortemente amarrados. O homem parecia gostar de usar cordas. Os mamilos estavam deformados. O marido foi chamado para depor. Em parte, assumiu os atos de violência, mas alegou veementemente que eram parte dos jogos sexuais que ele, com o consentimento da esposa, praticava, e de que ela gostava muito.

No final das contas, assim como no caso de Tamaki, a polícia não pôde acusá-lo legalmente. A esposa não havia dado queixa e já se encontrava morta. O marido tinha uma boa posição social e um ótimo advogado criminalista para assessorá-lo. E a causa da morte foi confirmada como suicídio, sem margens para contestações.

— Você o matou? — Aomame ousou perguntar.

— Não. Eu não matei *esse homem*.

Ainda sem entender direito a história, Aomame observava em silêncio a velha senhora, que, em seguida, continuou:

— O ex-marido de minha filha, aquele desgraçado, ainda vive. Todas as manhãs ele acorda em sua cama e caminha com suas próprias pernas pelas ruas. A minha intenção não é matá-lo.

Fez uma pausa, enquanto Aomame assimilava o que ela havia dito.

— O que fiz com meu ex-genro foi destruí-lo socialmente. Destruí-lo, total e completamente. Posso dizer que tenho *esse tipo de poder*. Ele era um fraco. Apesar de ser inteligente, eloquente e ter um certo prestígio social, nunca deixou de ser um tipo fraco e vulgar. Homens extremamente violentos em casa com as mulheres e as crianças com certeza têm personalidade fraca. É justamente por isso que fazem questão de procurar pessoas mais fracas para torná-las suas vítimas. Destruí-lo foi uma tarefa fácil; uma vez destruído, esse tipo de sujeito jamais consegue se erguer novamente. A minha filha morreu há muito tempo, mas até hoje eu o vigio atentamente; jamais tiro os olhos dele. Quando começa a se recuperar, *eu* simplesmente não permito que isso aconteça. Ele pode até estar vivo, mas não passa de um cadáver ambulante. É uma pessoa incapaz de se suicidar. Falta-lhe coragem para tanto. Este é o meu jeito de agir. Não quero simplesmente matá-lo. O que quero é mantê-lo vivo e fazê-lo sofrer muito, sem piedade, sem descanso, sem contudo chegar a matá-lo. É como se eu estivesse esfolando lentamente sua pele. Mas a pessoa que eu *tive de apagar* é outra. Tive razões práticas que me levaram a mandá-la para um outro lugar.

A velha senhora retomou as explicações, voltando-se para Aomame. Um ano após o suicídio da filha, a velha senhora fundou um abrigo particular para mulheres que, como sua filha, eram vítimas de violência doméstica. Ela possuía um pequeno prédio de apartamentos de dois andares num terreno contíguo à mansão de Azabu. No início, sua intenção era a de demoli-lo, razão pela qual estava desocupado, mas, em vez disso, resolveu fazer uma breve reforma e o transformou em um abrigo para acolher as mulheres que não tinham para onde ir. Ela mantinha um escritório de advocacia no centro de Tóquio com "salas de apoio às vítimas de violência doméstica" e uma equipe de voluntários que se revezavam no atendimento às mulheres por meio de entrevistas e aconselhamentos por telefone. Era esse escritório que entrava em contato com a velha senhora quando alguma mulher necessitava urgentemente ser encaminhada para o abrigo. Muitas traziam seus filhos ainda pequenos e, dentre as crianças na faixa dos dez anos, havia algumas que tinham sofrido abusos sexuais do próprio pai. Elas ficavam alojadas no abrigo até conseguir um local seguro para se acomodarem. O abrigo oferecia o básico para o dia a dia: alimentação e vestuário. As mulheres ajudavam-se mutuamente numa espécie de vida comunitária. Quem arcava pessoalmente com todas essas despesas era a velha senhora.

Advogados e consultores visitavam o abrigo periodicamente para orientá-las sobre os procedimentos a serem tomados. A velha senhora também costumava visitar o abrigo quando sua agenda permitia e, nessas ocasiões, ouvia as histórias de cada uma das mulheres, dando-lhes conselhos caso a caso. Eventualmente, ela também as ajudava a encontrar emprego ou procurava um local seguro para que pudessem seguir com a vida. Se, porventura, surgisse algum problema em que se exigisse uma intervenção física, Tamaru era requisitado para resolvê-lo. Por exemplo, havia casos em que o marido descobria o paradeiro da esposa e vinha buscá-la para levá-la à força. Em casos assim, Tamaru era a pessoa mais indicada para resolver a situação de modo rápido e eficiente.

— Mas sempre há aqueles casos que nem eu nem Tamaru conseguimos resolver, e em que tampouco podemos contar com a ajuda efetiva da lei — disse a senhora.

Com o decorrer da conversa, Aomame notou que o rosto da velha senhora adquiriu uma luminosidade estranhamente acobreada, e aquela costumeira imagem de gentileza e elegância desapareceu por completo, dando lugar a *algo* que ultrapassava uma simples expressão de raiva e ódio. Algo que provavelmente existia no âmago de seu ser na forma de um caroço pequeno, rígido e sem nome. Mas, a despeito dessa mudança, sua voz mantinha o habitual tom de serenidade.

— É claro que o discernimento para decidir se uma pessoa deve ou não existir não pode ser pautado somente pelo lado prático, ou seja, não se pode considerar apenas o fato de que, se o marido morrer, o processo do divórcio será bem mais fácil e o dinheiro do seguro será rapidamente liberado. A ação só deve ser levada a cabo como um último recurso, após considerar meticulosamente todos os fatores de modo imparcial, ou seja, somente após concluir seguramente que o homem não merece compaixão. Parasitas que, para viver, sugam o sangue das pessoas mais fracas: homens de mentes vis, sem possibilidade de cura nem vontade de se reabilitar; enfim, todos aqueles que não valem para permanecer neste mundo.

A velha senhora cerrou os lábios e durante um bom tempo fixou o olhar em Aomame, como se tentasse enxergar além de uma parede de pedra. Em seguida, disse calmamente:

— Esse tipo de pessoa precisa desaparecer *de alguma forma*, sem chamar a atenção da sociedade.

— E isso é possível?

— Há várias maneiras de apagar uma pessoa — disse a velha senhora, selecionando as palavras. Dito isso, fez uma longa pausa.

— Eu tenho um *certo jeito* de fazer com que elas desapareçam. Sei como fazer isso.

Aomame ficou um bom tempo pensando sobre o que acabara de ouvir, mas o modo de a velha senhora se expressar era vago demais.

Ela prosseguiu:

— Cada uma de nós perdeu uma pessoa que nos era muito importante, e de uma maneira absurda, o que nos deixou profundamente machucadas. Apesar de a ferida jamais cicatrizar, não podemos ficar sentadas somente a observá-la. É preciso levantar e partir para a ação seguinte. Não se trata de vingança pessoal, mas de uma ação em prol da justiça, no mais amplo sentido da palavra. O que você me diz? Gostaria de me ajudar a realizar o trabalho? Preciso de uma colaboradora competente e de confiança. Uma pessoa com quem eu possa compartilhar os segredos e que abrace essa missão junto comigo.

Aomame levou certo tempo para organizar mentalmente e assimilar o que acabara de ouvir. A confissão da velha senhora e sua proposta eram igualmente inusitadas. Tanto que Aomame precisou de tempo para tentar entender o que sentia em relação àquilo tudo. Enquanto aguardava a resposta, a velha senhora manteve-se em silêncio, sem se mover na cadeira, apenas observando Aomame. A velha senhora não tinha pressa. Parecia ter todo o tempo do mundo.

"Ela certamente está vivendo uma espécie de loucura", pensou Aomame, "mas não é louca nem doente mental. Não. É uma pessoa extremamente imparcial em seu modo de pensar, equilibrada emocionalmente, e também já deu provas de discernimento. Portanto, é *algo muito parecido* com a loucura, mas não necessariamente a própria loucura. Talvez seja algo muito próximo do sentimento de intolerância. Neste momento, o que a velha senhora deseja é compartilhar comigo sua loucura ou intolerância, esperando de mim a mesma imparcialidade. A velha senhora acredita que eu tenho condições para isso".

Quanto tempo Aomame refletiu sobre isso? Enquanto estivera concentrada, mergulhada em seus pensamentos, perdera a noção de tempo. Apenas seu coração marcava o tempo num ritmo regular, pautado em batidas secas. Aomame visitou inúmeros cubículos existentes dentro dela, rememorando o passado como um peixe a retornar para a nascente, nadando contra a correnteza. Nesses locais encontrou cenários familiares e cheiros há tempos esquecidos. Em alguns deles sentiu uma agradável saudade; em outros, uma terrível dor. De repente, surgiu um pequeno feixe de luz que atravessava seu corpo. Foi então que ela sentiu uma estranha sensação como se, de uma hora para outra, se tornasse transparente. Ao incidir a luz sobre sua mão, viu que conseguia enxergar através dela. De repente, sentiu que seu corpo estava leve. Foi exatamente nesse momento que Aomame pensou: "Se ela se entregasse a essa loucura ou intolerância, e com isso seu corpo fosse destruído e o mundo desaparecesse, o que ela realmente teria a perder?"

— Entendi — disse Aomame. Após morder os lábios longamente, disse: — Se eu puder fazer algo, gostaria de ajudá-la.

A velha senhora estendeu os braços e segurou firmemente as mãos de Aomame. A partir de então, passaram a compartilhar os segredos e a abraçar essa missão; esse *algo* que se assemelhava à loucura. Não. Esse algo que era a própria loucura. Porém Aomame não sabia quais seriam os limites do que se poderia considerar loucura ou não. Em parte, porque os homens que elas mandavam para um mundo distante eram aqueles que, de todos os pontos de vista, não mereciam compaixão.

— Não faz muito tempo que você mandou aquele homem no hotel de Shibuya para o *outro mundo* — disse a velha senhora, com sua habitual serenidade. Quando ela dizia "mandou" para o outro mundo, era como se estivesse falando sobre o transporte de um móvel em uma mudança.

— Daqui a quatro dias fará exatamente dois meses — disse Aomame.

— Ainda não se passaram dois meses? — continuou a velha senhora. — Eu não deveria estar pedindo a você que fizesse o novo trabalho tão cedo. O ideal seria esperar no mínimo seis meses. Se o intervalo de tempo for muito pequeno, isso lhe trará uma enorme sobrecarga emocional. Como eu poderia dizer... o que você faz não é comum. E as pessoas podem começar a desconfiar caso a quantidade de homens morrendo de ataque no coração aumente muito, principalmente se eles tiverem alguma relação com as mulheres do abrigo pelo qual sou responsável.

Aomame sorriu discretamente e em seguida comentou:

— Neste mundo existem muitas pessoas desconfiadas...

A velha senhora retribuiu-lhe o sorriso e disse:

— Como você já deve saber, sou uma pessoa extremamente cautelosa. Não confio na casualidade, possibilidade ou sorte. Sempre procuro resolver as coisas de forma pacífica, e somente em último caso é que recorro àquilo. Uma vez que me vejo forçada a colocar *aquilo* em prática, elimino todos os riscos possíveis e imaginários. Estudo minuciosamente as possibilidades com riqueza de detalhes e só lhe peço o serviço quando tudo estiver certo e sob controle. É por isso que nunca tivemos nenhum contratempo, não é?

— Realmente — confirmou Aomame. A velha senhora tinha razão. Das vezes anteriores, Aomame se dirigia ao local combinado levando consigo seu instrumento. As condições do local eram previamente estudadas com muita atenção. Ela enfiava uma agulha de ponta extremamente fina num ponto específico da nuca do homem e, após se certificar de que tinha sido "mandado para o outro mundo", ela deixava o local. Tudo transcorria rigorosamente como o planejado, com a máxima perfeição.

— No entanto, quanto ao próximo caso, sinto dizer que preciso lhe pedir para fazer o serviço sem o habitual respaldo que costumo lhe dar. Desta vez, além de enfrentar a dificuldade de elaborar uma agenda, temos também o agravante de não conseguir obter informações precisas para preencher algumas lacunas. Isso significa que possivelmente não vamos conseguir te oferecer as condições ideais para o trabalho. É uma situação um pouco diferente.

— Diferente como?

— Esse homem não possui uma posição comum — disse a velha senhora, escolhendo as palavras. — Para começar, ele tem um forte esquema de segurança.

— É um político?

A velha senhora discordou, balançando a cabeça.

— Não. Ele não é um político. Sobre esse assunto, vamos conversar numa outra hora. Tentei levantar outras possibilidades para não ter de lhe pedir isso, mas nenhuma me pareceu satisfatória. Se agirmos do jeito convencional, o plano não dará certo. Sinto muito, mas não vejo outra saída a não ser pedir que você o faça.

— É um trabalho urgente? — perguntou Aomame.

— Não. Não é urgente. Não há uma data específica. Mas, quanto mais tempo passar, maior será o número de pessoas que sofrerão. E a chance de podermos agir é bem limitada. É impossível prever quando teremos uma outra oportunidade.

Através da janela, via-se a escuridão, e o silêncio preenchia o solário. "Será que a lua já apareceu?", pensou Aomame. De onde se sentava, não conseguia vê-la.

A velha senhora quebrou o silêncio:

— Pretendo explicar a você em detalhe as circunstâncias deste caso. Mas, antes disso, quero que você conheça uma pessoa. Vamos até lá nos encontrar com ela.

— Ela mora no abrigo? — perguntou Aomame.

A velha senhora inspirou lentamente e emitiu um som tênue do fundo da garganta. Seus olhos refletiam um brilho especial que Aomame nunca havia visto.

— Há seis semanas ela foi trazida aqui por recomendação do escritório de apoio. Durante as primeiras quatro semanas ela estava em estado de choque e não disse uma única palavra. Parecia ter perdido totalmente a habilidade de falar. As únicas informações que conseguimos obter foi seu nome e idade. Ela foi encontrada em estado lastimável, dormindo na estação de trem. Somente após ter sido encaminhada para as autoridades policiais e passar por algumas instituições é que foi trazida até nós. Desde então, estou tentando me aproximar dela, sem pressa. Levei muito tempo para fazê-la entender que aqui era um local seguro, que não precisava ter medo. Agora, ela já consegue falar alguma coisa. Ainda fala de modo confuso e entrecortado; mas, juntando uma frase aqui e outra ali, conseguimos entender, ainda que superficialmente, o que fizeram com ela. Sofreu atrocidades difíceis de verbalizar. Algo realmente lamentável.

— É um outro caso de violência do marido?

— Não — disse a velha senhora, com a voz ressequida. — Ela tem somente dez anos.

A velha senhora e Aomame atravessaram o jardim, abriram uma pequena portinhola trancada a chave e passaram ao terreno contíguo onde havia o abrigo. A construção era de madeira, e os apartamentos eram pequenos. Antes, a casa servia principalmente de moradia para os inúmeros empregados que trabalhavam na mansão. Era uma construção de dois pavimentos e, apesar de ter estilo, estava um pouco velha para ser alugada para terceiros. Mas servia muito bem como local de refúgio temporário para mulheres que não tinham para onde ir. Um enorme e antigo carvalho estendia seus galhos como se protegesse a casa, e a porta de vidro da entrada era belamente decorada. Ao todo, eram dez quartos. Havia períodos em que a casa ficava lotada; em outros, vazia. Mas geralmente era ocupada por cinco a seis mulheres. Naquele momento, metade das janelas estava com as luzes acesas. A não ser por vozes ocasionais de crianças, o silêncio reinava de modo estranhamente absoluto. Tinha-se a impressão de que a própria casa parecia conter a respiração. Nela não se ouviam os sons habituais do cotidiano. Próximo ao portão ficava presa uma fêmea de pastor-alemão que grunhia e latia quando alguém se aproximava. Era difícil saber quem a adestrara para latir forte quando algum homem se aproximava. Mas a pessoa de quem ela mais gostava era Tamaru.

Quando a velha senhora se aproximou, a cachorra imediatamente parou de latir e, arfando, começou a abanar o rabo em nítida alegria. A velha senhora se curvou e deu leves batidinhas em sua cabeça. Aomame também se curvou e coçou suas orelhas. A cachorra conhecia Aomame. Ela era muito inteligente. E, não se sabe por quê, adorava comer espinafre. Em seguida, a velha senhora abriu a porta do terraço com a chave.

— Uma das residentes é quem cuida da menina — disse a velha senhora. — Elas dormem no mesmo quarto e, na medida do possível, peço que não tire os olhos da menina. No momento, achamos melhor não deixá-la sozinha.

No abrigo, as mulheres ajudavam-se nas tarefas cotidianas, e eram implicitamente incentivadas a falar de suas experiências e a compartilhar a dor que sentiam. Com isso, muitas conseguiam se recuperar de modo gradativo e natural. As mulheres que moravam havia mais tempo explicavam a rotina da casa para as recém-chegadas e lhes davam os artigos de primeira necessidade. Elas se revezavam na limpeza e no preparo das refeições. Entre elas, havia uma ou outra que preferia se isolar e se recusava a compartilhar sua experiência. Nesses casos, a privacidade e o silêncio eram respeitados. Mas a maioria delas gostava de interagir e conversar abertamente sobre suas experiências com mulheres que haviam enfrentado situações semelhantes. No abrigo era proibido beber, fumar ou permitir o acesso de pessoas estranhas; com exceção dessas restrições, não havia nenhuma outra regra realmente importante.

Na casa havia um telefone e uma televisão, que ficavam na sala, próxima à entrada. Ali havia também um conjunto de sofás antigos e uma mesa de jantar. A maioria das mulheres parecia passar grande parte do tempo naquele espaço. Mas dificilmente a televisão ficava ligada e, mesmo quando estava, o volume era mantido bem baixo, a ponto de quase não se ouvi-la. As mulheres normalmente preferiam ler livros ou jornais, tricotar ou conversar bem baixinho. Entre elas havia quem ficasse o dia todo pintando. Era um espaço estranho. Um espaço de transição que mediava o mundo real e o mundo após a morte, onde a luz pairava sombria e estagnada, independentemente de o dia estar ensolarado ou nublado, de ser dia ou noite. Toda vez que Aomame entrava na sala, ela se sentia como um peixe fora d'água, uma intrusa insensível num clube exclusivo. A solidão que aquelas mulheres sentiam tinha uma origem diferente da dela.

Assim que a velha senhora entrou na sala, as três mulheres que ali estavam imediatamente se levantaram. Era visível o profundo respeito que nutriam por ela. A senhora pediu que voltassem a se sentar:

— Por favor, fiquem à vontade. Só vim trocar umas palavrinhas com Tsubasa.

— Ela está no quarto — informou uma mulher que aparentava ter a mesma idade de Aomame. Tinha os cabelos longos e lisos.
— Ela está com Saeko. Parece que ainda não quer descer — disse uma outra, um pouco mais velha.
— Ainda deve levar algum tempo — disse a velha senhora, esboçando um leve sorriso.
As três mulheres concordaram, apenas meneando a cabeça. Elas sabiam muito bem o que significava "levar algum tempo".

Ao subir as escadas e entrar no quarto, a velha senhora pediu licença para que a mulher pequena e franzina que ali estava as deixasse conversar a sós com a menina. A mulher, chamada Saeko, esboçou um sorriso apático e, ao sair, fechou a porta e desceu as escadas. Com isso, a velha senhora e Aomame ficaram sozinhas com a menina de dez anos chamada Tsubasa. As três sentaram em torno da mesa de refeições que havia no quarto. Cortinas de tecido grosso cobriam a janela.
— Esta moça se chama Aomame — disse a velha senhora. — Não se preocupe, ela trabalha comigo.
A garota olhou rapidamente o rosto de Aomame e, em seguida, concordou balançando discretamente a cabeça. Um gesto sutil demais, que passaria facilmente despercebido.
— Esta é Tsubasa — apresentou a velha senhora. E, na sequência, perguntou: — Há quanto tempo você está aqui conosco?
A menina balançou levemente a cabeça, dando a entender que não sabia. O movimento não chegava a um centímetro.
— Seis semanas e três dias — respondeu a velha senhora. — Você pode não contar os dias, mas eu os conto direitinho. Sabe por quê?
A menina novamente balançou milimetricamente a cabeça.
— Em certas situações, o tempo é algo muito importante — respondeu a velha senhora. — O fato de contá-lo pode se tornar algo muito significativo.
Aos olhos de Aomame, Tsubasa era como qualquer outra criança. Talvez um pouco mais alta do que as meninas da mesma idade, mas era magra e ainda não tinha seios. Parecia num estado

crônico de desnutrição. Seu rosto não era feio, mas parecia muito debilitado. Seus olhos eram como janelas embaçadas que impossibilitavam ver o que havia no interior. De vez em quando, seus lábios secos e finos se mexiam nervosamente, tentando formular palavras que não se transformavam em sons.

A velha senhora tirou uma caixa de chocolates que trouxera dentro de um saco de papel. Na tampa havia a paisagem dos Alpes Suíços. Ao todo eram doze belíssimos chocolates de diferentes formatos. A velha senhora deu um a Tsubasa, outro a Aomame e, por fim, pegou um para si, que levou à boca. Aomame também comeu. A menina, após observá-las, colocou o seu na boca.

As três mantiveram-se em silêncio enquanto comiam o chocolate.

— Você se lembra de quando tinha dez anos? — perguntou a velha senhora, dirigindo-se a Aomame.

— Lembro muito bem — respondeu Aomame. Naquele ano, ela segurou a mão de um menino e jurou amá-lo para sempre. Meses depois, menstruou pela primeira vez. Foi uma época de muitas mudanças. Ela também se afastou da religião e decidiu cortar os laços com os pais.

— Eu também me lembro — disse a velha senhora. — Quando eu tinha dez anos, meu pai me levou para Paris e morei lá durante um ano. Naquela época, ele trabalhava no corpo diplomático. Morávamos num antigo apartamento próximo ao jardim de Luxemburgo. Estávamos no final da Primeira Guerra Mundial, e nas estações de trem havia muitos soldados feridos; entre eles, inclusive, crianças e idosos. Em qualquer estação do ano, Paris é considerada uma cidade maravilhosa, mas a única imagem que guardo dela é de um cenário tingido de sangue. Enquanto a batalha na linha de frente continuava acirrada, pessoas que perderam pernas, braços e olhos vagavam pelas ruas feito almas penadas. O que me chamava a atenção eram as tiras brancas dos soldados enfaixados, e a braçadeira de luto das mulheres. As carroças levavam para o cemitério muitos caixões novos e, durante o trajeto, as pessoas no caminho se calavam, desviando o olhar.

A velha senhora projetou os braços sobre a mesa. A menina, após pensar um pouco, estendeu as mãos, que até então estavam em seu colo, e as colocou sobre as mãos da velha senhora. A senhora as segurou. Provavelmente, quando criança, seu pai ou sua mãe também deviam ter segurado firmemente suas mãos toda vez que se deparavam com as carroças empilhadas de caixões pelas ruas de Paris. Para encorajá-la, eles também deviam dizer que ela não se preocupasse, pois estava num lugar seguro.

— Os homens produzem diariamente milhões de espermatozoides — disse a velha senhora voltando-se para Aomame. — Você sabia disso?

— Não sabia que era tanto — respondeu Aomame.

— Eu não saberia dizer a quantidade exata, mas sei que são muitos. Os homens liberam tudo isso de uma só vez. Mas a quantidade de óvulos maduros que a mulher produz é limitada. Você sabe quantos são?

— Não sei a quantidade correta.

— Durante a vida não passam de quatrocentos — disse a velha senhora. — Os óvulos não são reproduzidos mensalmente, eles estão armazenados dentro da mulher desde o nascimento. Após a primeira menstruação, todo mês um deles amadurece e é liberado. Esta menina também tem óvulos armazenados dentro de si. Como ela ainda não menstruou, eles deveriam estar intocados, devidamente guardados numa espécie de gaveta. A função desses óvulos é acolher espermatozoides e ser fertilizados.

Aomame assentiu.

— A grande diferença de mentalidade entre homens e mulheres parece vir dessa distinção entre os aparelhos reprodutores. Do ponto de vista estritamente fisiológico, nós, mulheres, vivemos com o objetivo premente de proteger essa quantidade limitada de óvulos. Isso vale tanto para você como para mim e também para esta menina — disse a velha senhora. Esboçando um leve sorriso, acrescentou: — No meu caso, obviamente, tenho de usar o passado: *vivia* com esse objetivo.

Aomame fez um rápido cálculo mental e constatou que ela já tinha liberado cerca de duzentos óvulos, e que restava apenas a outra metade, possivelmente com o rótulo de "reservado".

— Mas os óvulos desta menina jamais poderão ser fecundados — disse a velha senhora. — Semana passada, ela foi examinada por um médico de minha confiança. Seu útero foi destruído.

Aomame fitou a velha senhora com uma expressão de dor e, em seguida, olhou a menina. As palavras custavam-lhe a sair.

— Destruído?

— Isso mesmo. Destruído — respondeu a velha senhora. — Mesmo que ela se submeta a uma cirurgia, o útero não poderá ser recuperado.

— Mas quem foi que fez isso? — perguntou Aomame.

— Ainda não temos respostas — respondeu a velha senhora.

— O Povo Pequenino — disse a menina.

18
Tengo
Não há mais vez para o Grande Irmão entrar em cena

Logo após a coletiva, Komatsu telefonou para Tengo e disse que tudo correra bem, sem nenhum contratempo.

— Deu tudo certo! — falou Komatsu eufórico, num tom de voz que não era habitual. — Puxa! Eu não esperava que ela fosse se sair tão bem. Ela soube responder habilmente às perguntas, de modo inteligente, e causou uma ótima impressão em todos.

Tengo não se surpreendeu com os comentários de Komatsu. Não que houvesse alguma razão especial para isso, mas Tengo não estava tão preocupado com a coletiva. No fundo, sabia que Fukaeri se sairia bem. No entanto, a expressão "causou uma ótima impressão" não combinava com a imagem que ele fazia dela.

— Quer dizer que ela não deixou escapar nenhum podre. É isso? — Tengo achou melhor perguntar, ainda que por precaução.

— Isso mesmo. Encurtei o tempo da coletiva e dei um jeito de cortar as perguntas inconvenientes. Mas, para falar a verdade, não havia nenhuma pergunta especialmente *difícil*. Afinal, trata-se de uma garota muito bonita de dezessete anos, e, convenhamos, nenhum jornalista ia querer fazer o papel de vilão, não é? Claro, pelo menos não por enquanto. É imprevisível saber o que vai acontecer daqui pra frente. Neste mundo, os ventos mudam de direção a qualquer momento.

Tengo imaginou Komatsu em pé, no alto de um enorme precipício, com uma cara séria, lambendo o dedo e erguendo-o para verificar a direção dos ventos.

— De qualquer modo, tenho de admitir que tudo deu certo graças ao ótimo trabalho que você fez ao treiná-la. Sou muito grato. As notícias sobre a premiação e a coletiva devem sair nos jornais de amanhã, na edição vespertina.

— Com que roupa ela estava?

— Roupa? Ah! Era bem simples. Um suéter de malha fina e uma calça jeans bem justinha.

— Uma blusa que ressalta os peitos?
— Pensando bem, acho que sim. Dava para ver direitinho o contorno de seus seios. Que, aliás, pareciam fresquinhos, como se tivessem acabado de *sair do forno* — comentou Komatsu. — Pois então, Tengo, aquela menina será conhecida como uma escritora jovem de extraordinária genialidade, e vai dar o que falar. Ela tem boa aparência e, apesar de falar de modo estranho, provou ser muito inteligente. Além do mais, tem um ar que a distingue da maioria. Eu já acompanhei a estreia de muitos escritores, mas ela é especial. Quando digo que alguém é especial, pode acreditar no que falo. Daqui a uma semana estará nas prateleiras a revista com *Crisálida de ar*, e aposto qualquer coisa, minha mão esquerda e minha perna direita que, em menos de três dias, a edição estará totalmente esgotada.

Tengo agradeceu Komatsu por informá-lo sobre as boas novas e desligou o telefone. A notícia o deixou, de certa forma, mais tranquilo. Significava que ao menos haviam superado o primeiro obstáculo, a despeito de não terem a mínima ideia de quantos ainda teriam pela frente.

A coletiva foi divulgada nos vespertinos do dia seguinte. Ao voltar da escola, Tengo passou num quiosque da estação e comprou quatro jornais. Ao chegar em casa, comparou as reportagens. Todas davam praticamente as mesmas informações. Não eram matérias grandes, mas o tratamento era excepcional, em se tratando de uma premiação de novos escritores de uma revista literária que normalmente não ganhava mais que cinco linhas. Conforme Komatsu havia previsto, a mídia ficou alvoroçada com a notícia de que uma garota de dezessete anos ganhara o prêmio literário. Os artigos informavam que *Crisálida de ar* fora escolhido por unanimidade pelos quatro membros da comissão julgadora. Ressaltava que não houvera nenhuma contestação e que a decisão não levara mais de quinze minutos. Algo realmente surpreendente. Era considerado impossível haver unanimidade de opiniões entre os quatro membros do júri, composto por escritores atuantes e com personalidades fortes. A obra estava causando rebuliço nos meios literários. Segundo os jornais, na pequena coletiva, realizada num dos salões do hotel em que ocorrera a cerimônia, a escritora respondera às perguntas dos repórteres "com clareza e simpatia".

Ao ser questionada: "Você pretende continuar a escrever romances?", ela havia respondido: "O romance nada mais é que uma forma de expressão do pensamento. Desta vez, por acaso, ele tomou a forma de romance; não sei que forma ele terá da próxima vez."

Era difícil acreditar que Fukaeri tivesse dito uma sentença tão comprida de uma única vez. O mais provável era que o repórter a houvesse elaborado a partir de frases entrecortadas, inserindo palavras para preencher as lacunas. Por outro lado, ela talvez pudesse ter usado uma frase longa. Em se tratando dela, não se podia afirmar nada com absoluta certeza.

Quanto à pergunta sobre seu livro preferido, a resposta obviamente fora *As narrativas de Heike*. Ao responder a um dos repórteres sobre qual parte ela mais gostava, recitou o trecho de cor. A longa recitação durou cerca de cinco minutos, deixando os presentes admirados. Ao terminar, o público manteve-se em silêncio durante um bom tempo. Por sorte (essa seria a palavra mais acertada), ninguém quis saber qual era sua música preferida.

"Quem foi que ficou mais feliz por você ter ganhado o prêmio?" foi outra das perguntas. Antes de responder, ela se manteve em silêncio por um bom tempo (Tengo podia imaginar a cena) para só então dizer: "Isso é segredo."

Pelo tom das notícias, dava-se a entender que em nenhum momento ela havia mentido. Tudo que dissera era a pura verdade. Sua foto estava em todos os jornais. A Fukaeri da foto era ainda mais linda que a imagem que Tengo guardava dela. Quando conversavam pessoalmente, sua atenção se voltava ao gestual, às mudanças de expressão, às palavras que ela pronunciava e, por isso, quase nunca prestava atenção em seu rosto. Mas ao vê-la na foto, estática, ele percebeu o quanto era bonita. Era uma foto pequena, tirada durante a coletiva (de fato, ela estava com o mesmo suéter de verão que usara da vez anterior), mas notava-se um tipo de luminescência em seu rosto. Talvez era a isso que Komatsu se referia ao dizer que ela tinha "um ar que a distingue da maioria".

Tengo dobrou os jornais e os guardou. Depois, em pé na cozinha, preparou a refeição enquanto bebia uma lata de cerveja. A obra reescrita por ele vencera com unanimidade o prêmio de revelação de uma revista literária, ganhara repercussão pública e a perspectiva de se tornar um best-seller. Ao pensar assim, sentiu algo estranho: um misto de alegria sincera com insegurança e desassossego. Tudo caminhava dentro do previsto, mas seria normal tudo ir assim tão bem?

Enquanto preparava a refeição, sentiu que perdera o apetite. Um pouco antes, estava com fome, mas agora não tinha mais nenhuma vontade de comer. Resolveu envolver com filme plástico a comida que estava preparando e guardá-la na geladeira. Em seguida, sentou-se na cadeira da cozinha e, em silêncio, bebeu a cerveja olhando o calendário na parede. Ganhara o calendário do banco, e nele havia fotos do monte Fuji nas quatro estações. Tengo nunca havia subido o monte Fuji. Nunca subira na torre de Tóquio. Nunca subira na cobertura de um prédio alto. "Por que será?", pensou Tengo. Talvez por ter sempre vivido com os olhos voltados para onde pisava.

Komatsu acertou em cheio sua previsão. A revista com *Crisálida de ar* se esgotou no primeiro dia, sumindo rapidamente das prateleiras. Até então, vender toda a tiragem de uma revista literária era inédito. A editora mantinha essa publicação mensal, mesmo operando no vermelho, pois seu objetivo era lançar posteriormente as obras em livros e revelar novos escritores com o prêmio literário. Não havia nenhuma expectativa de obter lucros com a publicação. Portanto, vender todas as revistas num único dia era uma notícia que chamava a atenção do público, como se houvesse nevado em Okinawa. Mesmo assim, vender tudo não significava necessariamente que a revista fosse sair do vermelho.

Komatsu telefonou para explicar essas coisas.

— Isso é muito bom — disse Komatsu. — Se as revistas esgotaram, as pessoas vão se interessar ainda mais pela obra, e a curiosidade de lê-la será maior. A gráfica está trabalhando a todo vapor para editar *Crisálida de ar* em livro. Caráter de urgência, prioridade máxima. Desse jeito, ganhar o prêmio Akutagawa é o de menos. O importante agora é vender o livro enquanto a notícia está quente. Com certeza vai se tornar um best-seller. Eu garanto. Por isso, Tengo, é melhor você já ir pensando em como vai gastar o dinheiro.

Na coluna literária do jornal de sábado havia uma notícia sobre *Crisálida de ar*, que informava que a revista havia se esgotado rapidamente. Alguns críticos literários faziam comentários sobre o livro. Em geral as críticas eram positivas. Segundo eles, era difícil crer que uma garota de dezessete anos fosse capaz de ter um estilo tão vigoroso, uma sensibilidade tão apurada e uma imaginação tão rica. E levantavam *a possibilidade* de a obra criar um novo estilo literário. Um dos críticos apontava que, "em alguns trechos, a excessiva imaginação lamentavelmente comprometia o elo com a realidade". Foi a única opinião negativa que Tengo encontrou. Mas esse mesmo crítico terminava o artigo num tom mais moderado, dizendo "aguardar com muito interesse que tipo de obra essa jovem vai escrever daqui para a frente". A direção dos ventos parecia favorável.

Fukaeri telefonou para Tengo quatro dias antes da data prevista para o lançamento do livro. Eram nove da manhã.

— Estava acordado — perguntou Fukaeri. Como sempre sem entonação.

— Estou — respondeu Tengo.

— Hoje à tarde está livre.

— Depois das quatro estou livre.

— Podemos nos encontrar.

— Podemos — disse Tengo.

— Pode ser no mesmo lugar de sempre — perguntou Fukaeri.

— Pode sim — respondeu Tengo. — Às quatro da tarde estarei naquela mesma cafeteria de Shinjuku. Ah, você estava muito bem na foto. Aquela que foi tirada no dia da coletiva.

— Eu vesti o mesmo suéter — disse Fukaeri.

— Ficou bem em você — disse Tengo.

— Porque você gosta do formato dos seios.

— Você tem razão, mas o mais importante é que eles causaram uma boa impressão nas pessoas.

Fukaeri manteve-se em silêncio por um bom tempo. Era um silêncio parecido com o de uma pessoa observando atentamente algo disposto numa prateleira próxima. Talvez ela estivesse pensando qual seria a relação entre causar uma boa impressão e o formato de seus seios. O próprio Tengo pensava na possível relação, sem saber ao certo qual poderia ser.

— *Quatro horas* — disse Fukaeri, e em seguida desligou.

Quando Tengo chegou à cafeteria, um pouco antes das quatro, Fukaeri já o aguardava, com o professor Ebisuno sentado a seu lado. Ele vestia uma camisa cinza-claro de mangas compridas e uma calça cinza-escuro. Como da vez anterior, parecia uma estátua, com as costas perfeitamente eretas. Tengo ficou surpreso em vê-lo. Komatsu lhe dissera que era muito raro o professor "descer a montanha".

Tengo sentou-se em frente aos dois e pediu um café. Apesar da proximidade da estação das chuvas, o dia estava quente, como em pleno verão. E, mesmo com o calor, Fukaeri bebia, aos golinhos, uma xícara de chocolate quente como da vez anterior. O professor Ebisuno pedira um café gelado no qual nem havia tocado. O gelo derretera, formando uma camada de água na superfície do líquido.

— Obrigado por ter vindo — disse o professor Ebisuno.

Assim que o café foi servido, Tengo tomou um gole.

— Parece que as coisas estão se encaminhando bem — disse o professor, de modo pausado, como a testar o tom de sua própria voz. — Antes de mais nada, gostaria de agradecer sua grande, ou melhor, sua enorme contribuição.

— Agradeço suas palavras, mas, como o senhor já sabe, neste caso em particular sou uma pessoa que oficialmente não existe — disse Tengo. — E uma pessoa inexistente não tem como contribuir.

O professor Ebisuno esfregou as mãos sobre a mesa para ganhar tempo.

— Não seja tão modesto. Você pode não existir publicamente, mas, na prática, sua existência é verdadeiramente real. Se você não existisse, nada disso teria acontecido. Foi graças a você que *Crisálida de ar* se transformou nessa obra excepcional. Você conseguiu agregar maior profundidade e riqueza ao conteúdo, muito mais do que eu podia imaginar. Realmente, Komatsu tem olho clínico.

Fukaeri bebia em silêncio o chocolate quente, como um gatinho a lamber uma tigela de leite. Ela vestia uma blusa branca de meia manga, bem simples, e uma saia azul-marinho curta. Como sempre, não usava nenhum ornamento. Quando se curvava para beber o chocolate, o rosto se escondia por trás dos longos cabelos lisos.

— Eu queria muito lhe dizer isso pessoalmente, por isso peço desculpas pelo incômodo de fazê-lo vir até aqui — disse o professor Ebisuno.

— Não precisava se incomodar. Reescrever a *Crisálida de ar* foi muito significativo para mim.

— Ainda insisto em expressar minha gratidão.

— Não precisa me agradecer — disse Tengo — Mas, se o senhor me permitir, gostaria de fazer algumas perguntas pessoais sobre Fukaeri.

— É claro que sim. Se eu puder responder...

— O senhor é o tutor oficial dela?

O professor Ebisuno discordou, balançando a cabeça.

— Não. Não sou exatamente o tutor. Mas gostaria de sê-lo. Como conversamos outro dia, há tempos que eu não tenho nenhuma notícia dos pais dela. Legalmente, não tenho nenhum direito sobre ela. Apenas acolhi a Eri quando apareceu lá em casa sete anos atrás, e, desde então, venho cuidando dela.

— Se é assim, o normal não seria o senhor fazer o máximo para não expô-la? Se ela se expuser e se tornar o foco das atenções, isso lhe trará problemas. Ainda mais sendo menor de idade.

— Quando você se refere a problemas, você quer dizer que a situação pode se complicar se os pais dela, por exemplo, resolverem me denunciar e requererem a guarda da filha? Ou, ainda, que podem forçá-la a voltar para o lugar de onde fugiu?

— Isso mesmo. Esse é um ponto que não consigo entender.

— Sua pergunta é pertinente. No entanto, há circunstâncias do lado de lá que também os impedem de agir publicamente. Quanto mais a Eri for o centro das atenções, maior será a exposição deles caso venham a fazer algo contra ela. E isso certamente é algo que não desejam.

— *Eles* — disse Tengo. — O senhor está se referindo a "Sakigake", é isso?

— Isso mesmo — respondeu o professor. — Estou falando do grupo religioso Sakigake. O fato de eu ter cuidado de Eri durante esses sete anos foi, em parte, muito positivo. A própria Eri manifestou seu desejo de continuar morando lá em casa. Além do mais, não sei o que houve com os pais dela, mas o fato é que simplesmente a abandonaram durante todo esse tempo. Não posso entregá-la sem nenhuma resistência, dizendo "Concordo com vocês".

Tengo organizou mentalmente as informações e indagou:

— Conforme o previsto, *Crisálida de ar* será um best-seller e Eri vai se tornar o centro das atenções. Em contrapartida, isso dificultará as ações de Sakigake. Até aí eu entendo perfeitamente. Mas o que o senhor *pretende* fazer de agora em diante?

— Eu também não sei — disse o professor, em tom neutro. — O que vai acontecer daqui para a frente pertence a um território desconhecido ao qual ninguém tem acesso. Não existem mapas. Precisamos dobrar a esquina para depois saber o que nos aguarda. Não temos ideia do que vamos encontrar.

— Não tem ideia do que vai encontrar? — perguntou Tengo.

— Não. Por mais que soe leviano, a verdade é que *não temos ideia* do que nos espera. É como atirar uma pedra num lago profundo: Plaft! Um barulho enorme ecoa ao redor... Agora, só nos resta aguardar e observar atentamente o que vai sair de dentro do lago.

Os três ficaram em silêncio, cada um imaginando a seu modo as ondulações agitando a superfície do lago. Tengo aguardou um tempo que, segundo seus cálculos, seria suficiente para que as ondulações imaginárias dos demais também se aquietassem, e então quebrou o silêncio:

— Como eu já disse em nosso primeiro encontro, o que estamos fazendo é um tipo de fraude. Não deixa de ser um crime. Daqui pra frente, a tendência é que isso envolva uma considerável soma de dinheiro, e a mentira vai crescer como uma bola de neve. Uma mentira vai puxar outra, elas se tornarão cada vez mais complexas e fatalmente escaparão do nosso controle. Quando a verdade vier à tona, todos nós, inclusive Eri, sairemos prejudicados ou, na pior das hipóteses, destruídos; ou seja, seremos socialmente aniquilados. O senhor está de acordo com isso?

O professor Ebisuno levou a mão à ponte dos óculos.

— No final das contas, só me resta concordar.

— Segundo Komatsu, o senhor também aceitou ser o representante legal dessa empresa forjada, que vai tratar dos assuntos relacionados a *Crisálida de ar*. Em outras palavras, o senhor pretende participar do plano de Komatsu expondo o seu nome publicamente, o que significa que está disposto a assumir a culpa.

— No final das contas, acho que é isso que vai acontecer.

— O senhor é uma pessoa excepcionalmente inteligente, dono de um vasto conhecimento e de uma original visão de mundo. Mesmo assim, o senhor diz que não consegue imaginar o que vai acontecer daqui pra frente. Disse há pouco que não tem a mínima ideia do que vai encontrar ao dobrar a esquina. O que eu não consigo entender é por que uma pessoa como o senhor quer se envolver numa situação tão incerta e imprevisível.

— Agradeço os seus elogios, mas... — o professor fez uma breve pausa e prosseguiu: — Entendo muito bem o que está querendo dizer.

Houve um silêncio.

— Ninguém sabe o que vai acontecer — interveio de repente Fukaeri, retornando a seguir ao silêncio. A xícara de chocolate estava vazia.

— É isso mesmo — disse o professor. — Ninguém sabe o que vai acontecer. Eri tem toda a razão.

— Mas deve haver algum plano — disse Tengo.

— Existe um plano — disse o professor.

— Posso tentar adivinhar?

— É claro que pode.

— A publicação de *Crisálida de ar* pode ajudar a desvendar o que aconteceu com os pais de Eri. O significado de jogar uma pedra no lago seria isso?

— Você chegou bem perto — disse o professor Ebisuno. — Se *Crisálida de ar* se tornar um best-seller, a mídia vai assediá-la como carpas que se juntam no lago. Para falar a verdade, a repercussão já está sendo grande. Desde que ela foi à coletiva, chovem convites para que conceda entrevistas a revistas e canais de TV. Estou recusando todos os pedidos, mas, com a publicação do livro, a procura será ainda maior. Se continuarmos a recusar todas as entrevistas, eles farão de tudo para descobrir o histórico de Eri. Cedo ou tarde, a sua vida pessoal virá à tona. Eles vão descobrir quem são os pais dela, onde e como ela foi criada e quem está cuidando dela agora. E isso certamente será um assunto de grande interesse.

"Eu não faço isso porque gosto. Hoje vivo tranquilamente nas montanhas e jamais me envolveria num assunto de tamanha repercussão. Não tenho nada a ganhar com isso. O que quero fazer é jogar a isca e conduzir o interesse da mídia para os pais dela. Fazer com que a mídia queira *saber onde estão e o que estão fazendo*. A intenção é fazer a imprensa descobrir o que até hoje a polícia não conseguiu ou não quis fazer. Se der certo, vamos usar as informações para libertar o casal Fukada. Seja como for, tanto para mim quanto para Eri essas pessoas são muito importantes. Não posso simplesmente abandoná-las sem tentar descobrir o que aconteceu."

— Mas se o casal Fukada realmente estiver lá, por que estariam sob custódia durante esses sete anos? É muito tempo, não acha?

— Eu também não sei. Apenas posso levantar hipóteses — disse o professor. — Como já disse outro dia, Sakigake era originalmente uma comuna agrícola de inspiração revolucionária que, num determinado momento, resolveu cortar relações com o grupo extremista Akebono e, após uma mudança drástica em suas diretrizes, tornou-se um grupo religioso. Devido ao incidente ocorrido em Akebono, a polícia realizou uma investigação em Sakigake, mas constatou que o grupo não tinha nenhuma relação com o ocorrido. Desde então, Sakigake foi reforçando gradativamente seu posicionamento religioso. Não; o certo seria dizer que isso se deu de forma abrupta. O fato é que a sociedade não tem como saber que tipo de atividades eles desenvolvem lá dentro. Você também não sabe, não é?

— Realmente não sei de nada — disse Tengo. — Não vejo televisão e quase não leio os jornais. Acho que não posso ser considerado um parâmetro da sociedade.

— Não se trata de estar desinformado. Eles agem sorrateiramente para que a sociedade não saiba o que estão fazendo. As novas religiões procuram chamar atenção para ganhar fiéis, mas Sakigake não segue essa linha. Seu objetivo não é aumentar o número de fiéis. Normalmente, as religiões querem conquistar o maior número de seguidores para manter sua receita, mas Sakigake não parece ter esse tipo de preocupação. Mais do que dinheiro, o que eles realmente querem é reunir recursos humanos: seguidores jovens, saudáveis, capacitados nas mais diversas áreas de especialização e com alto grau de comprometimento com os objetivos do grupo. Por isso jamais aliciam as pessoas. Eles não aceitam qualquer um. As pessoas que os procuram são submetidas a uma entrevista e passam por um exame de seleção. Às vezes, eles é que buscam pessoas com alguma capacitação específica que lhes seja útil. Foi assim que se criou um grupo religioso com pessoas altamente motivadas, qualificadas e de forte apelo militante. Publicamente, dedicam-se à agricultura e seguem uma rigorosa prática ascética.

— Afinal, que tipo de doutrina religiosa eles seguem?

— Não adotam nenhum livro sagrado. Mesmo que tenham algum, deve ser bem eclético. Em linhas gerais, devem seguir um tipo de budismo esotérico e, mais do que se preocupar com detalhes doutrinários, os objetivos centrais de suas vidas são o trabalho e a prática ascética, muitíssimo rigorosa. Tudo é levado muito a sério. Jovens em busca de uma vida espiritual mais plena surgem de todas as partes do país ao serem informados da existência desse grupo. A união entre eles é bem forte e, para os de fora, adotam uma postura de total sigilo.

— Existe algum líder entre eles?

— Publicamente, não. O grupo preza a coletividade e rejeita o culto à individualidade. No entanto, não se sabe o que se passa lá dentro. Eu também estou colhendo informações, mas pouca coisa escapa além daqueles muros. Só se pode afirmar que Sakigake continua crescendo, e que seu capital é grande. O grupo adquiriu novas propriedades e vem aumentando cada vez mais em área e infraestrutura. Os muros que a cercam também foram ainda mais reforçados.

— E o nome de Fukada, antigo líder de Sakigake, de uma hora para outra deixou de ser publicamente mencionado.

— Isso mesmo. É tudo muito estranho. Muito difícil de entender — disse o professor Ebisuno, olhando rapidamente para Fukaeri e, em seguida, voltando os olhos para Tengo. — Sakigake esconde um grande segredo. Com certeza ocorreu uma profunda ruptura interna. Algo que não temos como saber. Mas o fato é que essa ruptura provocou uma mudança radical de uma comuna agrícola para a formação de um grupo religioso. E foi também a partir daí que deixaram de ser um grupo pacífico, aberto à sociedade, para se tornarem extremistas e cheios de segredos. Eu imagino que ocorreu uma espécie de golpe de Estado, e que Fukada acabou se envolvendo nisso. Como eu disse outro dia, Fukada não compactuava com a religião. Ele era um radical partidário do materialismo. Jamais ficaria de braços cruzados vendo a comuna que ele criou se transformar num grupo religioso. Faria de tudo para impedi-los e, na guerra pelo poder, é possível que tenha perdido a hegemonia.

Tengo refletiu um momento.

— Entendo o que está tentando dizer, mas suponhamos que isso realmente tenha acontecido. Nesse caso não seria mais fácil para o grupo descartá-lo? Como quando se separaram pacificamente de Akebono? Não vejo por que teriam o trabalho de mantê-lo confinado.

— Você tem razão. O normal seria evitar esse trabalho. Mas será que Fukada não sabia de algum segredo de Sakigake? Algo que, caso se tornasse público, não seria conveniente para o grupo? Acho que eles não podiam simplesmente expulsá-lo.

"Fukada foi o fundador da comuna e, durante muito tempo, atuou como líder do grupo e certamente presenciou o que acontecia lá dentro. Acho que era considerado alguém que sabia demais. Fukada era uma pessoa publicamente muito conhecida. Naquela época, seu nome era uma referência e, mesmo hoje, em determinados locais, ainda possui um apelo carismático muito forte. Se Fukada deixasse o grupo, seus pronunciamentos e ações receberiam muita atenção. Diante disso, Sakigake não permitiria a saída do casal, mesmo que eles assim o quisessem.

— Então sua intenção era promover no mundo literário a estreia triunfal da filha do casal, Eri, e chamar atenção do público quando *Crisálida de ar* se tornar um best-seller. E, assim, provocar uma sacudida nesse impasse.

— Sete anos é muito tempo. Tudo que fiz durante esse tempo todo foi em vão. Se não aproveitarmos esta oportunidade, creio que jamais teremos uma segunda chance de desvendar o mistério.

— Eri é uma isca para atrair o grande tigre da floresta?

— Ninguém sabe o que vai sair dessa floresta. Pode não ser necessariamente um tigre.

— Mas, de acordo com o rumo dos acontecimentos, o senhor não descarta a ideia de que esteja ocorrendo algo muito grave.

— Essa possibilidade existe — disse o professor, sentencioso. — Você deve saber que dentro de um grupo fechado e homogêneo tudo pode acontecer.

Houve um silêncio pesaroso, quebrado por Fukaeri:

— É por causa do Povo Pequenino — disse em voz baixa.

Tengo olhou para Fukaeri, sentada ao lado do professor. Como sempre, o seu rosto carecia de algo que se pudesse chamar de expressão.

— Você está querendo dizer que Sakigake mudou assim que o Povo Pequenino apareceu? — perguntou Tengo.

Fukaeri não respondeu. Apenas mexia com os dedos o botão da gola de sua blusa.

O professor Ebisuno tomou a palavra, para preencher o silêncio deixado por Fukaeri.

— Não sei o que significa esse Povo Pequenino, ela não consegue expressar em palavras. Ou talvez não queira. Mas, seja como for, uma coisa parece certa: esse tal Povo Pequenino teve um papel importante para transformar a comuna agrícola Sakigake em um grupo religioso.

— Ou *algo que seja digno de um Povo Pequenino* — disse Tengo.

— Isso mesmo — disse o professor. — Não sei se são homens pequeninos ou algo que seja digno de homens pequeninos. De qualquer modo, creio que o fato de Eri trazer à tona esse Povo Pequenino na *Crisálida de ar* significa que ela quer contar alguma coisa muito importante.

O professor ficou um bom tempo olhando para suas próprias mãos até que finalmente ergueu os olhos e disse:

— Em *1984*, como você já deve saber, George Orwell criou a figura do Grande Irmão. O livro é uma alegoria do stalinismo, mas, desde então, o termo "Grande Irmão" tornou-se uma espécie de ícone social. Temos de convir que esse é um mérito de Orwell. Mas, em nossa realidade do ano de 1984, o Grande Irmão é famoso demais, uma existência óbvia demais. Se ele aparecesse aqui, nós imediatamente apontaríamos o dedo e diríamos: "Cuidado! Aquele é o Grande Irmão." Em outras palavras, neste mundo em que vivemos não há mais vez para o Grande Irmão entrar em cena. Em compensação, eis que surge esse tal Povo Pequenino. Você não acha interessante o contraste entre as denominações?

O professor observou atentamente o rosto de Tengo com uma expressão que parecia ser um sorriso.

— O Povo Pequenino é invisível. Não temos como saber se são bons ou ruins, se existem ou não. No entanto, sabemos que estão incessantemente cavando e destruindo o chão em que pisamos. — O professor fez uma pequena pausa. — Se quisermos saber o que aconteceu com o casal Fukada, e também com Eri, é preciso descobrir quem é esse Povo Pequenino.

— Quer dizer que o senhor está tentando atrair o Povo Pequenino? — perguntou Tengo.

— Será realmente possível atrair algo que nem sequer sabemos se existe? — disse o professor. Aquela simulação de sorriso ainda se mantinha no canto de seus lábios. — Talvez a expressão "grande tigre" que você acabou de usar seja bem mais convincente.

— Seja como for, a Eri continua sendo uma isca.

— Não. Não acho que a palavra isca seja a mais apropriada. Digamos que a imagem que mais se aproxima é a de um redemoinho em formação. As coisas ao redor vão começar a girar em torno desse redemoinho. É isso que espero que aconteça.

O professor girou lentamente o dedo no ar. E continuou:

— Eri está no centro desse redemoinho, e quem está no centro não precisa se mexer. O que se move são as coisas ao redor.

Tengo escutava em silêncio o professor.

— Se eu tomar emprestada sua metáfora, não só a Eri, mas todos nós podemos nos considerar iscas — disse o professor, estreitando os olhos para observar a reação de Tengo. — Inclusive você.

— Me disseram que eu deveria apenas reescrever *Crisálida de ar*. Ou seja, o meu trabalho seria como o de um especialista cumprindo ordens. Pelo menos foi isso que Komatsu disse logo no começo.

— Entendo...

— Mas a história foi mudando no meio do caminho — disse Tengo. — Por acaso foi o senhor que sugeriu essas mudanças no plano de Komatsu?

— De jeito nenhum. Não tive a intenção de mudar nada. Komatsu tem o objetivo dele e eu tenho o meu. Por enquanto, os dois *objetivos* seguem na mesma direção.

— Então quer dizer que agora os *objetivos* coincidem, e por isso ambos seguem o mesmo plano.

— Creio que se possa dizer isso.

— Duas pessoas com destinos diferentes compartilham o mesmo cavalo. Até um determinado ponto elas seguem o mesmo caminho, mas depois de um tempo ninguém sabe o que vai acontecer.

— Você realmente é um escritor; sabe se expressar muito bem.

Tengo suspirou.

— A minha intuição não é das melhores, mas suspeito de que não há mais como voltar atrás.

— Mesmo que haja a possibilidade de voltar, as coisas nunca retornam ao ponto de origem — disse o professor.

A conversa terminou. Tengo não tinha mais nenhuma pergunta.

O professor Ebisuno pediu licença e se retirou, dizendo que tinha um encontro marcado com uma pessoa naquelas redondezas. Por um bom tempo, Fukaeri e Tengo continuaram sentados um de frente para o outro, em silêncio.

— Não está com fome? — perguntou Tengo.

— Não exatamente — respondeu Fukaeri.

Como a cafeteria começou a encher, os dois resolveram sair sem trocar uma palavra. Depois, caminharam a esmo pelas ruas de Shinjuku. Eram quase seis horas, mas o céu ainda estava claro. As pessoas andavam apressadas em direção à estação. Os raios de sol do início de verão incidiam sobre a cidade. Para quem tinha acabado de sair de uma cafeteria no subsolo, a luz parecia estranhamente artificial.

— Para onde você vai agora? — perguntou Tengo.

— Nenhum lugar em especial — respondeu Fukaeri.
— Quer que eu te acompanhe até sua casa? — perguntou Tengo. — Quero dizer, até o seu apartamento em Shinanomachi. Hoje você vai ficar lá, não vai?
— Não vou para lá — respondeu Fukaeri.
— Por quê?
Fukaeri não respondeu.
— Você acha melhor não ir? — perguntou Tengo.
Fukaeri concordou, sem dizer nada.

Tengo teve ímpetos de perguntar por que ela achava melhor não ir, mas, pressentindo que não lhe daria uma resposta convincente, desistiu.

— Então você vai voltar para a casa do professor?
— Futamatao é muito longe.
— Você tem algum outro lugar para ir?
— Vou dormir na sua casa — disse Fukaeri.
— Acho que não é uma boa ideia — respondeu Tengo, escolhendo as palavras. — Meu apartamento é pequeno e, como moro sozinho, o professor Ebisuno certamente não vai gostar.
— O professor não liga — disse Fukaeri, encolhendo os ombros. — Eu também não ligo.
— Mas eu ligo — respondeu Tengo.
— Por quê.
— É que... — Tengo começou a responder, mas faltaram palavras. Ele não conseguia lembrar o que pretendia dizer. Quando conversava com Fukaeri, isso acontecia. De repente, ele esquecia o que estava dizendo. Era como se, do nada, as partituras começassem a se espalhar durante um concerto.

Fukaeri estendeu sua mão direita e segurou a esquerda de Tengo para reconfortá-lo.

— Você não entende direito — disse Fukaeri.
— O que não entendo?
— Que nós dois somos um só.
— Um só? — perguntou Tengo surpreso.
— Escrevemos o livro juntos.

Tengo sentiu a pressão dos dedos de Fukaeri na palma da mão. A pressão não era exatamente forte, mas firme e constante.

— Tem razão. Nós escrevemos *Crisálida de ar*. E estaremos juntos quando o tigre nos devorar.

— Não vai haver tigre — respondeu Fukaeri, estranha, com um tom de voz sério.

— É bom saber — disse Tengo. Mas não se sentia aliviado. O tigre poderia não aparecer, mas sabe-se lá o que poderia surgir em seu lugar.

Pararam em frente à bilheteria da estação Shinjuku. Ainda de mãos dadas, Fukaeri olhou o rosto de Tengo. A multidão passava apressada ao redor deles como a correnteza de um rio.

— Tudo bem. Se você quiser dormir lá em casa, pode dormir — disse Tengo, conformado. — Eu durmo no sofá.

— Obrigada — disse Fukaeri.

Tengo se deu conta de que era a primeira vez que ouvia Fukaeri agradecer. Não. Talvez não fosse a primeira. Mesmo assim, ele não conseguia se lembrar de quando teria ouvido aquilo antes.

19
Aomame
Mulheres que compartilham um segredo

— Povo Pequenino? — perguntou Aomame com a voz meiga, enquanto observava atentamente o rosto da menina. — Quem é esse Povo Pequenino?

Bastou falar isso para que Tsubasa não abrisse mais a boca e seus olhos perdessem a profundidade. Era como se grande parte de sua energia tivesse sido consumida só pelo fato de proferir essas palavras.

— São pessoas que você conhece? — perguntou Aomame.

Novamente não houve resposta.

— Ela já repetiu inúmeras vezes essas palavras — disse a velha senhora. — Povo Pequenino. Não sei o que isso significa.

As palavras "Povo Pequenino" pareciam impregnadas de mau agouro. Aos ouvidos de Aomame, eram percebidas como um distante ribombar de trovoadas.

Ela perguntou à velha senhora:

— Foi esse Povo Pequenino que a machucou?

A velha senhora balançou a cabeça, discordando.

— Não sei. Seja lá o que for, *esse algo* chamado Povo Pequenino possui um significado muito importante para ela.

A menina colocou suas pequenas mãos sobre a mesa, uma ao lado da outra, e, mantendo a postura imóvel, observava atentamente com seus olhos opacos um ponto fixo no espaço.

Aomame perguntou para a velha senhora:

— Afinal, o que aconteceu com ela?

Ela respondeu com um tom de voz que poderia ser interpretado como desprovido de emoção:

— Foram constatados sinais de estupro. E recorrentes. Há várias e terríveis lacerações na vulva, na vagina e, inclusive, lesões no útero. Foi introduzido o órgão masculino de um adulto num pequeno útero ainda em formação. Em decorrência disso, existe uma enorme ruptura na mucosa uterina, local de fixação e fertilização do óvulo. Segundo o médico, mesmo adulta, ela não poderá engravidar.

A velha senhora parecia fazer questão de expor vividamente a situação na presença da menina. Tsubasa, no entanto, escutava a conversa sem dizer nada e sem expressar nenhuma reação. De vez em quando, ela mexia sutilmente a boca, mas sem emitir sons. A menina parecia escutar, apenas por educação, a história de alguém distante e desconhecido.

— Isso não é tudo — continuou a velha senhora, mantendo a placidez. — Mesmo que as funções de seu útero sejam recuperadas por meio de algum tipo de tratamento, provavelmente ela não vai ter o desejo sexual. Pela gravidade dos danos que sofreu, a penetração deve ter sido muito dolorosa, e teve de suportá-la inúmeras vezes. Esse tipo de dor não se esquece facilmente. Você entende o que estou dizendo?

Aomame assentiu. Seus dedos estavam firmemente entrelaçados sobre os joelhos.

— Os óvulos desta menina não possuem mais um lugar para se fixar. Eles... — a velha senhora lançou um rápido olhar para a menina e continuou: — Eles se tornaram infertilizáveis.

Aomame não sabia ao certo até que ponto Tsubasa entendia a conversa. Mas, apesar do que pudesse entender, seus sentimentos pareciam estar longe, e não ali naquele momento. Possivelmente estariam em algum outro lugar, trancados num quarto pequeno e escuro.

A velha senhora continuou:

— Não estou querendo dizer que a única razão de viver de uma mulher seja engravidar e ter filhos. Cada pessoa tem a liberdade de escolher a vida que quer levar. Mas tirar à força esse direito inato da mulher é inadmissível.

Aomame concordou sem dizer nada.

— Realmente inadmissível — repetiu a velha senhora. Aomame percebeu um leve tremor em sua voz. Ela parecia estar perdendo aos poucos o controle das emoções. — Essa menina fugiu sozinha *de algum lugar*. Não sei como conseguiu escapar. Mas ela não tem nenhum outro lugar para ir. Não existe nenhum outro local seguro para ela.

— Onde estão os pais?

Com uma expressão de preocupação estampada no rosto, a velha senhora começou a dar leves toques na mesa com as unhas dos dedos.

— Sabemos onde os pais dela se encontram, mas foram eles que consentiram tal atrocidade. Isso explica a razão de ela ter fugido.

— Você quer dizer que os pais permitiam que a filha fosse estuprada?

— Não só permitiam, como também encorajaram.

— Mas por que é que... — Aomame teve de interromper a frase por não encontrar palavras adequadas.

A velha senhora balançou a cabeça em sinal de desaprovação.

— É uma história terrível. Difícil de perdoar. E ainda há outras questões envolvidas. Não se trata apenas de um caso isolado de violência doméstica. O médico quis comunicar o fato à polícia, mas eu pedi que não o fizesse. Por sermos amigos de longa data, consegui convencê-lo a não denunciar o caso.

— Por quê? — perguntou Aomame. — Por que a senhora não quis comunicar isso à polícia?

— O que fizeram com esta menina é algo imoral. É um crime hediondo que será punido com uma pena rigorosa — disse ela, escolhendo cuidadosamente as palavras. — Mesmo que fôssemos agora, neste momento, comunicar o fato à polícia, que tipo de providências você acha que eles tomariam? Como você mesma pode ver, a menina quase não fala. É incapaz de explicar o que aconteceu e o que fizeram com ela. Mesmo que consiga, não teríamos meios de comprovar a veracidade das informações. Se ela for entregue à polícia, a possibilidade de ser devolvida aos pais é grande. Ela não tem para onde ir, e legalmente o direito à guarda é dos pais. Se ela voltar para eles, provavelmente será submetida de novo ao mesmo processo, mais e mais vezes. Não posso permitir isso.

Aomame concordou.

— Eu mesma vou cuidar desta menina — disse a velha senhora, categórica. — Não vou deixar que a levem. Mesmo que seus pais ou qualquer outra pessoa venha buscá-la, não vou entregá-la. Pretendo escondê-la e lhe dar educação e sustento.

Aomame observou alternadamente a velha senhora e a menina.

— Dá para identificar o homem que a estuprou? É uma pessoa só? — perguntou ela.
— Podemos identificá-lo. É apenas uma pessoa.
— Mas não podemos acusá-lo, é isso?
— Ele é muito influente — disse a velha senhora. — O poder que exerce sobre os outros é *muito* grande. Os pais desta menina estão sob suas ordens e, mesmo hoje, continuam sob seu comando. São pessoas destituídas de personalidade, incapazes de julgar e sustentar uma opinião própria. Para eles, a palavra desse homem é inquestionável. Por isso, se ele disser que é necessário entregar a filha, os pais jamais irão se opor. Eles aceitam os argumentos do homem e entregam alegremente a filha, mesmo cientes do que acontecerá com ela.

Aomame precisou de um tempo para assimilar o que acabara de ouvir. Após refletir e organizar as ideias, perguntou:
— Eles fazem parte de algum tipo de grupo peculiar?
— Fazem. Trata-se de um grupo que compartilha um modo obtuso e doentio de pensar.
— É uma espécie de culto? — perguntou Aomame.
A velha senhora concordou.
— Isso mesmo. Um culto extremamente nocivo e perigoso.
Realmente. Só poderia ser um culto. Pessoas que somente obedecem às ordens. Pessoas destituídas de personalidade, incapazes de julgar e de ter opinião própria. "Não seria nada estranho se isso também tivesse acontecido comigo", pensou Aomame, mordendo os lábios.

Nunca houve casos de estupro entre as Testemunhas de Jeová. Pelo menos Aomame nunca fora molestada sexualmente. Os "irmãos e irmãs" que a cercavam eram todos pacíficos e íntegros. Levavam a sério a sua crença religiosa e seguiam suas vidas respeitando a doutrina, em alguns casos até sacrificando a própria vida. No entanto, nem sempre lutar por uma boa causa produz um bom resultado. E o estupro não danifica somente o corpo. A violência nem sempre é visível; nem sempre o sangue escorre pelo ferimento.

Tsubasa fez Aomame se recordar de quando tinha a mesma idade. Naquela época, Aomame conseguira fugir por vontade própria. Em casos como o da menina, tão seriamente machucada, possivelmente não havia como reverter a situação. Ela nunca mais conseguirá resgatar sua inocência. Ao pensar assim, Aomame sentiu uma intensa dor no peito. O que descobria no interior de Tsubasa era uma possibilidade em sua própria vida, algo que *poderia ter acontecido com ela*.

— Aomame... — disse a velha senhora, como quem vai confidenciar um segredo. — Sei o quanto é inconveniente de minha parte, mas tenho de dizer que mandei que investigassem sua vida.

Ao ouvir isso, Aomame voltou a si e, de imediato, mirou a velha senhora.

Ela prosseguiu:

— Foi logo depois daquela conversa que tivemos aqui. Espero que você não se sinta ofendida.

— Não estou ofendida — disse Aomame. — Diante das circunstâncias, acho normal que queira me investigar. Afinal, o que fazemos não é algo comum.

— Você tem razão. Caminhamos sobre uma linha muito tênue, por isso a confiança deve ser mútua. Mas, para que isso seja possível, é preciso conhecer a pessoa e saber certas coisas sobre ela. Foi por isso que mandei fazer uma investigação completa sobre sua vida. De seu passado até hoje. Posso dizer que sei *quase tudo*. Ninguém é capaz de saber tudo. Nem Deus, possivelmente.

— Nem o diabo — disse Aomame.

— Nem o diabo — repetiu a velha senhora, com um discreto sorriso. — Sei que você possui uma ferida no coração por ter participado de um culto quando pequena. Seus pais eram, e continuam sendo, fervorosos fiéis das Testemunhas de Jeová. Eles jamais perdoaram o fato de você ter abandonado a religião. Isso faz você sofrer até hoje.

Aomame concordou sem dizer nada.

A velha senhora continuou.

— Sinceramente, não considero as Testemunhas de Jeová uma religião séria. Se você sofresse um ferimento grave ou ficasse doente e precisasse ser operada, possivelmente teria morrido. Uma religião que não permite uma cirurgia necessária para salvar vidas, só porque vai contra a interpretação literal das palavras escritas na Bíblia, não passa de um culto; de um culto que abusa do poder para extrapolar os limites doutrinários.

Aomame concordou. Rejeitar a transfusão de sangue é a primeira lição que as Testemunhas de Jeová ensinam às crianças. Elas aprendem que serão muito mais felizes morrendo com o corpo e a alma puros, para serem conduzidas ao paraíso, do que fazendo a transfusão, desobedecendo às palavras de Deus e descendo ao inferno. Não existe meio-termo. Só há dois caminhos a seguir: inferno ou paraíso. As crianças não possuem a capacidade de julgar e, portanto, não podem discernir se esse tipo de raciocínio é social e cientificamente aceito como verdade. Estão sujeitas a acreditar em tudo o que os pais ensinam. Se Aomame necessitasse de uma transfusão de sangue, certamente obedeceria a seus pais e morreria rejeitando a transfusão. E teria ido ao paraíso, ou coisa que o valha.

— Esse culto é conhecido? — perguntou Aomame.

— Ele se chama "Sakigake". Creio que você já deve ter ouvido falar dele. Houve uma época em que o nome saía quase diariamente nos jornais.

Aomame não se lembrava de tê-lo visto, mas achou melhor concordar de modo ambíguo, sem dizer nada. Então se lembrou de que não estava vivendo no mundo de 1984, mas no de 1Q84, que sofrera alterações. Tudo não passava de uma hipótese, mas ela gradativamente se tornava mais plausível. E nesse novo mundo pareciam existir muitas informações que ela não conhecia. Precisava ficar muito atenta a tudo.

A velha senhora prosseguiu:

— No começo, Sakigake era uma pequena comuna agrícola administrada por um grupo recém-formado de esquerda, que havia fugido da capital, mas que, num determinado momento, mudou suas diretrizes e se transformou num grupo religioso. Os motivos e as circunstâncias que levaram a isso ainda são desconhecidos. A mudança, sem dúvida, é muito estranha. De qualquer modo, a maioria dos membros permaneceu no local. Atualmente, são conhecidos como um grupo religioso, mas pouco se sabe sobre sua religião. Dizem que é um ramo do budismo esotérico, mas sua doutrina deve ser eclética. Essa religião vem conquistando rapidamente novos adeptos e se torna cada vez mais poderosa. Apesar de estar envolvida com aquele grave incidente, sua imagem não sofreu nenhum arranhão.

Conseguiram contornar habilmente a situação a ponto de reverter o incidente num motivo de propaganda.

A velha senhora fez uma pausa e continuou:

— A informação não é muito divulgada, mas no grupo existe um mentor espiritual que eles chamam de "Líder". Os fiéis acreditam que possui poderes especiais. Ele os usa para curar doenças graves, prever o futuro e provocar fenômenos sobrenaturais. É claro que tudo não passa de uma tremenda enganação, muito bem-engendrada, mas, graças a esses tais poderes, muitas pessoas são atraídas para o grupo.

— Fenômenos sobrenaturais?

A velha senhora franziu a testa, unindo as sobrancelhas de belo formato.

— Não sei exatamente o que isso significa. Para ser sincera, não tenho nenhum interesse no ocultismo. Esse tipo de charlatanismo sempre existiu, desde os tempos remotos e em todas as partes do mundo. O truque é sempre igual. E, mesmo assim, nunca deixa de existir. A maioria das pessoas não quer acreditar na verdade, e sim no que desejam que seja a verdade. Elas podem estar com os olhos bem abertos, mas não enxergam nada. Enganá-las é tão fácil como torcer o braço de um bebê.

— Sakigake — disse Aomame, ouvindo o som da palavra. Soou mais como um trem expresso do que um grupo religioso.

Ao ouvir a palavra "Sakigake", Tsubasa voltou os olhos por alguns instantes para baixo, como uma reação a esse som especial que ocultava um segredo. Mas logo depois os ergueu de novo, e seu rosto retomou a inexpressividade de antes. Era como se, de repente, um pequeno redemoinho surgisse dentro dela e se dissipasse no instante seguinte.

— Foi o líder de Sakigake que violentou Tsubasa — disse a velha senhora. — Ele a forçou a isso com o pretexto de que assim ela receberia iluminação espiritual. Para os pais foi dito que a cerimônia teria de ser realizada antes da primeira menstruação, e que essa genuína espiritualidade só poderia ser entregue a uma menina pura. Explicou também que a intensa dor que ela sentiria durante a cerimônia era uma provação que necessariamente deveria vencer para atingir um nível de espiritualidade maior. Os pais acreditaram. É difícil ver até que ponto as pessoas podem ser tão idiotas. Tsubasa não foi a única. Segundo informações que obtivemos, outras meninas do grupo sofreram os mesmos abusos. Esse líder é um pervertido, com gostos sexuais doentios, não temos nenhuma dúvida. A religião e a doutrina não passam de disfarce para encobrir seus desejos.

— Esse líder tem nome?

— Infelizmente, ainda não descobrimos seu verdadeiro nome. Todos o chamam de "Líder". Não sabemos quem é, seu histórico e muito menos como é seu rosto. Fizemos de tudo para tentar descobrir, sem sucesso. São informações totalmente sigilosas. Ele fica resguardado nas montanhas de Yamanashi e praticamente não aparece em público. Mesmo entre os membros, poucos são os que têm acesso a ele. Dizem que costuma meditar num local escuro.

— E cabe a nós impedi-lo de ficar por aí agindo a seu bel-prazer.

A velha senhora olhou para Tsubasa e disse calmamente:

— Não podemos permitir que ele continue a fazer mais vítimas, não acha?

— Precisamos fazer alguma coisa.

A velha senhora estendeu os braços e colocou as mãos sobre as de Tsubasa, imersa em pensamentos. Um tempo depois, disse:

— Isso mesmo.

— A informação de que ele continua praticando essas perversidades é segura? — Aomame perguntou.

A velha senhora assentiu.

— Temos a confirmação de que os estupros estão ocorrendo dentro do grupo.

— Se é verdade, é algo realmente imperdoável — disse Aomame, procurando manter a voz serena. — Não podemos permitir que ele continue fazendo vítimas.

Na mente da velha senhora, inúmeros pensamentos pareciam se entrelaçar e competir entre si. Um tempo depois, falou:

— Precisamos obter informações mais detalhadas e saber melhor quem é esse Líder. Não podemos deixar nenhuma dúvida. Afinal, é a vida de uma pessoa que está em jogo.

— Quer dizer que é muito difícil ele aparecer em público?

— Isso mesmo. E possivelmente deve estar bem escoltado.

Aomame estreitou os olhos e se lembrou do picador de gelo especial, guardado na gaveta da cômoda. Lembrou-se principalmente da ponta muito fina.

— Vai ser um trabalho bem difícil — disse ela.

— *Especialmente* difícil... — disse a velha senhora. Em seguida tirou as mãos que estavam sobre as de Tsubasa e apoiou o dedo médio na sobrancelha. Esse gesto — que não era muito comum — era um sinal de que tentava encontrar uma solução. Foi então que Aomame disse:

— Parece quase impossível eu ir sozinha até as montanhas de Yamanashi, me esconder no meio de um grupo com forte esquema de segurança, dar um *tratamento* no líder e deixar o local tranquilamente. Pode funcionar num filme de ninjas, mas...

— É claro que eu não penso em te pedir para fazer isso — disse a velha senhora, séria. Ao perceber que era uma brincadeira, esboçou um leve sorriso. — Está fora de cogitação.

— Tem mais uma coisa que me intriga — disse Aomame, fitando diretamente os olhos da velha senhora. — É sobre esse Povo Pequenino. O que são, afinal? O que fizeram com Tsubasa? Acho importante saber mais.

A velha senhora disse, ainda com o dedo apoiado na sobrancelha:

— Eu também estou intrigada. Essa menina quase não fala, mas, como você mesma acabou de ver, não é de hoje que ela vem dizendo repetidas vezes: Povo Pequenino. Deve ter um significado muito importante, mas até agora não disse nada sobre eles. Quando toco no assunto, ela se cala. Por favor, Aomame, me dê mais um tempo. Vou procurar me informar sobre isso.

— Tem alguma ideia de como obter mais informações sobre Sakigake?

A velha senhora esboçou um sorriso meigo:

— Não existe nada de tangível neste mundo que o dinheiro não possa comprar. E estou disposta a usar muito dinheiro. Principalmente neste caso. Pode ser que leve tempo, mas com certeza vou conseguir as informações necessárias.

"Existem coisas que nenhum dinheiro no mundo pode comprar", pensou Aomame. *"Por exemplo, a lua."*

Mudou de assunto:

— A senhora realmente pretende adotar Tsubasa e cuidar dela?

— Claro que sim. Pretendo adotá-la oficialmente.

— Você deve saber que os procedimentos legais não são simples. Ainda mais nessas circunstâncias.

— Obviamente estou ciente disso — disse a velha senhora. — Mas vou tentar todos os meios possíveis para conseguir. Não vou entregá-la para ninguém.

Sua voz deixava escapar um tom de amargura. Até então, nunca havia revelado tão abertamente seus sentimentos diante de Aomame. E isso a deixou ligeiramente preocupada. A velha senhora logo percebeu a inquietação que se esboçava no rosto de Aomame.

Em tom de confidência, a velha senhora disse, com a voz mais baixa:

— Vou lhe dizer algo que nunca revelei a ninguém. Guardei este segredo comigo por ser muito doloroso dizê-lo. Quando a minha filha se suicidou, ela estava grávida. Grávida de seis meses. Minha filha provavelmente não queria ter um filho com aquele homem, por isso suicidou-se, levando consigo a criança. Se ela tivesse nascido, hoje teria a mesma idade desta menina. Naquela época, eu perdi ao mesmo tempo duas vidas que me eram muito importantes.

— Sinto muito — disse Aomame.

— Não se preocupe. Essa circunstância pessoal não vai ofuscar meu senso de julgamento. Não vou expô-la desnecessariamente a uma situação de risco. Para mim, você também é como uma filha. Nós já somos uma família.

Aomame concordou em silêncio.

— O vínculo que nos une é muito mais importante que o de sangue — disse a velha senhora com a voz serena.

Aomame novamente concordou.

— Seja como for, esse homem precisa ser apagado — disse a velha senhora, como se estivesse convencendo a si mesma. E, em seguida, olhou para Aomame: — É preciso despachá-lo o mais rápido possível para o outro mundo. Antes que consiga machucar mais alguém.

Aomame olhou para Tsubasa, sentada do outro lado da mesa, em frente a ela. Seus olhos pareciam não focar coisa alguma, a não ser um ponto no espaço. Aos olhos de Aomame, a menina parecia uma carcaça vazia.

— Ao mesmo tempo, não podemos nos precipitar — disse a velha senhora. — Precisamos ser cautelosas e ter muita paciência.

Aomame deixou Tsubasa e a velha senhora no quarto e saiu sozinha do abrigo. A velha senhora ficaria com a menina até ela pegar no sono. As quatro mulheres que estavam na sala conversavam baixinho, sentadas ao redor de uma mesa. A cena não parecia real aos olhos de Aomame. As mulheres davam a impressão de fazer parte de um quadro imaginário. O título do quadro seria algo como "Mulheres compartilhando segredo". Mesmo quando Aomame passou por elas, a cena pictórica não se alterou.

Aomame ficou um bom tempo acariciando o pastor-alemão sentado no terraço. O cachorro abanava vigorosamente o rabo, alegre. Sempre que encontrava um cachorro, admirava esse estado de felicidade incondicional. Aomame nunca tivera um animal de estimação: nem cachorro, nem gato, nem sequer um pássaro. Nunca comprara um vaso de plantas. Enquanto pensava nisso, ocorreu-lhe olhar para o céu. Nuvens acinzentadas pairavam inexpressivas, insinuando a chegada da estação chuvosa e bloqueando a visão da lua. Era uma noite calma, sem ventos. Indícios do luar revelavam-se por trás das nuvens, mas não a ponto de indicar quantas havia no céu.

Enquanto caminhava rumo à estação, Aomame refletiu sobre quão estranho era o mundo. Se somos apenas um mero veículo dos genes — como a velha senhora havia dito — por que alguns de nós tínhamos uma vida tão estranha? Para cumprir o objetivo dos genes, ou seja, transmitir o DNA, não bastaria ter uma vida simples, de modo a preservá-la e reproduzi-la sem nos preocuparmos com coisas inúteis? Quais seriam as vantagens dos genes em manter a vida de pessoas que possuem uma mente vil e que só podem ser consideradas degeneradas?

Um homem que tem prazer em estuprar meninas impúberes, um guarda-costas homossexual de porte robusto, fanáticos que preferem morrer a receber transfusão de sangue, uma grávida de seis meses que se suicida com overdose de calmantes, uma mulher que mata homens problemáticos furando suas nucas com uma agulha bem fina, mulheres que odeiam homens, homens que odeiam mulheres... Qual vantagem teriam os genes de manter vivas essas pessoas? Será que eles as observam como episódios bizarros, um tipo de provocação colorida e divertida? Ou têm uma finalidade para elas?

Aomame não sabia a resposta. A única coisa que podia dizer é que não tinha outra opção de vida. Não importava o que viesse a acontecer; ela estava ciente de que essa era a vida que tinha, não dava mais para voltar atrás ou trocá-la por outra; e que, por mais estranha e distorcida que fosse sua vida, este era o seu modo de transportar os genes.

Enquanto caminhava, desejou que a velha senhora e Tsubasa fossem felizes. Se fosse realmente possível proporcionar-lhes a felicidade, chegou inclusive a pensar em se sacrificar por elas. Aomame não via nenhuma perspectiva em seu próprio futuro. Mas, no fundo, também sabia quão difícil seria para a velha senhora e Tsubasa atingirem a vida plena e tranquila — ou pelo menos uma vida que se pudesse chamar de comum — dali para a frente. Querendo ou não, eram da mesma espécie. Ambas carregavam um fardo muito pesado. A velha senhora tinha razão quando disse que as três eram como uma família. Uma família que, por extensão, possuía em comum profundas feridas no coração, um inescrutável sentimento de perda e a disposição de travar uma batalha sem fim.

Ao pensar nessas coisas, Aomame se deu conta de que desejava ardentemente o corpo de um homem. "Onde já se viu, numa hora dessas, querer um homem", pensou, balançando a cabeça. Não sabia se o desejo era por estar psicologicamente tensa, um chamado espontâneo dos óvulos que guardava dentro de si ou uma armadilha de seus genes desvirtuados. No entanto, seu intenso desejo parecia ter raízes profundas. Se Ayumi estivesse ali, certamente diria: "Vamos transar pra valer." Aomame pensou no que fazer. Pensou em ir ao bar de sempre e escolher um cara que lhe agradasse. De metrô, Roppongi era a próxima estação, mas ela estava muito cansada. E não usava roupas adequadas para seduzir alguém numa aventura amorosa: não estava maquiada, calçava tênis e carregava uma bolsa esportiva de vinil. Resolveu voltar para casa, abrir um vinho tinto, se masturbar e dormir. O melhor a fazer era isso. Resolveu também parar de pensar na lua.

* * *

O homem que se sentou à sua frente, entre as estações Hiroo e Jiyûgaoka, era do tipo que lhe agradava. Aparentava ter uns 45 anos, tinha o rosto oval e entradas acentuadas na testa. O formato da cabeça também não era mau. Tinha uma pele saudável e usava óculos elegantes de aro fino. Também se vestia bem: uma camisa polo branca, uma jaqueta leve de verão, de algodão fino, e, sobre o colo, carregava uma pasta de couro para documentos. Calçava mocassim marrom. À primeira vista, parecia um funcionário, mas não desses que trabalham em empresas rígidas. Seu jeito era mais para editor, arquiteto numa construtora ou alguma profissão relacionada ao ramo de confecção. Ele lia atentamente um livro encapado.

Se fosse possível, Aomame gostaria de ir com ele para algum lugar e transar intensamente. Ela imaginou apertar seu pênis duro. Queria segurar firmemente o pênis a ponto de bloquear sua circulação sanguínea e, com a outra mão, massagear carinhosamente os testículos. As mãos de Aomame, que estavam sobre o colo, começaram a tremelicar, e seus dedos involuntariamente passaram a abrir e fechar. A cada respiração, seus ombros se movimentavam para cima e para baixo. Então, ela lambeu os lábios com a ponta da língua.

Mas precisava descer em Jiyûgaoka. O homem seguiu sentado, lendo seu livro sem sequer imaginar que tinha sido objeto de uma fantasia erótica. Parecia nem se importar em saber que tipo de mulher se sentava à sua frente. Ao descer do vagão, Aomame teve um impulso de arrancar aquela porcaria de livro das mãos dele, mas se conteve.

À uma da madrugada, Aomame estava na cama dormindo profundamente, e seu sonho era erótico. Sonhava ter um belo par de seios do tamanho e do formato de toranjas. Os mamilos eram grandes e duros, e ela esfregava os seios nos órgãos sexuais de um homem. Ela dormia pelada, com as pernas abertas, e suas roupas estavam jogadas ao pé da cama. Aomame não tinha como saber, mas enquanto dormia havia duas luas no céu. Uma delas era a velha lua grande de sempre; a outra, uma lua nova e pequena.

* * *

Tsubasa e a velha senhora também dormiam, no quarto da menina. Tsubasa estava com um pijama xadrez novo e jazia na cama com o corpo encolhido. A velha senhora, ainda com a mesma roupa, adormecera na poltrona de leitura. Havia um cobertor em seu colo. Sua intenção era ir embora assim que Tsubasa pegasse no sono, mas ela também acabou dormindo. Ao redor do abrigo, no alto da colina, tudo estava envolto num profundo silêncio. Um silêncio quebrado apenas pelo barulho eventual de um escapamento de moto passando em alta velocidade numa avenida distante, ou a sirene de uma ambulância. O pastor-alemão dormia em frente à porta do terraço, o corpo enrodilhado. Cortinas cobriam as janelas, mas as luzes das lâmpadas de mercúrio iluminavam-nas de branco. As nuvens começavam a se dissipar e, de vez em quando, as duas luas emparelhadas surgiam por entre elas. Os oceanos de todo o mundo adaptavam os movimentos das marés sob influência das luas.

Tsubasa dormia com o rosto apoiado no travesseiro e a boca ligeiramente aberta. A respiração era tranquila, e seu corpo praticamente não se mexia, com exceção do ombro, que, vez ou outra, parecia tremer e sutilmente se contrair. A franja cobria seus olhos.

Pouco depois, sua boca se abriu lentamente e, lá de dentro, começou a surgir, um a um, o Povo Pequenino. Eles apareciam, um após o outro, sempre olhando atentamente ao redor. Se a velha senhora acordasse naquele instante, certamente os teria visto; mas continuava dormindo profundamente e não acordaria tão cedo. O Povo Pequenino sabia muito bem disso. Ao todo, eram cinco. Eles saíam da boca com o tamanho do dedo mindinho de Tsubasa, mas, uma vez do lado de fora, eles se contorciam — como o desdobrar de um objeto portátil — e cresciam até ficar com trinta centímetros de altura. Todos vestiam roupas semelhantes, sem nenhum detalhe em especial. Os rostos também eram iguais, sem qualquer distinção.

O Povo Pequenino desceu da cama sem fazer barulho e, uma vez no chão, eles puxaram um objeto que estava debaixo da cama e tinha o tamanho de um *nikumandyû*, um pãozinho de carne de porco. Eles se posicionaram ao redor desse objeto e começaram a manuseá-lo com afinco. Era branco e bem maleável. Eles erguiam o braço e, com muita agilidade, pegavam um fio branco semitransparente no ar e com ele iam aumentando o tamanho desse objeto fofo. O fio parecia viscoso. De uma hora para outra, seus corpos haviam atingido cerca de sessenta centímetros. O Povo Pequenino podia mudar livremente de tamanho, de acordo com suas necessidades.

O trabalho avançou durante horas, e os cinco homens pequeninos concentravam-se nos afazeres sem uma palavra. Era uma equipe de trabalho muito rápida e eficiente. Durante esse tempo, Tsubasa e a velha senhora dormiam profundamente, sem sequer mover o corpo. As outras mulheres do abrigo também dormiam, cada qual em seu quarto. O pastor-alemão também parecia sonhar e, deitado na grama, emitiu do âmago de seu inconsciente um leve rosnar.

No firmamento, as duas luas, em comum acordo, incidiam sua estranha luminosidade sobre a Terra.

20
Tengo
Pobres guiliaks

Tengo não conseguia dormir. Fukaeri estava deitada em sua cama com o pijama dele e dormia profundamente. Tengo preparou o pequeno sofá da sala para se deitar — não viu nenhum inconveniente nisso, pois estava acostumado a fazer ali a sesta —, mas, como não conseguia pegar no sono, resolveu sentar-se à mesa da cozinha para escrever a continuação de seu longo romance. Usava caneta e papel por não poder usar o processador de textos que estava no quarto. Tengo também não via nenhum inconveniente em escrever à mão. O processador era muito prático, proporcionava uma escrita rápida e tinha a capacidade de armazenar dados, mas nem por isso ele deixava de gostar da velha e clássica tradição de escrever no papel.

Escrever durante a noite era algo muito raro para Tengo; ele preferia trabalhar com a luz do dia, quando as pessoas transitavam pelas ruas. Quando estava envolto em escuridão e imperava o silêncio, seu texto tendia a ficar muito carregado. E na manhã seguinte, à luz do dia, era comum ele ter de refazer tudo que escrevera na noite anterior. Como era sempre preciso refazer o texto, concluiu que o melhor seria escrever somente durante o dia.

No entanto, após um bom tempo sem escrever à noite, Tengo percebeu que, ao usar papel e caneta, sua mente trabalhava com desenvoltura. Sua imaginação criava asas, e a história se desenvolvia espontaneamente. Uma ideia se ligava a outra com naturalidade, mantendo um ininterrupto fluxo de narrativa. A ponta da caneta deslizava pelo papel branco, emitindo uma obstinada sonoridade. Quando sentia a mão cansada, repousava a caneta e continuava a escrever com os dedos da mão direita no ar, como se fosse um pianista formando escalas musicais. Os ponteiros do relógio indicavam que era quase uma e meia da madrugada. Estranhamente, não se ouviam os sons da rua. Era como se as nuvens densas, encorpadas como algodão, absorvessem os ruídos inconvenientes da cidade.

Um tempo depois, com a caneta novamente na mão, continuou a distribuir as palavras no papel. Enquanto escrevia, lembrou-se de que no dia seguinte sua namorada viria ao apartamento. Ela costumava aparecer sempre às sextas-feiras, por volta das onze da manhã. Antes de sua chegada, ele teria de levar Fukaeri para algum outro lugar. Por sorte, Fukaeri não usava perfume nem colônia. Se sua cama ficasse com algum cheiro, com certeza ela logo perceberia, e Tengo sabia muito bem como era desconfiada e ciumenta. O fato de ela transar de vez em quando com o marido não era problema, mas, se Tengo saísse com outra mulher, ela ficava realmente possessa.

— Transar com o marido é diferente — ela costumava explicar. — Cai em um outro tipo de conta.

— Outro tipo de conta?

— De naturezas diferentes.

— Está querendo dizer que os sentimentos são distintos?

— É. A questão física é a mesma, mas os sentimentos são outros. Por isso, não há nenhum problema de eu transar com ele. Consigo fazer esse tipo de distinção porque sou uma mulher madura. Mas jamais te perdoarei se você dormir com outra.

— Não estou fazendo isso — disse Tengo.

— Mesmo que você não faça sexo com outra mulher... — disse a namorada. — Só de eu imaginar essa possibilidade, já me sinto traída.

— Só de imaginar essa possibilidade? — perguntou Tengo, surpreso.

— Pelo jeito você ainda não entende os sentimentos de uma mulher. Justo você, que vive escrevendo romances...

— Você está sendo muito injusta.

— Pode até ser, mas saiba que vou te compensar direitinho por isso — disse ela. Quanto a isso, realmente não estava blefando.

Tengo estava satisfeito na relação com sua namorada mais velha. Pelos padrões convencionais de beleza, ela não era exatamente linda, mas seu rosto era singular. Algumas pessoas poderiam até achá-la feia, mas Tengo gostou dela assim que a viu. Como parceira de cama, não tinha do que reclamar. Ela não era muito exigente. As únicas coisas que exigia eram se encontrar uma vez por semana — por um período de três a quatro horas, fazendo sexo seguro, se possível mais de uma vez — e que ele não se aproximasse de nenhuma outra mulher. Ela cuidava bem da família e não tinha nenhuma intenção de destruí-la por causa de Tengo. Sua única queixa era que seu marido não a satisfazia sexualmente. Sob esse aspecto, o interesse dela e o de Tengo eram, em linhas gerais, os mesmos.

Tengo não sentia desejo por outra mulher. O que ele realmente queria era um tempo livre e sossegado. Desde que garantisse um sexo periódico, não tinha nada mais a desejar de uma mulher. Conhecer uma garota da mesma idade, se apaixonar, manter relações sexuais e ter de assumir as inevitáveis obrigações que esse tipo de relacionamento acarreta estava longe de ser atraente. Na medida do possível, queria evitar ao máximo uma série de incômodos, como o enfrentamento psicológico das fases de um relacionamento, as insinuações baseadas em possibilidades, os inevitáveis choques de opinião...

A ideia de ter de assumir uma obrigação era algo que o assustava, deixando-o sempre com o pé atrás. Por isso, ele sempre soube se esquivar habilmente para não ter de assumir nenhum tipo de comprometimento. O que sempre quis era a liberdade de viver sozinho e tranquilo, sem a necessidade de se envolver em complicados relacionamentos pessoais. Queria evitar as regras e os compromissos. Para conquistar essa tão almejada liberdade, estava disposto a suportar privações.

Para fugir das obrigações, Tengo aprendeu desde cedo a não chamar atenção para si. Diante das pessoas ele reprimia suas habilidades, jamais expressava uma opinião, evitava se destacar e, na medida do possível, procurava anular sua própria existência. Desde criança, as circunstâncias de vida lhe ensinaram que precisava sobreviver sozinho, com suas próprias forças, sem contar com a ajuda de ninguém. Mas, na prática, uma criança não possui essa força. Por isso, quando ocorria uma forte ventania, ele se escondia e segurava firmemente alguma coisa para não ser levado pelo vento. Esse tipo de subterfúgio sempre o acompanhou desde criança, como os órfãos dos livros de Dickens.

Até então, as coisas em geral andavam muito bem para Tengo, a despeito de ele sempre se esquivar de tudo quanto fosse obrigação. Não quisera seguir os estudos na faculdade, não tinha uma carreira profissional sólida, não se casara, mas, por outro lado, optara por um emprego que lhe dava uma relativa liberdade, escolhera uma companheira de cama que o satisfazia — e não exigia muito dele — e, como lhe sobrava muito tempo livre, aproveitava para escrever seus romances. Conhecera Komatsu e este se tornara seu mentor literário. Graças a ele, periodicamente fazia trabalhos relacionados à produção de textos. Os romances que escrevera ainda não conheciam a luz do dia, mas mesmo assim Tengo não estava insatisfeito com a vida que levava. Mesmo não tendo nenhum amigo íntimo e nenhum compromisso sério com uma namorada. Embora tivesse se relacionado e ido para a cama com uma dezena de mulheres, nenhum desses relacionamentos durara muito. Mas, pelo menos, ele podia se dizer livre.

No entanto, desde que pegara nas mãos a *Crisálida de ar*, sua vida, até então tranquila, começou a apresentar algumas fissuras. De início, ele foi praticamente forçado a participar do arriscado plano de Komatsu. E a bela garota mexia com seus sentimentos de modo muito estranho. Após terminar de reescrever *Crisálida de ar*, algo dentro dele mudou e, graças a isso, ele passara a ter o intenso desejo de escrever seu *próprio* romance. Uma mudança obviamente positiva. Mas, paralelamente a isso, uma outra estava na iminência de ocorrer nesse seu estilo de vida autossuficiente e praticamente perfeito.

De qualquer modo, o dia seguinte era uma sexta-feira. Dia de sua namorada aparecer. Antes de ela chegar, ele precisava tirar Fukaeri dali.

Fukaeri acordou pouco depois das duas da madrugada. Ela abriu a porta da cozinha, ainda vestida com o pijama, e tomou um copo grande de água da torneira. Em seguida, esfregou os olhos e se sentou em frente a Tengo.

— Estou te atrapalhando — perguntou Fukaeri, como sempre, sem a interrogação.

— Não se preocupe. Não está me atrapalhando.

— O que escreve.

Tengo fechou o bloco de papel e pousou a caneta sobre a mesa.

— Não é grande coisa — respondeu Tengo. — Eu já estava pensando em parar.

— Posso ficar um pouco com você — perguntou Fukaeri.
— Pode. Vou tomar um pouco de vinho. Quer beber alguma coisa?

A garota balançou a cabeça, indicando que não queria nada.
— Quero ficar um tempo aqui.
— Tudo bem. Eu também ainda não estou com sono.

O pijama de Tengo era muito grande, e por isso ela o vestia com as mangas e as barras dobradas. Quando se curvava, dava para vislumbrar, através da gola, o volume de seus seios. Ao vê-la com seu pijama, Tengo sentiu uma estranha falta de ar. Abriu a geladeira, tirou uma garrafa com um pouco de vinho e o colocou na taça.

— Não está com fome? — perguntou Tengo. No caminho até o apartamento, haviam parado num pequeno restaurante próximo à estação Kôenji e comeram espaguete. A quantidade servida não era grande, e já fazia um bom tempo. — Se você quiser, posso preparar um sanduíche ou alguma coisa simples.

— Não estou com fome. Em vez disso, quero que leia o que escreveu.

— Isso que eu estava escrevendo?
— É.

Tengo pegou a caneta e a girou entre os dedos. Ela parecia minúscula em sua mão.

— Eu só mostro o texto depois de terminado e totalmente revisado. É uma superstição.

— Superstição.
— É para não dar azar; é uma coisa minha.

Fukaeri ficou um bom tempo olhando o rosto de Tengo. Depois, apertou a gola do pijama:

— Então você poderia ler um livro.
— Você gosta de dormir ouvindo alguém ler um livro?
— Gosto.
— É por isso que o professor Ebisuno sempre lia para você?
— O professor sempre fica acordado até bem tarde.
— Foi o professor Ebisuno que leu as *Narrativas de Heike* para você?

Fukaeri negou com a cabeça.
— Ouvi em fita cassete.

— E você decorou o texto ouvindo a fita? Mas devem ter sido muitas fitas cassetes, não devem?

Fukaeri mostrou o volume de fitas com as mãos.

— Muitas fitas...

— Que parte da narrativa você recitou durante a coletiva?

— A fuga de Yoshitsune Minamoto da capital.

— É o trecho em que Yoshitsune Minamoto, após vencer os Heike, foge de Quioto perseguido pelo próprio irmão Yoritomo. A vitória dos Genji sobre os Heike dá início a uma acirrada disputa entre os Genji pelo poder.

— Isso.

— Fora este trecho, há algum outro que você consegue recitar de cor?

— Diga o trecho que você quer ouvir.

Tengo tentou se lembrar de quais eram os episódios das *Narrativas de Heike*. Tratava-se de uma história longa, com inúmeros episódios. A "Batalha de Dan-no-ura", disse ele ao acaso.

Fukaeri concentrou-se por uns vinte segundos e começou a recitar de memória:

Os guerreiros de Genji invadem e dominam os
    navios dos Heike.
A tripulação e o timoneiro, mortos a flecha ou a
    golpes de espada, não mais conduzem o barco, e
    jazem no porão do navio.
Tomomori, recém-nomeado Conselheiro-do-meio,
    apressa-se a pegar um bote e rapidamente se
    dirige à embarcação de Vossa Majestade. E
    anuncia:
"Eis que o fim se aproxima. Joguem ao mar todas
    as coisas desagradáveis aos olhos", e, dito isso,
    começou a correr de popa a proa varrendo,
    esfregando, limpando e pegando a sujeira com
    as mãos.
"Senhor Conselheiro-do-meio, como estão as
    batalhas?", as damas da corte indagavam, todas
    ao mesmo tempo.

"Logo vocês conhecerão os magníficos homens do leste", respondeu o Conselheiro, soltando uma gargalhada.
"Como pode brincar numa hora dessas", as damas gritavam indignadas.

Ao observar a cena, a monja do segundo grau que, de antemão, previa a possibilidade de o pior acontecer,
paramentou-se com seu traje cerimonial, vestindo seus dois quimonos em sobreposição de tons cinza e uma hakama formal de seda cinza-escura.
Arregaçou a barra da saia, colocou o imperial colar de jade prendendo-o sob o braço e colocou a imperial espada na cintura. Em seguida abraçou o Imperador e disse:
"Sei que sou apenas uma mulher, mas jamais cairei em mãos inimigas. Acompanharei Vossa Majestade. Se mais alguém também assim desejar, apressem-se e sigam-nos"; e, dito isso, a monja e o Imperador caminharam lenta e silenciosamente em direção à amurada.

Naquele ano, o Imperador completara 8 anos,
mas era adulto para a idade.
De belas feições, sua figura resplandecia majestosa.
Seus cabelos negros e luzidios passavam da cintura.
Confuso com a situação, o Imperador perguntou:
"Para onde estais a me levar?"
A monja olhou o inocente jovem Imperador e, contendo as lágrimas, disse:
"Vós não sabeis, mas, por terdes cumprido os Dez Preceitos em suas existências anteriores, fostes designado a ser o líder das dez mil carruagens.
Porém, um carma ruim atropelou esse vosso destino.

Volte-se primeiro para o leste
e se despeça do grande santuário de Ise.
Em seguida, volte-se para o oeste
e invoque o Buda Amida
para vos receberdes e ao paraíso da Terra Pura vos
  conduzirdes.
Este nosso país é como um punhado de grãos de
  painço espalhados; um lugar em que o coração
  somente conhece o sofrimento.
Agora vou te acompanhar até um local maravilhoso
  chamado paraíso da Terra Pura", disse a monja,
  sem mais poder conter as lágrimas.
O jovem Imperador, vestido com trajes em tons
  verde-amarelados, cabelos presos em coque na
  altura das orelhas,
olhos marejados, juntou suas mãos belas e
  pequeninas e,
voltando-se primeiro para o leste, despediu-se do
  grande santuário de Ise.
Em seguida, voltou-se para o oeste e invocou o
  Buda Amida.
A monja abraçou o Imperador e, para confortá-lo,
  disse:
"Sob essas ondas também existe uma capital."
E, após assim dizer, lançaram-se no imenso e
  profundo mar.

Ao ouvir de olhos fechados a recitação de Fukaeri, Tengo sentiu como se estivesse ouvindo um monge cego que, tradicionalmente, era acompanhado por um instrumento de corda chamado biwa. Foi então que se deu conta de que as *Narrativas de Heike* eram um poema épico de tradição oral. Normalmente, Fukaeri costumava falar de um jeito monótono, quase sem acentuação e entonação, mas na hora de recitar sua voz ganhava intensidade, riqueza e colorido. Era como se uma entidade se incorporasse nela. A imagem da batalha, ocorrida no sublime mar do estreito de Kan'mon, em 1185, ressurgia serena e vividamente no presente. A derrota dos Heike era certa, e a monja de segundo grau Tokiko — esposa de Minamoto-no-Kiyomori e avó materna do imperador — pula ao mar abraçada ao jovem imperador Antoku. As damas da corte também seguem o imperador para não caírem nas mãos dos samurais do leste. Tomomori, para esconder seu sofrimento, finge que está brincando e incita as damas a se suicidarem para evitar viver no mundo infernal que ora se descortina.

— Quer que continue — perguntou Fukaeri.

— Não, está ótimo. Obrigado — disse Tengo, ainda surpreso.

Tengo entendeu muito bem o espanto dos repórteres, que não conseguiram dizer nada após a recitação.

— Como é que você consegue decorar um texto tão longo...

— Escutei a fita muitas vezes.

— Mesmo escutando várias vezes, creio que as pessoas comuns não conseguem decorá-la — disse Tengo.

Teve então uma ideia súbita: "Quem sabe o fato de não conseguir ler fez com que ela desenvolvesse uma capacidade excepcional para decorar o que ouve, assim como as crianças com síndrome de Savant, que conseguem memorizar grande quantidade de informações visuais em questão de segundos."

— Quero que leia um livro — disse Fukaeri.

— Que tipo de livro você quer?

— Tem aquele que você comentou com o professor — perguntou Fukaeri. — O livro que fala do Grande Irmão.

— Ah! *1984*? Puxa, esse eu não tenho aqui.

— Como é a história.

Tengo tentou lembrar as linhas gerais do romance.

— Eu li esse livro há muito tempo na biblioteca da escola, por isso não me lembro direito dos detalhes, mas, enfim, foi publicado em 1949 e, naquela época, 1984 representava um futuro longínquo.

— Este ano.

— Isso. Estamos em 1984. O futuro algum dia se torna presente, e o presente rapidamente se torna passado. No romance, Orwell descreve que no futuro a sociedade será sombria, dominada pelo totalitarismo. As pessoas são rigorosamente vigiadas pelo Grande Irmão. As informações são controladas, e a história é constantemente reescrita. O protagonista trabalha numa repartição pública e, se não me falha a memória, é funcionário de um departamento responsável por substituir textos. Quando uma nova versão da história é reescrita, a antiga é totalmente destruída e, ao mesmo tempo, são criadas novas palavras e o significado das palavras existentes é igualmente alterado. Como a história é frequentemente reescrita, com o passar do tempo ninguém mais conhece a história verdadeira. E chega-se a um ponto em que não se consegue mais discernir quem são os inimigos e quem são os amigos. Essa é a história do livro.

— Reescrever a história.

— Roubar a história é como roubar uma parte da própria pessoa. É um crime.

Fukaeri ficou um tempo a pensar.

— Nossa memória é feita de lembranças individuais e coletivas — disse Tengo. — Elas estão intrinsecamente entrelaçadas. A história é a memória coletiva e, quando ela é usurpada ou reescrita, perdemos a capacidade de preservar nossa legítima personalidade.

— Você também reescreveu.

Tengo sorriu e tomou um gole de vinho.

— O que eu fiz foi apenas um retoque para favorecer seu romance. Reescrever a história é algo completamente diferente.

— Você não tem o livro do Grande Irmão aqui — perguntou Fukaeri.

— Infelizmente não. Por isso não posso ler para você.

— Pode ser outro livro.

Tengo ficou de frente para a estante e deu uma olhada nas lombadas. Ele já tinha lido muitos livros, mas possuía poucos, por não gostar de acumular muitas coisas em sua casa. Por isso, assim que lia um livro — exceto aquele que particularmente considerava especial — vendia-o para o sebo. Procurava comprar somente livros que sabia que leria imediatamente e, aquele que considerava importante, lia-o com muita atenção até assimilá-lo totalmente. Se houvesse outro livro específico que precisasse ler, pegava-o emprestado numa biblioteca próxima de casa.

Tengo levou tempo para escolher um livro; não estava acostumado a ler em voz alta, e não tinha ideia de qual deles seria o mais adequado para recitar. Após um momento de grande indecisão, finalmente escolheu um de Anton Tchekhov, *A ilha de Sacalina*, que lera na semana anterior. As partes interessantes estavam indicadas com marcadores de papel, de modo que ele poderia escolher somente os trechos mais adequados para ler em voz alta.

Antes de começar, Tengo fez um breve comentário sobre o livro. Explicou que Anton Tchekhov viajara à ilha de Sacalina em 1890 e, naquela época, tinha trinta anos. Disse também que ninguém sabia ao certo os verdadeiros motivos que levaram Tchekhov a viajar sozinho e permanecer durante tanto tempo na ilha, considerada um fim de mundo; pois, além de ser um homem cosmopolita, que levava uma vida abastada na capital Moscou, era também um jovem e talentoso escritor em franca ascensão, pertencente a uma geração posterior à de Tolstói e Dostoiévski. A ilha de Sacalina havia sido desenvolvida como uma colônia penal, e muitos a julgavam um local miserável e sinistro. Naquela época, como ainda não existia a Ferrovia Transiberiana, ele chegou a percorrer mais de quatro mil quilômetros numa carroça, enfrentando heroicamente dores lancinantes provocadas pelo intenso frio que castigava seu corpo não muito saudável. Como resultado de sua viagem de oito meses pelo Extremo Oriente, Tchekhov publicou *A ilha de Sacalina*, uma obra que provocou perplexidade em muitos de seus leitores. O texto não parecia muito literário; era mais um relatório de informações factuais e descrições topográficas. As pessoas sussurravam entre si, perguntando-se por que Tchekhov havia dedicado um tempo tão precioso de sua carreira literária para fazer essa obra tão inútil e sem sentido. Um crítico literário chegou a afirmar que não passava de "autopromoção e estratégia de vendas", e outro comentou que o motivo de sua viagem havia sido "buscar algum assunto para escrever, já que estava sem nenhum". Tengo mostrou a Fukaeri o mapa que constava no livro e indicou o local em que ficava a ilha de Sacalina.

— Por que Tchekhov foi para Sacalina — perguntou Fukaeri.
— Você quer saber o que *eu* penso sobre isso?
— Quero. Você leu o livro.
— Li, sim.
— O que achou.

— Acho que o próprio Tchekhov não sabia ao certo os motivos que o levaram a fazer essa viagem — disse Tengo. — Ou seja, será que ele não queria apenas conhecer o lugar? Ele podia perfeitamente estar olhando o formato dessa ilha num mapa e, de repente, sentiu um ímpeto de conhecê-la, não é? Eu também já tive uma experiência parecida. Quando estou vendo um mapa, penso: "Preciso ir aqui, custe o que custar", e, geralmente, coincidência ou não, esse lugar é distante e de difícil acesso. Sinto uma vontade muito grande de conhecer a paisagem desse local e o que as pessoas fazem por lá. Isso é como *sarampo*. Você não consegue mostrar para as pessoas a fonte dessa paixão. É pura curiosidade, no mais amplo sentido da palavra. Uma inexplicável inspiração. No caso de Tchekhov, porém, creio que este não tenha sido o único motivo, ainda que, naquela época, uma viagem de Moscou a Sacalina fosse uma penitência inimaginável.

— Por exemplo...

— Tchekhov era escritor e também médico. Por isso, acho que ele queria examinar com seus próprios olhos, como um cientista, uma parte debilitada de seu imenso país chamado Rússia. Incomodava-lhe o fato de ser um célebre escritor que passava a vida na capital. Estava igualmente aborrecido com o ambiente dos círculos literários de Moscou e, a bem da verdade, sentia desgosto pelos companheiros literários presunçosos e traiçoeiros. Além de nutrir antipatia pelos críticos literários mal-intencionados. Nesse sentido, a viagem à ilha de Sacalina foi uma espécie de peregrinação para se purificar de toda imundície existente no ambiente literário. De certa forma, ele foi dominado pela ilha, no mais amplo sentido da palavra. Esse talvez tenha sido um dos motivos de não escrever nenhuma obra literária sobre a viagem. Não se tratava de um assunto que pudesse levianamente transformar em tema de romance. Esse recanto debilitado de seu país era, por assim dizer, parte de seu próprio corpo. Quem sabe não tenha sido exatamente isso que ele realmente buscava?

— Esse livro é interessante — perguntou Fukaeri.

— Eu o li achando muito interessante. Existem muitos dados numéricos e estatísticos e, como já disse, muito pouca coloração literária. O livro ressalta o lado científico de Tchekhov. Mas é exatamente nas entrelinhas que eu consigo enxergar a íntegra determinação desse homem chamado Tchekhov. Mescladas à profusão de informações factuais, vez por outra encontramos impressionantes observações de personagens e descrições de cenários. Mesmo nas partes em que o texto enfileira uma sucessão de fatos, não acho que fica ruim. Eu diria que alguns trechos são excepcionalmente belos, como o capítulo em que ele fala dos guiliaks.

— Guiliaks — disse Fukaeri.

— Os guiliaks são os nativos que vivem em Sacalina desde muito antes de os colonizadores russos chegarem lá. Originalmente eles viviam mais ao sul da ilha, mas, com a chegada dos ainus, vindos de Hokkaido, foram praticamente impelidos a se mudarem para a região central, onde vivem até hoje. No entanto, não podemos esquecer que os ainus também foram expulsos para Sacalina por pressão dos japoneses. Tchekhov observou de perto a vida e a cultura dos guiliaks, empenhando-se em deixar um registro um pouco mais detalhado sobre esse povo que rapidamente se extinguia devido à russificação.

Tengo abriu o livro no capítulo que tratava dos guiliaks e começou a ler. Às vezes ele abreviava ou adaptava alguns trechos, com o intuito de facilitar a compreensão da ouvinte.

> Os guiliaks possuem uma compleição forte e robusta, e sua estatura é mais para baixa do que mediana. Se fossem altos, certamente teriam dificuldades de se locomover no interior da densa floresta. Possuem ossos muitos fortes, ou seja, as extremidades dos ossos onde existem músculos, a coluna vertebral e as articulações são notadamente desenvolvidas. Músculos vigorosos pressupõem a existência de um enfrentamento tenso e contínuo com a natureza. O corpo é magro, musculoso e sem gordura subcutânea. Não se veem guiliaks corpulentos e obesos. Toda a gordura é gasta para manter a temperatura do corpo. Para compensar a energia que consomem para enfrentar as baixas temperaturas e a excessiva umidade do ar, os homens de Sacalina precisam produzi-la em grandes quantidades. E isso explica o fato de os guiliaks terem uma alimentação riquíssima em

gordura. Eles comem foca, salmão, esturjão, baleia, e carnes ensanguentadas, sempre em grande quantidade, tudo cru, seco ou, na maioria das vezes, congelado. Por se alimentarem principalmente de carne crua, observa-se que os músculos que participam da mastigação são notadamente desenvolvidos, e todos os dentes são muito gastos. Apesar de serem carnívoros, quando — ainda que raramente — fazem alguma refeição em casa ou realizam alguma celebração, eles também comem alho da Manchúria e morangos junto com as carnes e os peixes. Segundo Nevelskoi, os guiliaks consideram a agricultura uma atividade extremamente pecaminosa. Eles acreditam que a pessoa que cavar a terra ou plantar algo nela estará fadada a morrer. No entanto, comem com imenso prazer o pão introduzido pelos russos e, atualmente, em Alexandrovsk ou Rikovsk, é comum se deparar com guiliaks carregando um enorme disco de pão debaixo do braço.

Tengo fez uma pausa na leitura. Tentou captar alguma reação no rosto atento de Fukaeri, mas foi em vão.
— E então? Quer que eu continue? Ou é melhor escolher outro livro? — perguntou Tengo.
— Quero saber mais sobre os guiliaks.
— Então vou continuar.
— Posso deitar na cama? — perguntou Fukaeri.
— É claro — disse Tengo.
Os dois foram para o quarto. Fukaeri enfiou-se na cama e Tengo sentou-se ao lado, na cadeira que trouxera. Continuou a ler.

Os guiliaks nunca lavam o rosto e por isso nem mesmo os etnólogos conseguem afirmar categoricamente que tipo de cor de pele eles realmente possuem. Não lavam as roupas de baixo, e suas vestimentas e calçados de pele parecem que foram arrancados de um cachorro morto. Os guiliaks exalam um odor nauseante e logo se percebe que suas moradias estão próximas só de sentir o odor desagradável e muitas vezes insuportável dos peixes secos e restos de peixes podres. Ao lado de todas as casas existe um terreiro com peixes abertos em duas partes colocados um ao lado do outro e que, à distância, principalmente com a incidência da luz do sol, parecem cordões de corais. Foi nas proximidades dessas casas que Kruzenshtern encontrou uma quantidade enorme de larvas que formavam uma camada de três centímetros no chão.

— Kruzenshtern.
— Deve ser um dos primeiros exploradores da região. Tchekhov era um estudioso e tinha lido todos os livros que foram escritos sobre Sacalina.
— Leia a continuação.

No inverno, as cabanas são tomadas por uma irritante fumaça que sai do forno e, além disso, todos os guiliaks, inclusive a esposa e os filhos, fumam tabaco. Quanto à taxa de enfermidade e mortalidade, não existem dados concretos, mas o fato de viverem num ambiente em condições higiênicas insalubres deve influenciar negativamente seu estado de saúde. Pode-se supor também que essas condições de higiene é que estão relacionadas à estatura baixa, assim como ao rosto inchado e uma certa falta de ânimo e morosidade em seus movimentos.

— Pobres guiliaks — disse Fukaeri.

Quanto ao caráter dos guiliaks, existem vários livros e várias interpretações, de acordo com seus respectivos autores, mas existe um único ponto em que todos concordam, isto é, são unânimes em dizer que os guiliaks não são belicosos, detestam disputas e brigas, e prezam viver em paz com seus vizinhos.

Quando chegam novas pessoas, os guiliaks sempre as recebem gentilmente, sem demonstrar relutância, apesar da natural desconfiança gerada pela insegurança do porvir. O máximo que fazem como prova de resistência é mentir, descrevendo a ilha de Sacalina como um local sombrio, de modo que eles pensam que assim os forasteiros irão partir. O grupo de Kruzenshtern foi recebido de braços abertos e, quando se espalhou a notícia de que um membro da equipe, L. I. Shrenk, se encontrava enfermo, os guiliaks demonstraram estar realmente tristes. Os guiliaks só mentem quando fazem negócios ou quando falam com pessoas suspeitas e que eles consideram perigosas, mas, antes de dizerem uma mentira, costumam trocar olhares entre si, agindo como se fossem crianças. Na vida em sociedade, fora do âmbito comercial, sentem aversão a todo tipo de mentira e de atitudes presunçosas.

— Admiráveis guiliaks — disse Fukaeri.

Quando um guiliak aceita uma tarefa, ele a cumpre diligentemente, e nunca se ouviu falar que um guiliak tenha abandonado o correio no meio do caminho ou que tenha se apropriado de bens de terceiros. Eles são corajosos, espertos, alegres, amigáveis e não sentem qualquer constrangimento na presença de ricos e poderosos. Não reconhecem nenhum tipo de autoridade e, ao que parece, desconhecem o conceito de superior e inferior. Tal como já foi amplamente dito e devidamente registrado, os guiliaks não respeitam o sistema patriarcal. O pai não se considera superior ao filho, nem o filho precisa respeitar o pai, e cada qual vive a seu modo. Dentro do lar, a mãe idosa não tem autoridade maior que a filha adolescente. Boshniak relata que presenciou várias vezes um filho chutar e expulsar a tapas a própria mãe de casa, e que ninguém o repreendeu. Dentro da família, os homens estão em pé de igualdade. Se você oferecer uma vodca a um guiliak, também terá de oferecê-la ao menino mais novo da casa.

Em contrapartida, nenhuma mulher — avó, mãe ou o bebê de colo — possui direito dentro da família. Portanto, elas são tratadas friamente, como se fossem objetos ou animais domésticos, e podem ser expulsas, vendidas ou chutadas como cachorros. Os guiliaks eventualmente podem até acariciar os cachorros, mas jamais demonstram carinho com uma mulher. Consideram o casamento uma tolice, o que, em outras palavras, significa que as celebrações são mais importantes do que isso. Não possuem nenhum tipo de cerimônia religiosa ou superstição. Os homens trocam suas lanças, botes ou, em último caso, o seu cão, por uma mulher, carregam-nas em suas costas até a cabana e dormem sobre uma pele de urso, e pronto. Admitem a poligamia, mas, apesar de o número de mulheres ser bem maior que o de homens, esse tipo de união não é muito comum. O desprezo com que os guiliaks tratam as mulheres, como se fossem animais inferiores e mercadorias, é tão grande que, para eles, o sistema escravocrata não seria considerado inconveniente. Entre os guiliaks, as mulheres são claramente objetos de troca, assim como o tabaco e o tecido. O escritor sueco Strindberg, famoso misógino, disse que apreciava a ideia de as mulheres se tornarem escravas para satisfazer os desejos dos homens, o que significa que, na essência, ele pensava exatamente como os guiliaks. Se tivesse a oportunidade de ir para a região setentrional da ilha de Sacalina, certamente seria recebido de braços abertos pelos guiliaks.

Tengo fez uma pausa, mas Fukaeri manteve-se quieta, sem expressar opinião. Ele continuou:

Eles não possuem tribunais e tampouco conhecem o significado de justiça. E só pelo fato de eles, até hoje, não entenderem para que servem as estradas, pode-se imaginar a imensa dificuldade que têm em nos compreender. Mesmo nas áreas em que existem estradas, eles continuam caminhando pela densa floresta. É muito comum ver as famílias e os cachorros, em fila indiana, andando com muita dificuldade no lamaçal próximo à estrada.

Fukaeri estava de olhos fechados, respirando serenamente. Tengo observou seu rosto durante um tempo para verificar se ela dormia, mas não soube dizer. Por isso resolveu virar a página e continuar a leitura. Queria estar seguro de que ela dormia, e além disso sentia vontade de continuar mais um pouco a leitura de Tchekhov em voz alta.

Antigamente, existia um posto de vigilância num local chamado Naibuchi, na foz do rio Nayba. Essa construção é datada de 1866. Na época em que Mitzul chegou ao local, encontrou ao todo dezoito casas — entre habitadas e desocupadas —, uma pequena capela e uma mercearia. Um correspondente que esteve no local em 1871 escreveu que havia vinte soldados sob o comando de um oficial cadete. Numa das casas, a esposa esbelta e bela de um dos soldados ofereceu-lhe ovos frescos e pão preto e, a despeito de falar bem da vida que levava, queixou-se do preço exorbitante do açúcar. Atualmente, não existem mais sequer vestígios dessas casas, e ao contemplar essa paisagem desolada, relatos como a da história dessa esposa alta e bonita de um soldado soam como mito. Hoje existe apenas uma casa recém-construída, usada como posto de guarda ou um tipo de pousada. O mar é turvo, gelado, e suas brancas ondas de três metros, ao quebrar, parecem bramir: "Deus! Por que vós nos criastes?" Eis que estou em pleno oceano Pacífico. Das praias de Naibuchi ouço o barulho seco do machado usado nas áreas de construção pelos deportados, mas também penso numa longínqua América na margem oposta e, olhando para a esquerda, imagino o cabo de Sacalina por entre a névoa e, à direita, algum outro cabo. Ao redor não existem pessoas, aves nem sequer uma mosca e, num local assim, há de se indagar: "Para quem, afinal, essas ondas estão a bradar? Quem ouve este bramido todas as noites? O que essas ondas desejam? Para quem elas vão bradar quando eu partir?" Quando estou em pé diante desta praia, os pensamentos me abandonam e sou conduzido e aprisionado à profunda meditação. Sinto um intenso medo que se mescla ao desejo de permanecer ali para sempre, contemplando o movimento monótono das ondas e seus aterradores bramidos.

Fukaeri parecia dormir profundamente. Ao prestar atenção nela, Tengo conseguia ouvir sua respiração serena. Ele fechou o livro e o colocou sobre a mesinha ao lado da cama. Em seguida se levantou, apagou a luz do quarto e, antes de fechar a porta, novamente olhou o rosto de Fukaeri. Estava deitada de costas com a boca fechada e dormia tranquilamente. Tengo fechou a porta e foi à cozinha.

Mas ele não conseguia mais escrever seu livro. A paisagem da praia desolada da Sacalina descrita por Tchekhov ocupava sua mente. Tengo conseguia ouvir o bramido das ondas e, ao fechar os olhos, ele se via em pé na orla daquela praia deserta do mar de Okhotsk, prisioneiro de profundas reflexões, capaz de compartilhar a irremediável melancolia sentida por Tchekhov. Nesse fim de mundo, ele deve ter sentido uma opressiva impotência. Ser um escritor russo no final do século XIX era o mesmo que carregar um amargo destino inescapável. Quanto mais desejasse fugir da Rússia, mais a Rússia o engolia.

Tengo lavou a taça de vinho, escovou os dentes no banheiro e, após apagar a luz da cozinha, deitou-se no sofá, cobriu-se com o cobertor e tentou dormir. O intenso bramido das ondas ecoava em seus ouvidos, mas, a despeito delas, Tengo foi gradativamente perdendo a consciência até cair num sono profundo.

Despertou às oito e meia da manhã. Fukaeri não estava mais na cama. O pijama estava embolado dentro da máquina de lavar, ainda com as mangas e as barras dobradas. Sobre a mesa da cozinha havia um bilhete escrito a caneta: "O que será que os guiliaks estarão fazendo agora? Vou para casa." A letra era pequena, o traço era firme e anguloso a ponto de causar um certo estranhamento. Era como ver do alto letras escritas com conchas na praia. Tengo dobrou a mensagem e a guardou na gaveta da mesa. Sua namorada chegaria às onze. Se ela pegasse esse bilhete, com certeza faria um tremendo escândalo.

Tengo arrumou a cama e devolveu o livro de Tchekhov à prateleira. Depois preparou o café e fez uma torrada. Enquanto tomava o desjejum, sentiu que alguma coisa lhe pesava no peito. Demorou para descobrir o que o fazia se sentir assim. Era a imagem de Fukaeri dormindo com o rosto tranquilo.

"Será que estou apaixonado por ela? Não. Não é isso", dizia Tengo para si mesmo. Era algo dentro dela que, de vez em quando, abalava fisicamente seu coração. Mas então por que é que o pijama que ela usara o deixava incomodado? Por que, sem pensar, ele havia pegado o pijama e o cheirado?

Eram muitas as perguntas. Se Tengo não estava enganado, foi Tchekhov quem disse: "O escritor não é uma pessoa que soluciona problemas. É uma pessoa que os propõe." Sábias palavras que Tchekhov soube aplicar não somente a suas obras, mas também a sua vida. Sua vida e suas obras levantavam inúmeras questões que ele jamais procurou solucionar. Mesmo sabendo que sofria de tuberculose, uma doença incurável (como médico, ele certamente o sabia), procurou ignorar o fato e, até no seu leito de morte, nunca acreditou estar morrendo. Tchekhov morreu jovem, durante uma intensa crise de expectoração de sangue.

Tengo balançou a cabeça e levantou-se da mesa. Hoje é o dia da visita da sua namorada. Agora ele precisava lavar a roupa e limpar a casa. Sobre as outras coisas, pensaria numa outra hora.

21
Aomame
Por mais longe que se queira ir

Aomame foi para a biblioteca do bairro e, seguindo os mesmos procedimentos da vez anterior, solicitou os microfilmes dos jornais e sentou-se à mesa. Queria verificar novamente o conflito ocorrido três anos atrás na província de Yamanashi entre o grupo extremista e a polícia. A sede do grupo religioso Sakigake que a velha senhora mencionara ficava nas montanhas de Yamanashi. E o local em que ocorrera o confronto era nas mesmas montanhas. Poderia ser apenas uma coincidência, mas aquilo incomodava Aomame. Deveria haver alguma relação entre esses dois acontecimentos. A expressão "aquele incidente tão grave" que a velha senhora usara também sugeria existir algum tipo de ligação entre eles.

O tiroteio acontecera três anos atrás, em 1981 — segundo a hipótese de Aomame, três anos antes de 1Q84 —, no dia 19 de outubro. Detalhes e informações gerais sobre o incidente ela já sabia por ter lido os noticiários da vez anterior em que estivera na biblioteca, por isso, desta vez, apenas correu os olhos sobre aqueles artigos para, em seguida, concentrar sua atenção nos textos relacionados ao incidente e publicados no dia seguinte, assim como todos os artigos que analisavam os acontecimentos sob diversos ângulos.

No primeiro confronto, três policiais foram mortos por disparos de fuzis Kalashnikov de fabricação chinesa, e dois ficaram gravemente feridos. Após o tiroteio, o grupo extremista, ainda armado, fugiu para o interior das montanhas e a polícia realizou uma ampla operação de varredura. Para auxiliar na busca, um helicóptero da Força de Autodefesa sobrevoou a área com uma tropa de paraquedistas fortemente armados. Após intensa perseguição, três extremistas foram mortos ao se recusarem a se render, e outros dois foram gravemente feridos — um morreu após três dias no hospital; quanto ao outro, os jornais não informaram claramente o que lhe aconteceu. Além deles, quatro pessoas foram capturadas ilesas ou com ferimentos leves. Não houve vítimas entre os soldados da Força de Autodefesa e os policiais — devidamente protegidos com coletes à prova de bala. O único incidente que ocorreu foi o de um policial que, durante a perseguição, caiu num barranco e quebrou a perna. Além disso, um membro do grupo extremista conseguiu escapar sem deixar pistas e foi dado como foragido, apesar da intensa busca realizada na região.

Após o impacto inicial que o incidente causou, os jornais passaram a dar informações detalhadas sobre a origem e o histórico desse grupo extremista, tachado de filho bastardo da revolta estudantil dos anos setenta. Mais da metade dos membros havia participado dos conflitos que culminaram na invasão do auditório Yasuda da Universidade de Tóquio, ou da ocupação do campus da Universidade do Japão. Após a tropa de choque minar a "fortaleza" estudantil e pôr fim à rebelião, os ativistas, expulsos das universidades, e os que se desiludiram com as novas políticas estudantis resolveram se unir com parte dos professores e, a despeito das diferenças partidárias, estabeleceram uma comuna agrícola na província de Yamanashi. No início, eles ingressaram numa comunidade essencialmente agrícola denominada "Escola Takashima", mas, insatisfeitos com o tipo de vida adotado por lá, se reorganizaram e formaram o grupo independente. Adquiriram terras ociosas nas montanhas de Yamanashi por um preço excepcionalmente baixo e começaram a administrar sua própria produção. No início, o grupo enfrentou dificuldades, mas, gradualmente, a procura por produtos orgânicos teve um ligeiro crescimento nas cidades, e sua aceitação consolidou um sistema de vendas pelo correio. Os ventos favoráveis propiciaram o desenvolvimento e a ampliação de suas atividades. Além disso, os membros do grupo eram pessoas sérias, empenhadas no trabalho e muito bem-organizadas, sob o comando de um tutor. O nome da comuna era "Sakigake".

Aomame fez uma careta e engoliu em seco. Soltou um grunhido do fundo da garganta. Em seguida, bateu no tampo da mesa com a caneta. Continuou a leitura.

À medida que os negócios se estabilizavam, internamente Sakigake começava a se dividir em dois grupos bem distintos: a "facção em prol da luta armada" — um grupo extremista de inspiração marxista que desejava uma revolução armada por meio da guerrilha — e a "facção comunal" — um grupo mais moderado, ciente de que uma revolução armada não era a escolha adequada para o Japão daquela época e, rejeitando o espírito capitalista, buscava um modo de vida mais simples, junto à natureza. Em 1976, a facção comunal, que constituía a grande maioria entre os adeptos, expulsou de Sakigake a facção da luta armada.

Essa expulsão, porém, não se deu com o uso da força. Segundo os jornais, Sakigake adquiriu novas terras para que a facção da luta armada pudesse se instalar, além de oferecer um capital considerável como auxílio. Assim, a cisão se deu de modo amigável. A facção em prol da luta armada obviamente aceitou a proposta e instalou no novo local a sua própria comuna, denominada "Akebono". Posteriormente, passaram a adquirir armas de alto desempenho. A origem do capital empregado na aquisição dessas armas estava sendo rastreada, e o resultado das investigações era muito aguardado.

Quanto às questões de quando, como e por que Sakigake se tornou um grupo religioso, nem a polícia nem os jornais conseguiam esclarecer satisfatoriamente. No entanto, foi na época da cisão que Sakigake abraçou uma religião. Em 1979, tornava-se oficialmente uma instituição religiosa. Desde então, ela passou a comprar as terras da vizinhança e ampliou sua infraestrutura. A propriedade foi cercada com muros bem altos, e foi proibido o acesso de pessoas que não pertenciam ao grupo. Alegaram que as pessoas de fora "perturbariam a prática ascética". Outros pontos ainda não esclarecidos eram como haviam conseguido juntar todo o capital, e como conseguiram obter tão rapidamente a autorização para se tornarem uma instituição religiosa.

A facção em prol da luta armada iniciou os trabalhos agrícolas nas terras recém-adquiridas, mas, paralela e secretamente, intensificou os treinamentos com armas. Com o tempo, começaram a surgir desavenças com os agricultores locais. Uma delas foi a disputa sobre o direito de usar a água de um pequeno rio que passava dentro da propriedade de Akebono. Este rio, desde longa data, era compartilhado pela comunidade agrícola local, mas Akebono proibiu o acesso dentro de suas terras. A disputa durou vários anos e, quando um morador da vizinhança reclamou da cerca de arame farpado, foi violentamente agredido por membros da Akebono. A polícia de Yamanashi emitiu um mandado de busca para apurar os responsáveis pelo crime, e oficiais apareceram em Akebono para as investigações. Foram então surpreendidos pelos disparos.

Após o intenso conflito nas montanhas, que culminou com a destruição de Akebono, o grupo religioso Sakigake rapidamente convocou uma coletiva para se pronunciar. O porta-voz do grupo era jovem, bonito e usava um terno executivo. Os argumentos de sua fala eram claros. O jovem comunicou que Akebono e Sakigake não possuíam nenhum tipo de relação, a despeito de terem um passado em comum. Após a separação, não havia mais nenhum tipo de interação entre eles, a não ser a de trabalho. Sakigake era uma comunidade que se empenhava nos processos agrícolas, obedecia à lei e almejava alcançar o mundo espiritual da paz, enquanto os membros de Akebono queriam uma revolução radical. Ao concluírem que não poderiam continuar juntos, optaram por cortar relações de modo pacífico. Após a cisão, Sakigake tornara-se um grupo religioso e oficializara sua situação como instituição religiosa. O porta-voz também anunciou que o incidente era lastimável, e apresentou profundas condolências pelos policiais mortos em cumprimento do dever, estendendo os pêsames aos familiares. Enfatizou que o grupo religioso Sakigake não tivera nenhuma participação ou envolvimento no incidente. Como não podiam negar o lamentável fato de que Sakigake fora o berço de Akebono, e como queriam evitar quaisquer mal-entendidos por conta do incidente, estavam de portas abertas para as autoridades locais, caso quisessem conduzir algum tipo de investigação. Explicou que Sakigake era um grupo religioso legalmente estabelecido e aberto à sociedade e que, nesse sentido, não tinha nada a esconder. O porta-voz finalizou o pronunciamento enfatizando que estavam dispostos a elucidar quaisquer dúvidas e colaborar, na medida do possível, para atender os anseios das autoridades.

Dias depois, em resposta à declaração, a polícia de Yamanashi entrou em Sakigake com um mandado de busca e, durante um dia inteiro, as autoridades vasculharam a propriedade, verificaram cuidadosamente as instalações e todo tipo de documentação.

Também interrogaram alguns dirigentes. Suspeitavam que, apesar de publicamente separadas, Sakigake participasse das ações de Akebono por vias indiretas. No entanto, a equipe de investigação não encontrou nenhuma prova que evidenciasse tal suspeita. O que encontraram foram cabanas de madeira para meditação, construídas nas inúmeras trilhas, espalhadas em meio a um lindo bosque como pontinhos de costura e, nesses locais, pessoas com vestimentas bem simples meditavam ou se dedicavam a uma rigorosa prática ascética. Também encontraram outros membros que se dedicavam aos trabalhos agrícolas. As ferramentas e as máquinas pesadas estavam devidamente conservadas, e não se encontrou nenhum tipo de arma ou algo que sugerisse a incitação à violência. Tudo estava limpo e organizado. Havia um pequeno refeitório asseado, alojamentos e até uma enfermaria modesta, porém com o mínimo necessário. Na biblioteca de dois andares havia muitos livros sobre budismo e escrituras budistas, e os membros eram incentivados a se dedicar à pesquisa e à tradução de obras especializadas. O local parecia mais um campus de uma universidade particular do que propriamente uma instituição religiosa. Os policiais saíram de mãos abanando.

Dias depois, o grupo convidou repórteres de jornais e TV para conhecerem o local, mas o cenário que encontraram não diferiu muito do que os policiais haviam visto. Ao contrário do habitual esquema de visitas organizadas, a imprensa tinha livre acesso a todos os locais sem acompanhante e podiam colher informações e conversar com qualquer membro para realizar a reportagem. O único acordo que o grupo fez questão de estabelecer, no intuito de proteger a privacidade dos fiéis, foi de a imprensa divulgar somente fotos e imagens aprovadas pela comuna. Alguns dirigentes, vestindo hábitos simples, se reuniram numa ampla sala de reuniões para responder às perguntas e explicar a origem, a doutrina e as diretrizes de sua religião. A linguagem era polida e espontânea. Não havia nenhum tipo de intenção publicitária, tão comum entre os grupos religiosos. Mais do que líderes de uma religião, pareciam funcionários de alto escalão de uma empresa de marketing, acostumados a fazer apresentações em público. A única diferença era a vestimenta.

Explicaram que o grupo não possuía uma doutrina claramente definida, e que não necessitava de um manual de códigos religiosos. Desenvolviam pesquisas sobre os princípios do budismo praticado nos primórdios e adotavam várias práticas religiosas daquele tempo. Seu objetivo era despertar a espiritualidade por meio dessas práticas, indo além do conhecimento literal das escrituras. O despertar espiritual de cada indivíduo constituía gradativamente a doutrina coletiva. Segundo eles, a doutrina não garantia esse despertar. Eles alegavam que o importante era que cada um alcançasse a própria espiritualidade para só então estabelecer uma doutrina capaz de expressar espontaneamente o conjunto dessa experiência divina. Essa era a diretriz básica do grupo. Nesse sentido, a proposta deles diferia das demais religiões existentes.

Explicaram ainda que parte do capital era proveniente da contribuição voluntária dos fiéis, como ocorre na maioria dos grupos religiosos. Porém, uma vez que o objetivo era ter uma vida simples e autossuficiente, centrada na agricultura, somente em último caso é que contavam com as doações. Almejavam alcançar a paz espiritual vivendo com o mínimo necessário, através da purificação do corpo e do aperfeiçoamento da mente. As pessoas que os procuravam eram aquelas que sentiam um vazio existencial e, desgostosas de viver neste mundo materialista e competitivo, buscavam um modo alternativo de vida, que lhes proporcionasse uma intensa vivência espiritual. Muitas possuíam um nível de escolaridade alto, formação profissional qualificada e nível social elevado. O grupo queria deixar claro que a proposta deles diferia, e muito, das defendidas pelas novas religiões. Sakigake não se enquadrava nesses grupos religiosos do tipo "fast-food", cujo objetivo era promover a misericórdia em massa e assim solucionar levianamente os sofrimentos deste mundo. O grupo, obviamente, achava importante ajudar os fracos, mas a proposta de Sakigake era auxiliar os que possuíam uma alta conscientização de querer ajudar a si próprios. Em outras palavras, era um local adequado para uma "pós-graduação" religiosa.

Outra explicação dada foi que, a partir de certo momento, Sakigake e Akebono passaram a ter opiniões bem distintas quanto à administração e, durante um período, houve inclusive desavenças graves. Após várias conversas, optou-se pela separação amistosa, de modo que cada um seguisse o seu caminho. Akebono também lutava por seus ideais com sinceridade e devoção, mas, infelizmente, ocorrera aquele desastre, que se poderia considerar uma verdadeira tragédia. As principais causas disso, segundo Sakigake, eram o fato de Akebono ter sido excessivamente dogmática e perder o ponto de contato com a sociedade; razão que justificou, após o incidente, Sakigake ter adotado uma postura ainda mais rigorosa com a autodisciplina e, ao mesmo tempo, reconsiderar a importância de manter as janelas abertas para o mundo. Os problemas não podiam ser resolvidos pela violência. O que Sakigake quis deixar bem claro aos repórteres é que não tinham o hábito de impor a religião, não aliciavam as pessoas para se tornarem adeptas e tampouco criticavam as demais religiões. A proposta de Sakigake era apenas proporcionar um ambiente comunitário adequado e efetivo para os que buscavam o despertar da espiritualidade.

A maioria dos repórteres deixou Sakigake com uma ótima impressão. Os fiéis, tanto homens quanto mulheres, eram todos esbeltos, relativamente jovens — apesar de haver um ou outro com idade mais avançada — e seus olhos eram belos e límpidos. A linguagem era cordial, e todos eram muito educados. Os fiéis normalmente não eram de falar muito sobre o passado, mas a maioria com certeza possuía um alto nível de escolaridade. A refeição servida aos repórteres (disseram que era quase igual ao que se costumava servir aos fiéis) era simples, mas os ingredientes eram todos frescos, cultivados em suas próprias lavouras, e a comida foi considerada saborosa.

    Diante dessas constatações, a imprensa, em sua grande maioria, concluiu que o grupo revolucionário que se mudara para Akebono era como uma espécie de prole revoltada que, cedo ou tarde, acabaria de qualquer forma por abandonar Sakigake, cujo objetivo era alcançar valores notadamente espirituais. No Japão da década de oitenta, a ideologia revolucionária de inspiração marxista era uma concepção totalmente desatualizada e descartável. Aqueles jovens que nos anos setenta defendiam uma política mais radical, hoje trabalhavam em diversos setores e lutavam acirradamente para se manter na vanguarda desse campo de batalha chamado economia, ou optaram por manter os valores individuais distantes da tumultuada e competitiva sociedade moderna. Quisessem ou não, o mundo havia mudado, e a época das manifestações políticas pertencia a um longínquo passado. O caso Akebono foi um acontecimento sangrento e infeliz, mas, ao analisar o incidente sob uma perspectiva de longo prazo, concluiu-se que foi um episódio isolado, protagonizado por um espírito passadista que se manifestou repentinamente e fora de época. O episódio significou apenas que a cortina de um período se fechara. Esta era a opinião geral dos jornais. Sakigake era uma opção promissora para um novo mundo. Em contrapartida, Akebono foi considerada sem futuro.

Aomame colocou a caneta sobre a mesa e respirou fundo. Veio-lhe à lembrança a imagem de Tsubasa com sua total inexpressividade, seus olhos desprovidos de profundidade. E aqueles olhos observavam Aomame. No entanto, simultaneamente, tinha-se a impressão de que não enxergavam nada. Pareciam desprovidos de algo fundamental.
"Não pode ser tão simples assim", pensou Aomame. A situação real de Sakigake não podia ser tão imaculada como os artigos dos jornais apregoavam. Ela sabia da existência de uma parte obscura, escondida nas profundezas. Segundo a velha senhora, essa pessoa que os fiéis chamavam de "líder" estuprava crianças na faixa dos dez anos com a desculpa de que era parte de um ritual religioso. Os repórteres não sabiam disso. Afinal, eles estiveram lá durante meio período e conheceram as impecáveis instalações religiosas, almoçaram uma comida preparada com produtos frescos, ouviram explicações maravilhosas sobre o despertar espiritual e deixaram o local satisfeitos. Não puderam ver o que se passava de verdade por trás daquilo tudo.

Aomame deixou a biblioteca e foi direto a uma cafeteria. Do telefone do estabelecimento ligou para o local onde Ayumi trabalhava. Era um número para o qual, segundo ela, Aomame podia telefonar a qualquer hora. Um colega atendeu e informou que ela estava trabalhando, mas a previsão era de que em duas horas estaria de volta à repartição. Aomame não se identificou, mas disse que mais tarde voltaria a ligar.
Voltou para casa e, passadas duas horas, ligou novamente. Desta vez, foi Ayumi quem atendeu.

— Oi, Aomame, tudo bem?
— Estou bem, e você?
— Tudo bem. A única coisa que me falta é um bom homem. E você?
— Para mim também — disse Aomame.
— Não está certo — disse Ayumi. — Como é que nós, mulheres jovens e encantadoras, com um tremendo e saudável apetite sexual, estamos aqui nos queixando... Deve ter algo errado com este mundo. Precisamos fazer algo, não acha?
— É mesmo... Mas, escute, você pode ficar falando alto desse jeito? Não está no horário de expediente? Não tem ninguém escutando?
— Não se preocupe. Pode falar à vontade — disse Ayumi.
— Queria te pedir um favor, se for possível. É que não sei mais a quem pedir.
— Tudo bem. Não sei se vou poder te ajudar, mas diga lá.
— Você já ouviu falar de um grupo religioso chamado Sakigake? É aquele que fica nas montanhas de Yamanashi.
— Hum. Sakigake, não é? — disse Ayumi. Após ficar cerca de dez segundos tentando se lembrar, disse: — Acho que sei. Se não me engano, é uma espécie de comuna religiosa da qual, antigamente, um grupo extremista chamado Akebono fazia parte, não é? Aquele que provocou o confronto em Yamanashi em que, infelizmente, três policiais foram mortos. Mas esse tal Sakigake não tinha nada a ver com o incidente. Fizeram uma investigação na sede religiosa, mas não encontraram nada. Por quê?
— Eu queria saber se, depois do incidente, Sakigake se envolveu em alguma questão criminal ou cível. Mas, como não passo de uma simples cidadã, não sei como fazer para verificar. É que não dá para ficar lendo todos aqueles jornais microfilmados. Foi então que pensei que a polícia deve ter um meio mais fácil de descobrir.
— Ah, é fácil! Basta eu fazer uma rápida consulta aqui no computador para saber... Era o que eu gostaria de te dizer, mas, infelizmente, a polícia japonesa ainda não está devidamente informatizada. Na prática, acho que ainda vai levar muitos anos. Para verificar esse tipo de coisa, só mesmo entrando em contato com a polícia de Yamanashi e pedindo que eles enviem uma cópia desse material pelo

correio. Para fazer isso, primeiro é preciso emitir um requerimento de solicitação de dados com a devida autorização do superior. É claro que vai ser preciso explicar direitinho o motivo de tal solicitação. Afinal, não podemos esquecer que aqui é uma repartição pública, e que recebemos os nossos salários para complicar, além do necessário, todas as coisas que passam por aqui.

— Ah é? — disse Aomame, e suspirou. — Então está fora de cogitação.

— Mas por que você quer saber disso? Alguém que você conhece está envolvido com Sakigake?

Aomame hesitou, mas resolveu falar a verdade.

— É quase isso. Tem a ver com estupro. Por enquanto não tenho detalhes, mas trata-se de estupro de crianças. É que ouvi dizer que vem acontecendo de modo sistemático lá dentro, uma prática que está sendo camuflada pela religião.

Pelo fone de ouvido, Aomame conseguia imaginar Ayumi franzindo as sobrancelhas.

— Hummm. Estupro de crianças. Isso é inadmissível.

— Realmente, inadmissível — concordou Aomame.

— Quantos anos tem a criança?

— Dez anos, talvez menos. São meninas que ainda não menstruaram.

Ayumi ficou um bom tempo em silêncio. Mantendo a voz de sempre, disse:

— Entendi. Se é isso, vou ver o que posso fazer. Você pode esperar uns dois ou três dias?

— Posso. Você me liga?

Depois de tratarem do assunto, passaram um tempo conversando sobre questões triviais e, por fim, Ayumi disse:

— Bem, preciso voltar ao trabalho.

Ao desligar, Aomame ficou um momento sentada na poltrona de leitura, ao lado da janela, olhando sua mão direita. Seus dedos eram longos, e suas unhas curtas e bem-cuidadas. Ela não usava esmalte. Enquanto observava a mão, foi tomada de um intenso sentimento de quão efêmera e arriscada era sua existência. Então se deu conta de que nem o formato de suas unhas tinha sido ela que escolhera. Fora escolhido aleatoriamente por alguém, e a única coisa que ela fizera foi acatar a decisão, independentemente de gostar ou não. Mas, afinal, quem decidia que o formato das unhas tinha de ser assim?

Outro dia, a velha senhora dissera: "Seus pais são fiéis fervorosos das Testemunhas de Jeová, e mesmo hoje continuam sendo." Se fosse verdade, significava que eles continuavam se empenhando nas atividades de evangelização. Aomame tinha um irmão quatro anos mais velho. Ele era uma pessoa muito calma. Quando ela resolveu sair de casa, ele ainda obedecia às ordens dos pais e mantinha sua fé religiosa. O que será que faria agora? No entanto, ela não tinha nenhuma vontade de saber o que se passava com sua família. Para ela, pertenciam a uma fase de sua vida que considerava concluída. O vínculo fora rompido.

Ela tentou, durante vários anos, esquecer tudo o que acontecera com ela antes dos dez anos. Para ela, a vida começava naquele ponto. Tudo o que fosse anterior não passava de um sonho infeliz. Queria jogar fora todas as lembranças anteriores. No entanto, por mais que tentasse esquecer, seus sentimentos a arrastavam para aquele mundo de tristes sonhos. A impressão era de que tudo o que ela possuía fincava raízes nessa terra escura, para dela retirar os nutrientes. Por mais longe que fosse, no final das contas ela sempre retornava para o mesmo lugar.

Foi então que Aomame tomou uma decisão: precisava despachar o líder para o outro mundo, inclusive para o próprio bem dela.

Na noite do terceiro dia, Aomame recebeu um telefonema de Ayumi.

— Consegui algumas informações — disse Ayumi.

— Sobre Sakigake?

— Isso. Estava pensando com meus botões e, de repente, lembrei que o tio de um colega, que entrou comigo na mesma época, trabalhava na polícia de Yamanashi. E esse tio ocupa um cargo importante. Então eu pedi um favor a esse colega. Disse que tinha uma parente ainda jovem que estava para entrar no grupo religioso, e que isso estava deixando a família muito preocupada. E que, por isso, eu estava colhendo informações sobre Sakigake. Pedi com jeitinho para que pudesse me ajudar. Sabe como é, né? Sou muito boa nisso.

— Obrigada. Sou muito grata — disse Aomame.

— O meu colega ligou para o tio dele em Yamanashi e contou essa história. Esse tio apresentou um dos responsáveis pelo levantamento realizado em Sakigake. E foi assim que eu consegui falar diretamente com o responsável.

— Formidável!

— Pois então, nesse dia conversei um tempão com ele e perguntei várias coisas sobre Sakigake. Você deve saber de muitas coisas pelos jornais, por isso vou comentar somente o que não foi muito divulgado, tudo bem?

— Tudo bem.

— Para começar, Sakigake enfrenta problemas legais. Está envolvida em alguns processos civis. A maioria relacionada a questões de compra e venda de terras. Eles parecem ter muito dinheiro, e vêm comprando todas as propriedades das redondezas. No interior, as terras são mais baratas, mas, mesmo assim... E muitas vezes parece que eles forçam a pessoa a vender o terreno. Possuem empresas de fachada e, para que ninguém descubra que o grupo religioso está por trás delas, compram as próprias imobiliárias. Isso vem acarretando problemas com os proprietários e os governos locais. Eles usam os mesmos recursos praticados por especuladores. Mas todos os processos são civis e por isso estão fora da alçada da polícia. Essa informação logo se tornará pública, mas, por enquanto, continua encoberta. O grupo também pode estar envolvido em negócios ilícitos, ou associados a políticos. E, quando políticos estão na jogada, a polícia sempre procura dar um jeito de sair pela tangente. Mas, se a história tiver repercussão e for instaurada uma investigação, aí a situação muda de figura.

— Parece que a parte econômica de Sakigake ainda é uma grande incógnita, não é?

— Eu não sei quanto aos fiéis, mas, de acordo com os registros de compra e venda de terras, os chefes que controlam o capital não agem de maneira transparente. Por maior que seja a boa vontade, é difícil acreditar que eles usam o dinheiro apenas para alcançar uma legítima espiritualidade. E tem mais, os investimentos imobiliários desses caras não se restringem à província de Yamanashi. Eles possuem terrenos e edificações nos centros de Tóquio e Osaka. Todos localizados em áreas bem valorizadas: Shibuya, Minami Aoyama, Shôtô... O grupo, pelo visto, procura expandir suas atividades religiosas em escala nacional. Ou estão planejando migrar para o setor imobiliário.

— Por que esse grupo precisa estender seus tentáculos até os centros urbanos, se o principal objetivo deles é alcançar a verdadeira espiritualidade, vivendo em meio à natureza e praticando uma rigorosa ascese?

— De onde será que vem tanto dinheiro? — indagou Ayumi. — Plantando e vendendo nabos e cenouras não dá para juntar isso tudo.

— Talvez estejam pressionando os fiéis a fazer mais doações.

— Pode ser, mas ainda assim acho que seria pouco. Com certeza devem ter alguma outra fonte de renda. Tenho mais uma informação para você, uma que me deixou um pouco intrigada. Acho que vai te interessar. Dentro do grupo existem muitas crianças que frequentam a escola primária da região, mas, com o decorrer dos anos, elas acabam desistindo. Como o ensino básico é obrigatório, as escolas solicitam insistentemente que as crianças voltem a estudar, mas o grupo parece não se importar com as desistências, dando a desculpa de que as crianças é que se recusam a voltar para a escola. Alegam também que eles oferecem o ensino lá dentro e, por isso, não há com o que se preocupar em relação aos estudos.

Aomame se lembrou do tempo em que frequentava a escola primária. Ela entendia o sentimento dessas crianças de não querer ir para a escola. Muitas vezes, elas são alvo de deboche, tratadas como se fossem anormais, ou totalmente ignoradas.

— Ir à escola local deve ser desagradável para elas — disse Aomame. — E largar a escola não me parece tão estranho.

— Mas, segundo a professora responsável pelas crianças, muitas delas, não importa o sexo, parecem possuir algum tipo de problema psicológico. No início, são alegres, mas com o decorrer do tempo vão se tornando quietas, perdendo a expressividade e, por fim, tornam-se apáticas. Quando chegam a esse estágio, abandonam a escola. Essa mudança de comportamento é notada em quase todas as crianças de Sakigake. Os professores não sabem o que fazer e ficam preocupados, pois perdem o contato com essas crianças assim que elas passam a viver enfurnadas em Sakigake. E, quando tentam saber como elas estão, são barrados na entrada.

"São os mesmos sintomas apresentados por Tsubasa", pensou Aomame. Extrema apatia, inexpressividade e quase total ausência de fala.

— Você comentou outro dia que acha que as crianças estão sendo maltratadas em Sakigake e de modo sistemático, não é? E que lá também ocorrem estupros.

— Mas a polícia não tem como agir se uma cidadã comum disser que desconfia disso e não mostrar provas, concorda?

— É verdade. O departamento de polícia é um órgão público extremamente burocrático. Os superiores só estão preocupados com suas próprias carreiras. Existem obviamente exceções, mas o objetivo da grande maioria é conquistar promoções e, assim que se aposentar, ser indicado para um cargo em algum órgão afiliado ou ser contratado por alguma empresa privada. É por isso que não querem saber de assuntos complicados, evitando assim ter de colocar a mão no fogo. Esse tipo de gente espera esfriar a pizza antes de comê-la, não acha? Se a vítima se identificar e testemunhar perante o tribunal, a conversa é outra, mas isso é algo que dificilmente acontece.

— Hum. Isso realmente é difícil — disse Aomame. — De qualquer modo, obrigada. Suas informações foram muito valiosas. Estou te devendo essa.

— Deixa isso pra lá. Aliás, que tal mais pra frente a gente combinar de sair lá pelos lados de Roppongi? Vamos deixar os problemas de lado.

— Por mim, tudo bem — disse Aomame.

— É isso aí — disse Ayumi. — Por acaso você gosta de brincar com algemas?

— Acho que não — respondeu Aomame. — Algemas?

— É. Que pena! — disse Ayumi, parecendo realmente desapontada.

22
Tengo
O tempo flui de forma distorcida

Tengo pensou sobre seu cérebro. Muitas coisas o fizeram pensar nele.

O tamanho do cérebro humano quadruplicou nos últimos dois milhões e quinhentos mil anos e, a despeito de pesar o equivalente a dois por cento do peso total do corpo humano, consome quarenta por cento de toda a energia do corpo. Foi o que descobriu em um livro que lera recentemente. E que o aumento significativo do cérebro proporcionou ao homem a aquisição de noções como a do tempo, do espaço e das possibilidades.

As noções de tempo, espaço e possibilidade.

Tengo sabia que o tempo podia se distorcer conforme avançava. A despeito de sua linearidade, ele se distorcia ao ser consumado: tornava-se extremamente lento e pesaroso, ou ligeiro e agradável. Às vezes a sequência dos fatos era alterada e, em casos extremos, um acontecimento simplesmente deixava de existir, ou algo até então inexistente passava a existir. As pessoas reorganizam o tempo aleatoriamente, no intuito de ordenar sua própria existência. Em outras palavras, as pessoas utilizam esse mecanismo para preservar a todo custo o seu juízo perfeito. Se fôssemos obrigados a aceitar o tempo em sua linear uniformidade, nossos nervos certamente não suportariam o estado de tensão, e a vida se tornaria uma tortura. Essa era a opinião de Tengo.

Graças ao aumento do tamanho do cérebro, o homem assimilara o conceito de temporalidade, mas, ao mesmo tempo, aprendera maneiras de alterar e reorganizar o tempo. Os homens o consomem sem cessar e, simultaneamente, tornam a reproduzi-lo após uma reorganização consciente. Isso não é uma tarefa simples. E explica o motivo de o cérebro consumir quarenta por cento da energia total do corpo.

Tengo sempre se questionava se aquela lembrança de quando tinha um ano e meio, no máximo dois, teria realmente acontecido. Aquela cena em que sua mãe, vestida apenas com a roupa íntima, deixava um homem, que não era o seu pai, chupar os bicos de seus seios. Os braços de sua mãe envolviam o corpo desse homem. Será que um bebê de um ou dois anos seria capaz de apreender esses detalhes? Seria mesmo capaz de registrar uma cena de modo tão vívido e com tamanha riqueza de detalhes? Ou será que a lembrança era apenas um engodo que ele próprio criara para se proteger?

Isso era possível. Em algum momento, o cérebro de Tengo poderia ter inconscientemente inventado a lembrança daquele homem — como um suposto pai verdadeiro — no intuito de justificar que ele não era o filho biológico da pessoa que respondia ao chamado de pai. Uma tentativa de eliminar a íntima relação de consanguinidade com "aquela pessoa que dizia ser seu pai". Criar a hipótese de que, em algum lugar, sua mãe estava viva com seu verdadeiro pai era como abrir uma nova porta em sua vida sufocante e limitada.

No entanto a lembrança era acompanhada por uma vívida sensação de realidade. Havia nela algo de tátil, com peso, cheiro e profundidade. Era uma lembrança firmemente aderida na tela de sua consciência, como um marisco grudado ao casco do navio. Por mais que tentasse, era impossível arrancá-la ou desgrudá-la. Tengo não conseguia se convencer de que a lembrança era apenas um subterfúgio criado por sua consciência. Ao mesmo tempo, era real demais, intensa demais, para ser mera invenção.

Vamos imaginar que a lembrança é autêntica, que realmente aconteceu.

O bebê Tengo certamente deve ter ficado apavorado ao ver a cena. Os seios que deveriam ser oferecidos a ele estavam sendo dados a uma outra pessoa. Alguém muito maior e bem mais forte que ele. E sua mãe parecia ter apagado a existência dele em sua mente, ainda que temporariamente. Uma situação que basicamente colocava em risco sua frágil existência. O real sentimento de medo que a situação lhe provocou teria ficado nitidamente gravado em sua tela mental.

Era a lembrança desse medo que abruptamente voltava, sem aviso, como uma espécie de enxurrada repentina, deixando-o em estado de pânico. Funcionava como um recado, a lembrá-lo de que "independentemente de aonde ele fosse ou o que fizesse, jamais escaparia da pressão dessa enxurrada". A lembrança moldava a pessoa que ele era, a vida que ele construíra, e insistia em levá-lo de volta *para um determinado lugar* a que ele necessariamente precisava ir. Por mais que tentasse resistir à força desse chamado, estava fadado a não escapar dele.

Tengo achou então que fora seu desejo de sentir o odor da mãe que o fizera pegar e cheirar o pijama usado por Fukaeri. Era essa sua impressão. No entanto, por que será que precisava buscar a imagem da mãe justamente cheirando o corpo de uma garota de dezessete anos? Devia haver algum outro lugar onde pudesse conseguir isso. Por exemplo, no corpo de sua namorada mais velha.

A namorada de Tengo era dez anos mais velha que ele, e tinha seios grandes e bonitos, como aqueles que supostamente eram os de sua mãe. Sua namorada também ficava muito bem de camisola branca. Mas Tengo não sabia o porquê de ele não buscar nela a figura materna, e de nunca ter desejado sentir o cheiro de seu corpo. Ela satisfazia de modo muito eficiente o apetite sexual que ele acumulava durante a semana. E Tengo também — na maior parte das vezes — conseguia satisfazê-la sexualmente. Isso, obviamente, era uma realização importante. No entanto, a relação entre os dois não tinha um significado mais profundo do que isso.

Ela é que comandava a maior parte do ato sexual. Tengo não precisava pensar em nada, bastava fazer o que ela mandava. Ele não precisava escolher nem decidir. Dele se exigiam apenas duas coisas: manter o pênis ereto e ejacular no momento certo. Se ela lhe dissesse "Ainda não. Aguente mais um pouco", Tengo se esforçava o máximo para não ejacular. E quando ela sussurrava em seu ouvido "Agora sim. Vamos gozar...", ele prontamente ejaculava o mais forte e intensamente que podia. Quando fazia isso, recebia elogios. Ela acariciava seu rosto e comentava o quanto era maravilhoso. Um dos talentos de Tengo era justamente a precisão. Isso incluía a atenção com que inseria os sinais de pontuação nos textos e as soluções mais adequadas para resolver uma fórmula matemática.

Quando ele transava com uma mulher mais nova, a coisa era bem diferente. Ele é que precisava pensar em várias coisas, fazer escolhas e tomar decisões do início ao fim. A situação o deixava desconfortável. Eram muitas as responsabilidades que pesavam sobre seus ombros. Ele se sentia como o capitão de um pequeno barco navegando em mar revolto. Precisava pensar em tudo: no leme, nas velas, na pressão atmosférica e na direção dos ventos. Precisava controlar a si próprio e elevar a confiança da tripulação. Um erro ou um deslize, por menor que fosse, poderia acarretar um desastre. E, mais do que sexo, isso se tornava uma espécie de encargo a ser cumprido. Como resultado, ele ficava tenso e errava o momento de ejacular ou, às vezes, na hora H, o membro não endurecia. Isso o deixava ainda mais inseguro.

Com a sua namorada mais velha, ejacular fora de hora jamais aconteceu. Ela valorizava muito essa capacidade sexual de Tengo, e sempre o elogiava e o encorajava. Mas, depois daquela única vez em que ele ejaculou rápido demais, ela passou a evitar as camisolas brancas. Aliás, não só deixou de usá-las como também abandonou as roupas íntimas dessa cor.

Nesse dia, ela vestia um conjunto de peças íntimas pretas e caprichou no sexo oral, deliciando-se com o pênis duro e seus testículos macios. Tengo podia ver os seios envoltos no sutiã de renda preta subindo e descendo, acompanhando o movimento de sua boca. Para evitar uma ejaculação precoce, fechou os olhos e pensou nos guiliaks.

> Eles não possuem tribunais e tampouco conhecem o significado de justiça. E só pelo fato de eles, até hoje, não entenderem para que servem as estradas, pode-se imaginar a imensa dificuldade que têm em nos compreender. Mesmo nas áreas em que existem estradas, eles continuam caminhando pela densa floresta. É muito comum ver as famílias e os cachorros, em fila indiana, andando com muita dificuldade no lamaçal próximo à estrada.

Tengo imaginou os guiliaks com suas roupas modestas, em fila indiana com seus cachorros e suas mulheres, falando muito pouco e caminhando pela densa floresta ao lado da estrada. Para eles, inexistia a noção de estrada no conceito de tempo, espaço e possibilidades. Preferiam caminhar tranquilamente pela densa floresta a ir pela estrada, ainda que isso fosse incômodo, pois possivelmente era por meio dessa atitude que conseguiam se conscientizar de sua própria existência.

"Pobres guiliaks", dissera Fukaeri.

Tengo se lembrou do rosto de Fukaeri enquanto dormia. Ela vestia seu pijama com as mangas e as barras dobradas por ser grande demais para ela. Depois ele tirou o pijama da máquina de lavar e, aproximando-o do nariz, cheirou-o.

Não podia pensar nisso, mas quando pensou já era tarde.

Tengo ejaculou intensamente dentro da boca da namorada. Ela esperou ele terminar, e depois se levantou da cama e foi ao banheiro. Tengo ouviu-a abrir a torneira e enxaguar a boca com água corrente. Em seguida, voltou para a cama como se nada tivesse acontecido.

— Me desculpe — disse Tengo.

— Você não conseguiu se segurar, né? — falou a namorada. Com a ponta do dedo, acariciou seu nariz. — Tudo bem... não fique assim. Estava assim tão bom?

— Muito — disse Tengo. — Acho que daqui a pouco consigo de novo.

— Não vejo a hora — disse ela, deitando o rosto no peito nu de Tengo e mantendo-se nessa posição com os olhos fechados. Tengo sentia o ar quente que ela soltava pelo nariz. — O que você acha que penso quando vejo e toco seu peito? — ela perguntou.

— Não faço a mínima ideia.

— Os portões dos castelos que aparecem nos filmes de Akira Kurosawa.

— Os portões dos castelos — disse Tengo, acariciando suas costas.

— Sabe aqueles portões enormes e resistentes, que aparecem naqueles filmes em preto e branco, como *Trono manchado de sangue* e *A fortaleza escondida*? Aqueles portões cheios de rebites de metal enormes. Sempre me lembro deles. Firmes e fortes.

— Acho que não tenho rebites — disse Tengo.

— Puxa, nem percebi — ela respondeu.

* * *

Duas semanas depois do lançamento de *Crisálida de ar*, o livro entrou na lista dos mais vendidos e, na terceira semana, saltou para o primeiro lugar na seção de literatura. Tengo acompanhou sua trajetória até ele se tornar best-seller, lendo os vários jornais na sala dos professores. Saíram duas propagandas do livro. Elas estampavam a capa do livro e, ao lado, uma pequena foto de Fukaeri, vestida com uma blusa de verão de malha fina e seus belos seios (tirada possivelmente no dia da coletiva), que Tengo conhecia tão bem. Tinha os cabelos compridos e lisos até os ombros, e um par de olhos negros e misteriosos que se fixavam na câmera. Através da lente, seus olhos observavam diretamente algo que a pessoa guardava secretamente dentro de si, ou que nem sequer tinha a consciência de ocultar. Era um olhar neutro, mas meigo. O olhar daquela garota de dezessete anos, desprovido de hesitação, além de derrubar a defesa das pessoas, provocava uma sensação inquietante. Muitas devem ter sentido curiosidade de comprar o livro só de ver a pequena foto em preto e branco.

Alguns dias após a publicação do livro, Komatsu enviou pelo correio dois exemplares de *Crisálida de ar* para Tengo, mas ele nem sequer abriu o pacote. O texto impresso certamente era aquele que ele havia escrito e, apesar de ser a primeira vez que seu texto saía em livro, não teve nenhuma vontade de abri-lo para ler. Não teve sequer vontade de folheá-lo. Mesmo com o livro em mãos, não sentiu alegria. O texto podia até ser dele, mas a história era exclusivamente de Fukaeri. Era uma história que nascera dentro dela. Ele já havia cumprido a modesta função de técnico dos bastidores, e o destino da obra, dali em diante, não tinha mais relação com ele, ou melhor, não devia ter mais nenhuma relação com ele. Tengo pegou os livros ainda envoltos no plástico e os empurrou para o fundo da prateleira, onde seus olhos não pudessem vê-los.

Depois da noite em que Fukaeri dormiu em seu apartamento, a vida de Tengo seguiu tranquila, sem nenhum percalço. Choveu muito, mas ele não dava importância a isso. Condições meteorológicas eram um assunto que ficava numa posição bem inferior na lista dos itens de seu interesse. Fukaeri não deu mais notícias. Se não dera notícias, provavelmente era porque não havia nenhum problema em especial.

Escrevia diariamente seu romance, e em paralelo fazia pequenos artigos encomendados pela revista. Eram trabalhos esporádicos, sem assinatura, que qualquer um podia fazer, mas serviam como distração e, pelo pouco trabalho que davam, a remuneração era boa. Como sempre, três vezes por semana ele dava aulas de matemática na escola preparatória. Para tentar esquecer os assuntos incômodos — principalmente tudo o que se relacionava a Fukaeri e *Crisálida de ar* — ele foi adentrando cada vez mais no mundo da matemática. Uma vez que entrava nesse mundo, alterava-se o circuito de seu cérebro com um pequeno clique. Quando a chave era alterada, sua boca emitia palavras diferentes e seu corpo passava a usar músculos distintos. O tom de sua voz também mudava, e as feições do rosto sutilmente se alteravam. Tengo gostava dessa sensação de mudança de circuito. Era como estar num cômodo e passar para outro, ou trocar de sapatos.

Quando ele entrava no mundo da matemática, conseguia atingir um grau de relaxamento que o tornava mais eloquente; era uma sensação que ele não tinha no cotidiano, nem quando escrevia seus romances. Ele também se sentia uma pessoa mais prática. Era difícil saber qual desses Tengos era o verdadeiro. Mas conseguia mudar a chave desse circuito naturalmente, sem nenhum esforço. Ele sabia que, de uma forma ou de outra, essas mudanças eram necessárias.

Do alto do tablado, como professor de matemática, ele incutia na cabeça dos alunos o quanto a matemática desejava ardentemente a lógica. No campo da matemática, o que não se pode provar não possui sentido, mas, uma vez que se prove esse algo, os mistérios do mundo passam a caber na palma da mão, como uma ostra. As aulas eram sempre animadas, e sua eloquência fazia com que os alunos prestassem atenção e se interessassem pela matéria. Além de ensiná-los com eficiência a resolver os exercícios, desvendava em grande estilo o romance secreto guardado em cada questão prática. Na sala de aula, Tengo olhava à sua volta e percebia que algumas garotas de dezessete ou dezoito anos o olhavam com admiração. Ele sabia que a matemática era um meio pelo qual conseguia seduzi-las. Sua eloquência era uma espécie de preliminar intelectual: as equações aritméticas afagavam as costas de suas alunas, os teoremas sussurravam em suas orelhas. Mas, depois de conhecer Fukaeri, ele tinha perdido totalmente o interesse sexual por elas. Tampouco desejava cheirar seus pijamas.

"Fukaeri certamente é uma pessoa especial", tornou a pensar. Não podia compará-la com outras garotas. Com certeza ela tinha um significado especial para ele. Representava uma espécie de mensagem que ele não conseguia decifrar.

Racionalmente, chegou à conclusão de que seria melhor não se envolver mais com Fukaeri. O melhor a fazer era se distanciar das pilhas de *Crisálida de ar* expostas nas livrarias, do professor Ebisuno — que nunca revelava o que realmente pensava — e do inquietante e misterioso grupo religioso. Pelo menos por enquanto, achou melhor também se afastar de Komatsu. Se não o fizesse, possivelmente seria arrastado para uma situação ainda mais confusa, sem qualquer noção de lógica, e da qual jamais conseguiria escapar.

Mas Tengo sabia muito bem que àquela altura seria difícil sair da intrincada conspiração. Estava totalmente mergulhado *naquilo*. Ele não se havia envolvido como os protagonistas dos filmes de Hitchcock que, sem querer, acabam se enredando numa conspiração. Tengo sabia desde o início que lidava com algo arriscado. O dispositivo já começara a funcionar e estava em pleno funcionamento, e não havia dúvidas de que Tengo era uma das peças da engrenagem. Uma peça muito *importante*. Ele conseguia ouvir bem baixinho o gemido do dispositivo, e sentir o obstinado movimento dentro de seu corpo.

Komatsu telefonou dias depois de a *Crisálida de ar* estar por duas semanas consecutivas no primeiro lugar na lista de mais vendidos. O telefone tocou pouco depois das onze da noite. Tengo estava de pijama, deitado de bruços na cama, lendo um livro fazia algum tempo e pensando em desligar a luz de cabeceira para dormir. Ao ouvir o toque do telefone, imaginou ser Komatsu. É difícil explicar, mas Tengo sempre reconhecia suas ligações. O toque soava diferente. Assim como o texto possui um estilo, o toque de Komatsu também era singular.

Tengo se levantou da cama e foi à cozinha atender o telefone, apesar de não querer fazê-lo. O que ele queria era dormir tranquilo. Sonhar com qualquer coisa que o levasse para longe dali: o gato montanhês Iriomote, o canal do Panamá, a camada de ozônio ou até mesmo com o poeta Bashô... Mas, se não atendesse, com certeza o telefone tocaria de novo após quinze ou trinta minutos. Komatsu não tinha noção de tempo e nenhuma consideração com as pessoas que levavam uma vida comum. Sendo assim, o melhor a fazer era atender logo. Dos males, o menor.

— E aí, Tengo, estava dormindo? — Komatsu foi falando, com aquele seu habitual tom despreocupado.

— Estava tentando — respondeu Tengo.

— Puxa, me desculpe — disse Komatsu, sem soar convincente. — É que eu queria te dizer que as vendas de *Crisálida de ar* seguem de vento em popa.

— Que bom.

— O livro vende como pão quente. Coitado do pessoal da gráfica que, para dar conta, está passando a noite em claro. Já prevíamos a venda de uma tiragem grande. Afinal, é um romance escrito por uma garota bonita de dezessete anos, que está dando o que falar. Os pontos necessários para uma boa venda estão todos aí.

— Muito diferente de um romance escrito por um professor de escola preparatória com trinta anos e aspecto de urso.

— Isso mesmo. Mas confesso que nem eu imaginava que ia vender tanto. É que o livro não se enquadra no típico romance de entretenimento. Não há cenas de sexo nem situações emocionais que nos façam derramar lágrimas.

Komatsu fez uma pausa para aguardar a reação de Tengo. Diante do silêncio, prosseguiu:

— A questão não é só vender muito. A obra também está sendo incrivelmente bem-recebida pela opinião pública. Não se trata de um romance leviano, daqueles que os jovens escrevem de impulso sobre o que lhes vem à cabeça só para ter do que falar. A história da *Crisálida de ar* é excelente. É claro que isso se tornou viável graças ao seu talento literário de transformá-lo num texto preciso e formidável. Realmente, um trabalho perfeito!

Tornou viável. Tengo pressionou levemente a têmpora, sem dar ouvidos aos elogios de Komatsu. Toda vez que fazia elogios era porque, na sequência, havia alguma notícia não muito agradável.
Tengo perguntou:
— E então, Komatsu, qual é a má notícia?
— Como você sabe que eu tenho uma má notícia?
— Quem me ligou a uma hora dessas foi você, não foi? Impossível que não tenha algo ruim para dizer.
— Tem razão — admitiu Komatsu, admirado. — Realmente, você tem razão. Sua intuição é muito boa.
"Não tem nada a ver com intuição", pensou Tengo, "é apenas uma constatação de experiências anteriores". Mas não falou nada; preferiu aguardar o que o outro tinha a dizer.
— É isso mesmo. Infelizmente, tenho uma notícia não muito boa — disse Komatsu. Fez uma pausa carregada de significados. Tengo imaginou seus olhos, do outro lado da linha, brilhando na escuridão como os de um mangusto.
— Deve ter a ver com a autora de *Crisálida de ar*, acertei? — disse Tengo.
— Acertou. Tem a ver com Fukaeri. Temos um delicado problema. Para falar a verdade, faz tempo que não sabemos onde ela está.
Tengo continuava a pressionar a têmpora.
— Faz tempo? Desde quando?
— Três dias atrás, na quarta-feira de manhã, ela saiu da casa de Okutama e veio para Tóquio. O professor Ebisuno a levou até a estação. Ela não disse para onde ia. Depois telefonou para ele avisando que não voltaria para a casa na montanha, e que passaria a noite no apartamento de Shinanomachi. Naquele dia, a filha do professor Ebisuno também ficou de dormir no apartamento. Mas Fukaeri não voltou. Depois disso, não se tem mais notícias dela.
Tengo tentou se lembrar do que acontecera nos últimos três dias. Não conseguiu recordar nada de relevante.
— Não temos ideia de onde ela possa estar. Foi então que achei que talvez ela tivesse entrado em contato com você.
— Ela não entrou em contato comigo — disse Tengo. Ela havia passado a noite em seu apartamento, mas isso fora quatro semanas antes.

Tengo hesitou se devia ou não contar para Komatsu que, outro dia, ela havia comentado que achava melhor não voltar para o apartamento de Shinanomachi. Pode ser que pressentisse haver algo ruim ali, mas achou melhor se calar. Tengo não queria dizer a Komatsu que ela dormira em seu apartamento.

— Ela é uma menina estranha — disse Tengo. — Pode ser que tinha resolvido ir sozinha para algum lugar sem avisar.

— Não. Acho que não. Fukaeri pode não parecer, mas é uma pessoa muito íntegra. Ela sempre deixa claro onde está. Segundo o professor Ebisuno, costuma telefonar para avisar onde está e para onde vai. É por isso que o fato de não entrar em contato há três dias não é normal. Pode ser que tenha acontecido algo ruim.

Tengo murmurou:

— Algo ruim.

— O professor e a filha dele estão muito preocupados — disse Komatsu.

— Se não descobrirem o paradeiro dela, você vai ficar numa situação bem difícil, não vai?

— Ah, vou. Se virar um caso policial, a coisa vai ficar complicada. Não é para menos; afinal, estamos falando do desaparecimento de uma escritora jovem e bonita, autora de um livro que rapidamente se tornou um best-seller. Sem dúvida, vai causar um tremendo alvoroço nos meios de comunicação. Se isso acontecer, eu, como editor responsável, vou ser chamado para dar esclarecimentos. Isso não é nada bom. Sempre fui uma pessoa dos bastidores, não gosto da luz do sol. E a gente nunca sabe até que ponto a situação pode fazer com que a verdade venha à tona.

— O que o professor Ebisuno diz sobre isso?

— Ele diz que amanhã mesmo vai procurar a polícia e solicitar uma busca — disse Komatsu. — Foi então que pedi, com jeito, para ele aguardar mais alguns dias, mas sei que não posso pedir para esperar muito.

— Se a imprensa descobrir o pedido de busca, vai fazer estardalhaço, não vai?

— Não sei como a polícia vai agir, mas Fukaeri é a personalidade do momento. Não se trata de uma adolescente que fugiu de casa. Realmente, vai ser difícil esconder isso do público.

Tengo achou que poderia ser exatamente esse o desejo do professor Ebisuno: usar Fukaeri como isca e causar um tremendo alvoroço na sociedade. Seria um tipo de alavanca para esclarecer a relação de Sakigake e seus pais, e descobrir onde estavam. Se fosse isso, o plano do professor Ebisuno estava dando certo. Mas será que estaria ciente de quão perigoso era seu plano? Devia estar. O professor não era uma pessoa irresponsável. Afinal, seu trabalho era justamente o de refletir profundamente sobre as coisas. Havia alguns fatos importantes sobre a situação de Fukaeri que Tengo ainda não sabia. Ele sentia que faltavam peças para montar o quebra-cabeça. Uma pessoa inteligente jamais se envolveria numa situação tão complicada.

— Tengo, você não tem ideia de onde ela pode ter ido?

— Por enquanto, não.

— É mesmo? — disse Komatsu. Sua voz revelava sinais de cansaço; não era normal que demonstrasse fraqueza. — Desculpe por ter te acordado tarde da noite.

— Não tem problema; nas atuais circunstâncias, eu entendo — disse Tengo.

— Eu preferiria não envolver você nesses problemas mundanos. Sua função era reescrever o texto, e isso você cumpriu com acerto. Mas nem tudo na vida se resolve tão facilmente como desejamos. Como eu te disse outro dia, estamos no mesmo barco, levados pela correnteza.

— Estamos juntos nessa — Tengo terminou automaticamente a frase.

— Isso mesmo.

— Mas, Komatsu, se o desaparecimento de Fukaeri for revelado, as vendas de *Crisálida de ar* vão aumentar ainda mais, não vão?

— Já está vendendo até demais — disse Komatsu, resignado. — Não precisamos de mais publicidade. O escândalo é apenas uma fonte de complicações. O que precisamos fazer é aterrissar num local tranquilo e pensar.

— Aterrissar num local tranquilo — repetiu Tengo.

Do outro lado da linha, Komatsu fez um barulho, como se engolisse algo imaginário, e deu uma leve tossida.

— Vamos marcar outro dia para conversar com calma enquanto comemos alguma coisa, está bem? Por enquanto, vamos deixar passar essa turbulência. Boa noite, Tengo. Durma bem.

Komatsu desligou o telefone logo após dizer isso, mas Tengo não conseguia mais dormir. Era como se uma maldição tivesse caído sobre ele. Estava com sono, mas não podia adormecer.

"Durma bem" nada, pensou, indo para a cozinha sentar-se na mesa para trabalhar. Mas tampouco pôde escrever. Pegou então uma garrafa de uísque no armário, encheu um copo e o bebeu puro, em pequenos goles.

Era possível que, conforme o imaginado, Fukaeri tivesse cumprido sua função de isca, e que o grupo religioso Sakigake a houvesse raptado. Era uma possibilidade que Tengo achava plausível. Eles bem que poderiam estar vigiando o apartamento de Shinanomachi e, assim que Fukaeri aparecera por lá, sequestraram-na, colocando-a à força num carro. Não seria impossível, se agissem rapidamente e na hora certa. Quando, naquele dia, Fukaeri disse "Acho melhor não voltar para o apartamento de Shinanomachi", talvez intuísse algo assim.

Fukaeri disse a Tengo que o Povo Pequenino e a crisálida de ar existiam de verdade. Ela conhecera o Povo Pequenino na comuna agrícola Sakigake, quando cumpria o castigo por ter cometido o erro que matara a cabra cega. Todas as noites, ela os ajudava a fazer a crisálida de ar. Como resultado, ela aprendera algo significativo. Foi então que contara o fato numa história que Tengo transformara em obra literária. Em outras palavras, Tengo a transformara *em mercadoria*. E essa mercadoria — segundo Komatsu — vendia como pão quente. Para Sakigake, possivelmente não fora nada bom. A história do Povo Pequenino e da crisálida de ar era um segredo importante, que não deveria ser revelado para os de fora. Por isso, para evitar que outros segredos pudessem ser descobertos, haviam raptado Fukaeri. Apesar do risco de serem considerados suspeitos por seu desaparecimento, não podiam deixar de recorrer à força bruta.

Mas era apenas uma hipótese levantada por Tengo. Ele não tinha nenhuma evidência para embasar sua hipótese. Se anunciasse em alto e bom som: "O Povo Pequenino e a crisálida de ar existem de verdade", quem acreditaria? Para início de conversa, nem mesmo o próprio Tengo sabia exatamente o que significava "existir".

Outra hipótese a ser considerada era a de que Fukaeri tivesse ficado aborrecida com o alvoroço em torno da *Crisálida de ar* e resolvido se esconder. A possibilidade também era viável. O impossível era prever suas atitudes. Se fosse mesmo isso, ela teria dado um jeito de avisar o professor Ebisuno e sua filha Azami, para não deixá-los preocupados. Não havia nenhum motivo para que não o fizesse.

No entanto, se Fukaeri fora sequestrada pelo grupo religioso, Tengo temia que ela estivesse numa situação perigosa. Assim como seus pais haviam sumido de uma hora para outra, o mesmo poderia acontecer com ela. Mesmo que a relação entre Fukaeri e Sakigake fosse revelada — isso parecia apenas questão de tempo —, e que isso gerasse um escândalo na imprensa, não adiantaria nada se a polícia dissesse "Não temos nenhum indício de que tenha sido sequestrada", e se recusasse a cuidar do caso. Tudo não passaria de uma tempestade em copo d'água. E algo ainda pior poderia acontecer com Fukaeri. Será que o professor Ebisuno previra aquele cenário?

Tengo pensou em telefonar ao professor e conversar com ele sobre aquilo, mas já era madrugada. O jeito era esperar o dia seguinte.

Logo pela manhã, Tengo discou o número que havia anotado da casa do professor Ebisuno. Não conseguiu completar a ligação. Uma mensagem gravada da companhia telefônica dizia: "Este número de telefone não existe, favor verificar o número e tentar novamente." Tengo ligou várias vezes, mas sempre caía na mesma mensagem. Provavelmente, após o sucesso de Fukaeri, ele mudara de telefone para evitar a enxurrada de telefonemas de repórteres.

Na semana seguinte, nada de novo aconteceu. *Crisálida de ar* continuava vendendo bem e, como sempre, mantinha-se no topo da lista nacional de mais vendidos. Tengo não recebeu nenhum telefonema. Ligou inúmeras vezes para a empresa de Komatsu, mas ele estava sempre ausente — não era novidade. Deixou vários recados com o departamento editorial, pedindo que ele retornasse, mas Komatsu nunca ligou de volta — tampouco isso era novidade. Diariamente, Tengo passava os olhos nos jornais, mas não havia nenhuma notícia sobre um pedido de busca de Fukaeri. Será que o professor

Ebisuno, no final das contas, decidira não acionar a polícia? Ou será que as investigações eram conduzidas em sigilo? Talvez o professor houvesse feito o pedido, mas a polícia fizera pouco caso por considerá-la mais uma garota dessa idade que costumava fugir de casa.

Como de costume, Tengo dava aulas na escola preparatória três vezes por semana e nos demais dias escrevia seu longo romance. Às sextas, sua namorada lhe fazia uma visita e passavam a tarde juntos, transando com intensidade. Mas, não importava o que Tengo fizesse, ele não conseguia se concentrar. Passava o dia insatisfeito, com um incômodo desassossego, como se tivesse engolido um pedaço denso de nuvem. Foi perdendo o apetite. Durante a noite, acordava de repente e não conseguia mais pregar o olho. Sem conseguir dormir, passava a madrugada pensando em Fukaeri. Ficava imaginando onde ela poderia estar, e o que estaria fazendo. E com quem estaria. O que estariam fazendo com ela. Inúmeras coisas passavam por sua cabeça. Seus pensamentos tinham pouca variação, mas tudo o que imaginava era acompanhado de uma disposição pessimista. Na imagem que guardava de Fukaeri, ela usava um suéter de malha fina bem justinho, que deixava à mostra o contorno dos seios. A imagem lhe dava falta de ar e um estado de perturbação aguda.

Fukaeri só entrou em contato numa quinta-feira, quando *Crisálida de ar* se mantinha na sexta semana consecutiva na lista dos mais vendidos.

23
Aomame
Isto é apenas o começo

Aomame e Ayumi formavam uma dupla perfeita para transformar uma noitada em algo agradável e erótico. Ayumi era pequena, alegre, simpática, sociável e comunicativa; uma vez decidida, assumia uma atitude positiva diante das situações. E tinha um senso de humor saudável. Em contrapartida, Aomame era esbelta, musculosa, pouco expansiva e, em certa medida, desconfiada. Quando se encontrava pela primeira vez com um homem, sentia muita dificuldade de se expressar de modo gentil. Suas palavras soavam ligeiramente cínicas e agressivas. No âmago de seu olhar, residia um tênue brilho de desaprovação. Mas, desde que Aomame assim desejasse, conseguia irradiar uma sofisticada aura de placidez capaz de atrair naturalmente os homens. Essa aura era como o perfume liberado pelos animais e insetos para atrair e estimular o desejo sexual do parceiro. Algo inerente à pessoa. Uma capacidade que não se adquire intencionalmente ou por esforço próprio. Não. Talvez, por alguma razão, ela tivesse adquirido a capacidade de expandir sua aura em algum momento da vida. Seja como for, o fato é que sua aura não só atraía os homens, como também sutilmente atraíra sua parceira Ayumi, tornando as noitadas mais agradáveis e dinâmicas.

Quando encontravam homens adequados, Ayumi tomava a dianteira e, sozinha, se aproximava para fazer uma espécie de reconhecimento prévio. Com sua natural simpatia, conseguia estabelecer um vínculo. Depois, calculando o momento oportuno, Aomame se juntava ao grupo, tornando-o ainda mais harmonioso e intenso. A combinação criava um clima muito especial, um misto de opereta com filme noir. Ao atingir esse clima, o resto era fácil. Eles iam para um local apropriado e, como Ayumi costumava dizer, *transavam para valer*. O mais difícil era encontrar os parceiros ideais. O melhor era que estivessem em dois, fossem bem-arrumados e, de preferência, minimamente atraentes e inteligentes, mas não exageradamente intelectuais — isso sim poderia se tornar um problema —, uma vez que havia o risco de a conversa se tornar chata demais, e a tão aguardada noitada terminar por aí. Outro ponto a ser observado era se pareciam ter condições financeiras e disponibilidade para gastar. Afinal, eram os homens que obviamente pagariam a conta do bar ou do clube, e também a do hotel.

No entanto, quando se encontraram no final de junho para uma festinha sexual — na verdade, foi a última vez que fizeram isso em parceria —, elas não conseguiram encontrar os homens adequados. Levaram tempo na busca, mudando inclusive várias vezes de bar, mas o resultado foi o mesmo. Apesar de ser a última sexta-feira do mês, os locais aonde iam, de Roppongi a Akasaka, estavam assustadoramente vazios, com pouca clientela, o que restringia ainda mais suas opções. O céu estava nublado, carregado de densas nuvens, e em toda a cidade de Tóquio pairava uma atmosfera pesarosa, como se houvesse luto por alguém.

— Hoje parece que não vai dar. Acho melhor desistirmos — disse Aomame. O relógio indicava dez e meia da noite.

Ayumi concordou a contragosto.

— Puxa, nunca vi uma noite de sexta tão *deprimente*. Justo hoje que eu estou com roupa íntima lilás, tão sexy.

— O jeito é voltar pra casa e ficar sozinha de frente para o espelho se admirando.

— Mesmo no meu caso, não tenho coragem de fazer isso no vestiário da polícia.

— De qualquer modo, por hoje chega. Vamos beber algo quietinhas num canto, voltar para casa e dormir.

— Boa ideia — disse Ayumi. E, lembrando-se subitamente de algo, sugeriu: — Ah! Ia me esquecendo. Antes de voltar pra casa, que tal a gente comer algo leve? Ainda tenho trinta mil ienes sobrando.

Aomame franziu as sobrancelhas.

— Sobrando? Como assim? Você não vive reclamando que ganha pouco e o dinheiro não dá pra nada?

Ayumi coçou o canto do nariz com o indicador.

— Para falar a verdade, ganhei trinta mil ienes daquele homem com quem saímos outro dia. Quando nos despedimos, ele me deu o dinheiro, dizendo que era para o táxi. Você se lembra daqueles dois caras que trabalhavam na imobiliária?

— E você aceitou? — perguntou Aomame, surpresa.

— Vai ver que acharam que fôssemos quase profissionais — disse Ayumi, rindo. — Acho que nunca imaginariam que somos uma policial e uma instrutora de artes marciais. Mas qual é o problema? Eles ganham um montão de dinheiro em transações imobiliárias, e dinheiro é o que devem ter de sobra. Aceitei numa boa, pensando que depois poderíamos comer alguma coisa. Digamos que eu não me sinta à vontade de gastar esse dinheiro com despesas do dia a dia.

Aomame não fez nenhum comentário. Para ela, receber uma remuneração por fazer sexo com homens que não conhecia estava fora de cogitação. Ela não conseguia engolir o fato de isso ter acontecido. Era como ver sua própria imagem distorcida através de um espelho torto. Mas, do ponto de vista moral, o que era *melhor*: receber dinheiro por matar um homem ou por transar com aqueles sujeitos? Era uma questão de difícil resposta.

— Você está chateada porque ganhamos dinheiro daqueles caras? — perguntou Ayumi, preocupada.

Aomame discordou, balançando a cabeça.

— Mais do que chateada, o que sinto é um estranhamento. Mas creio que, emocionalmente, deve ser muito mais difícil para uma policial aceitar a ideia de que agiu como uma prostituta, não é?

— De jeito nenhum — respondeu Ayumi, alegre. — Não estou nem aí. Saiba que uma prostituta só faz sexo depois de negociar o preço. E o pagamento é sempre adiantado. A regra básica é "pague antes de baixar as calças". Se ela fizer o serviço antes, e o cliente disser que não tem dinheiro, o prejuízo é total. Mas, no nosso caso, não houve nenhuma negociação prévia, e só depois é que nos deram uma quantia simbólica, para "pagar o táxi". Para mim, foi uma manifestação de gentileza; não tem nada a ver com prostituição. A diferença está bem clara.

Aomame reconheceu que a argumentação de Ayumi tinha lá a sua lógica.

* * *

Da vez anterior, Aomame e Ayumi escolheram como parceiros dois homens entre 35 e 45 anos. Os dois ainda tinham uma farta cabeleira, mas Aomame resolvera abrir uma exceção. Eles disseram que trabalhavam numa imobiliária. Mas, vendo-os de terno Hugo Boss e gravata Missoni Uomo, a impressão que se tinha era de que não trabalhavam para grandes e tradicionais corporações como a Mitsubishi ou a Mitsui. Eles possivelmente faziam parte de alguma empresa de nome estrangeiro, com diretriz mais agressiva e flexível. Uma firma sem rígidos regulamentos internos, discursos para honrar valores tradicionais e monótonas reuniões sem fim. Um emprego em que a capacidade individual é valorizada, e generosamente remunerada. Um deles tinha a chave de um Alfa Romeo novo. Eles reclamavam da falta de áreas comerciais em Tóquio. A economia se recuperava da crise do petróleo e sinalizava perspectivas de crescente melhora, além de haver uma grande injeção e circulação de capital; mas, por mais que construíssem novos edifícios, diziam que seriam insuficientes para suprimir a demanda.

— As imobiliárias parecem estar lucrando muito — comentou Aomame.

— E como! Se você tiver dinheiro sobrando, a melhor coisa a fazer é investir em imóvel — disse Ayumi. — O dinheiro que está entrando nessa pequena área de Tóquio é exorbitante e, mesmo que você deixe o terreno desocupado, ele vai valorizar muito. Se você comprar agora, não vai se arrepender. É como comprar um bilhete sabendo que vai ser premiado. Infelizmente, uma funcionária pública subalterna como eu não dispõe de dinheiro suficiente para esse tipo de investimento. E você, Aomame, tem feito algum tipo de investimento?

Aomame balançou negativamente a cabeça.

— Só confio em dinheiro vivo.

Ayumi pôs-se a rir em voz alta.

— Você sabia que essa mentalidade é típica de criminosos?

— Eles guardam o dinheiro dentro daqueles colchões ocidentais e, quando estão em perigo, pegam todo o dinheiro e fogem pela janela.

— Isso, isso mesmo — disse Ayumi, estalando os dedos. — É como no filme *A fuga*, de Steve McQueen. Maços de dinheiro e uma arma. Adoro isso.

— Mais do que cumprir a lei?

— Aqui entre nós, sim — disse Ayumi, sorrindo. — Prefiro os fora da lei. Isso me fascina muito mais do que ficar andando com o minicarro patrulha, aplicando multas de trânsito. Talvez tenha sido por isso que me senti atraída por você.

— Pareço um fora da lei?

Ayumi concordou.

— É difícil explicar, mas você tem esse ar... É claro que não é tão explícita quanto Faye Dunaway com uma metralhadora.

— Acho que não preciso de uma metralhadora — disse Aomame.

— Sabe aquela conversa que tivemos outro dia sobre Sakigake? — perguntou Ayumi.

As duas entraram num pequeno restaurante italiano que funcionava até tarde no bairro de Iikura e pediram pratos leves e um Chianti. Aomame escolheu uma salada de atum, e Ayumi, um nhoque com manjericão.

— Sei — disse Aomame.

— Fiquei interessada no assunto e resolvi investigar algumas coisas por conta própria. Quanto mais eu investigava, mais ficava intrigada. Eles se intitulam grupo religioso e possuem até uma permissão oficial para exercer suas atividades, mas o estranho é que o grupo não tem nada de substancialmente religioso. Em termos de doutrina, seguem uma linha desconstrucionista, ou algo assim, o que significa que não passam de uma miscelânea de religiões. Encontramos de tudo: espiritualismo new age, elegante academicismo, retorno à natureza, postura anticapitalista e um toque de ocultismo. Só isso. Não há essência mais profunda. Ou seja, não ter essência é o que se tornou a essência desse grupo. Como diria McLuhan, o meio é a mensagem. Algumas pessoas podem achar isso legal.

— McLuhan?

— Eu também leio livros, sabia? — disse Ayumi, com um tom de voz de desagrado. — McLuhan era um homem de visão. Ele se tornou popular durante um tempo e, por isso, fizeram pouco caso dele, mas muito do que diz é correto.

— Ou seja, a embalagem se torna o próprio conteúdo. É isso?

— Isso mesmo. O tipo de embalagem define o conteúdo. E não o contrário.

Aomame pôs-se a refletir sobre isso e, um tempo depois, disse:

— As pessoas, mesmo desconhecendo o conteúdo do grupo religioso Sakigake, sentem-se atraídas e o procuram. É isso?

Ayumi assentiu com a cabeça.

— Eu não arriscaria dizer que a quantidade de pessoas que o procuram é grande, mas também não se pode afirmar que são poucos. Quanto mais pessoas entram para o grupo, mais dinheiro eles arrecadam. Isso é lógico. No meu ponto de vista, a principal razão para as pessoas serem atraídas é justamente por não haver essa cara de grupo religioso. A imagem que eles veiculam é de transparência, intelectualidade e organização. Dito de modo claro, não parecem pobres. É isso que atrai essa nova geração de jovens que possuem alguma profissão especializada ou que trabalham na área de pesquisa. É um estímulo para a curiosidade intelectual. Eles prometem um sentimento de realização que não se consegue no mundo real. Um tipo de êxito que se pode pegar nas mãos. São esses fiéis intelectuais que formam uma equipe poderosa dentro do grupo, como uma espécie de oficiais de elite do exército.

"E o líder parece ser uma pessoa muito carismática. As pessoas o admiram muito. Eu diria que sua função é ser o núcleo da doutrina. A formação do grupo é semelhante à das religiões primitivas. Nos primórdios, o cristianismo também era algo mais ou menos assim. Mas *esse cara* não aparece em público. Não sabemos como é o seu rosto. Muito menos seu nome e sua idade. Oficialmente, o grupo adota um sistema de conselho administrativo, mas quem ocupa a presidência desse conselho é outra pessoa. É ela que aparece nos eventos públicos como representante do grupo. Para mim, não passa de um fantoche. Quem realmente está no comando de todo o sistema é esse líder de identidade desconhecida."

— Parece que o sujeito quer preservar a todo custo sua identidade.
— Pode ser que ele tenha algo a esconder, ou que seja apenas uma estratégia para criar uma atmosfera misteriosa ao seu redor.
— Ou, quem sabe, ele tenha um rosto horrível.
— Pode até ser, né? Ou talvez não seja deste mundo — disse Ayumi, gemendo baixinho, imitando um monstro. — De qualquer modo, além do misterioso fundador há muitas outras coisas que não são divulgadas. Por exemplo, a compra agressiva de terras e propriedades, de que te falei outro dia pelo telefone. O que eles expõem ao público é só um *disfarce*: instalações bonitas, belas propagandas, teorias consideradas inteligentes, fiéis da alta sociedade, práticas estoicas, ioga, serenidade espiritual, negação do materialismo, prática da agricultura orgânica, contato com um delicioso ar puro e uma maravilhosa dieta vegetariana... Isso tudo é como uma imagem bem-trabalhada, como aquelas propagandas de hotéis de luxo que vêm encartadas nos jornais de domingo. A embalagem é maravilhosa, mas, por trás, desconfio que eles mantenham uma atividade possivelmente ilegal. Esta é a conclusão a que cheguei após verificar vários tipos de documento.
— Mas neste momento a polícia não está trabalhando no caso.
— A polícia pode estar agindo em sigilo, mas não tenho como saber. O que sei é que a delegacia de Yamanashi está de olho no grupo. Foi a impressão que tive quando falei por telefone com aquele encarregado. Queira ou não, Sakigake foi o berço do grupo Akebono, aquele que provocou o conflito e, ao que parece, a polícia desconfia que a compra dos fuzis Kalashnikov chineses foi realizada através da Coreia do Norte, mas isso ainda não foi totalmente esclarecido. Por essas e outras, Sakigake também está na mira da polícia. Mas, como Sakigake é uma instituição religiosa, a polícia não pode agir sem tomar os devidos cuidados. E anteriormente eles já haviam realizado uma investigação e constataram que Sakigake não tinha nenhuma relação com o confronto. Só não sei te dizer até que ponto a Agência Nacional de Inteligência e Segurança Pública está fazendo alguma coisa, pois o pessoal de lá trabalha numa linha radicalmente sigilosa e, desde sempre, há muita rixa entre eles e a polícia.

— Você descobriu mais alguma coisa sobre as crianças que abandonam a escola?

— Não, mais nada. Uma vez que a criança deixa de frequentar a escola, ela nunca mais pisa fora daqueles muros. Por isso, não tenho como verificar como elas estão. Se houvesse alguma denúncia de maus-tratos, a coisa seria bem diferente, mas até agora não existe nenhuma denúncia formal.

— Será que as pessoas que deixaram Sakigake não poderiam depor? Ainda que sejam poucas, deve haver casos de pessoas que saíram do grupo por terem se decepcionado, ou que desanimaram com o rigor da prática ascética.

— Com certeza existem adesões e desistências. Assim como há pessoas que ingressam, há as que saem de lá decepcionadas. A princípio, os fiéis possuem total liberdade para abandonar o grupo. Quando entram, doam uma grande quantidade de dinheiro e assinam um termo de compromisso, intitulado "Doação permanente para o uso das instalações". Depois de assinado o contrato, não podem receber o dinheiro de volta, caso resolvam sair do grupo. Uma vez conformada em sair apenas com a roupa do corpo, a pessoa pode deixar o grupo no momento que quiser. Existe uma associação de ex-adeptos que denuncia Sakigake como um culto perigoso, que se opõe à ordem social e pratica atividades fraudulentas. A associação não só denuncia suas atividades, como também publica uma pequena revista. Mas o alcance de sua mensagem é muito pequeno, e eles não conseguem causar nenhum impacto na opinião pública. O grupo religioso possui uma carteira de excelentes advogados, que orquestram um sistema de defesa rigorosamente dentro da lei e, por isso, uma ação judicial não consegue sequer abalar o grupo.

— Essas pessoas que deixaram Sakigake não comentam nada sobre esse tal líder ou sobre as crianças que vivem por lá?

— Não li as revistas da associação, não saberia dizer — disse Ayumi. — Até onde pude verificar, as pessoas que deixaram Sakigake são geralmente da classe inferior do grupo, isto é, não passam de zés-ninguém. Apesar de Sakigake dizer que recusa os valores terrenos, na prática eles formam uma sociedade com nítida estrutura de classes. Há uma clara distinção entre os superiores e os inferiores. Se a pessoa não tiver escolaridade alta ou especialização, não pode se tornar membro do grupo de dirigentes. Somente a alta cúpula é que recebe as orientações diretas do líder e participa do núcleo do sistema corporativo. Os demais, a grande maioria, fazem doações em dinheiro e passam o dia nesse ambiente esterilizado, respirando ar puro, praticando a ascese, trabalhando na lavoura e fazendo meditação. É como um rebanho de ovelhas, controlado por pastores e cães. De manhã, são levados para o pasto, onde passam o dia tranquilamente, e, no final da tarde, são reconduzidos aos alojamentos. Querem alcançar uma posição mais elevada no grupo para conhecer o grande irmão, mas esse dia nunca virá. Os fiéis, em sua grande maioria, desconhecem a situação interna do grupo e, por isso, mesmo que um dia resolvam deixar Sakigake, não possuem nenhuma informação importante para revelar à sociedade. São aqueles que nunca chegaram a ver o rosto do líder.

— Não há nenhum fiel da elite que saiu de Sakigake?

— Até onde pude verificar, não.

— Será que isso significa que, se a pessoa souber de algum segredo, fica impedida de sair?

— Se isso realmente estiver acontecendo, a situação se torna ainda mais dramática — disse Ayumi, soltando um breve suspiro. — Sobre o caso da menina que foi estuprada, até que ponto é verdade?

— Realmente aconteceu, mas até o momento não há provas.

— E isso vem acontecendo sistematicamente dentro da instituição?

— Não sabemos. Mas a vítima realmente existe, eu a conheci. Ela sofreu muito.

— Quando você diz estupro, você quer dizer que houve penetração?

— Não há dúvidas.

Ayumi entortou os lábios. Parecia pensar em algo.

— Entendi. Vou tentar verificar isso do meu jeito.

— Não exagere, está bem?

— Não vou exagerar — disse Ayumi. — Pode não parecer, mas sou muito cautelosa.

Terminaram a refeição e o garçom recolheu os pratos. Recusaram a sobremesa e continuaram na mesa tomando o vinho.

— Outro dia você me disse que nunca foi molestada por homens quando criança, não disse?

Aomame deu uma rápida olhada na expressão de Ayumi e concordou:

— Minha família sempre foi muito religiosa, jamais falou de sexo em casa. Todos que conviviam conosco também não tocavam no assunto. Sexo era um assunto proibido.

— A fé numa crença religiosa e a dinâmica dos desejos sexuais são assuntos totalmente diferentes, não são? Todo mundo sabe que existem muitos maníacos sexuais entre os profissionais da fé. Na prática, entre os caras que a polícia prende por delitos de prostituição e por crimes de violação sexual, a grande maioria possui vínculo com a área da religião e até da educação.

— Pode até ser, mas, pelo menos entre as pessoas com quem convivi, não havia nenhum indício disso. Tampouco havia pessoas que faziam coisas suspeitas.

— Que bom — disse Ayumi. — Fico contente em ouvir isso.

— Com você não foi assim?

Antes de responder, Ayumi encolheu ligeiramente os ombros, hesitante. Em seguida disse:

— Pra falar a verdade, fui molestada várias vezes. Quando eu era criança.

— Por quem?

— Meu irmão mais velho e meu tio.

Aomame esboçou uma careta.

— Um irmão e um tio?

— Exatamente. Hoje os dois trabalham na polícia. Outro dia, meu tio foi condecorado por ter contribuído enormemente para a segurança da sociedade local e por dignificar o trabalho da polícia em seus trinta anos de profissão. Ele até chegou a sair nos jornais por salvar uma cachorra imbecil e seu filhotinho que estavam perdidos numa passagem de nível do trem.

— O que eles fizeram a você?

— Eles me tocavam lá embaixo, me mandavam fazer sexo oral.

As rugas de expressão do rosto de Aomame ficaram ainda mais vincadas.

— Seu irmão mais velho e seu tio?
— Não juntos, claro. Eu tinha dez anos e meu irmão devia ter uns quinze. Com o meu tio foi bem antes, quando ele dormia lá em casa. Isso aconteceu umas duas ou três vezes.
— Você contou para alguém?
Ayumi balançou a cabeça lentamente, várias vezes, em sinal de negativa.
— Não. Eles disseram que eu não podia falar pra ninguém e me ameaçavam, dizendo que, se eu abrisse a boca, sofreria graves consequências. Além das ameaças, eu achava que, se contasse a alguém, em vez de eles serem repreendidos eu é que seria punida. Eu tinha tanto medo que resolvi não contar para ninguém.
— Nem para sua mãe?
— *Principalmente* para ela — disse Ayumi. — Desde sempre meu irmão foi o queridinho dela, e eu sempre a decepcionava. Eu era uma menina de modos rudes, não era bonita, era gorda e, ainda por cima, minhas notas na escola não eram motivo de orgulho. Minha mãe queria uma bonequinha magra e bonitinha, que fizesse balé. O que ela desejava era simplesmente impossível.
— E você não quis decepcioná-la ainda mais.
— Isso. Se eu contasse o que o meu irmão fazia comigo, ela certamente ficaria com tanta raiva que passaria a me odiar ainda mais. Em vez de censurar meu irmão, ela me culparia, dizendo que eu é que tinha dado motivos para aquilo.

Aomame esfregou as mãos pelo rosto. Quando decidira largar a religião, aos dez anos, sua mãe deixara de falar com ela. Em casos estritamente necessários, a mãe escrevia um bilhete, mas se recusava a dirigir-lhe a palavra. Aomame deixou de ser sua filha. Passou a ser apenas "aquela que largou a religião". Um tempo depois, Aomame saiu de casa.

— Então não houve penetração — ela perguntou a Ayumi.
— Não houve penetração — respondeu Ayumi. — Isso já seria demais. Eles não seriam capazes de fazer algo tão doloroso para mim. Não precisavam chegar a esse ponto.
— E você ainda encontra seu irmão e seu tio?
— Depois que consegui um emprego e saí de casa, dificilmente vejo meu irmão, mas, como são meus parentes e estão na

mesma profissão, há casos em que o encontro é inevitável. Quando isso acontece, procuro sorrir e não faço nada para piorar a situação. Sabe de uma coisa? Acho que eles até já esqueceram.

— Esqueceram?

— É. *Eles* podem até esquecer — disse Ayumi. — Mas eu não.

— Claro — disse Aomame.

— É como os grandes massacres que ocorreram no percurso da história.

— Os grandes massacres?

— Quem praticou o massacre procura se justificar, criando razões para se explicar, e com isso consegue esquecer. Consegue desviar os olhos do que não quer ver. Mas a vítima jamais esquece. Como não consegue desviar os olhos, a lembrança do massacre passa de pai para filho. O mundo, Aomame, é *uma incessante luta entre a memória de quem está de um lado e a memória de quem está do outro.*

— Tem razão — disse Aomame. Franziu levemente a sobrancelha. A incessante luta entre a memória de quem está de um lado e a memória de quem está do outro?

— Pra ser sincera, eu achava que você também tivesse tido alguma experiência desse tipo.

— Por quê?

— Não sei explicar direito, mas foi essa a impressão que tive. Achei que você também tinha enfrentado algo assim, e era por isso que gostava de passar a noite *transando pra valer* com um desconhecido. Que, no seu caso, era nessa atitude que você depositava toda a sua raiva. Talvez não exatamente raiva, mas um tipo de indignação. Parece que você não consegue viver como uma pessoa comum: ter um namorado, passear, fazer refeições com ele e tê-lo como único parceiro sexual. Mas eu também sou mais ou menos assim.

— Está querendo dizer que, como você foi abusada na infância, você não consegue ter uma vida normal?

— Essa é a impressão que tenho — disse Ayumi, encolhendo levemente os ombros. — Sinceramente, sinto medo dos homens. Ou melhor, medo de ter um relacionamento sério com uma única pessoa. E ter de aceitá-la plenamente. Só de pensar nisso sinto calafrios. Mas, às vezes, acho que ficar sozinha também é triste, quero ser abraçada, ser possuída. Sinto uma tremenda vontade de transar, a ponto de enlouquecer. Nessas horas, é bem mais fácil lidar com quem a gente não conhece. Bem mais fácil.

— Medo?

— É. Acho que é isso que tenho, e muito.

— Acho que não tenho esse tipo de medo dos homens — disse Aomame.

— Você tem medo de alguma coisa?

— Claro que tenho — disse Aomame. — Tenho muito medo de mim. Não sei o que sou capaz de fazer; às vezes acho que não sei direito o que estou fazendo.

— *O que* você *está fazendo*?

Aomame observou a taça de vinho em sua mão.

— Bem que eu gostaria de saber — disse ela, tirando os olhos da taça e voltando a fitar Ayumi. — Mas não sei. Não tenho certeza de onde estou, nem em que ano estamos.

— Agora estamos em 1984, e aqui é Tóquio, Japão.

— Eu gostaria de poder dizer isso com a mesma convicção.

— Que estranho — disse Ayumi, rindo. — Isso é tão óbvio que não precisa ser confirmado, muito menos justificado.

— Não sei explicar direito, mas para mim não é tão evidente assim.

— Não é? — disse Ayumi, com certa admiração. — Não sei quais são os motivos ou sentimentos para você ter esse tipo de dúvida, mas o importante é que hoje você tem alguém que realmente ama. Acho isso invejável. Não tenho ninguém assim.

Aomame pousou a taça sobre a mesa e limpou delicadamente a boca com o guardanapo. Disse:

— Você tem razão. Independentemente do tempo e do lugar em que estamos, quero me encontrar com ele. Morro de *vontade* de me encontrar com ele. É a única coisa de que tenho certeza. É a única coisa que posso dizer com segurança.

— Se você quiser, posso verificar os arquivos da polícia. Basta me passar algumas informações que talvez eu possa descobrir onde ele está e o que faz.

Aomame balançou a cabeça num gesto de negativa.

— Por favor, não procure. É como eu disse outro dia, quero encontrá-lo *por acaso*. Sem combinar nada. Aguardo esse dia com carinho.

— É como aquelas novelas de amor na TV — disse Ayumi, admirada. — Adoro esse tipo de coisa. Fico toda arrepiada.

— Mas não é fácil para quem faz parte do drama.

— Sei que não deve ser fácil — disse Ayumi, pressionando a têmpora. — Mas, mesmo gostando tanto assim de alguém, às vezes você tem vontade de fazer sexo com um desconhecido.

Aomame estalou a unha na borda da taça.

— Uma pessoa de carne e osso precisa disso para manter o equilíbrio.

— Mesmo assim, você nunca deixou de amá-lo.

Aomame disse:

— É como a roda dos desejos do Tibete. Quando a roda gira, os valores e os sentimentos movimentam-se para cima e para baixo, resplandecendo e se ocultando na escuridão, mas o verdadeiro amor encontra-se firmemente no centro da roda, e por isso nunca se move.

— Que lindo! — disse Ayumi. — A roda dos desejos do Tibete.

Terminou de beber o restante do vinho na taça.

Dois dias depois, Aomame recebeu um telefonema de Tamaru pouco após as oito da noite. Como sempre, ele dispensou as habituais cordialidades e foi direto ao assunto.

— Amanhã, no período da tarde, você tem um tempo livre?

— À tarde não tenho nenhum compromisso. Posso aparecer no horário que for mais conveniente para vocês.

— Pode ser às quatro e meia?

Aomame confirmou que o horário estava bom.

— Ótimo — disse Tamaru. Aomame podia escutá-lo fazendo uma anotação na agenda. A pressão da escrita era forte.

— E Tsubasa, está bem? — perguntou Aomame.

— Ah! Deve estar bem. A senhora tem cuidado dela todos os dias, e a criança está ficando mais à vontade.

— Que bom!

— Sim, tudo bem, mas aconteceu outra coisa não muito boa.

— O quê? — perguntou Aomame, ciente de que, quando Tamaru dizia que algo não era *muito* bom, era porque era *extremamente* ruim.

— A cachorra morreu — disse Tamaru.

— A cachorra? Você quer dizer, a Bun?

— Isso. A pastor-alemão que adorava espinafre. Morreu ontem à noite.

Aomame ficou surpresa ao ouvir a notícia. A cachorra tinha só cinco ou seis anos. Não estava na idade de morrer.

— Da última vez que a vi, ela parecia muito bem.

— Não morreu de doença — disse Tamaru, sem alterar a voz. — De manhã, estava toda em pedaços.

— *Em pedaços?*

— Como se tivesse explodido. Seus órgãos estavam espalhados por todos os lados. Tive de recolher as partes, pedaço por pedaço, com toalha de papel. O corpo parecia virado do avesso. Foi como se tivessem colocado uma bomba bem potente na barriga da cachorra.

— Coitada...

— Não há o que fazer — disse Tamaru. — O que está morto não volta à vida. Vou encontrar outro cão de guarda para substituí-lo. Mas quero saber *o que aconteceu*. O que fizeram com ela não é algo comum. Colocar uma bomba na barriga da cachorra. Normalmente, quando algum estranho se aproximava dela, ela costumava latir sem parar, era como abrir as portas do inferno. Colocar uma bomba não seria muito simples.

— Realmente — disse Aomame, com um tom de voz seco.

— As mulheres do abrigo estão assustadíssimas, em estado de choque. A encarregada de preparar a refeição da cachorra é que a encontrou, logo pela manhã, nesse estado. Ela vomitou muito antes de me telefonar. Perguntei se havia acontecido algo diferente durante a noite, ela disse que não. Ninguém ouviu a explosão. Com um barulho dessa magnitude, certamente as pessoas acordariam, ainda mais essas mulheres, que vivem em constante estado de alerta. O que estou querendo dizer é que a explosão foi silenciosa. É por isso que ninguém escutou a cachorra latir. E ontem foi uma noite tranquila. Mas, de manhã, a cachorra estava em pedaços. Todos os órgãos internos estavam espalhados e, desde cedo, os urubus faziam a festa. Para mim, obviamente, é algo muito preocupante.

— Está acontecendo algo estranho.

— Com certeza — disse Tamaru. — Está acontecendo algo estranho. Se minha intuição estiver certa, é apenas o começo.

— Você avisou a polícia?

— De jeito nenhum — disse Tamaru, deixando escapar um ar de zombaria. — A polícia não serve pra nada. Eles partem de uma suposição equivocada e seguem agindo de modo equivocado, e assim complicam ainda mais a situação.

— O que a senhora diz sobre isso?

— Ela não diz nada. Eu me reporto e ela apenas concorda. As questões de segurança são de minha total responsabilidade, do início ao fim. É o meu trabalho.

O silêncio prevaleceu durante um tempo. Um silêncio pesaroso, que expressava a imensa responsabilidade de Tamaru.

— Amanhã às quatro e meia — disse Aomame.

— Amanhã às quatro e meia — repetiu Tamaru, e em seguida colocou delicadamente o fone no gancho.

24
Tengo
Qual é o sentido de existir outro mundo?

Na quinta-feira choveu durante a manhã. As gotas não caíam com muita força, mas tinham uma natureza assustadoramente obstinada. Chovia ininterruptamente desde o meio-dia do dia anterior. Quando finalmente parecia dar uma trégua, a chuva recomeçava e voltava a ganhar força. Apesar de ser a segunda quinzena de julho, não havia indícios de que a estação das chuvas estava para terminar. O céu ficava escuro, como se uma tampa o cobrisse, e o mundo se tornava saturado de umidade.

Pouco antes do meio-dia, Tengo vestiu sua capa de chuva e o boné e saiu para fazer compras perto de casa. Notou em sua caixa de correspondência um envelope grande e pardo, com enchimento de proteção. Não tinha carimbo, selo, endereço do destinatário e, tampouco, o nome do remetente. A única coisa escrita, bem no centro do envelope, a caneta, com letras pequenas e traço firme, era seu nome. A caligrafia lembrava traços riscados com prego sobre argila seca. Um tipo de letra que poderia perfeitamente ser de Fukaeri. Dentro do envelope havia uma fita cassete TDK de sessenta minutos, dessas encontradas facilmente no comércio. Não havia carta ou bilhete. A fita estava sem a capa e não havia nenhuma etiqueta colada nela.

Após alguns instantes de hesitação, Tengo achou melhor desistir das compras e voltar ao apartamento para ouvir a fita. Ergueu a fita cassete contra a luz e a chacoalhou. Apesar de todo esse ar de mistério, a fita era comum, dessas produzidas em série. Não parecia que explodiria ao ser acionada.

Tengo tirou a capa de chuva e colocou o toca-fitas sobre a mesa da cozinha. Em seguida, colocou a fita no aparelho e pegou um bloco e uma caneta caso tivesse de anotar algo. Após dar uma olhada ao redor e constatar que não havia ninguém, apertou a tecla play.

No começo, não havia som e, durante um tempo, continuou assim. Quando Tengo começava a suspeitar de que a fita estava vazia, de repente escutou o barulho de algo pesado sendo arrastado. Parecia o barulho de alguém empurrando uma cadeira. Em seguida, ouviu algo semelhante a uma tosse para limpar a garganta. E, de uma hora para outra, Fukaeri começou a falar:

— Tengo — disse ela, como se testasse a voz. Até onde Tengo lembrava, era a primeira vez que Fukaeri o chamava pelo nome.

Em seguida, Fukaeri deu novamente uma leve tossida. Parecia estar um pouco tensa.

Gostaria de escrever uma carta, mas como não sou boa nisso, resolvi gravar esta fita. Assim posso falar mais à vontade do que por telefone. Por telefone, alguém pode estar ouvindo. Espera um pouco, vou tomar um gole d'água.

Tengo escutou o que provavelmente seria o som de ela pegar o copo, tomar um gole e o colocar novamente sobre a mesa. Na gravação, seu jeito peculiar de falar — sem acentuação, sinal de interrogação ou pontuação — provocava uma impressão ainda mais incomum do que conversando pessoalmente. Parecia irreal. No entanto, diferentemente de quando conversava, na fita ela conseguia articular várias sentenças.

Fiquei sabendo que não sabem onde estou. Creio que você esteja preocupado. Mas saiba que estou bem e num local seguro. Queria te dizer isso. Na verdade, eu não podia fazer isso, mas achei melhor avisar.
[Dez segundos de silêncio.]
Eles disseram para não contar pra ninguém. Dizer que estou aqui. O professor já comunicou a polícia sobre o meu desaparecimento e entrou com o pedido de busca. Mas a polícia não está fazendo nada. Uma criança fugir de casa parece ser algo corriqueiro. Por isso, vou ficar aqui durante um tempo.

[Quinze segundos de silêncio.]
Estou num local distante e, desde que eu não fique saindo lá fora, ninguém vai me encontrar. É muito longe. Azami vai te entregar esta fita. Não é bom enviar pelo correio. É preciso tomar muito cuidado. Espera um pouco. Vou verificar se está gravando.
[Ouve-se um barulho seco. Segue-se um momento de silêncio. Novamente, ouve-se um barulho.]
Tudo bem. Está gravando.

Ao fundo, ouvem-se vozes distantes de crianças gritando. Ouve-se também uma música, em volume baixo. Possivelmente o som deve vir de alguma janela aberta. É provável que haja algum jardim de infância nas redondezas.

Obrigada por ter me deixado dormir em sua casa naquele dia. Eu precisava fazer aquilo. Precisava te conhecer melhor. Obrigada por ler o livro. Fiquei encantada com os guiliaks. Por que será que em vez de andar por uma estrada larga eles acham mais fácil andar no lamaçal, dentro da floresta.
[Tengo adicionou discretamente a interrogação no final da frase.]
Apesar de ser muito mais cômodo caminhar pela estrada, os guiliaks preferem andar no meio da floresta, distante da estrada. Andar na estrada significa ter de reelaborar a própria ação de caminhar. E isso implica reelaborar outras coisas. Eu não conseguiria viver como os guiliaks. Não quero viver sendo constantemente surrada pelos homens. Não quero morar num local imundo cheio de vermes. Mas também não gosto de andar por estradas amplas. Vou beber mais água.

Fukaeri tomou mais um gole. Fez-se um breve silêncio, seguido de um barulho seco do copo colocado de volta na mesa. Em seguida, um outro pequeno intervalo para ela limpar a boca com a ponta dos dedos. Será que a garota não sabe que existe no aparelho uma tecla de pausa para gravação?

Minha ausência pode acarretar alguns problemas. Mas eu não tenho nenhuma intenção de me tornar escritora, e tampouco pretendo continuar a escrever. Pedi para Azami pesquisar sobre os guiliaks. Ela foi pesquisar sobre eles na biblioteca. Os guiliaks vivem na ilha de Sacalina e, assim como os ainus e os índios americanos, não possuem a escrita. Não deixam registros. Eu também sou assim. Uma vez transformada em letra, a história deixa de me pertencer. Você soube transformar eximiamente essa história em letra, e creio que nenhuma outra pessoa seria capaz de fazê-lo de modo tão perfeito como você. Mas esta história já não é mais minha. Não se preocupe. A culpa não é sua. Apenas estou caminhando distante da ampla estrada.

Neste ponto, Fukaeri fez novamente uma pausa. Tengo a imaginou caminhando sozinha, em silêncio, distante da ampla estrada.

O professor tem muito poder e um profundo conhecimento. Mas o Povo Pequenino também possui muito poder e um profundo conhecimento. Tome cuidado quando estiver andando pela floresta. Nela existem coisas muito importantes, e é nela que vive o Povo Pequenino. Para que esse Povo Pequenino não te machuque, é preciso encontrar algo que eles não possuem. Se você encontrar esse algo, poderá sair da floresta com segurança.

Fukaeri parou para respirar fundo, após dizer isso num só fôlego. Como estava em frente ao microfone, sem mover o rosto, essa respiração ficou gravada como o som de uma rajada de vento passando por edifícios. Um tempo depois, com a respiração mais tranquila,

Tengo ouviu ao fundo uma buzina de caminhão ao longe. Era um som grave, típico de caminhões de grande porte, que lembrava uma sirene de nevoeiro. Soou brevemente, duas vezes. O local em que Fukaeri estava parecia não ser muito distante de uma rodovia.

[Tosse.] Estou ficando rouca. Obrigada por se preocupar comigo. Obrigada por ter gostado do formato dos meus seios, por deixar eu dormir no seu quarto, por deixar usar o seu pijama. Acho que não vamos nos ver tão cedo. **O Povo Pequenino deve estar bravo por eu ter escrito a história deles.** Mas não se preocupe. Estou acostumada com a floresta. Adeus.

Neste ponto ouve-se um clique típico de parada de gravação. Tengo parou a fita e a rebobinou. Enquanto escutava as gotas de chuva caindo do beiral, respirou fundo várias vezes, girando a caneta de plástico entre os dedos. Depois colocou a caneta sobre a mesa. Tengo não havia anotado nada. Ateve-se apenas a ouvir atentamente a fala singular de Fukaeri. Mesmo sem ter anotado, os pontos principais da mensagem de Fukaeri eram claros:

1. Ela não fora raptada. Apenas ficaria escondida em algum lugar durante um tempo. Não havia motivos para se preocupar.
2. Ela não pretendia continuar a escrever livros. A história dela era voltada para a exposição oral e não para se tornar palavra impressa.
3. O Povo Pequenino possuía muita força e inteligência, tanto quanto o professor Ebisuno. Era preciso tomar cuidado.

Fukaeri queria transmitir esses três pontos. O restante era sobre a história dos guiliaks. Um povo que caminha longe das amplas estradas.

Tengo foi à cozinha preparar um café. Enquanto bebia, examinou ao acaso a fita cassete. Depois, ouviu novamente a fita, desde o começo. Desta vez, por precaução, pausava em determinados trechos para anotar os principais pontos. Feito isso, passou os olhos no que acabara de escrever e constatou que não havia nenhuma informação nova.

Será que, antes de gravar, Fukaeri tinha preparado algum rascunho para servir de orientação? Tengo achou que não. Ela não tinha o perfil de quem faz esse tipo de coisa. O mais provável era que Fukaeri houvesse falado em tempo real, o que lhe vinha à mente — sem apertar a tecla pause —, tendo diante de si apenas o microfone.

Onde ela estaria? O som ambiente gravado na fita não dava muitas pistas para que Tengo descobrisse onde estava: uma porta batendo com força em algum lugar distante, vozes de crianças atravessando uma janela supostamente aberta. Um jardim de infância? A buzina de um caminhão grande. Ao que parecia, Fukaeri não estava numa densa floresta, mas nos subúrbios de uma cidade grande. Ela fizera a gravação no período da manhã, bem cedo, ou no entardecer. E o barulho de uma porta batendo sugeria a possibilidade de que não estivesse sozinha.

A única certeza era que fora a própria Fukaeri quem tomara a iniciativa de se esconder naquele lugar. E que ninguém a havia forçado a gravar a fita. Bastava prestar atenção na voz e em seu jeito de falar. Se ignorarmos o fato de que estava tensa no início da gravação, na parte restante da fita percebe-se que ela está diante do microfone falando o que vem à cabeça.

O professor tem muito poder e um profundo conhecimento. Mas o Povo Pequenino também possui muito poder e um profundo conhecimento. Tome cuidado quando estiver andando pela floresta. Nela existem coisas muito importantes, e é nela que vive o Povo Pequenino. Para que esse Povo Pequenino não te machuque, é preciso encontrar algo que eles não possuem. Se você encontrar esse algo, poderá sair da floresta com segurança.

Tengo ouviu novamente esse trecho. Nele, Fukaeri falava de um modo bem mais rápido. O intervalo entre uma sentença e outra era menor. O Povo Pequenino poderia causar algum mal a Tengo e ao professor Ebisuno. Mas, pelo tom de voz com que Fukaeri se referia ao Povo Pequenino, dava para entender que ela não os considerava necessariamente maus. Pelo tom de sua voz, tinha-se a impressão de que esse povo era imparcial, e tanto podia pender para um lado quanto para o outro. Havia também outro trecho que chamara a atenção de Tengo:

O Povo Pequenino deve estar bravo por eu ter escrito a história deles.

Se o Povo Pequenino realmente estiver com raiva, Tengo também seria um dos alvos dessa raiva. Ele era um dos autores que ajudaram a divulgar a existência deles por meio da escrita. Certamente eles não aceitariam a desculpa de que não houvera má intenção.

Mas, afinal, que tipo de maldade o Povo Pequenino poderia causar às pessoas? Tengo não tinha como saber. Ele voltou novamente a fita, colocou-a no envelope e a guardou na gaveta. Depois, pôs a capa de chuva e o boné e saiu para fazer as compras em meio à forte chuva.

Pouco depois das nove da noite, Komatsu ligou. Tengo estava na cama lendo um livro e, como das outras vezes, sabia de antemão de quem era a ligação. Após o terceiro toque ele se levantou calmamente e foi à cozinha atender.

— E aí, Tengo? — disse Komatsu. — Está bebendo algo?

— Não. Estou sóbrio.

— Depois dessa nossa conversa, acho que você vai querer beber — disse Komatsu.

— Quer dizer que será uma conversa agradável?

— Não sei, não. Acho que o assunto não é tão agradável assim. Mas, paradoxalmente, tem certa dose de humor.

— Como nos contos de Tchekhov.

— Isso — disse Komatsu. — Como nos contos de Tchekhov. Exatamente. Você realmente consegue se expressar de modo perfeito.

Tengo se manteve quieto, e Komatsu continuou:

— A situação está se tornando ainda mais complicada. A polícia iniciou oficialmente a busca de Fukaeri após receber o pedido formal do professor Ebisuno. Mas acho difícil a polícia arregaçar as mangas e procurá-la de fato. Ainda mais que não existe nenhum pedido de resgate. O que eles vão fazer é mostrar que estão trabalhando para não se complicarem caso realmente aconteça algo com ela. Mas os meios de comunicação não vão deixar o assunto de lado. Vários jornais já entraram em contato comigo. Eu sempre digo "não sei de nada". Afinal, no momento não tenho realmente nada a dizer. A essa altura eles já devem saber da relação entre Fukaeri e o professor Ebisuno e, de quebra, que seus pais foram revolucionários. Em pouco tempo, esses fatos serão divulgados publicamente. O problema são as revistas semanais. Esses redatores independentes e jornalistas são como um bando de tubarões a farejar sangue, circulando ao redor da presa. São muito bons nisso e, uma vez que mordem a presa, não largam mais. Não é pra menos; esse é o ganha-pão deles. Não estão nem um pouco preocupados com questões de privacidade ou respeito às pessoas. Apesar de serem redatores, são totalmente diferentes de um pacífico jovem escritor literário como você.

— Você está querendo dizer que eu também devo tomar cuidado?

— Exatamente. É melhor se prevenir e nunca baixar a guarda. Nunca se sabe o que estão farejando.

Tengo imaginou estar num pequeno bote cercado de tubarões. Parecia a situação de um mangá, sem um bom desfecho. "É preciso encontrar uma coisa que o Povo Pequenino não possui", havia dito Fukaeri. Mas o que seria?

— Komatsu, isso não é exatamente o que professor Ebisuno planejou?

— Bem, pode ser... — disse Komatsu. — Acho que fomos habilmente manipulados, mas o fato é que desde o início sabíamos, até certo ponto, dessa intenção do professor. Ele nunca escondeu isso de nós. Nesse sentido, foi um acordo justo. Naquela época eu podia ter dito: "Professor, é perigoso. Prefiro não fazer parte disso." Um editor sério certamente agiria assim. Mas, como você já me conhece, não sou um editor normal. Quando o professor veio conversar comigo, as coisas já estavam se encaminhando e eu também nutria uma certa ambição. Acho que foi isso que me fez baixar a guarda.

Houve um silêncio do outro lado da linha. Um silêncio que, apesar de breve, era pesado.

Foi Tengo quem o quebrou:

— Quer dizer que o professor Ebisuno se apropriou do seu plano?

— Acho que dá para dizer isso. Digamos que as intenções do professor passaram a prevalecer.

Tengo comentou:

— Você acha que o professor vai conseguir aterrissar bem, apesar da turbulência?

— Ele certamente acredita que sim. É um homem de visão, muito seguro de si. Nesse sentido, acho que as coisas podem dar certo. Mas, se a turbulência ultrapassar o previsto, as coisas podem sair do controle. A capacidade de uma pessoa é limitada, mesmo que ela seja excepcional. Por isso, o melhor a fazer é apertar bem o cinto de segurança.

— Se estivermos num avião que vai cair, não adianta nada.

— Mas vai servir de consolo.

Sem querer, Tengo sorriu. Mas não passava de um sorriso sem vigor.

— Esse é o ponto central da nossa conversa? Aquela que, segundo você, não seria exatamente agradável, mas, paradoxalmente, tinha certa dose de humor?

— Sinto muito envolvê-lo nisso. É sério... — disse Komatsu, sem nenhuma entonação.

— Não se preocupe. Particularmente, não tenho nada a perder: não tenho família, posição social nem um futuro promissor. Quem realmente me preocupa é Fukaeri. Ela é só uma menina de dezessete anos.

— É claro que eu também me preocupo com ela. Impossível não se preocupar. Mas agora não adianta ficarmos discutindo o que fazer, pois será em vão. Em vez disso, vamos tratar de nos amarrar em algum lugar seguro para não sermos levados pela ventania. Acho melhor ler diariamente os jornais com muita atenção.

— Ultimamente, sempre tenho lido os jornais.

— Ótimo — exclamou Komatsu. — Por falar nisso, você não tem ideia de onde Fukaeri pode estar? Qualquer tipo de pista serve.

— Não tenho — respondeu Tengo. Mentir não era o seu forte. Mas, apesar de Komatsu ser uma pessoa extremamente intuitiva, parecia não ter percebido o leve tremor na voz de Tengo. Komatsu possivelmente estava com a cabeça ocupada com outros problemas.

— Te ligo assim que eu souber de alguma coisa — disse ele antes de desligar.

Após colocar o fone no gancho, a primeira coisa que Tengo fez foi pegar um copo e despejar nele dois centímetros de Bourbon. Como Komatsu havia previsto, após a conversa Tengo realmente sentiu que precisava tomar algo.

Na sexta-feira, sua namorada veio lhe fazer a costumeira visita. A chuva dera uma trégua, mas o céu continuava cinzento, totalmente encoberto. Os dois fizeram uma refeição leve e foram para a cama. Enquanto faziam sexo, vez por outra Tengo se via pensando em várias coisas, mas isso não estragou a satisfação física que a relação sexual lhe proporcionava. Ela não só conseguiu extravasar todo o desejo de Tengo acumulado durante a semana, como também aproveitou satisfatoriamente o momento, como um hábil consultor fiscal que sente prazer em fazer cálculos complicados. Mesmo assim, ela percebeu que algo o preocupava.

— De uns tempos para cá, o nível de uísque na garrafa está cada vez menor — disse ela, com a mão sobre o peito robusto de Tengo, desfrutando a satisfação proporcionada pelo sexo. No dedo anular usava um anel de casamento com um diamante pequeno, porém muito brilhante. Seu comentário era sobre uma garrafa de Wild Turkey que estava havia muito tempo sobre a estante. E, como é comum nos relacionamentos entre uma mulher madura e um homem mais jovem, ela notava pequenas mudanças no ambiente.

— Ultimamente, tem sido frequente eu acordar durante a noite — disse Tengo.

— Você não está apaixonado, está?

Tengo balançou a cabeça em negativa:

— Não, não estou.

— Está com dificuldades para escrever o romance?

— Não. Por enquanto, tudo bem. Acho que ele progride de maneira satisfatória, pelo menos caminha para *algum lugar*.

— Mesmo assim, parece que alguma coisa está te preocupando.

— Será? A única coisa que sei é que não consigo dormir direito. É muito raro isso acontecer. Sou do tipo que normalmente dorme como uma pedra.

— Coitadinho do Tengo — disse ela, massageando carinhosamente, com a mão sem a aliança, seus testículos. — Você costuma ter pesadelos?

— Não costumo sonhar — disse ele. Era verdade.

— Eu sonho, e muito. E os sonhos se repetem várias e várias vezes. Você acredita que, às vezes, no meio do sonho eu percebo que já o sonhei antes? Não é estranho?

— Que tipo de sonho?

— Por exemplo, às vezes, sonho com uma cabana no meio da floresta.

— Uma cabana no meio da floresta — repetiu Tengo, pensando nas pessoas que vivem no meio da floresta: os guiliaks, o Povo Pequenino e Fukaeri. — E essa cabana, como ela é?

— Você quer realmente saber? Não é chato ouvir o sonho dos outros?

— De jeito nenhum. Eu gostaria de ouvir — disse Tengo, com uma expressão sincera.

— Estou sozinha andando pela floresta. Mas não é uma floresta densa e sinistra como aquela em que João e Maria se perdem. Ela não é muito fechada, tem bastante claridade. É de tarde, está quente e caminho tranquilamente pela floresta, sentindo-me segura. Um pouco depois, encontro uma pequena cabana com chaminé, uma pequena varanda e cortinas listradas de algodão na janela. Um lugar bem acolhedor. Aproximo-me da casa, bato na porta e digo "Boa tarde!". Mas ninguém responde. Bato novamente, desta vez um pouco mais forte, e com a pressão da batida a porta se abre. Acho que esqueceram de trancá-la. Entro na casa e digo: "Boa tarde. Tem alguém em casa? Estou entrando..."

Ela acaricia os testículos de Tengo enquanto observa seu rosto:

— Até aqui, você consegue imaginar o clima?

— Consigo.

— A cabana tem apenas um cômodo. É uma construção bem simples. Tem uma cozinha, uma cama e uma área de refeições. No centro, há um fogão a lenha e uma mesa com louças dispostas para quatro pessoas. Um vapor branco sai dos pratos de comida, mas não há ninguém em casa. A impressão é que a refeição estava pronta e, quando iam se servir, algo os surpreendeu. Como se, de repente, aparecesse um monstro e todos saíssem correndo. Mas as cadeiras continuam no lugar. O estranho é que tudo está tranquilo, como num dia qualquer. O único porém é que não há ninguém na cabana.

— Que tipo de comida havia sobre a mesa?

Ela inclinou a cabeça:

— Não consigo me lembrar. Essa é uma boa pergunta. Que tipo de comida será que tinha? O problema não é a comida em si. O problema é que ela *acabou de ser preparada* e está quentinha. De qualquer modo, sento numa das cadeiras e resolvo aguardar a família voltar. Nesse momento, sinto uma necessidade premente de esperar. Não sei por quê. Como é um sonho, nem todas as coisas são devidamente explicadas. Talvez eu os aguardasse para perguntar o caminho de volta, ou conseguir alguma outra coisa. Por isso, fico quietinha aguardando o retorno deles. Mas, por mais que eu espere, ninguém aparece. A comida sobre a mesa continua a soltar o vapor da quentura. Vendo a comida, começo a ficar com muita fome. Mas, por mais que eu esteja com fome, não posso me servir sem que alguém da casa esteja presente, não é?

— É, acho que não — disse Tengo. — Mas, como é um sonho, não dá para afirmar categoricamente.

— Enquanto eu aguardo, começa a anoitecer. Dentro da cabana também começa a ficar escuro. A floresta também fica cada vez mais negra. Penso em acender a luz da cabana, mas não sei como fazê-lo. Começo a me sentir insegura. Então, percebo algo estranho: a comida continua a soltar o vapor da quentura, ele nunca diminui. Já se passaram várias horas e a comida continua *quentinha*. Começo então a achar tudo muito estranho. Algo está errado. E aí acaba o sonho.

— Você não sabe o que acontece depois?

— Acho que depois vai acontecer algo — disse ela. — Anoitece e fico sozinha nessa cabana sem saber o caminho de volta. Sinto que algo está para acontecer. A impressão que tenho é que esse algo não é uma coisa boa. Mas o sonho sempre acaba nesse ponto. O sonho se repete várias e várias vezes.

Ela parou de acariciar os testículos de Tengo e apoiou o rosto no peito dele.

— Esse sonho está tentando me dizer algo — ela disse.
— O quê?

Em vez de responder, ela indagou:

— Tengo, você quer saber qual parte do sonho me deixa com mais medo?

— Quero.

Ela suspirou profundamente e Tengo sentiu um sopro no mamilo, como se uma lufada de ar quente acabasse de atravessar um estreito canal.

— Acho que eu sou o monstro. Uma vez pensei seriamente nessa possibilidade. Acho que, quando as pessoas da cabana me veem chegar, tratam de largar a comida e saem correndo. Enquanto eu estiver lá, eles não podem voltar. Mesmo assim, permaneço quietinha, aguardando o retorno deles. Ao pensar assim, sinto muito medo. Parece não haver nenhuma esperança.

— Ou — disse Tengo — essa é a sua casa e você está aguardando você mesma que fugiu.

Após dizer isso, Tengo se deu conta de que devia ter ficado calado. Mas as palavras proferidas não podem ser retiradas. Ela ficou um bom tempo em silêncio. De repente, segurou firmemente os testículos de Tengo, a ponto de ele sentir dificuldades de respirar.

— Como você tem coragem de dizer uma coisa tão horrível!
— Não foi por mal. Apenas disse o que me veio à mente — falou Tengo com a voz sôfrega, difícil.

Ela suspirou e afrouxou a pressão sobre os testículos. Pouco depois, disse:

— Agora me conte o seu sonho.

Após normalizar a respiração, Tengo respondeu:

— Como eu já te disse, é raro eu sonhar. Ainda mais nesses últimos tempos.

— Algum sonho você deve ter. Não existe ninguém no mundo que não sonhe. Olha que o doutor Freud vai ficar aborrecido, hein?

— Pode até ser que eu sonhe, mas, ao acordar, não consigo me lembrar. Tenho a impressão de que sonhei, mas não sei exatamente o quê.

Ela colocou o pênis amolecido de Tengo sobre a palma da mão e sentiu seu peso. Era como se a atitude revelasse algum fato importante.

— Já que é assim, vamos esquecer essa história de sonho. Diga-me então algo sobre a história que você está escrevendo.

— Prefiro não falar disso.

— Não estou pedindo para você me contar toda a história, do começo ao fim. Eu jamais faria isso. Eu te conheço e sei o quanto você é um rapaz sensível, apesar desse seu corpo forte e robusto. O que estou te pedindo é que me conte um dos episódios, ou um trecho secundário. Quero que você conte para mim algo que ninguém no mundo ainda sabe. Como você foi muito malvado em seu comentário, quero ser recompensada. Você está me entendendo?

— Acho que sim — disse Tengo, hesitante.

— Então me conte.

Tengo respondeu com o pênis ainda na palma da mão dela:

— A história é sobre mim. Ou alguém muito parecido comigo.

— Achei que fosse algo assim — disse a namorada. — Eu por acaso faço parte dessa história?

— Não. Porque estou num outro mundo.

— Eu não estou nesse outro mundo?

— Não é só você. As pessoas deste mundo não estão no outro.

— Qual é a diferença entre esse outro mundo e o nosso? Dá para perceber em que mundo a pessoa se encontra?

— Dá, sim. Afinal, eu é que estou escrevendo a história.

— O que eu estou te perguntado é se *alguém que não seja você* consegue fazer a distinção. Vamos imaginar que, sem querer, eu entre nesse outro mundo.

— Acho que dá para saber — disse Tengo. — Nesse outro mundo existem duas luas, por isso é possível diferenciá-lo.

A criação de um mundo com duas luas no céu havia sido inspirada na *Crisálida de ar*. Tengo estava tentando escrever uma história sobre esse outro mundo — desta vez sua própria história —, mais longa e complexa. O fato de sua história também ter duas luas poderia gerar problemas no futuro. Porém, naquele momento, Tengo queria muito escrever sobre esse mundo de duas luas. Quanto aos problemas, ele pensaria depois neles.

— Você quer dizer que, ao olhar para o céu e ver duas luas, a pessoa logo percebe "Ah! Esse é o mundo que não existe aqui", é isso? — ela indagou.

— É o que elas simbolizam.

— E essas duas luas nunca se sobrepõem uma à outra? — perguntou ela.

Tengo negou com a cabeça.

— Não se sabe por quê, mas a distância entre elas é sempre a mesma.

A namorada de Tengo permaneceu durante um tempo imaginando esse mundo. Com o dedo, começou a desenhar figuras no peito nu de Tengo.

— Você sabe qual é a diferença entre as palavras inglesas *lunatic* e *insane*? — ela perguntou.

— Só que ambos são adjetivos que se referem à anomalia psicológica. Não sei dos detalhes que os diferenciam.

— *Insane* é quando a pessoa nasce com problemas na cabeça, e o tratamento recomendado é a utilização de medicamentos específicos. Em contrapartida, *lunatic* vem do latim *luna*, que significa lua. É quando a pessoa, sujeita à influência da *luna*, perde temporariamente o juízo. Na Inglaterra do século XIX, se uma pessoa cometia um crime, mas era considerada lunática, sua pena era reduzida em um grau. Naquela época, alegavam que um lunático não podia ser responsabilizado pelo crime que cometera, pois era a luminosidade da lua que causava o estado de confusão mental e o induzia a cometer aquele o ato. Pode até parecer mentira, mas essa lei de fato existiu. Ou seja, admitia-se legalmente que a lua era capaz de enlouquecer as pessoas.

— Como é que você sabe essas coisas? — Tengo indagou, admirado.

— Não sei por que você se admira tanto. Esqueceu que eu vivi dez anos mais que você? É normal que eu saiba mais coisas, não é?

Tengo admitiu que ela tinha razão.

— Na verdade, aprendi isso numa conferência sobre literatura inglesa na Universidade Feminina do Japão. A palestra era sobre

Dickens. Era um professor diferente, que entrava em divagações que não tinham nada a ver com o tema. Mas o que estou querendo dizer é que, se uma única lua já é suficiente para nos enlouquecer, imagino que, com duas, as pessoas ficariam ainda mais ensandecidas. O fluxo da maré se alteraria, e cresceriam os casos de ciclo menstrual irregular entre as mulheres. Acho que muitas outras coisas anormais começariam a surgir, uma após a outra.

Tengo parou para pensar.

— Você tem razão.

— Nesse outro mundo, as pessoas enlouquecem com frequência?

— Não. Elas não se tornam necessariamente loucas. Digamos que fazem quase as mesmas coisas que fazemos neste mundo.

Ela segurou com delicadeza o pênis de Tengo.

— Se, nesse mundo que não é o nosso, as pessoas fazem praticamente as mesmas coisas que aqui, qual é o sentido de ele existir?

— O sentido de sua existência é que nele o nosso passado pode ser reescrito — respondeu Tengo.

— Quer dizer que é possível reescrever o passado a seu bel-prazer, do jeito que lhe convier?

— Exatamente.

— Você quer reescrever o passado?

— Você não quer reescrever o seu?

Ela balançou a cabeça, discordando.

— Não quero reescrever meu passado nem a História. O que eu realmente gostaria de reescrever é o presente, a realidade do aqui e agora.

— Mas, quando você reescreve o passado, naturalmente altera o presente. O presente nada mais é que o acúmulo de acontecimentos do passado.

Ela suspirou novamente. Como se testasse o mecanismo de um elevador, movimentou para cima e para baixo o pênis de Tengo, que segurava firmemente nas mãos.

— A única coisa que se pode afirmar é que você foi um menino prodígio de matemática, exímio lutador de judô e está escrevendo um longo romance. Mas, fora isso, você *não entende nada* do que se passa neste mundo. Absolutamente nada.

Tengo não ficou surpreso de ser criticado de modo tão categórico. Ultimamente, não entender nada havia se tornado uma rotina para ele. Não era nenhuma novidade.

— Mas tudo bem você não entender nada — disse a namorada mais velha, mudando a posição do corpo para encostar os seios no corpo de Tengo. — Você é um professor dos sonhos, que leciona matemática em uma escola preparatória e todo dia escreve um pouco do longo romance. Quero que você continue assim. Eu adoro seu pênis. Gosto do formato e do tamanho dele. Adoro segurá-lo tanto duro quanto mole, doente ou saudável. Pelo menos por enquanto ele é só meu, não é?

— É isso mesmo — confirmou Tengo.

— Eu já disse que sou uma pessoa extremamente ciumenta, não disse?

— Disse. Um ciúme que ultrapassa os limites da razão.

— Extrapola *todos* os limites da razão. Há tempos que sou assim — disse ela, percorrendo sem pressa, mas com firmeza, seus dedos ao longo do membro. — Logo vou deixar ele novamente duro. Você tem alguma objeção?

Tengo respondeu que não tinha nenhuma objeção.

— O que você está pensando?

— Estou imaginando você como uma estudante, assistindo à palestra de literatura inglesa na Universidade Feminina do Japão.

— O texto era *Martin Chuzzlewit*. Eu tinha 18 anos, estava com um vestido bonito cheio de babados e o cabelo preso em rabo de cavalo. Era uma estudante séria e ainda virgem. Parece que estou falando de uma outra vida, mas, de qualquer modo, a primeira coisa que aprendi foi a diferença entre *lunatic* e *insane*. Que tal? Você fica excitado só de me imaginar assim?

— Fico — disse Tengo, fechando os olhos e imaginando-a de vestido com babados e rabo de cavalo. Uma estudante muito séria e virgem, que possui um ciúme que extrapola a razão. A lua iluminando a Londres de Dickens e pessoas insanas e lunáticas vagando por suas ruas. Elas usam chapéus parecidos, e as sombras projetadas também parecem as mesmas. Como se pode diferenciar uma da outra? Ao fechar os olhos, Tengo não tinha mais certeza em qual dos mundos ele se encontrava naquele momento.

1ª EDIÇÃO [2012] 19 reimpressões

ESTA OBRA FOI COMPOSTA PELA ABREU'S SYSTEM EM ADOBE GARAMOND E IMPRESSA EM OFSETE PELA GEOGRÁFICA SOBRE PAPEL PÓLEN DA SUZANO S.A. PARA A EDITORA SCHWARCZ EM FEVEREIRO DE 2025

A marca FSC® é a garantia de que a madeira utilizada na fabricação do papel deste livro provém de florestas que foram gerenciadas de maneira ambientalmente correta, socialmente justa e economicamente viável, além de outras fontes de origem controlada.